LARA

Catalogage avant publication de Bibliothèque et Archives nationales du Québec et Bibliothèque et Archives Canada

Titre : Lara / Marie-Bernadette Dupuy
Nom : Dupuy, Marie-Bernadette, 1952- , auteure
Dupuy, Marie-Bernadette, 1952- | Valse des suspects
Identifiants : Canadiana 20200082264 | ISBN 9782898041204 (vol. 2)
Classification : LCC PQ2664.U693 L37 2020 | CDD 843/.914–dc23

Images de la couverture :
Xload / Depositphotos ;
Kodachrome25 / iStock

Les éditions JCL bénéficient du soutien financier de la SODEC et du Programme de crédit d'impôt du gouvernement du Québec.

Financé par le gouvernement du Canada | Canada

Édition
LES ÉDITIONS JCL
jcl.qc.ca

Distribution nationale
MESSAGERIES ADP
messageries-adp.com

Imprimé au Canada

Dépôt légal : 2021
Bibliothèque et Archives nationales du Québec
Bibliothèque et Archives Canada

MARIE-BERNADETTE
DUPUY

LARA

**

La valse des suspects

LES ÉDITIONS JCL

Note de l'auteure

Chers Amis,

Je vous dirai simplement que le mystère est toujours au rendez-vous, dans ce second volume dédié à la Bretagne, où mes personnages se débattent au sein d'un tourbillon de soupçons, de secrets bien gardés, d'amours contrariés.

Aussi je vous invite à retrouver Lara, sa sœur Fantou, Olivier et Nicolas Renan, ce policier confronté à des crimes que la presse définit comme des rituels. Le suspense s'intensifie, mais chut… à vous d'en juger.

Je tiens aussi à redire, même si cet avertissement figure sur chaque ouvrage sérieux, que toute ressemblance avec des personnes existantes serait fortuite, et que les événements sont fictifs, hormis ceux signalés comme authentiques par une note.

Agréable lecture,

Marie-Bernadette Dupuy

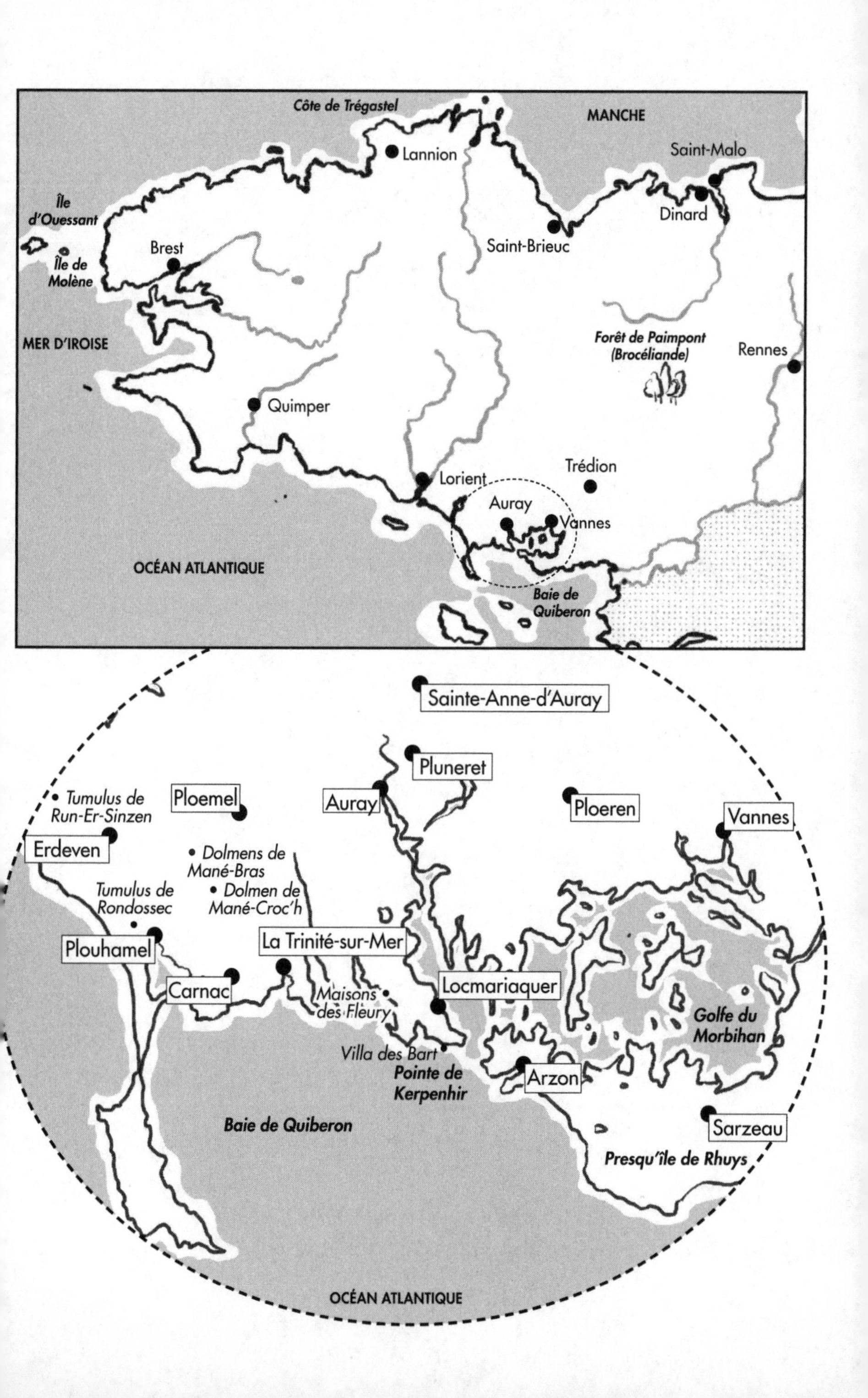
Côte de Trégastel
MANCHE
Lannion
Saint-Malo
Île
d'Ouessant
Dinard
Brest
Saint-Brieuc
Île de
Molène
MER D'IROISE
Forêt de Paimpont
(Brocéliande)
Rennes
Quimper
Trédion
Lorient
Auray
Vannes
OCÉAN ATLANTIQUE
Baie de
Quiberon
Sainte-Anne-d'Auray
Pluneret
Tumulus de
Run-Er-Sinzen
Ploemel
Auray
Ploeren
Vannes
Erdeven
Dolmens de
Mané-Bras
Tumulus de
Rondossec
Dolmen de
Mané-Croc'h
Plouhamel
La Trinité-sur-Mer
Carnac
Maisons
des Fleury
Locmariaquer
Golfe du
Morbihan
Villa des Bart
Pointe de
Kerpenhir
Arzon
Baie de Quiberon
Sarzeau
Presqu'île de Rhuys
OCÉAN ATLANTIQUE

Prologue

Auray, Hôtel des Halles, 6 janvier 1948

L'inspecteur Nicolas Renan déplorait de partir le lendemain pour Vannes, où il retrouverait son appartement de célibataire et ses collègues de la police. Quand bien même on lui réserverait sûrement un bon accueil, puisqu'il devait bientôt succéder au commissaire Urvois, il aurait préféré s'attarder encore à Auray.

— Tiendras-tu ta promesse de me rendre visite la semaine prochaine, Loïza ? murmura-t-il en contemplant la photographie de sa maîtresse.

Le cliché, de petite taille, voisinait avec un dossier cartonné. Renan esquissa un sourire, amusé par le souvenir du soir où cette belle femme de trente-six ans, qu'il adorait, avait consenti à lui remettre un portrait d'elle.

— Peut-être que tu voudras bien m'épouser un jour, dit-il encore, le regard rivé sur le carré de papier glacé.

De Loïza, il aimait tout : ses cheveux d'un roux foncé, soyeux et lumineux, ses yeux clairs, gris ou vert selon la lumière, et surtout son corps aux formes pleines, sa rare sensualité. Elle s'en plaignait parfois, presque gênée d'apprécier autant le plaisir charnel, car elle était très pieuse.

— Dans deux mois, je serai commissaire à mon tour, se dit-il, après avoir allumé une cigarette. J'ai intérêt à faire mes preuves.

Il replongeait dans le tabagisme depuis qu'il était en charge de l'enquête sur les meurtres de Madalen Le Goff et de Léa Bertho, des jeunes filles de la région dont les corps avaient été retrouvés sous des dolmens, près d'Erdeven, à un an d'intervalle. Il travaillait sur cette affaire sans relâche depuis des mois, mais l'assassin courait toujours.

D'un geste nerveux, Nicolas Renan s'empara d'un télégramme qu'il avait reçu la veille à la gendarmerie. Il relut le message, très bref mais significatif.

— Dieu merci, ils sont bien arrivés, marmonna-t-il. Les envoyer là-bas, de l'autre côté de l'Atlantique, était vraiment l'unique solution.

Le texte était rédigé en espagnol, une langue que l'inspecteur n'avait guère de mal à traduire. Signé par un faux patronyme, il lui indiquait cependant que la jolie Lara Fleury et son fiancé, Olivier Kervella, étaient hors de danger à Caracas, au Venezuela.

Un soupir de soulagement échappa à Renan, pendant qu'il faisait brûler le télégramme dans un cendrier. Le papier beige une fois consumé, il réduisit en fines particules les vestiges noircis, à l'aide du manche de son canif puis les jeta dans la poubelle en fer.

Il lança une œillade rageuse au dossier cartonné resté ouvert sur la table. L'inspecteur l'avait trouvé au cours des fouilles organisées au manoir de Tromeur après le suicide d'Éric Malherbe et la fuite de son complice, Barry, et son contenu était aussi inquiétant qu'inexplicable.

Lors de son court séjour à Molène, cette petite île de la mer d'Iroise, il n'avait pas parlé de sa découverte au principal intéressé, Olivier.

« Mais j'en ai touché un mot à ses parents, qui ont aussitôt tout mis en œuvre pour offrir un exil doré à leur sympathique rejeton. J'ai agi au mieux », se persuada-t-il.

Le clocher de l'église Saint-Gildas se mit à sonner. Il était 18 heures, mais il faisait déjà nuit dehors, tant le ciel était obscurci de nuages noirs.

— Je n'y comprends toujours rien, déclara le policier à mi-voix. Néanmoins j'ai les coudées franches, à présent. Le jeune couple peut roucouler en paix, là où il est.

L'inspecteur Renan referma le dossier. Il se leva pour enfiler son veston sur une chemise grise et un gilet en laine sans manches de bonne marque, le cadeau que lui avait fait sa mère à Noël.

On frappa à la porte de sa chambre. Saisi d'optimisme, il espéra qu'un des gendarmes de la brigade locale venait lui annoncer une bonne nouvelle concernant la traque de celui que la presse avait surnommé « le tueur des dolmens ». Un nouvel indice peut-être.

— J'arrive ! cria-t-il, envahi par un autre espoir, plus faible celui-ci, qui aurait un nom : Loïza Jouannic.

Il ne l'attendait pas, car sa maîtresse était déjà venue la veille, mais sa visite serait une magnifique preuve de son attachement. Impatient, il tourna la clef et entrouvrit le battant. Un homme entra aussitôt, surgi du couloir sombre.

— Mais qui êtes-vous ? protesta le policier.

L'inconnu le repoussa dans la pièce d'une violente bourrade, puis il lui assena plusieurs coups de couteau à la poitrine et au ventre. Terrassé par la douleur, Renan tituba, cherchant en vain à riposter. Il pensa, hébété, que son arme de service était dans le tiroir de sa table de chevet. La lame, effilée, plongea encore entre ses côtes. Pris d'un vertige irrésistible, l'inspecteur s'effondra sur le parquet. Une pensée dérisoire traversa son esprit.

« Je ne serai jamais commissaire… »

La face contre le sol, sa chemise et son gilet neuf maculés de sang, il perdit conscience avec un râle affreux.

Son agresseur l'enjamba, se dirigea vers la table et se saisit du dossier cartonné. Il ressortit prestement, ayant soin de refermer la porte derrière lui, en donnant un tour de clef. Tout s'était déroulé en silence, durant quelques minutes fatidiques.

TROIS ANS ET CINQ MOIS PLUS TARD

1

Retour au pays natal

Entre Dinard et Locmariaquer,
dimanche 20 mai 1951

Lara contemplait la lande qui s'étendait de chaque côté de la route. L'herbe était rase, parsemée de fleurettes jaunes, sous un ciel bleu pâle. Au loin, les toits en ardoise d'un hameau se dessinaient derrière une haie de sureaux et d'aubépines. Elle avait aperçu, au milieu d'un champ, la masse grise d'un dolmen, que survolaient des goélands. Une profonde émotion précipitait les battements de son cœur.

— Quand arriverons-nous, Olivier ?

— Nous serons à Locmariaquer pour partager un goûter en famille, je te l'ai promis.

La jeune femme était assise à l'arrière, et son compagnon lui adressa un sourire par le biais du rétroviseur intérieur. Olivier conduisait à une allure modérée, lui aussi troublé de revoir les paysages de sa Bretagne natale.

— Cette voiture est formidable, fit-il remarquer. Qu'en penses-tu, ma chérie ?

— J'appréciais davantage ma jument et ma calèche, là-bas, sur nos terres d'Amérique du Sud, répliqua-t-elle en riant.

— Mon père serait outré s'il t'entendait. Il était si fier

de me confier sa précieuse Delage[1] ! Un modèle luxueux, admets-le.

— Oui, c'est un engin assez réussi, plaisanta Lara.

Elle se revit dans le garage de Jonathan Kervella, à Dinard, où elle avait admiré l'automobile noire décapotable, à l'élégante et imposante carrosserie d'un noir luisant, aux chromes brillants.

— Son principal avantage est d'être plus rapide que le train ou l'autobus, ajouta-t-elle d'un ton faussement enjoué.

— Tu es nerveuse, Lara, je le sens, nota Olivier. N'aie pas peur, tout ira bien et nous serons de retour à la maison au début du mois de septembre.

Le jeune couple surnommait ainsi la propriété où ils vivaient depuis plus de trois ans, au Venezuela, et qui était désormais leur foyer. Ils avaient l'intention de s'y installer définitivement après leur séjour en France.

— Je n'ai pas peur, mentit-elle. Je suis tellement heureuse de retrouver ma famille, nos amis. Le départ a été précipité, et je te remercie de l'avoir organisé aussi vite. En fait, j'ai l'impression de rêver, tu sais pourquoi.

Lara avait baissé la voix, prête à pleurer. Olivier lui jeta un autre coup d'œil dans le petit miroir.

— Ne sois pas superstitieuse, déplora-t-il. Tu peux dire le mot qui te met au bord des larmes, ça ne changera rien.

— Et s'il avait disparu à nouveau ? murmura-t-elle. Oui, si c'était faux, si papa n'était pas au bout de cette route ?

— Tu as enfin réussi à le dire, Lara ! Tu t'es retenue de prononcer ce mot, « papa », depuis des jours.

— Oui, je sais. Papa, papa, mon cher petit papa, énonça-t-elle la gorge nouée. Je le croyais mort. Mon Dieu, maman a dû être folle de joie en le revoyant. C'est un vrai miracle. Dis, tu ne m'en veux pas ?

---

1. La production des voitures Delage, souvent des modèles luxueux, a cessé en 1953.

— Je serais bien en peine de t'en vouloir ! Ton père a survécu, je m'en réjouis sincèrement. J'aurais réagi comme toi, à ta place. Tu ignores ce qu'il a enduré, tu as besoin de t'assurer qu'il est bien vivant. J'aurais eu honte de te refuser ce voyage. Lara, quand on aime, on souhaite le bonheur de l'être aimé, quitte à prendre des risques.

— Tu penses que je nous mets en danger ? s'alarma-t-elle.

— Je l'ignore. Nous sommes là sous une fausse identité, ceux qui ont cherché à me nuire ont dû se lasser, après tout ce temps.

Lara retint un soupir, en observant avec ferveur le profil d'Olivier. Il arborait une moustache et un collier de barbe aussi noirs que ses cheveux, un teint bruni par le soleil qui faisait ressortir le bleu sombre de ses yeux.

— En plus, tu es presque méconnaissable, constata-t-elle.

— Mais toi, à part ta peau dorée, tu n'as pas changé. Enfin si, tu es encore plus belle.

— Merci… Fantou doit être une ravissante jeune fille maintenant, nota Lara. Te rends-tu compte, je l'ai quittée quand elle avait treize ans et demi, et elle aura dix-sept ans cet été. Cette fois, je pourrai fêter son anniversaire. J'ai tant de choses à lui raconter.

— Nous approchons d'Auray, déclara Olivier. Si on s'arrêtait boire un café ?

— Non, notre poupée se réveillerait. Elle dort si bien.

Lara se pencha un peu afin de caresser la joue d'une toute petite enfant assoupie, dont la tête brune reposait sur ses genoux.

— Maman va tomber des nues, Fantou aussi, mais elles auront la plus merveilleuse surprise de la terre, affirma-t-elle.

— Nous aurions quand même dû annoncer la naissance de Loanne. Cela aurait été possible par l'intermédiaire de mes parents, puisqu'ils devaient rester en contact avec mon ami Daniel. Avoue qu'ils étaient émerveillés, en découvrant leur petite-fille.

— Ta mère avait les larmes aux yeux, du coup j'ai pleuré moi aussi, répliqua Lara. Mais ils ne nous ont fait aucun reproche.

— Ils paraissaient pourtant en plein désarroi, et mon père m'a tenu un sermon sur notre retour précipité.

Madeleine et Jonathan Kervella étaient loin de s'attendre à la visite qu'ils avaient eue la veille, au milieu de la matinée. S'ils obtenaient quelques nouvelles du jeune couple en exil grâce à des télégrammes codés et expédiés sur l'île de Molène, ils ne savaient rien de leur vie quotidienne au Venezuela.

— En principe, nous ne devions pas communiquer avec nos familles, plaida Lara. Et tu étais d'accord avec moi, nous avions l'impression de protéger notre bébé, en cachant à tous son existence.

Olivier approuva d'un signe de tête. Ils longeaient maintenant la rue principale d'Auray, encombrée par les vélos et les voitures.

— Quelle pagaille ! se plaignit-il en sortant de la ville. Nous étions plus tranquilles dans notre propriété près de Coro[1], n'est-ce pas ? J'ai connu un bonheur parfait, là-bas. Toi à mes côtés, nuit et jour, l'espace, la mer, et notre petit cœur, Loanne, pour nous combler.

— C'était le paradis, mon amour, avoua tout bas Lara.

Elle ferma les yeux un instant, bouleversée, en proie à des sensations confuses où se mêlaient l'impatience, l'appréhension, mais également la nostalgie de l'agréable demeure où ils avaient partagé des heures exquises, Olivier et elle.

« Nous étions loin de tout, en terre étrangère, et pendant presque quatre ans, j'ai oublié la peur, le froid, la faim, songea-t-elle. Il m'arrivait d'avoir honte, car au

1. Ville du Venezuela, capitale de l'État de Falcón. Le port de Coro s'ouvre sur la mer des Caraïbes.

fond, maman et Fantou ne me manquaient pas vraiment. »

Un coup de klaxon tira Lara de ses pensées. Elle regarda la route, où déambulait un troupeau de vaches de race armoricaine, de puissantes bêtes à la robe rousse.

— Tu vas les effrayer, Olivier, s'inquiéta-t-elle.

— Mais non, elles vont dans ce pré, à droite.

Un vieil homme, coiffé du traditionnel chapeau breton, leva la main lorsque la grosse automobile le dépassa. Son chien fit mine de vouloir mordre une des roues, en aboyant et grognant.

— Maman, appela une voix frêle.

Loanne se redressa, échevelée, les joues rouges. Elle cligna des paupières, avant d'ébaucher un sourire.

— Ne crains rien, mon petit cœur, murmura Lara. As-tu soif ?

Olivier, toujours à l'aide du rétroviseur, considéra tendrement l'enfant.

— Alors, ma p'tite bouille, tu as fait un gros dodo ? dit-il, rieur.

— Oui, papa. Un très gros dodo.

Lara et Olivier étaient en adoration devant Loanne. Selon eux, elle faisait preuve d'une vive intelligence pour son âge et d'un caractère angélique. Mais Carlota, leur domestique, n'était pas vraiment du même avis. Cette robuste métisse d'une quarantaine d'années estimait la petite capricieuse et beaucoup trop gâtée.

— Je veux marcher dehors, moi, débita la petite fille.

— Bientôt, trésor, et comme je te l'ai promis, nous irons sur la plage, répondit Lara. Tu vas voir ta grand-mère Armeline et ta jolie tante, ma sœur Fantou. Et aussi… ton grand-père Louis.

Satisfaite, Loanne se nicha contre Lara. Olivier accéléra sur une ligne droite. Malgré la bonne humeur qu'il affichait et le fait que leur retour état motivé par une nouvelle extraordinaire, il avait du mal à être serein. Les mauvais souvenirs affluaient, ainsi qu'une angoisse larvée.

« Et si on se jetait dans la gueule du loup ? se demanda-t-il. Nous serions toujours au Venezuela, sans la lettre que Fantou a envoyée. Non, je me tourmente pour rien, ce courrier n'a pas pu être intercepté. Il ne se passera rien, nous repartirons les premiers jours de septembre. Nous serons très prudents et très discrets. Mes parents semblaient confiants, eux. »

Vaguement réconforté par son raisonnement, Olivier siffla un refrain joyeux, sur un rythme de salsa, une danse prisée par les habitants de Coro. Lara fredonna à son tour, en espagnol, ce qui enchanta Loanne. Une quinzaine de minutes plus tard, ils étaient arrivés à Locmariaquer.

Chez les Fleury, même jour, même heure

Fantou, survoltée, veillait au moindre détail. Elle avait sorti une table en osier pour la mettre dans le jardin, à l'ombre du buisson de rhododendrons. D'un geste théâtral, elle la drapa d'une nappe à fleurs, posa au centre une carafe d'eau fraîche.

— Des sièges, il faut cinq sièges, murmura-t-elle. Papa, peux-tu apporter un tabouret ? Papa ?

Mince, racée, Fantou jeta un regard par la fenêtre ouverte donnant sur la pièce principale. Ses parents avaient disparu.

« Ils doivent s'habiller un peu mieux pour accueillir Lara », se dit-elle.

La jeune fille était vêtue d'un pantalon en toile beige et d'un corsage en cretonne blanche. Ses longs cheveux blonds, très lisses, étaient retenus en arrière par un bandeau noir. Ses yeux bleus s'accordaient à la pureté du ciel de mai.

D'un pas aérien, elle alla chercher le tabouret désiré, puis elle extirpa de sa poche le télégramme reçu la veille et qu'elle avait déjà lu plus de dix fois.

— Je n'ai pas rêvé, c'est bien écrit : « Serons là dimanche après-midi. Henriette. » Lara a choisi le prénom de notre grand-mère du côté de papa. C'est expédié de Dinard.

— Qu'est-ce que tu marmonnes, Fantou ? fit une voix lasse dans son dos.

— Rien, papa, je suis si contente, nous allons revoir Lara. J'étais sûre qu'elle reviendrait en apprenant que tu étais de retour. Nous serons tous réunis.

Louis Fleury approuva d'un faible sourire. Il s'était donné un coup de peigne et avait changé de chemise. Fantou lui effleura l'épaule d'une main timide, avant de désigner un récipient couvert d'un torchon.

— Ma pâte à crêpe est assez reposée, je vais commencer à en faire cuire.

— Il fait bien chaud, aujourd'hui, des biscuits auraient suffi, ma pauvre petite, commenta son père.

— Non, des crêpes, car c'est un jour de fête, insista-t-elle.

Au même instant, on toqua à la porte principale, qui ouvrait sur le chemin étroit, bordé de troènes, menant à la route. De l'autre côté du lourd battant peint en bleu foncé, Lara tentait de se calmer, le cœur pris de folie. Elle avait demandé à Olivier d'emmener Loanne faire une courte promenade, afin d'être seule au moment des retrouvailles.

— Ce sont eux, papa ! s'écria Fantou. Entrez vite !

Un flot de lumière se répandit dans la pièce lorsque Lara leur apparut, à contre-jour. Elle tremblait, les traits tendus.

— Mon Dieu, papa, mon petit papa, gémit-elle.

Des sanglots suivirent ces mots balbutiés, tandis qu'elle se jetait au cou de Louis Fleury qui serra sa fille aînée contre lui. Armeline se rua hors de sa chambre, avec une clameur heureuse :

— Seigneur, Lara, ma *merc'h*[1] !

Elle dut se contenter de caresser le dos de Lara, qui étreignait son père de toutes ses forces.

— Papa, nous avons tellement espéré que tu étais vivant, disait-elle. Fantou priait matin et soir, nous brûlions des cierges à l'église pour toi. Papa, tu es là, enfin là, chez nous.

— Du calme, ma fille, souffla Louis, lui aussi en larmes. Laisse-moi te regarder, quand même !

Il réussit à reculer un peu, tout en la tenant par les épaules. Lara riait et pleurait, secrètement effarée devant le pitoyable aspect de son père, jadis robuste et séduisant. Louis Fleury était maigre, presque décharné. Ses cheveux noirs avaient grisonné, des cicatrices marquaient son visage anguleux. De surcroît, il se tenait voûté, un rictus amer au coin des lèvres.

« Mon Dieu, je l'aurais à peine reconnu ! s'effraya-t-elle. Et il semble très triste. »

— Tu es devenue une belle jeune femme, déclara Louis d'un ton mélancolique après l'avoir étudiée des pieds à la tête. Tu avais seize ans, hein, quand on m'a arrêté. C'est Fantou qui m'a causé un gros choc ! Penses-tu, je laisse une gamine de neuf ans, et je découvre une vraie demoiselle.

Fantou se désolait, car sa sœur s'obstinait à fixer leur père d'un air égaré, assorti d'un sourire douloureux.

— Et moi alors, tu ne m'embrasses pas, Lara ? implora-t-elle, à bout de patience.

— Mon petit korrigan, bien sûr que je vais t'embrasser, je vais même t'étouffer de baisers ! Dieu que tu es belle !

— Et moi ? renchérit Armeline, fébrile.

---

1. « Ma fille », en breton.

Lara cajola d'abord Fantou, ivre de joie de la sentir blottie dans ses bras, de savourer le satin de ses joues fraîches. Mais elle s'empressa de câliner sa mère, qui se mit à pleurer de bonheur.

— Ma foi, on dirait le retour de l'enfant prodigue ! émit Louis Fleury d'un ton sec. Crois-moi, Lara, le jour où j'ai frappé ici, chez moi, il n'y avait personne ! Je n'ai pas eu droit à un accueil aussi chaleureux.

— Oh Louis, pitié ! protesta son épouse. Tu sais combien je le regrette. Nous logions chez les Bart, évidemment tu ne pouvais pas le savoir. Lara, ton père est rentré depuis un mois et il me reproche sans cesse d'avoir trouvé la maison vide. Changeons de sujet, ta sœur veut faire des crêpes. On les mangera dehors, avec du cidre. Si je m'attendais à te voir arriver aussi vite !

— Où est Olivier ? interrogea Fantou, déjà occupée à tisonner les braises sur lesquelles la poêle chauffe-rait.

— Il ne va pas tarder, je lui ai demandé d'avoir un petit quart d'heure seule avec vous trois, expliqua Lara.

Elle dissimulait de son mieux la sensation de panique qui l'oppressait. Tout la désemparait, de l'attitude singulière de son père à la mine soucieuse de sa mère. La maison était bien tenue, mais elle avait oublié ses dimensions modestes, surtout si elle la comparait à leur demeure du Venezuela, spacieuse, ensoleillée, dotée d'une grande terrasse d'où ils pouvaient admirer la mer des Caraïbes.

— Ce ne sont pas des manières d'écarter son mari, Lara, lui signifia son père. J'ai hâte de rencontrer le type qui t'a emmenée en Amérique à cause de ses embrouilles personnelles.

— Tu comprendras mieux quand nous aurons pu discuter tranquillement, affirma-t-elle, de plus en plus anxieuse.

Une voix fluette, en provenance du chemin, attira l'attention de ses parents et de sa sœur. Loanne trottinait vers la porte restée ouverte. La petite fille brandissait une touffe de fleurs roses.

— Bonjour ! lança Olivier qui la suivait de près.

Chez Rozenn et Odilon Bart, même jour, même heure

Odilon, les manches de sa chemise retroussées, désherbait une bordure où il avait semé des herbes aromatiques. Rozenn arrosait une jardinière de géraniums, d'une délicate couleur rose.

— Tout est prêt dans la villa, indiqua-t-elle. J'ai fait le lit de la grande chambre, il y a un bouquet sur la commode. Fantou était certaine que Lara et Olivier logeraient chez nous, mais elle a pu se tromper.

— Fais-lui confiance, notre protégée est avisée, rétorqua son frère. Il n'y a que deux chambres dans leur maison. Et puis, cette pauvre gosse y voit clair à propos de son père. Fleury mène la vie dure à Armeline. Il ne fait que se plaindre.

— Est-ce étonnant, Odilon ? Ce malheureux a été déporté par la faute de ce gredin de Yohann Cadoret, alors qu'il n'avait rien fait de mal. Sait-on ce qu'il a enduré ? D'après Fantou, son père lâche des renseignements par bribes, sur ses années passées en Russie et en Sibérie.

— Tu pardonnerais au diable en personne, Rozenn, maugréa le retraité.

— Tais-toi donc, c'est faux. J'éprouve de la compassion pour M. Fleury, mais je suis révoltée qu'on ait libéré Cadoret. Il n'a même pas purgé toute sa peine de prison.

Leur gros chien blanc, affublé d'une tache beige sur l'oreille droite, aboya sourdement. Couché à l'ombre d'un mur, il fixait Rozenn de ses yeux bruns.

— Eh bien, Nérée ? Qu'as-tu senti encore ? s'amusa-t-elle. Il n'y a pas âme qui vive à proximité.

— Ton cabanon est envahi de souris, Rozenn, il les entend mener leur sarabande. Je mettrai du poison, ce soir.

— Je te l'interdis, Odilon ! Si je te vois semer ces maudits grains empoisonnés, tu auras affaire à moi. Tout à l'heure, je laisserai le chat de Fantou entrer dans ma baraque, ce sera aussi efficace.

— Je me demande bien pourquoi tu ne l'as pas fait plutôt !

— Parce que c'est un matou et qu'il a la déplorable habitude de marquer son territoire, comprends-tu ?

Odilon haussa les épaules, un air moqueur sur sa face ronde tannée par le grand air. Le frère et la sœur se chamaillaient ainsi fréquemment, ce qui les amusait, au fond.

— Lara en aura des choses à nous raconter, soupira Rozenn. Je croyais qu'ils reviendraient après un an, mais non. Le temps m'a paru long, même si nous avions la compagnie de Fantou et de sa mère.

— Et c'est terminé, maugréa Odilon. Bah, nous n'y pouvons rien. Si tu veux mon avis, Fleury exagère, il aurait pu autoriser notre Fantou à rester ici. C'était plus pratique pour elle maintenant qu'elle va au lycée d'Auray. Je pouvais la conduire à l'arrêt du bus.

— C'est normal qu'il veuille sa fille près de lui et qu'il ait mal pris l'absence de Lara. N'en parlons plus. J'ai un plat au four, je vais voir s'il est doré à point.

Une fois seul dans la cour, Odilon abandonna la corvée de désherbage. Il souleva sa casquette pour passer la main sur son front. Son vieux cœur était meurtri par le départ d'Armeline. La jolie femme blonde, sa cadette de vingt ans, avait illuminé son quotidien.

— Fichu destin, bougonna-t-il en allumant sa pipe. Nous étions bien heureux, tous les quatre.

Chez les Fleury, même jour, même heure

Figée sur le seuil de la maison, Loanne jetait des coups d'œil inquiets aux trois adultes qui étaient des étrangers à ses yeux. Lara se précipita vers elle et la souleva, pour la nicher dans ses bras. Olivier ne disait mot, conscient du malaise que causaient son apparition et celle de l'enfant.

— Maman, papa, Fantou, je vous présente Loanne, notre fille, dit posément Lara. Elle vient d'avoir trois ans. En fait, j'étais enceinte à Noël 1947, quand nous logions chez Daniel Masson. Je l'ignorais, je m'en suis aperçue les premiers jours de notre arrivée au Venezuela.

— Seigneur, quelle surprise ! s'extasia Armeline. Elle est adorable. Me voici grand-mère !

Louis Fleury fixait les dalles en granit du sol. Il était bien incapable de se réjouir, sidéré par le manque de pudeur de Lara, qui évoquait sa grossesse sans aucune gêne. Un doute pénible le taraudait, également.

— C'est merveilleux, renchérit Fantou qui s'était approchée de sa nièce. Bonjour, toi, puis-je te donner un bisou ?

La petite fit oui d'un signe de tête, charmée par le beau sourire de la jeune fille.

— Papa, je te présente aussi Olivier, déclara Lara.

Les deux hommes échangèrent une discrète poignée de mains, en se jaugeant du regard.

— Alors comme ça, vous êtes le mari de ma grande fille ? dit tout de suite Louis, d'un ton inquisiteur.

Il y eut un court silence. Lara préféra être honnête, ce qu'elle déplora très vite.

— Nous ne sommes pas encore mariés, papa, précisa-t-elle. C'était compliqué à cause de nos faux papiers.

— Ah ! Bien sûr, vous allez me débiter vos histoires à dormir debout, en guise d'excuses ! tonna son père. Je suis au courant, ta mère et ta sœur se sont empressées de me renseigner. Il paraît que vous vous la coulez douce aux frais de M. Kervella. Lui non plus, ça ne l'a pas dérangé, votre concubinage.

— Papa, par pitié, ne crie pas ! s'insurgea Fantou.

— Bon, je ne ferai pas d'esclandre maintenant, bougonna-t-il. Je ne veux pas effrayer cette petite, mais je suis déçu, Lara, très déçu. Je t'ai élevée dans le respect des convenances, et surtout, dans la foi catholique. Tu as vécu avec cet homme en dehors des sacrements religieux. Dis-moi, était-ce compliqué de vous marier sur l'île de Molène, où il y avait une église et un curé ?

— Je t'en prie, papa, ne gâche pas tout ! s'emporta Lara, au bord des larmes.

— Monsieur, je suis désolé, intervint Olivier. Je conçois votre déception et votre contrariété, mais nous pourrons mettre les choses au point un peu plus tard. Lara était tellement heureuse à l'idée de vous revoir. Elle n'en dormait plus. Vous avez survécu, vous êtes enfin chez vous, en famille, après des années de souffrance, n'est-ce pas le plus important ?

Interloqué par la voix bien timbrée d'Olivier, par les mots qu'il venait d'entendre, Louis Fleury le toisa avec méfiance.

— Ne cherchez pas à m'amadouer, jeune homme, trancha-t-il. Je n'ai plus foi en mes semblables, seulement en Dieu, qui m'a gardé vivant, qui a exaucé mes prières. Il était ma lumière, dans l'enfer où on me rabaissait au statut d'un animal. Je n'avais qu'un vœu, rentrer ici, retrouver ma femme et mes filles, mais on ne m'attendait plus. On m'avait oublié.

Loanne choisit ce moment pour revendiquer à sa façon. Elle poussa une clameur stridente, en essayant d'échapper à l'étreinte de Lara.

— Voilà, notre petite chérie a peur ! s'indigna celle-ci. Je lui avais promis un bon goûter, avec ses grands-parents et sa tante, mais elle n'a droit qu'à des vociférations. Olivier, emmène-la dans le jardin, je t'en prie.

— Oui, ce sera mieux, je lui apporte des biscuits, il y a de l'eau fraîche et des verres sur une table, ajouta Fantou, affligée par la tension qui régnait.

Quant à Lara, après avoir éprouvé du chagrin, elle cédait à la colère. Superbe d'indignation, elle fit face à son père.

— Nous avons eu foi en Dieu, nous aussi, papa, pendant ces longues années privées de toi, de ton soutien. Nous ne t'avons jamais oublié, comment oses-tu dire ça ? Rien n'a été facile, après ton arrestation. J'ai dû renoncer à mes études et travailler pour nourrir maman et Fantou. J'étais fière de sortir en mer, dans ton bateau. Je te parlais souvent, je me souvenais de tes conseils, de ton beau sourire quand nous étions ensemble à la pêche. Tu dois le savoir, c'était la misère, la désolation ici, sous ce toit, mais tu étais dans nos pensées, et nous t'attendions malgré tout. J'aurais été la première heureuse d'épouser Olivier, or ça n'était pas possible au vu des circonstances. Mais je l'aime de toute mon âme, je lui ai déjà juré fidélité et notre enfant a scellé notre engagement mutuel.

Armeline, tremblante, se signa, de crainte d'un nouvel éclat de Louis, qui serrait les poings, livide. Elle peinait chaque instant du jour et de la nuit, livrée aux rages incompréhensibles de cet inconnu qu'était désormais son mari. La joie extraordinaire dont elle nimbait leurs retrouvailles, lorsqu'elle les imaginait, s'était avérée une lutte sournoise, au goût de fiel.

Pourtant, les paroles véhémentes de Lara avaient atténué la rancœur de Louis. Il se roula une cigarette, l'alluma, l'air pensif.

— Tu n'as pas changé de caractère, toi au moins, marmonna-t-il avec un vague sourire à l'adresse de sa fille aînée. Je vais essayer d'être un peu plus aimable. Ta sœur préparait des crêpes, ça te ferait plaisir ?

— Oui, si elles ne sont pas à la grimace, papa !

— D'accord, je ferai un effort. Je débouche le cidre.

— Sais-tu que M. Tardivel a embauché Louis ? déclara Armeline, un peu rassurée. Il navigue sur les plates[1], comme toi. Et M. Bart m'a dit qu'il nous redonnait le bateau, équipé d'un moteur en plus.

— C'est formidable, et ça ne m'étonne pas d'Odilon, il n'y a pas plus gentil sur terre ! s'enflamma Lara.

Elle avait cependant noté que sa mère appelait leur vieil ami « monsieur » sans le désigner par son prénom. De même, elle remarqua l'expression froide de son père.

— Nous irons en balade sur notre îlot, papa, dit-elle afin de l'égayer. Rien que toi et moi.

— Peut-être, Lara, rétorqua-t-il en soupirant. Mais ce bateau ne m'appartient plus, ta mère a cru bon le vendre. Je ne veux pas de la charité des Bart, j'ai tout perdu, sauf mon orgueil.

Chez Rozenn et Odilon Bart, même jour, trois heures plus tard

Le soleil déclinait, irisant la mer de reflets dorés. Olivier se gara à une dizaine de mètres de la villa des Bart, comme venait de lui demander Fantou. La jeune fille leur avait fait quelques confidences dès qu'elle s'était assise dans l'automobile.

— Je voudrais juste que tu nous aides, maman et moi, Lara, expliqua-t-elle. Et je ne pourrai rien dire en présence de Rozenn et d'Odilon. Ils seraient malheureux. Nous vivons un cauchemar, à la maison.

— C'est à ce point, Fantou ? s'étonna sa sœur.

— Oui, papa n'était pas aussi autoritaire par le passé, ni aussi bilieux. On dirait un inconnu plein de hargne, mais j'ai de la chance, il m'a permis de dîner là ce soir, avec vous.

---

1. Grosses barques à fond plat utilisées en ostréiculture.

Désemparée, Lara hésitait à répondre. Olivier en profita pour descendre du véhicule.

— Je vais promener Loanne sur la plage, leur dit-il. Elle n'a que trois ans, nos soucis d'adultes ne doivent pas l'affecter.

— Mais je voulais entrer avec toi chez nos amis, déplora Lara. Je suis sûre qu'ils ont aperçu la voiture.

— Dans ce cas, je marche un peu sur la route, concéda-t-il, en s'efforçant de sourire. Ne tardez pas.

Fantou le regarda s'éloigner, puis elle s'accouda au dossier de la banquette avant. Elle posa sa main droite sur l'épaule de sa sœur.

— Lara, j'en suis malade de honte, mais parfois je regrette que papa soit revenu.

— Veux-tu te taire ? Je t'interdis de raisonner ainsi, Fantou. Il faut lui accorder du temps. Durant ces huit ans loin de nous, il a dû subir d'épouvantables épreuves. Sois franche, qu'est-ce qui s'est passé ? Dans ta lettre, tu semblais euphorique.

— Bien sûr, j'avais tant prié pour le retour de papa. Et tout au début, il était assez gentil. Il dormait du matin au soir, car il mangeait beaucoup et buvait un peu trop. Maman n'osait pas lui reprocher. Quand je suis partie pour Molène, je croyais que petit à petit, papa redeviendrait lui-même.

— Il ne peut pas se remettre de ce qu'il a enduré en quatre semaines, plaida Lara. Son humeur s'en ressent, on ne doit pas l'en blâmer. Ne t'inquiète plus, nous restons en France jusqu'au mois de septembre. Tout va s'arranger, tu verras. Viens, Olivier nous fait signe, et j'entends Nérée aboyer. Enfin, si c'est toujours lui le chien de garde ?

— Oui, Rozenn et moi n'aurions pas voulu d'un autre chien si nous l'avions perdu, affirma Fantou. Je l'aime tant et il me le rend bien.

— Comme tu as changé, mon korrigan ! Ton allure, ta voix, tes manières. Et tu es vraiment très jolie.

— Merci, Lara. Dieu soit loué, tu es là, avec moi.

Elles sortirent de la voiture pour rejoindre Olivier, dont les traits tendus témoignaient de sa nervosité. Ils franchirent le portail en fer, récemment repeint en bleu.

— J'ai peur du ch'en, geignit Loanne quand elle vit Nérée dans la cour. Au cou, maman.

— Papa va te prendre dans ses bras, répondit Lara. Le chien est très gentil, Loanne. Regarde, Fantou le tient par son collier. Il nous fait fête.

Rozenn et Odilon accouraient. Ils les avaient guettés depuis le perron de la villa, sans oser se manifester. La petite fille se mit à pleurer, bien que blottie contre Olivier.

— J'ai peur de la vilaine dame, murmura-t-elle. Pourquoi elle est toute rouge ?

Le visage écarlate de Rozenn avait de quoi impressionner une enfant de trois ans. Lara espéra que leur amie n'avait pas entendu.

— Quel bonheur, vous voilà ! se réjouissait Odilon. Alors, Fantou disait vrai, vous dormirez là quelques jours. Ma sœur s'est donné du mal, votre chambre n'a rien à envier à celle d'un bon hôtel.

Lara étreignit Rozenn, qui, la gorge nouée, se contentait de sourire, ensuite ce fut au tour du retraité. Il se laissa câliner avec une expression heureuse qui plissait ses joues rondes, striées de rides, tandis que ses yeux bleus s'embuaient de larmes, sous sa couronne de cheveux blancs, ébouriffés. On s'embrassa dans un joyeux concert d'exclamations, de rires.

« Nous sommes mieux reçus que chez les Fleury, se dit Olivier. Ce n'est guère surprenant si Fantou se désole de ne plus habiter là. »

Il n'avait pas encore pu en discuter avec Lara, mais il augurait mal de leur séjour. Les semaines à venir l'effaraient. Le cœur serré, il eut envie de se retrouver par enchantement dans leur propriété du Venezuela.

Loanne, qu'il tenait contre lui, enfouit son minois au creux de l'épaule paternelle. Elle réclamait tout bas sa nounou, la plantureuse Carlota.

En dépit de ses appréhensions, Olivier se montra un convive agréable pendant le dîner. Il fit honneur à l'excellente cuisine de Rozenn, qui apprécia ses compliments. Lara n'était pas dupe. Son compagnon, d'instinct, avait regardé plusieurs fois la mer par la baie vitrée.

« Il voudrait prendre le large, songeait-elle. Au sens propre du terme. Je suis certaine qu'il va partir pour l'île de Molène dès qu'il en aura l'occasion. »

— Ma sœur m'a dit que votre petiote s'est endormie en deux minutes, commenta Odilon.

— Oui, elle était épuisée, admit Lara. Elle s'est pelotonnée au milieu du grand lit.

— Demain, nous installerons un divan, promit Odilon. Si j'avais su, j'aurais acheté un lit d'enfant, hélas je ne suis pas devin. Le brocanteur en vend un, il suffirait de le nettoyer. Dites donc, vous nous avez fait une belle surprise ! Loanne… Le prénom n'est pas commun, il vient de la langue celte. Plus précisément d'Elouan, un moine irlandais qui vécut au VIIe siècle, un fervent missionnaire qui voulait évangéliser les païens d'Armorique. Je vérifierai dans un de mes livres, je crois qu'il signifie « lumière ». Loanne te ressemble, Lara.

— Non, c'est le portrait de son père, rectifia Fantou.

— De toute façon, Lara et Olivier pourraient passer pour frère et sœur, hasarda alors Rozenn. Je l'ai remarqué il y a longtemps.

— Ne parlez pas de malheur ! se récria le jeune homme. Si c'était le cas, M. Fleury m'égorgerait sur-le-champ.

Il voulait plaisanter, mais le ton était amer. Lara lui adressa un coup d'œil furibond, tandis que Rozenn se signait, confuse.

— Olivier, évite d'employer ce mot, recommanda Fantou, très pâle. Les crimes ont continué dans le pays, toujours au début du mois de septembre. Trois jeunes filles ont été tuées, exactement de la même manière que Madalen Le Goff et Léa Bertho. La victime de l'an dernier était mon professeur d'anglais au lycée d'Auray, Suzanne Delors. Elle avait vingt-trois ans.

— Je suis navré, pardonne-moi, Fantou, dit tout bas Olivier. J'ai été d'une rare maladresse.

— Tu ne pouvais pas le savoir, je suppose qu'on ne vous a pas communiqué les mauvaises nouvelles, rétorqua-t-elle.

Un coup de tonnerre résonna. Le ciel nocturne fut strié par un éclair étincelant. Aussitôt une deuxième déflagration ébranla les cheminées de la villa.

— Un orage, ça ne me surprend pas, nota Rozenn. Il faisait très chaud aujourd'hui, pour la saison. Lara, écoute, ta petite s'est réveillée, elle pleure.

— Je monte la voir, pourtant d'habitude elle n'a pas peur, nous avons eu des tempêtes là-bas.

Sous le choc des révélations de Fantou, Lara aurait voulu pouvoir réfléchir, mais elle grimpa l'escalier quatre à quatre. Elle se retourna une fois sur le palier, pensant qu'Olivier la suivait.

« Il m'aurait accompagnée, si nous étions chez nous, à Coro », se dit-elle.

Sa fille hurlait de terreur. Des roulements grondeurs faisaient écho à ses cris. Lara la trouva assise au milieu du grand lit, bouche bée, les yeux fermés. Sa frimousse ronde était rouge et crispée, sous la clarté diffuse en provenance du couloir.

— Loanne, mon cœur, ma p'tite bouille, maman est là ! Tu n'étais pas dans le noir. J'avais laissé la porte entrebâillée. Trésor, calme-toi.

Ni les baisers, ni les câlins ne purent apaiser l'enfant, secouée de gros sanglots. Elle s'égosilla encore plus fort lorsqu'une averse de grêle s'abattit sur le toit.

Sa fille dans les bras, Lara ne cherchait plus de mots doux, terrassée par la violence insolite de l'orage. Elle revoyait pêle-mêle la maigre figure de son père, ses mimiques dédaigneuses, la mine dépitée de sa mère, le tremblement de ses mains, tandis qu'elle pliait les crêpes en quatre.

Rozenn se glissa dans la chambre à l'instant précis où un nouveau coup de tonnerre éclata, d'une puissance terrible, pareil à une suite d'explosions. La lampe du couloir s'éteignit.

— La foudre a dû tomber sur le pylône électrique, Lara. Je vais allumer une bougie, j'en mets toujours une dans le tiroir de la table de chevet, avec un briquet. Quelle malchance, pour votre premier soir !

Les pleurs spasmodiques de Loanne redoublèrent, à cause de l'obscurité soudaine. Pourtant, chaque éclair jetait un peu de luminosité à travers les persiennes.

— Je vous tourne le dos, sinon je ferai encore peur à ta petiote, si elle me voit à la flamme de la bougie, murmura Rozenn. Je l'ai entendue, dans la cour. Pauvrette, il faudra qu'elle se fasse à ma vilaine tête, si vous logez chez nous.

— Je suis désolée, ma chère Rozenn. Moi je vous ai trouvée charmante, ce chignon haut vous va bien, et vous respirez toujours la dignité, la bonté. J'étais soulagée à l'idée de dormir ici, d'être sous votre aile. Les heures que nous avons passées à la maison m'ont paru vraiment pénibles.

Une clameur lugubre, plaintive, montant du rez-de-chaussée, empêcha Rozenn de répondre. Lara frissonna.

— Les orages rendent Nérée nerveux, comme la plupart des chiens, expliqua son amie. Il hurle à la mort. Gamine, si ma mère disait ça, j'étais terrifiée.

Elles perçurent la voix douce de Fantou qui essayait de faire taire l'animal. Une porte claqua, Odilon lança un juron sonore.

— Que fabriquent-ils ? s'exaspéra Rozenn. Je descends, Lara. Emmène ta mignonne en bas, elle finira par se consoler de son gros chagrin.

— Vous avez raison, Loanne n'aime pas être seule. Elle a grandi entourée des enfants du voisinage, que j'invitais à jouer dans le parc. Olivier cultivait du maïs, du blé, il avait engagé des hommes pour le seconder. Nous étions en paix, j'attelais ma jument et je me promenais en calèche sur l'avenue principale de Coro, une ville toute proche.

— Si je comprends bien, vous avez l'intention de repartir.

— Comment renoncer à la sécurité, au soleil, au paradis sur terre, Rozenn ? Autant être franche, si mon père n'était pas revenu, j'ignore quand nous aurions entrepris un voyage pour la France. Vous devez me juger ingrate, oublieuse.

— Rien de tout ça. J'étais rassurée de vous savoir loin d'ici. Mais tu manquais beaucoup à ta sœur. Nous causerons demain, entre l'orage et les cris de ta petite, j'ai l'impression d'être sourde.

Un tableau un peu fantasmagorique les attendait dans la grande pièce faisant office de salon et de salle à manger. Fantou disposait des bougies sur la table, qu'Odilon allumait au fur et à mesure. Le retraité et la jeune fille avaient l'air de célébrer un rituel.

— Où est Olivier ? interrogea Lara.

— Il s'est souvenu qu'une des vitres de la voiture était baissée, et vu le déluge, il a couru la remonter, expliqua le retraité. Je lui ai prêté un ciré. Il aurait dû garer la Delage dans la cour.

— Non, puisqu'il doit me ramener à la maison, répondit Fantou. Mais tu as levé mon adorable petite nièce ?

— Je n'avais pas le choix, elle était en pleine panique, déplora Lara. Je la recoucherai tout à l'heure, après l'orage. Ce sont bien des bouleversements pour notre chérie. Nous lui avons imposé le trajet en avion, puis celui en bateau jusqu'à Dinard. La mer était forte, Loanne a été malade.

Assise sur les genoux de sa mère, la petite fille reniflait, en fixant de ses prunelles sombres les flammes des chandelles. Fantou lui apporta un biscuit au beurre.

— Ne parle pas de choses affreuses devant Loanne, chuchota Lara avec un regard explicite à l'adresse de sa sœur.

— Oui, ça va de soi, répliqua-t-elle, un peu vexée.

— Mais que fait Olivier ? s'étonna Rozenn d'un air soucieux.

— Sois tranquille, il ne va pas tarder, affirma Odilon. Tiens, le voilà…

Olivier ôta le ciré trempé dans la pénombre du vestibule. Il lissa ses cheveux humides en arrière, du dos de la main. Enfin il entra dans la pièce, où les bougies dispensaient une douce lumière dorée.

— Cognac ou calvados, mon garçon ? lui demanda le retraité.

— Du cognac, monsieur Odilon. J'en ai besoin, en effet.

Lara devina immédiatement qu'il y avait un problème. Elle confia Loanne à sa sœur et se leva pour le rejoindre.

— Mon amour, dis-nous ce qui te tracasse, l'encouragea-t-elle avec tendresse, en lui prenant le bras.

— La voiture avait disparu, elle n'était plus garée sur le bas-côté de la route, annonça-t-il d'une voix rauque. J'avais une lampe torche, alors je l'ai cherchée.

— Bon sang, on te l'a volée ? s'insurgea Odilon.

— Non, elle n'était pas très loin, sur la grève. Elle a fait une chute de quelques mètres, du haut du pan de falaise, à droite de la dune. Cabossée, les vitres brisées, les quatre pneus crevés et le moteur en feu. Inutilisable, pour faire bref. Je ne pourrai pas te raccompagner chez toi, Fantou.

Un pesant silence s'instaura. Sidérée, Lara dévisageait Olivier qui avait bu d'un trait son verre d'alcool. Sous son hâle, le jeune homme était blafard.

— Nous n'aurions jamais dû revenir, décréta-t-il. Il est évident qu'on m'attendait avec impatience. Eux, mes fidèles ennemis.

Personne n'osa le contredire.

Chez les Fleury, même soir, une heure plus tard

Armeline rangeait la vaisselle du repas. Louis, assis au coin de l'âtre, contemplait les braises incandescentes. Il fumait une cigarette de tabac brun.

— Remets une bûche, nous pourrons veiller un peu tous les deux, proposa-t-elle d'un ton enjoué, mais qui sonnait faux. L'orage a bien rafraîchi l'air. Heureusement, il n'a pas éclaté cet après-midi, pendant que nous prenions le goûter tous ensemble. Loanne est jolie comme un cœur.

— Tu me l'as dit et redit. Moi, j'avais sous le nez une enfant du péché. Par ta faute, Armeline, car tu as lâché la bride à notre fille aînée et tu en as fait une dévergondée. Bientôt, Fantou prendra le même chemin. Elle se donne des grands airs, déjà.

— Louis, tais-toi. Tu dis n'importe quoi. Lara est une femme maintenant, et Fantou devient une belle jeune fille, très sérieuse, qui étudie bien. Depuis ton retour, tu ne sais que ronchonner, m'accuser des pires méfaits ! Je n'en peux plus.

Son mari se tourna vers elle, goguenard. Il désigna la porte de l'index, une grimace méprisante sur les lèvres.

— Tu n'en peux plus ? Alors fiche le camp, va retrouver ton vieux soupirant. Il aura vite fait de te tripoter encore.

— M. Bart ne me tripotait pas, le jour où tu es arrivé à la villa. Ma parole, tu n'as plus toute ta tête, Louis. Je t'ai expliqué dix fois pourquoi il me touchait les cheveux.

— L'histoire de la guêpe qu'il enlevait ? Foutaises ! Tu mens, ma pauvre femme. Pourquoi ça m'a mis en rage, hein ? Je devrais passer l'éponge. Après tout, j'étais porté disparu, corps et biens, comme on dit. Il te fallait un homme. Cadoret était en prison, alors, tu t'es rabattu sur un retraité qui a des sous de côté.

Un sanglot sec secoua Armeline. Elle aurait volontiers cassé l'assiette qu'elle tenait entre les mains.

— C'est faux, Louis. Combien de fois je devrais te raconter les raisons de notre installation chez les Bart ? Je ne t'ai jamais trompé. Ni pendant nos années de mariage, ni durant ton absence. Je me languissais de toi, toute seule dans notre lit. Souvent, je rêvais que tu entrais, que tu me rejoignais et je te serrais fort sur mon cœur.

Louis l'observait, perplexe. Rongé d'amertume, il préférait imaginer son épouse dans les bras d'un autre, nue, offerte.

— Fantou m'aidait à espérer. Elle était si mignonne, toujours à prier pour ton retour, ajouta Armeline. Nous avons beaucoup souffert sans toi, Lara te l'a dit.

— Et moi, je n'ai pas souffert mille morts, peut-être ?

— Sûrement, Louis ! Si tu m'en parlais, au moins, si je savais ce que tu as vécu. Et toi, m'as-tu été fidèle ?

La question stupéfia son mari. Il se leva d'un bond et se rua sur elle. D'un geste brutal, il l'empoigna par le coude pour répondre, menaçant :

— Je te l'ai prouvé, non ? J'avais du plaisir à rattraper, même que tu t'en plains. Range cette fichue assiette, on va se coucher.

— Attends, je dois faire un brin de toilette, Louis. J'ai de l'eau chaude dans la marmite. Je t'en supplie, accorde-moi cinq minutes. Chauffe le lit, j'arrive.

Il haussa les épaules, mais il alla dans leur chambre. Une idée accabla Armeline. Fantou ne tarderait pas à rentrer et pourrait surprendre l'écho des ébats tempétueux auxquels se livrait Louis.

Révoltée, anxieuse, elle fixa la porte avec l'envie folle de s'enfuir, de courir jusqu'à la villa des Bart.

« Je vais mettre la targette, comme ça ma petite devra frapper et j'irai lui ouvrir, décida-t-elle. Quelle honte ! »

Elle s'empressa de se laver à l'aide d'une cuvette. Louis l'appela, d'une voix sèche. Dès qu'il la vit près de leur lit, il la saisit par sa robe.

— Laisse-moi me déshabiller, quand même ! protesta-t-elle.

La pièce était fraîche. Armeline, en combinaison de satin, se mit à trembler. Le regard avide de son époux la glaçait.

— Tu es encore trop belle, lâcha-t-il. Viens, nom d'un chien.

En dépit de sa maigreur, Louis avait des muscles en acier. Il l'attira à ses côtés, l'embrassa au creux du cou, dont il mordilla la chair nacrée. Tout de suite il plaqua ses paumes sur l'arrondi des fesses de sa femme, en étouffant un râle bestial. Elle dut subir immédiatement les rudes assauts de l'homme qui s'estimait tous les droits sur elle.

À quarante-neuf ans, Armeline Fleury possédait un corps mince, laiteux, aux seins menus. Ses cheveux blonds dénoués, le visage apeuré, elle pinçait les lèvres pour ne pas crier de douleur.

« La première nuit ici, il a refusé de me toucher, pensait-elle, soumise à de véritables coups de boutoir. Mais le lendemain soir, ça a commencé. Mon Dieu, ayez pitié, Louis était si tendre, avant, il me grisait de caresses, de baisers. »

Les larmes coulaient en silence le long de ses tempes. La gorge nouée, elle guettait malgré tout le moindre bruit sur le chemin tandis que Louis poursuivait ses va-et-vient déments.

— Arrête ! gémit-elle enfin, le ventre ravagé. Arrête, j'ai mal !

Il se cambra, jetant une plainte hébétée au moment de libérer sa semence. Apaisé, il recula et s'effondra au milieu du lit. Peu après, ce fut lui qui sanglota.

— Tu aurais mieux fait d'y rester, en Sibérie ! lui assena-t-elle, le cœur froid, sans éprouver la moindre compassion.

2

Les lois du hasard

Erdeven, Bar de la Plage, même soir, même heure

Tiphaine Russel trônait derrière la caisse enregistreuse du comptoir en zinc. Elle calculait la recette du jour, comme chaque soir après la fermeture. L'établissement faisait aussi restaurant. Les menus, bon marché, ne variaient guère. Leur cuisinière alternait entre le steak frites et les moules marinières.

— C'était un très bon dimanche, John ! lança-t-elle à son mari, occupé à vérifier l'ordonnance des bouteilles d'alcool rangées sur les étagères.

Coiffée de courtes boucles d'un blond platine, fardée avec soin, la jeune femme portait une robe moulante qui sculptait ses formes épanouies.

— Tu attires du monde, *baby*, lui chuchota à l'oreille l'ancien GI. Mais je ne suis pas jaloux, c'est le *business* !

— OK, *darling*, susurra-t-elle. Les clients me regardent, mais ils ne s'avisent pas d'être entreprenants. Si un gars me tient des propos déplacés, j'ai vite fait de le remettre à sa place.

— Je sais, je suis tranquille sur ce point.

Leur serveur, Fred, qui balayait la salle, se mit à siffler un refrain à la mode, une de ses manies. John Russel, en chemisette et pantalon de toile, vint voler un baiser à Tiphaine.

— Monte, murmura-t-il. Je te rejoins. Le temps de tirer les stores et d'éteindre l'enseigne.

Les gens d'Erdeven appelaient l'endroit le bar américain, afin de bien souligner la nationalité du patron. Durant l'été, la clientèle se composait en majorité de touristes, curieux de visiter les côtes normandes et bretonnes, où se dressaient de nombreux blockhaus à l'abandon.

— Demain, nous sommes en congé, annonça gaiement Tiphaine. Nous irons voir Killian. Il faudra l'emmener en promenade. Notre bout de chou me manque tellement.

— On ne peut pas encore le prendre ici, ma poupée, soupira John. Comment veux-tu travailler avec un enfant de quatre ans dans nos jambes ?

Le couple disposait pourtant à l'étage d'un appartement doté de tout le confort, et de deux grandes chambres, mais leur fils était toujours confié à Loïza Jouannic, la tante de la jeune mère. Sans être partie vivre aux États-Unis, Tiphaine avait ce dont elle rêvait tant, une baignoire, une machine à laver et un aspirateur.

— J'ai téléphoné à maman, précisa-t-elle. Nous sommes invités à déjeuner. Tu es d'accord ? J'apporterai des sodas, mon père en raffole.

Il répondit d'un baiser rapide, ses larges mains plaquées sur les hanches rondes de sa femme. Elle lui adressa un sourire langoureux avant d'emprunter une porte derrière eux, où était fixé un panneau portant l'inscription « Privé ».

— Bonsoir, madame ! cria le serveur, un peu tard.

— Je t'offre une bière, Fred ? proposa John.

— C'n'est pas de refus !

Les deux hommes sortirent sur la terrasse, abritée de la pluie orageuse par un auvent, où s'alignait trois rangées de petites tables rondes et des fauteuils en fer. John s'assit dans l'un d'eux, étendit ses longues jambes avant d'allumer une cigarette. La rumeur lancinante de la mer lui parvenait, la plage se trouvant de l'autre côté de la route.

— On ne pouvait pas trouver mieux, comme emplacement, dit-il à voix basse. Les affaires marchent bien.

— Vous pouvez le dire, patron, renchérit son employé.

— Le hasard est bizarre, n'est-ce pas ? ajouta John, songeur. J'ai rencontré mon épouse sur cette plage. On se donnait rendez-vous ici, on se baignait, on flirtait à l'abri du blockhaus, là-bas. Je suis content d'avoir trouvé ce commerce à reprendre, à cet endroit précis.

— Vous êtes un romantique, plaisanta Fred gentiment.

Le jeune homme, engagé un mois plus tôt, espérait garder sa place et jouait la carte de la sympathie à outrance. L'Américain l'observa un instant.

— Peut-être, répondit-il. Au fond, je ne sais pas vraiment. Il y a ces crimes horribles dans la région. Ma femme et moi, nous avons découvert la première des victimes, il y aura cinq ans en septembre. C'était affreux.

— Je suis au courant, Mme Russel me l'a dit. Je ne suis pas du coin, j'arrive du sud de la France, mais on m'a tout de suite parlé de ça. Si je peux me permettre, patron, ça attire aussi du monde chez vous. Les gens vont voir les dolmens où on a trouvé ces malheureuses filles. Tenez, hier matin, un type m'a demandé la direction d'un tumulus, celui du deuxième meurtre. Si ce n'est pas une honte.

— On n'y peut rien. Les journaux en font des gros titres, des articles bourrés de suppositions, ils publient des photographies, nota John Russel. Forcément, on vient de loin pour se donner des émotions fortes. On verra bien si le tueur recommence, à la fin de l'été. J'ai prévu de partir avec mon épouse et mon fils en vacances dans le New Jersey à cette période. Mes parents réclament notre visite depuis deux ans. Ainsi, on ne risquera rien. Bonsoir, Fred, à mardi.

— Bonsoir, patron, merci pour la bière.

Le serveur salua d'un signe de tête, puis il disparut à l'angle du bâtiment. Peu après, Russel le vit s'éloigner sur son vélo. Une voix pointue résonna dans la nuit.

— John, qu'est-ce que tu fais ?

Tiphaine l'appelait de la fenêtre de leur chambre, à l'étage. Elle en profitait pour contempler l'immensité de la mer, parcourue de hautes vagues, sous un ciel opaque.

— Je viens, poupée !

Il regagna la salle, verrouilla la double porte vitrée, puis il éteignit l'enseigne lumineuse. Lorsqu'il entra dans leur chambre, Tiphaine l'attendait, allongée sur le couvre-lit rose. Elle était toute nue, les bras tendus vers lui.

— Vite, *darling*, murmura-t-elle. *My love !*

Elle abusait des uniques mots anglais qu'elle connaissait, alors que son mari parlait un français impeccable, malgré son accent dont il ne pouvait se débarrasser.

— Une minute, *baby*, je vais me doucher. C'était orageux, je me sens moite. Autre chose, je voulais t'en parler demain, mais en discutant avec Fred, j'ai décidé de le faire tout de suite. Je veux passer le mois de septembre dans ma famille. Ils n'ont jamais vu Killian. Nous voyagerons en avion.

John s'enferma immédiatement dans la salle de bains, afin d'échapper aux protestations de Tiphaine. Depuis leur mariage, elle refusait de séjourner plusieurs semaines aux États-Unis.

— Non, mais non, se plaignit-elle. Nous économisons pour agrandir le bar et acheter une nouvelle voiture. En plus je serai morte de peur en avion, John.

Seul le bruit de la douche fit écho à ses jérémiades. Dépitée, elle enfila sa nuisette en nylon, se glissa entre les draps, toutes ses velléités de volupté abolies.

— Ne boude pas, *baby*, se moqua John en réapparaissant dix minutes plus tard.

Il devina que Tiphaine pleurait. Attendri, il pencha son grand corps d'athlète au-dessus d'elle et lui donna un baiser sur la joue.

— Tu as envie de revoir tes parents, ça, je le comprends, mais on ira l'année prochaine, soupira-t-elle. Je te le promets.

Il renonça à la contrarier, déterminé à lui imposer sa volonté, au cours de l'été. Pour le moment, il avait mieux à faire. Comme à l'époque de leurs premiers rendez-vous, sa jolie femme exerçait sur lui une attraction charnelle qui ne se démentait pas.

— Je te veux, poupée, dit-il en rejetant drap et couverture.

Elle l'étreignit, haletante, certaine de son pouvoir et résolue à ne jamais traverser l'océan Atlantique.

Villa des Bart, même soir, même heure

Rozenn, Lara et Olivier guettaient le retour d'Odilon, qui avait fait démarrer sa vieille fourgonnette pour ramener Fantou chez elle. La petite Loanne s'était enfin endormie sur le divan. Les bougies, presque consumées, éclairaient à peine le salon.

— Ma sœur aurait pu rester avec nous, déplora Lara. Il est très tard, papa ne devait plus l'attendre.

Nérée, couché sous la table, se leva brusquement et alla dans le vestibule, alerté par un bruit de moteur.

— M. Fleury se serait inquiété, car nous ne pouvions pas le prévenir, prêcha Rozenn. Voilà mon frère.

— Lara, je vais porter Loanne dans notre lit, proposa Olivier. Je tiens à poursuivre la discussion que j'avais avec Odilon. Tu peux aller te coucher, si tu veux.

— Non, je n'ai pas sommeil, affirma-t-elle. Mais vérifie que tout est bien fermé, là-haut. Les fenêtres, celle du palier surtout. Quelqu'un pourrait grimper, en montant sur l'auvent.

— Rassure-toi, Lara, murmura Rozenn. Nérée reste dans la maison depuis ton départ. Il aboierait s'il y avait du danger.

La jeune femme déposa un baiser sur le front de sa fille, qu'Olivier tenait contre lui, à présent.

— Le chien n'a pas grogné ni aboyé, quand on s'est chargé de déplacer la voiture, indiqua-t-il d'une voix lasse.

— Bien sûr, Nérée était terrifié par l'orage, plaida Rozenn. Les animaux ont des sens plus développés que nous. Les chiens perçoivent de façon douloureuse, même effrayante, le tonnerre et les éclairs.

— Je ne vous reproche rien, admit-il. Il faut croire au hasard, alors. Sans l'orage, nous aurions donc surpris les coupables ?

Olivier eut un sourire désabusé. Lara le suivit des yeux tandis qu'il quittait la pièce. Elle était à bout de nerfs.

— Quel retour, Rozenn ! laissa-t-elle échapper. D'abord mon père, aigri, métamorphosé en tyran domestique ! Je me sentais impuissante, confrontée à lui. Et maintenant ce drame avec l'automobile de M. Kervella. Comment est-ce possible ? Nous sommes juste arrivés en Bretagne. Par quel prodige ou par quelle ruse ceux qui en voulaient à Olivier ont-ils su où le retrouver ?

— Je l'ignore, ma chère petite.

— Pour ma part, je crois que ce pauvre garçon fait erreur, décréta Odilon Bart en les rejoignant. Nous avons affaire à de simples voyous, à mon humble avis.

Olivier dévala sans bruit l'escalier. Il s'approcha du retraité et lui posa la main sur l'épaule.

— Inutile de se bercer d'illusions, cher monsieur. J'ai reçu un avertissement. Je serai sincère, j'en ai la nausée. Mon père était si fier de me montrer cette voiture ! Elle lui a coûté une petite fortune.

— C'est précisément là où le bât blesse, professa Odilon. Cette automobile de luxe ne pouvait qu'attirer l'attention. Je le répète, des voyous ont fait le coup, et non pas tes mystérieux ennemis. Après avoir ramené Fantou, je suis allé faire un tour sur le port, dans les rues voisines. Une sale engeance traîne à Locmariaquer depuis le mois dernier, une bande de jeunes gredins venus de Paris, d'après les gendarmes. Ils ont causé des dégradations, il y a eu des plaintes déposées. Asseyons-nous. Rozenn, ne fais pas les gros yeux si je me ressers un petit calva. Olivier, tu en prends aussi ?

— Pourquoi pas… Je vous écoute.

— Il y a de fortes chances que ces types t'aient repéré quand tu as traversé la ville pour te rendre chez les Fleury. Ils t'ont suivi et ils ont dû tourner autour de la Delage. Quand l'orage a éclaté, ils se sont amusés à leur manière.

— J'en doute, coupa Olivier. Et ils auraient tiré un plus grand profit en volant la voiture pour la revendre.

— Tu ne comprends pas, mon garçon ! As-tu déjà été sans un sou, sans un toit sur ta tête ? Les voyous ont voulu détruire un symbole, celui de la bourgeoisie, de la richesse, puisqu'ils n'ont rien, eux.

— Oui, c'est envisageable, dit Lara. Quand je travaillais chez M. Tardivel, j'ai entendu beaucoup de récriminations sur les salaires, contre les patrons, les nantis.

— Ton père est sûrement assuré, Olivier. S'il porte plainte, il sera dédommagé, ajouta Rozenn. Il faut signaler l'incident à la gendarmerie, demain matin.

— Donc, selon vous tous, j'ai tort de m'inquiéter ? Lara, ma chérie, donne-moi ton avis, s'il te plaît.

— Eh bien, ça me paraît improbable qu'on soit déjà averti de notre retour, Olivier. Par « on », je désigne ceux acharnés à te nuire. Et ne m'en veux pas, je pense surtout à ces nouvelles victimes. Fantou avait commencé à nous en parler, mais l'orage a éclaté. C'est terrible.

Rozenn et Odilon baissèrent la tête, en échangeant un regard anxieux. Le jeune couple, assis sur le divan, très près l'un de l'autre, retardait le moment de les interroger.

— Même si j'avais eu votre adresse, déclara Rozenn, je ne vous aurais pas envoyé les coupures de journaux, mais je les ai gardées, Fantou y tenait. Elle les a classées par date et rangées dans un dossier. Lara, ta sœur a assisté aux obsèques de Suzanne Delors, son professeur d'anglais. Je l'ai accompagnée. Nous avons si peur pour Fantou. Dieu merci, elle rentrait du lycée en autobus et Odilon la ramenait en fourgonnette, ce que ton père ne pourra pas faire. Elle sera seule sur la route, le soir.

— Rozenn, par pitié, ne dites pas des choses pareilles, s'alarma la jeune femme. Moi aussi, je revenais à vélo du travail, parfois j'avais peur, c'est vrai, alors je pédalais à toute vitesse.

Olivier, saisi d'une frayeur rétrospective, la serra contre lui. Les mauvais souvenirs le submergeaient. Il revit Bénédicte, son amie d'enfance, avec qui il avait flirté lors de soirées mondaines. Il avait suffi d'un chauffard en Belgique, et la jeune fille avait perdu la vie.

— La mort, toujours, partout, murmura-t-il. Je devrais avoir honte de me plaindre, d'être démoralisé.

— Oui, la mort, répéta Rozenn, ses prunelles vertes luisant étrangement dans la faible clarté des bougies. Après Madalen Le Goff et Léa Bertho, la fiancée de ce pauvre Erwan Cadoret, un promeneur a découvert le corps de Virginie Fontaine, en 1948, le 12 septembre. Elle gisait à l'intérieur du cairn de Petit Mont, au bout de la presqu'île de Rhuys. L'année suivante, c'était le tour de Gwenaëlle Redoux, trouvée dans le tumulus de Rondossec, près de Plouharnel, le 12 septembre également.

— Et Suzanne Delors, l'an dernier, le même mois, conclut Lara, glacée par ce sinistre récapitulatif.

— En effet, j'ai lu et relu la presse, je sais tout ceci par cœur, avoua Rozenn. Et je ne peux m'empêcher de penser qu'il y a peut-être d'autres malheureuses gisant sans sépulture au fond des bois.

— La police n'a donc rien résolu, le monstre qui sacrifie des innocentes agit encore en toute impunité ! s'indigna Olivier. Ce criminel doit pourtant vivre dans la région. Est-ce encore l'inspecteur Renan qui mène les enquêtes ?

— Nicolas Renan, répondit Odilon. Mais c'est ma foi vrai, vous n'êtes pas au courant de ce qui s'est passé…

Un pressentiment broya le cœur de Lara. Elle agita la main en signe de dénégation et enfouit son visage au creux de l'épaule d'Olivier. Elle ne voulait plus rien entendre, juste relever la tête et être de nouveau au Venezuela, au bord de la mer des Caraïbes, aux profondeurs de turquoise.

Chez les Fleury, même soir, même heure

Fantou n'était pas entrée immédiatement dans la maison. Adossée au mur, près de la porte close, elle savourait la quiétude de la nuit de mai. La terre gorgée d'eau par l'orage exhalait une odeur ténue, particulière, qu'elle aimait déjà petite fille. Le ciel se dégageait, dévoilant un semis d'étoiles.

— Qu'il fait doux, se dit-elle tout bas. Je voudrais dormir sur la lande, seule, dans le silence et la paix.

Aucune lumière ne filtrait à travers les volets, pas un bruit ne s'élevait de la chambre de ses parents.

— Mon Dieu, les pitoyables soucis des humains ne vous concernent guère, mais faites qu'ils soient endormis.

Il régnait un grand calme autour d'elle. Pas un cri de chouette, pas un souffle de vent. La rumeur de la mer se faisait presque imperceptible. Fantou reprit le chemin en sens inverse. Avant d'atteindre la route, elle contourna la haie de troènes pour rejoindre leur jardin.

« Cet après-midi, nous étions réunis là, autour de cette petite table, se remémora-t-elle. Papa faisait des efforts, grâce à Lara, mais son regard restait dur, hostile. Comment le soigner ? »

Lectrice assidue, abonnée à la bibliothèque locale, Fantou avait délaissé les romans pour étudier des ouvrages de médecine, des traités de psychologie. Le comportement de son père, depuis son retour quatre semaines plus tôt, lui faisait penser à des crises de démence.

— Non, je dois me tromper, il n'est pas fou, c'est autre chose, murmura-t-elle. Tant pis si j'écorne mes économies, j'irai en discuter avec un docteur. Ou bien je demanderai des sous à Lara. Je ne supporterai plus ça longtemps.

Oppressée, Fantou effleura une branche de rhododendron constellée de gouttes d'eau, ce qui provoqua une brève averse sur ses sandales. Elle souhaitait notamment protéger sa mère, ayant été le témoin involontaire d'une scène odieuse, trois jours auparavant.

« Je revenais du lycée, leur fenêtre de chambre était ouverte, et je les ai vus. Papa arrachait le corsage de maman, elle avait l'air épouvantée. Ensuite il l'a jetée sur le lit, il s'est vautré sur son joli corps si frêle. Et ma petite maman sanglotait. Moi, lâche que je suis, j'ai couru vers la plage. »

Tremblante, Fantou perçut alors un pas léger le long des arbustes. Quelqu'un approchait. Une peur instinctive la figea sur place. Son esprit lui renvoyait les gros titres des journaux : « Une nouvelle victime du tueur des dolmens, égorgée comme les précédentes. » Un doux visage s'imposa à elle, celui de Suzanne Delors, toute jeune enseignante à la voix mélodieuse, née pour son malheur dans un village du Morbihan.

« Sauve-toi ! s'exhorta-t-elle. Hurle, appelle, maman viendra, ou papa. »

Aucun son ne sortit de sa bouche. Une silhouette masculine apparut, dans la pénombre. L'homme était grand, mince, la tête coiffée d'un capuchon.

— Fantou ? C'est moi, Denis, ne crains rien !

— Denis ! Merci mon Dieu, j'étais terrorisée.

Elle était tellement soulagée qu'elle faillit se réfugier dans ses bras. La raison lui revint très vite.

— Qu'est-ce que tu fais ici, à cette heure-là, Denis ? Tu es censé être soldat à la caserne de Vannes. Viens, marchons un peu. Si mes parents m'entendent, ils vont se demander avec qui je suis.

Denis Cadoret la suivit sur le sentier menant à la dune. Il regarda discrètement la jeune fille.

— Les nuages s'en vont, et c'est la pleine lune demain, fit-elle remarquer. Il fait clair à présent.

Elle l'observa attentivement. Ses cheveux châtains étaient rasés, ce qui accentuait ses traits anguleux.

— Fantou, j'ai obtenu une permission de deux jours. Ce n'était pas gagné, parce que j'avais écopé d'un blâme le mois dernier. Je voulais te voir. J'aurais même fait le mur quand j'ai reçu la lettre de ma mère m'annonçant que ton père était revenu, bien vivant. Tu dois être si heureuse, toi qui priais sans arrêt pour lui. Pourquoi tu ne m'as pas écrit ?

— Je n'ai pas eu le temps. Tu es gentil, Denis, concéda Fantou, seulement ça ne m'explique pas pourquoi tu rôdais autour de chez nous.

— Bah, tu pourrais deviner ! De notre terrasse, on a une bonne vue sur votre maison. J'étais dehors quand le vieux M. Bart t'a ramenée en camionnette. Alors je suis sorti me balader, dans l'espoir que tu ne serais pas couchée. S'il y avait eu de la lumière dans ta chambre, j'aurais toqué aux volets, pas fort.

— Ne fais jamais ça, surtout maintenant. Papa est revenu, oui, mais il a changé. Disons qu'il est beaucoup plus sévère que jadis. Denis, j'ai confiance en toi, n'en parle pas à ta mère, Jeanne est une vraie pipelette, et encore moins à ton… Enfin à qui tu sais.

Elle répugnait à prononcer le nom de Yohann Cadoret, libéré récemment, le lendemain de la Pentecôte. Le marin-pêcheur devait rester terré à son domicile, ayant appris le retour de Louis Fleury.

— Tu te fais du mouron pour rien, Fantou, affirma le jeune homme. Il n'est pas à Locmariaquer, maman l'a chassé. Du coup, il habite à Ploemel, chez ma tante.

— Tant mieux, ça évitera une tragédie. Papa se retenait d'aller lui fendre le crâne, ce sont ses mots. On peut le comprendre, il a connu l'enfer à cause de lui.

— Je sais, soupira Denis, du haut de ses vingt ans désabusés.

Ils s'arrêtèrent à l'extrémité de la dune, afin de contempler la mer. De belles vagues crénelées d'écume argentée déferlaient à l'assaut de la plage.

— On dirait que tu n'es pas vraiment contente, ma Fantou.

— Ne m'appelle pas ainsi, ça m'agace.

— Je suis amoureux, j'ai bien le droit.

— Je suis navrée, Denis, tu es mon ami, rien que mon ami.

— Alors, notre baiser sous le gui, au bal de la Saint-Sylvestre, il ne compte pas ?

— C'est toi qui m'as embrassée, répliqua-t-elle. Et puis mon cœur est déjà pris.

— Par qui ? Je le connais ?

— Tout le monde le connaît, ton rival, c'est Jésus de Nazareth. Si j'obtiens mon baccalauréat l'année prochaine, je deviendrai infirmière, puis je prendrai le voile. Les relations de couple me font horreur.

Désappointé, Denis prit la main de Fantou. Elle lui étreignit les doigts, touchée par sa résignation pleine de respect et d'un timide amour.

Villa des Bart, même soir, même heure

Lara, toujours blottie dans les bras d'Olivier, s'était arrêtée de pleurer. Elle se frottait les yeux du dos de la main, avec l'air d'une enfant raisonnable. Attendris par sa détresse, Rozenn et Odilon hésitaient à lui parler, afin de ne pas déranger Olivier qui s'efforçait de réconforter sa compagne par des mots doux, des baisers discrets.

— Pardonnez-moi, dit-elle en se redressant. Je me sens mieux, je suis prête à écouter d'autres mauvaises nouvelles. J'avais les nerfs à vif, à cause de mon pauvre papa, méconnaissable, et de ce terrible incident avec la voiture.

— Je suis désolé, ma chérie, déplora Olivier. Je n'aurais pas dû réagir ainsi, vous annoncer que mes ennemis étaient déjà là, autour de la villa. Je ne prononcerai plus ce terme d'ennemi, il me rappelle la guerre. Monsieur Odilon, vous nous parliez de l'inspecteur Renan. Que lui est-il arrivé ?

— Déjà, rassurez-vous, il va bien maintenant, répondit le retraité avec un bon sourire. Et il a été nommé commissaire.

— Seigneur, que je suis sotte, se désola Lara. Si je m'étais un peu contrôlée, je ne vous aurais pas imposé ma crise de larmes. Mais j'ai cru que Nicolas était mort.

— Tu l'appelles par son prénom ? s'étonna Rozenn.

— J'en ai pris l'habitude sur l'île de Molène, quand il a passé presque trois jours chez notre ami Daniel Masson, expliqua la jeune femme. Partager des repas, se promener, discuter le soir près du poêle, ça permet de créer des liens différents.

— Oui, nous avons vraiment sympathisé, concéda Olivier. Je pensais qu'il tenterait de communiquer avec nous, mais non.

— Je devine pourquoi, déclara gravement Odilon. Au début du mois de janvier 1948, soit quelques jours après votre départ, on l'a agressé dans sa chambre d'hôtel, à Auray. Il a reçu plusieurs coups de couteau et on l'a laissé pour mort. Le sale type qui l'a poignardé avait même pris la peine de refermer à clef avant de prendre la fuite.

— Il a été sauvé par miracle, renchérit Rozenn. Raconte-leur, Odilon, je vais préparer une infusion de tilleul.

Lara adressa un sourire de gratitude à son amie, dont le visage lui semblait embelli, son teint écarlate assombri grâce à la lueur agonisante des flammèches de bougie.

— Qui a sauvé Renan ? demanda Olivier, les traits tendus.

— Ce serait une cliente, sa voisine de chambre. Elle avait entendu des bruits qui lui paraissaient bizarres, expliqua Odilon. Comme elle s'apprêtait à descendre dîner, par acquit de conscience elle a plaqué l'oreille contre la porte. Quelqu'un gémissait, alors elle a vite averti le patron de l'hôtel, qui a déverrouillé la porte. Sans cette femme, Nicolas Renan était fichu.

— Mais c'est épouvantable ! déplora Lara. A-t-on arrêté son agresseur ?

— Non, et il y a peu de chances qu'on le retrouve.

— Je devine pourquoi, rétorqua Olivier d'un ton amer. On s'en est pris à l'inspecteur parce qu'il avait débusqué Malherbe au manoir de Tromeur, j'en suis certain. Il tenait à découvrir la vérité sur l'affaire me concernant. Il aurait pu mourir par ma faute.

— Tu n'es peut-être pas responsable, mon garçon, plaida le retraité. Renan menait deux enquêtes de front, la tienne et celle sur ces abominables crimes. Il continue d'ailleurs à chercher le meurtrier des cinq jeunes femmes avec l'aide d'un inspecteur, un certain Ligier, je crois.

Rozenn revenait, un plateau entre les mains. Elle se hâta de poursuivre le récit de son frère.

— Ce brave policier est resté hospitalisé plusieurs semaines, avant de faire sa convalescence chez ses parents, en Normandie. Un jour, il nous a rendu visite. On était au courant de son agression grâce aux journaux, même s'il n'y a eu que deux articles assez courts.

— Oui, Renan nous a expliqué que le procureur s'est arrangé pour étouffer le plus gros de l'affaire, afin de protéger l'identité de sa voisine de chambre, reprit Odilon. La police prend des précautions supplémentaires depuis le suicide de Malherbe et la fuite de son complice.

Lara était lasse, en plein désarroi. Elle serra la main de son compagnon, qui lui semblait animé d'une rage froide.

— Je découvre le poison de la haine, avoua-t-il tout bas.

— Je te comprends, dit-elle d'une voix faible. Rozenn, Odilon, ne m'en veuillez pas, je monte me coucher. La journée a été longue et éprouvante. Et j'ai besoin d'être près de Loanne. Si jamais il arrivait malheur à notre fille, j'en mourrais de chagrin.

— Nous sommes tous fatigués, concéda Rozenn. Demain, il fera jour, comme on dit. Il faudra téléphoner à la gendarmerie.

— Non, j'appellerai directement le commissaire Renan, déclara son frère. Il nous a laissé sa carte, et pour faire plaisir à notre Fantou, j'ai fait installer une ligne téléphonique. L'appareil se trouve dans une petite pièce où je range mes paperasses. Mais je vous préviens, Renan sera mécontent de vous savoir en France. Il affirmait que vous étiez vraiment en sécurité, à l'étranger.

— Il a sûrement raison, nota Lara. Excusez-moi, à propos du téléphone, quel est le rapport avec Fantou ?

— Ta sœur apprécie le progrès, répondit Rozenn. Elle nous joignait souvent d'une cabine postale, à Auray, et le soir, elle en profitait pour bavarder avec une de ses amies du lycée, dont la famille est aisée. Le père dirige une entreprise, je n'en sais guère plus. Fantou possède son jardin secret, ce sont ses mots.

— Mon petit korrigan est presque une femme maintenant, soupira Lara en se levant du divan. Je vous souhaite une bonne nuit. Viens-tu, Olivier ?

— Bien sûr.

Une fois seul dans sa chambre, le couple s'enlaça sans réelle joie, simplement pour s'assurer de la présence l'un de l'autre. Ils se sentaient inquiets tous les deux. Lorsque Lara chercha les lèvres de son amant, il se déroba.

— Je voudrais repartir demain, avoua-t-il. Notre vie est là-bas, au Venezuela. Tu trembles déjà pour notre enfant, et moi, j'ai des envies de meurtre envers cette clique de bandits. Ce sont des lâches, des êtres mauvais qui n'osent même pas régler leurs comptes ouvertement.

— C'est bien la première fois que je t'entends dire une chose pareille, Olivier. Toi, des envies de meurtre ?

— Je suis sincère. J'avais oublié la tension dans laquelle j'ai vécu après la guerre. Le réveil est brutal. Nous étions si heureux, loin d'ici. Lara, allons au moins passer quelques semaines à Molène.

— Je ne peux pas ! Tu sais pourquoi nous sommes venus, pour que je retrouve mon père. Il va mal, maman et Fantou aussi. Je dois les aider, tous les trois. Il y a une solution, pars chez Daniel avec Loanne. Il faut la protéger.

— Et je t'abandonnerais ? s'insurgea-t-il. Tu deviendrais une cible, mon cœur. Je ne survivrais pas si je te perdais, tu es le meilleur moyen de m'atteindre, de me détruire.

— Ne nous affolons pas, Olivier. Nous demanderons conseil à l'inspecteur Renan, enfin au commissaire du même nom, tenta-t-elle de plaisanter. Je serai contente de le revoir.

Il approuva en silence. Dix minutes plus tard, ils étaient allongés sur le grand lit, Loanne pelotonnée entre eux. Le sommeil fut long à venir. Épuisée, Lara succomba la première. Dès qu'il perçut sa respiration régulière, Olivier se releva et se rhabilla. Sans faire aucun bruit, il descendit au rez-de-chaussée.

— Sage, Nérée, murmura-t-il au chien qui s'approcha de lui.

Le jeune homme se glissa dans la petite pièce servant de bureau au retraité. Là, il décrocha le combiné téléphonique puis il composa un numéro. Au bout d'une attente relative, une voix ensommeillée maugréa un « allô » excédé, suivi d'un « Kervella, j'écoute ».

— Je te réveille, papa ?

La conversation dura plus d'un quart d'heure. Quand Olivier raccrocha, il affichait une expression froide, les traits tendus. Nul ne l'entendit quitter la villa, sous un clair de lune bleuâtre.

Sainte-Anne-d'Auray, chez les Jouannic,
lundi 21 mai 1951

Loïza disposait six couverts sur la longue table en chêne qui appartenait à sa famille depuis près de cent ans. Sa chevelure auburn relevée en chignon, vêtue d'une robe en cretonne fleurie, elle évoluait dans la grande cuisine avec la vivacité d'une très jeune femme. Pourtant elle fêterait bientôt ses quarante ans.

— Tiphaine et son mari sont en retard, ronchonna Paule, sa belle-sœur. Regarde le petit, il guette l'arrivée de ses parents par la fenêtre.

— Parce que ça l'amuse, Paule, protesta gentiment Loïza. Il sait aussi que sa maman lui apportera un jouet.

— Ah ça ! C'est facile de gâter un enfant, quand on gagne autant d'argent ! récrimina encore Paule. Mais tu verras si je me trompe, Tiphaine n'élèvera pas son fils. Il ira à l'école ici, à Sainte-Anne-d'Auray, et ainsi de suite.

Maigre, les cheveux gris coupés au carré, l'épouse de Goulven Jouannic cultivait la rancœur et les idées noires.

— Tout va de travers, dans cette maison, ajouta-t-elle. C'est bien normal que Gaël et sa femme soient retournés vivre à Paris.

— Agnès ne se plaisait pas en Bretagne, rétorqua Loïza, exaspérée. Ses parents lui manquaient, on ne peut pas l'en blâmer.

— Je suis sûre qu'ils en avaient assez des cris de Killian, qui pleurait chaque nuit quand il faisait ses dents.

— Tu as quand même eu ton fils et ta belle-fille sous ce toit pendant plus d'une année. Paule, admets que ce n'était pas idéal de loger un jeune couple. Tu devrais accepter l'invitation de Gaël et leur rendre visite à Paris.

— J'aurais bien trop peur, toute seule en train.

Loïza quitta la pièce en lui jetant un regard navré. Elle avait entendu une voiture se garer devant le muret du jardin. Vite, elle courut le long du couloir et se posta sur le perron, qu'un auvent abritait du soleil ou de la pluie.

— Tata chérie ! s'égosilla Tiphaine en ouvrant le portillon, un paquet enrubanné serré contre sa poitrine.

John Russel agita sa main libre, car il portait un bouquet de fleurs. L'Américain arborait un large sourire, et était vêtu d'une chemise et d'un pantalon en toile bleue, ces fameux *jeans*, importés des États-Unis[1].

— Tiphaine, tu es de plus en plus jolie ! s'extasia Loïza. Mais ton père va s'offusquer ! Tu n'aurais pas dû mettre de rouge à lèvres

1. Ce vêtement était décrié à l'époque par les gens bien-pensants, car il était associé aux jeunes délinquants des grandes villes, surnommés les « blousons noirs ».

— Je suis mariée, je fais ce que je veux, tata ! Où est mon bébé ? Killian ? Maman est là.

Le petit garçon pointa son nez à la porte, un peu intimidé. Les apparitions de sa mère le plongeaient dans une joie mêlée de crainte. Pourtant il admirait cette jeune femme maquillée, qui sentait toujours très bon, parlait et riait fort.

— Tu as un cadeau, mon trésor, chantonna Tiphaine en tendant le paquet à son fils.

— Et moi j'ai acheté des roses pour ma belle-mère, annonça John avec un clin d'œil à Loïza.

— Si cela pouvait adoucir son humeur, je vous en serais reconnaissante, murmura celle-ci.

Cependant elle n'était pas dupe. Lorsque l'ancien GI offrait un bouquet à Paule, il savait que seule Loïza appréciait son geste et les fleurs.

— Elles sont magnifiques, renchérit-elle. Entrez, j'ai mis le couvert dans la cuisine, mais lundi prochain, nous pourrons déjeuner dehors s'il fait beau temps.

Un pas lourd ébranla l'escalier de la maison, au bout du couloir. Goulven Jouannic s'arrêta en bas des marches, rasé et ses cheveux poivre et sel pommadés. Le garagiste hocha la tête, tout content.

— Fifille, viens embrasser ton vieux père ! s'écria-t-il. Je me suis fait beau pour toi ! Vois un peu, je n'ai presque plus de cambouis sous les ongles.

— Papa, c'est gentil, minauda Tiphaine qui avait soulevé Killian et le couvrait de baisers.

Du seuil de la cuisine, Paule les observait. Elle se disait souvent incapable de partager leur gaîté et les repas copieux qui les réunissaient. Loïza lui montra les roses, d'un blanc laiteux nuancé de jaune.

— On dirait qu'il y a du soleil dans les pétales, dit-elle à sa belle-sœur. Allons, fais un effort, nous sommes en famille.

— Sans mon Gaël !

— J'ai essayé de le dissuader de partir, Paule, mais que veux-tu, il aime tant sa petite femme, il l'a ramenée à Paris. Profite un peu de la journée. Tu as ton petit-fils à demeure, ça ne te suffit pas ?

— Eh non ! Il n'y a pas que le départ de Gaël. Tout le monde continue à vivre comme si de rien n'était, Loïza, alors que cinq jeunes filles ont été assassinées dans le pays. Je prie pour leur âme à la basilique, hélas, ça ne m'ôte pas la peur. Si le tueur s'en prenait à Tiphaine, un jour ? Ton commissaire n'est pas près de l'arrêter, j'en suis sûre.

Paule haussa ses maigres épaules et recula. Elle alla se camper près de la gazinière neuve, que Goulven avait achetée à crédit.

— De quoi vous causez ? intervint le garagiste, en échappant à l'étreinte de sa fille. Loïza, je ne suis pas sourd, Paule parlait du commissaire ! *Ma Doué*[1], est-ce qu'il t'aurait enfin demandée en mariage, ton flic ?

— Nicolas veut m'épouser depuis plus de deux ans, c'est moi qui refuse, rétorqua-t-elle. Je réfléchis encore.

— Il est bien patient, cet homme-là, se moqua son frère. Bon, si on buvait l'apéro ?

Malgré ses principes et son souci des traditions religieuses, il tolérait la liaison de Loïza et du policier.

— Entre adultes, à un certain âge, on a le droit de se fréquenter, commenta-t-il une fois attablé.

— Changeons de sujet, ordonna sa sœur. Tiphaine, John, votre bar marche bien ?

— Du tonnerre, répliqua la jeune femme en souriant fièrement. Hier, la recette était excellente. J'ai eu l'idée de proposer un nouveau menu cet été, pour les touristes. Nous en avons discuté dans la voiture, hein, John ?

— Je ne suis pas emballé, avoua celui-ci. Tiphaine voudrait servir du homard, ça sera trop cher pour notre clientèle.

1. « Mon Dieu », en breton.

— C'est pourtant une bonne idée, affirma Loïza.

Killian, assis sur une chaise haute paillée, grignotait des radis, une tartine de pain beurrée dans sa menotte. L'enfant, aussi blond que son père, posait sur les convives ses prunelles bleues.

— Qu'il est beau, notre fils ! s'émerveilla Tiphaine. Nous avons pris une décision, ce matin. Killian ira à l'école d'Erdeven quand il aura l'âge d'entrer au cours préparatoire. Mais d'ici là, il habitera chez nous. John a trouvé la solution, nous engagerons une bonne, qui servira aussi de nounou.

— Seigneur, une bonne, en plus de ta femme de ménage ? s'affola Paule. Vous avez les moyens. Et tu veux nous reprendre le petit, toi qui viens le voir une fois par semaine, et encore !

Goulven s'était assombri. John Russel vida son verre de vin, avant d'allumer une cigarette, l'air agacé. La querelle couvait.

— On doit d'abord préparer sa chambre, indiqua l'Américain. Il n'y a pas le feu, comme vous dites en France.

— Moi qui trouvais que le placement de Luc en institution avait laissé un grand vide... La maison sera encore plus triste, sans Killian, déplora Loïza.

— Tata, c'est mon fils. J'aurais pu l'emmener plus tôt, et même l'élever aux États-Unis. Il a aussi des grands-parents là-bas.

Outrée, Paule se mit à couper du pain avec nervosité. Le couteau à scie dérapa sur la croûte et lui entailla le pouce. Un filet de sang coula le long de son doigt.

— Et voilà, je me suis blessée, à cause de ces sottises ! cria-t-elle, des sanglots dans la voix.

— Va te rincer sous l'eau fraîche, recommanda Loïza. Bon, il ne faut pas gâcher ce repas. Killian sera content de vivre avec vous deux.

Elle s'adressait au jeune couple, dont les visages fermés trahissaient un début d'irritation. Goulven entama la terrine de pâté, sans donner son avis.

« Tiphaine n'aurait pas dû dire ça tout de suite, songeait-il. La nouvelle serait peut-être mieux passée au dessert. Ayez des gosses, ça ne vous amène que des soucis ! »

Chez les Fleury, même jour, même heure

Lara avait trouvé sa mère seule, occupée à tricoter près d'une fenêtre. Armeline, qui avait déjà déjeuné d'un œuf dur et d'un reste de purée, s'affairait pour servir un plat plus consistant à sa fille et à la petite Loanne.

— Fantou est quand même allée au lycée ce matin, expliqua-t-elle en jetant des pâtes alimentaires dans du bouillon. Et tu connais ton père, il ne perdrait pas une journée de travail. Il embauche à 8 heures, chez M. Tardivel.

— Je me souviens des horaires, maman, répondit Lara. Je me doutais que papa et ma sœur seraient partis. J'avais besoin de marcher, nous avons fait une belle balade sur la plage, avec ma chérie. Loanne, montre le coquillage que tu as ramassé.

— Non, je le garde pour papa.

— Grand-mère voudrait juste le voir.

— Non, non ! Je n'veux pas, moi.

Armeline fronça les sourcils, surprise par l'attitude de l'enfant, mais elle ne fit aucun commentaire.

— Olivier ne vous a pas accompagnées ? demanda-t-elle. Nous avons pourtant un beau soleil, aujourd'hui.

— Il devait régler un problème, je t'en parlerai plus tard, quand Loanne jouera dans le jardin. Et toi, maman, comment vas-tu ? Je m'inquiète, tu es tellement pâle, et si triste.

— Je n'ai pas jamais eu le teint vif, Lara. Et pour être triste, ça, je ne peux pas le cacher. Louis nous rend la vie difficile, à ta sœur et moi. Je suis patiente, il redeviendra lui-même un jour ou l'autre. Hier, au goûter, il s'est bien tenu, grâce à toi. Tu as de l'influence sur lui. Je suis sûre que tu peux l'aider.

— J'y compte bien, maman. Loanne, viens à table. Je t'ai beurré du pain.

La petite fille fit non de la tête, une moue boudeuse sur sa frimousse ronde. Ses boucles brunes s'ornaient en arrivant de deux rubans roses. D'un geste preste, elle venait de les dénouer et les triturait.

— Quel caractère ! murmura Armeline. J'espère qu'elle obéit mieux à son papa.

Lara sentit sa gorge se serrer. Olivier avait quitté la villa au cours de la nuit. En se réveillant, sa place dans le lit était vide, froide.

« D'abord j'ai pensé qu'il s'était levé avant moi, se souvint-elle. Il aime marcher très tôt au bord de la mer. Quand je suis descendue avec Loanne, Rozenn s'est étonnée de ne pas voir Olivier près de nous. Il ne m'a pas laissé de message, rien. »

Armeline s'approcha et caressa la joue de sa fille aînée.

— Tu es bien songeuse, Lara. Tu as dû être déçue par le comportement de ton père. Mais il avait raison sur un point. Pourquoi vous ne vous êtes pas mariés, Olivier et toi, quand vous logiez chez Daniel Masson ? C'était simple de publier les bans et de vous unir à l'église. J'ai été choquée moi aussi.

— Maman, la situation était si particulière que nous pensions à beaucoup de choses, sauf au mariage.

— La petite est-elle baptisée, au moins ?

— Oui, à la cathédrale de Coro, par un prêtre. Il parlait en espagnol. Dieu comprend toutes les langues.

Armeline retint un soupir. Elle aurait aimé se réjouir de la présence de Lara et de Loanne, mais elle se débattait dans une tempête de sentiments contraires. Les remords, les regrets, la peur et le chagrin menaient une ronde folle au fond de son cœur.

— Fantou m'a confié ce matin que vous avez l'intention de vivre définitivement au Venezuela, hasarda-t-elle. Quand même, si plus personne ne s'en prend à Olivier, vous pourriez rester ici, en Bretagne.

— Maman, pour l'instant, je ne sais pas quoi te répondre, avoua Lara. Je préférais te cacher ce qui s'est passé hier soir, à la villa, mais à quoi bon ? J'ai envie de pleurer ou de hurler de terreur. Olivier a disparu. Il va peut-être revenir, il a pu rentrer chez les Bart, pendant mon absence… ou bien un malheur s'est produit, et je ne le reverrai jamais.

— Ne dis pas ça, Lara, devant ta petite, en plus !

Soudain, Armeline aperçut une silhouette masculine sur le chemin. C'était un homme d'une quarantaine d'années, élégant, en costume de lin beige. Il avait des traits un peu lourds, des yeux bruns étroits, d'épais sourcils en broussaille et un nez aquilin.

— Nous avons de la visite, dit-elle très bas.

Lara espéra de toute son âme qu'il s'agissait d'Olivier. Elle bondit de sa chaise et regarda dehors, par la porte grande ouverte. Après un instant d'hésitation, elle poussa un léger cri de soulagement.

— Inspecteur… Nicolas, pardon, commissaire Renan ?

Elle le dévisageait, les larmes aux yeux. Il souleva un peu son chapeau en lui souriant.

— Lara, dit-il. Je suis venu le plus vite possible, après le coup de fil de Rozenn Bart. Madame Fleury, je suis content de vous revoir. J'ai appris pour votre mari, vous avez de la chance.

— Oui, sans doute, monsieur Renan.

— Merci d'être là, Nicolas ! s'écria Lara en lui serrant la main. Je vous présente notre fille, Loanne.

Le policier salua le minuscule personnage en robe blanche qui extirpait de sa bouche des rubans brillants de salive.

— Enchantée, petite demoiselle, murmura-t-il, amusé. Lara, soyez tranquille, je suis passé à la villa, Olivier est de retour. Je viens vous chercher. Nous avons beaucoup de choses à nous dire. Encore plus que vous ne pouvez l'imaginer.

3

Les intouchables

Trédion, forêt de Coëby, lundi 21 mai 1951

Claudine et son époux Jacques cherchaient des champignons, à la faveur de cet après-midi ensoleillé. Tous deux épris de marches en forêt, ils admiraient le couvert des grands chênes dont la ramure s'ornait d'un jeune feuillage.

— Nous ne trouverons pas de cèpes, il est un peu trop tôt dans la saison, dit l'homme en riant. Mais c'est un bon prétexte pour se promener. Je voudrais te montrer le dolmen de la Loge-au-Loup. Il ne doit pas être loin. Et dimanche prochain, nous irons à Paimpont, que les historiens pensent être Brocéliande.

Ancien instituteur, le septuagénaire avait persuadé son épouse de revenir habiter dans le Morbihan, où il était né. Désormais propriétaires d'une petite maison à Trédion, le couple occupait ses loisirs en arpentant les bois, quand le temps s'y prêtait.

— Tiens, regarde sur ta droite, nous y sommes, s'écria Jacques. Je n'ai pas perdu mon sens de l'orientation.

Il désignait un alignement de pierres moussues, aboutissant à un dolmen, dont la masse trapue se dressait près d'un chêne.

— Mon frère et moi, nous venions là à vélo, sans le dire à nos parents. On jouait aux archéologues. La végétation a tout envahi, des arbres poussent entre les pierres et ils vont finir par les faire s'écrouler. C'est bien dommage.

— Le nom me plaît, la Loge-au-Loup. Il prouve qu'il y a eu des loups en Bretagne, nota Claudine.

— Comme dans toute la France, pendant des siècles, ma douce. Passe-moi l'appareil photo, je te prie, la lumière est belle, je vais prendre quelques clichés. En fait, il s'agit plutôt d'une allée couverte datant du Néolithique. Son architecture est particulière.

Jacques vouait une véritable passion aux dolmens et autres mégalithes qui abondaient dans la région. Sa femme approuva d'un gentil signe de tête. Originaire de Lorraine, elle découvrait avec intérêt les sites archéologiques que son mari lui faisait visiter.

— Si seulement on pouvait remonter des millénaires en arrière, parfois, dit-il d'un ton exalté. On assisterait aux cérémonies funéraires qui devaient se dérouler sur ces lieux, car c'étaient des sépultures.

Claudine suivit Jacques qui s'approchait des lourdes pierres en granit, tapissées d'une mousse vert sombre. Ils virent tous deux, par les larges interstices entre les blocs de roche, un amas de feuilles mortes, mêlées de brindilles, ainsi que de terre fraîche.

— On dirait qu'une bête a creusé, de ce côté, dit-elle.

— Sans doute un blaireau ou un renard, expliqua-t-il en regardant de plus près. Tiens, il y a même des petits os.

Son mari s'accroupit puis il s'empara d'un bout de bois pour gratter l'humus brun.

— Laisse donc, la bestiole ne reviendra pas si elle sent ton odeur. Ne démolis pas son garde-manger, s'esclaffa sa femme. Prends plutôt tes photographies, qu'on continue la balade.

Elle avait déjà sorti l'appareil de son étui en cuir. Au même moment, Jacques se redressa, la mine effarée.

— Mon Dieu, quelle horreur ! clama-t-il. Claudine, recule, ma douce ! Il y a un squelette enfoui là-dessous.

— Qu'est-ce que tu racontes ?

— J'ai vu une main humaine ! Et j'ai cru deviner un crâne, aussi.

— Seigneur, ce n'est pas possible. Jacques, ça va ?

Il respirait vite, le teint blafard, bouche bée. Son épouse lui caressa l'épaule, très inquiète.

— Pauvre de nous, il a fallu que tu découvres un squelette, toi qui as le cœur fragile, se désola-t-elle. Jacques, on doit alerter les gendarmes.

— Oui, retournons à la voiture. Si je m'attendais à une chose pareille !

Le couple s'éloigna à petits pas pressés, en se tenant par le bras. La forêt de Coëby leur semblait à présent inhospitalière, malgré le soleil et les chants d'oiseaux.

Deux heures plus tard, le tranquille sous-bois était investi par une équipe de la gendarmerie de Vannes.

Locmariaquer, sur la route de Guilvin,
même jour, même heure

Lara s'était assise sur la banquette arrière de la Rosengart, sa fille sur les genoux. Nicolas Renan avait à peine roulé une centaine de mètres qu'il perdit son sourire jovial et se récria tout bas :

— Quelle mouche vous a piqués, Olivier et vous ? Rozenn m'a expliqué la raison de votre retour, au téléphone, mais il n'y avait aucune véritable urgence. Votre père n'allait pas s'envoler, Lara !

— Mettez-vous à ma place, Nicolas ! Pendant des années j'avais attendu papa, je le croyais mort. Quand j'ai reçu la lettre de ma sœur, je n'avais qu'une idée, le revoir. Et c'était l'occasion de retrouver ma famille, mes amis, après plus de trois ans d'absence.

— Il fallait m'avertir avant de vous précipiter dans le premier avion ! Ce n'était pas raisonnable. Si j'avais résolu l'affaire concernant votre compagnon, je vous l'aurais fait savoir. Nous en avions convenu ainsi.

— Je le sais, cependant je vous rappelle que vous nous aviez formellement interdit de chercher à vous joindre, exception faite du télégramme que nous devions vous envoyer une fois arrivés à Caracas. J'ai été bouleversée, en apprenant que vous aviez failli mourir.

— Je vous remercie de votre sollicitude, mais j'en reviens à votre retour impromptu. Il ne fallait rien précipiter et me contacter par le biais de Daniel Masson. J'estime ce jeune homme assez intelligent pour trouver un moyen de m'en informer, d'autant plus que Fantou lui a souvent rendu visite.

— Fantou ? Pourquoi ?

— Je n'en sais fichtre rien, vous n'aurez qu'à le lui demander. Autre chose, évitez de m'appeler par mon prénom. Là, en privé, passe encore, mais si vous êtes amenée à me rencontrer dans d'autres circonstances, ce genre de familiarité paraîtrait déplacé.

— Bien, monsieur le commissaire, répliqua-t-elle sèchement. Nous ne sommes plus amis ? Moi qui étais heureuse de vous revoir !

— Là n'est pas la question, Lara.

— Dans ce cas, dites « mademoiselle Fleury », ironisa-t-elle, ou « madame Kervella », même si je ne suis pas officiellement l'épouse d'Olivier. Mais au fait, pourquoi êtes-vous venu ? À cause de l'automobile saccagée par des voyous ?

— Entre autres, répondit Renan de façon énigmatique. Vous en saurez bientôt davantage, loin des oreilles innocentes de votre adorable enfant.

— Ce sera difficile d'écarter Loanne, elle ne connaît personne ici, à part son père et moi.

— Un conseil, confiez votre fille à ses grands-parents de Dinard, les jours prochains. Ils sauront l'apprivoiser avec des jouets, des sucreries. C'est pour sa sécurité.

— Pourquoi ? Qu'est-ce que vous avez appris ? Ne faites pas tant de mystères, commissaire !

— Décidément, vous n'avez pas changé, Lara ! Votre caractère de feu me manquait. Nous arrivons. Courage.

L'avertissement acheva de troubler la jeune femme. Elle se pencha un peu pour embrasser Loanne.

— J'ai faim, maman, se plaignit la petite.

— Mais oui, tu n'as pas pu déjeuner, et il est plus d'une heure. Mon petit cœur, je suis désolée. Je vais te faire manger.

Renan se gara devant la villa. Olivier semblait guetter leur arrivée, debout au milieu de la cour, le chien Nérée couché à ses pieds. Lara sortit de la voiture, en tenant la main de sa fille.

— Papa, papa, appela Loanne.

Le jeune homme ouvrit le portail et la souleva.

— Viens dans mes bras, ma p'tite bouille, dit-il.

— Bobo, papa, murmura-t-elle, un doigt posé sur une large ecchymose violacée, au-dessus de l'arcade sourcilière de son père, qui avait également la bouche tuméfiée.

— Tu es blessé, Olivier ? s'affola tout de suite Lara. Qu'est-ce que tu as fait, où étais-tu cette nuit ?

— Je vais tout t'expliquer, allons à l'intérieur, répliqua-t-il à voix basse.

Le commissaire Nicolas Renan observait d'un œil soucieux le couple et leur petite fille. Il les suivit vers la villa, sans avoir encore pris de décision.

« Dois-je leur dire la vérité ou non ? songeait-il. C'est plus prudent d'attendre un peu. Olivier vient déjà de commettre une erreur. »

Rozenn les accueillit d'un faible sourire, tandis qu'Odilon, de la cuisine, annonçait bien fort qu'il avait préparé du café pour tout le monde. Olivier déposa Loanne au milieu du vestibule.

— J'ai fait n'importe quoi ce matin, confia Lara à son amie. Je me suis promenée trop longtemps sur la plage.

Maman préparait des pâtes, mais Nicolas, enfin le commissaire Renan, est venu nous chercher avant que nous ayons pu manger. Auriez-vous quelque chose de chaud pour Loanne ?

— Oui, bien sûr, si ta petite accepte que je m'occupe d'elle, j'ai un potage de légumes.

Exceptionnellement, Lara fit preuve d'autorité envers sa fille.

— Loanne, tu vas manger dans la cuisine, papa et maman ont besoin de discuter. Rozenn est très gentille.

Odilon, après avoir porté le plateau du café au salon, s'en mêla. Il sortit d'un placard un sachet de bonbons qu'il agita sous le nez de l'enfant.

— Tu en auras deux si tu es sage, bout de chou. Et je vais te jouer un air d'harmonica pendant que tu manges ta soupe.

Contre toute attente, Loanne approuva d'un signe de tête. Elle se laissa asseoir sur une chaise, comme fascinée par le bon sourire du retraité.

— Ne t'inquiète pas, Lara, Rozenn et moi, nous avons élevé notre petite cousine Élodie, lui affirma-t-il.

Lara quitta la pièce discrètement. Elle avait hâte de savoir ce qui s'était passé, car elle percevait une tension anormale dans la villa. Olivier la saisit par la taille, sur le seuil du salon.

— Ma chérie, pardonne-moi, lui dit-il doucement. J'ai agi en dépit du bon sens.

Elle lut une réelle détresse dans le regard bleu sombre de son compagnon. Il semblait atteint au plus profond de lui-même.

— Peux-tu m'expliquer tout de suite, Olivier ? Ou sommes-nous obligés d'en parler en présence du commissaire Renan ?

— Il nous accorde quelques minutes, mon cœur. Voilà, je ne pouvais pas dormir cette nuit. Je me suis levé et j'ai téléphoné à mon père, pour lui dire dans quel état était sa luxueuse Delage…

— Je suppose qu'il était furieux ?

— Il ne m'a rien reproché directement, mais il a jeté des imprécations rageuses, comme quoi ça n'en finirait jamais, que nous avions eu tort de revenir. J'ai entendu ma mère pleurer, et là, la communication a été coupée.

— Tu n'as pas essayé de rappeler ?

— Non, avoua Olivier, une expression dure sur le visage. J'ai perdu patience, j'ai cédé à la colère. Au fond, j'en voulais au monde entier, comme un gosse. J'étais tellement exaspéré que j'ai bu deux grands verres d'alcool, dans l'espoir de me calmer. Après ça, je suis sorti et j'ai marché jusqu'à la plage, pour aller examiner la voiture.

— C'était stupide, il fallait me réveiller, se désola-t-elle.

— Peu à peu, en constatant à nouveau les dégâts, ma colère s'est changée en rage ! J'ai crié, j'ai lancé des galets dans les vagues. J'étais écœuré, comprends-tu ? Je me répétais que nous avions quand même le droit de séjourner en Bretagne, je te revoyais toute joyeuse, pendant le voyage, à l'idée de revoir ton père. Et là…

Nicolas Renan les rejoignit de son pas désinvolte. Il acheva le récit en fixant Lara dans les yeux.

— Et là, Olivier a vu débouler les voyous que soupçonnait M. Bart. Ils ont été surpris de trouver quelqu'un près de l'épave.

— Oui, ils étaient trois, je devinais leur figure grâce au clair de lune, ajouta le jeune homme. Je les ai invectivés, d'abord, puis j'ai ouvert la malle arrière pour prendre la manivelle. Je me reconnaissais plus, Lara. Quand j'y pense, ça me donne la nausée.

— Il les a menacés, évidemment ils ont mal réagi, d'où une bagarre à trois contre un, précisa très vite le commissaire Renan. Hélas, il y a eu un blessé grave pendant l'échauffourée. Ses acolytes ont pris la fuite, et Olivier, lui, est allé en ville chercher le docteur. Quand ils sont arrivés sur les lieux, c'était trop tard, il n'y avait plus qu'un gosse de dix-sept ans, mort. Je suis désolé, Lara, mais je dois arrêter votre compagnon. Il sera mis en cellule à la gendarmerie d'Auray, tant que la légitime défense ne sera pas établie.

Elle retenait des larmes de dépit, encore incrédule. Olivier voulut l'enlacer, mais elle le repoussa.

— Tu n'as jamais été violent, tu me disais souvent ignorer la haine. Ce n'est pas toi qui as causé le décès de ce garçon ?

— Je n'en sais rien, Lara. Pardonne-moi, implora Olivier. Je suis désolé.

— Passons au salon, suggéra Nicolas Renan. Rozenn m'a averti du drame directement, donc nous avons un peu de temps.

— Je lui ai tout raconté dès mon retour ici, précisa le jeune homme. Elle a choisi de téléphoner au commissaire, avant d'appeler les gendarmes.

— Et puisque je me considère comme votre ami, ajouta celui-ci, j'ai préféré procéder seul, au risque de m'attirer des ennuis.

C'en était trop pour Lara. Elle les précéda dans le grand salon et elle se posta devant la baie vitrée, d'où on pouvait admirer la mer, d'un bleu intense. Des voiliers passaient au large, croisés par deux chalutiers.

— Vous aviez raison, commissaire Renan, soupira-t-elle. Il ne fallait pas rentrer en France. Nous n'obtiendrons jamais la joie, la paix et le bonheur sur notre terre natale.

— Ne désespérez pas, Lara, déclara le policier. Olivier sera relâché rapidement, surtout si M. Kervella verse une caution. Pour être franc, cette histoire d'automobile volée, détruite à quelques centaines de mètres d'ici, me paraît louche, autant que l'agression dont a été victime votre compagnon. D'où mes conseils : si vous tenez à séjourner dans le coin, veillez bien sur votre fille. Elle serait mieux à Dinard.

— Pourquoi, commissaire ? s'exclama Olivier.

— Vos parents n'ont jamais été importunés, et j'ai l'intuition qu'ils ne le seront pas. De plus, leur maison est moins exposée que cette villa ou le logement des Fleury.

— C'est inadmissible, vous recommencez à jeter le doute sur ma famille ! s'enflamma Olivier.

— Pas du tout ! s'insurgea Renan. Je prône la logique. Admettez que vous avez dû vous poser la question, parfois !

— Non, jamais ! Je suis la cible d'une vengeance sûrement injustifiée, mes parents n'ont rien à voir dans tout ça, argumenta le jeune homme sans grande conviction.

— Sans doute, rétorqua le commissaire. Cependant l'individu qui a tenté de me tuer à coups de couteau venait récupérer un dossier. Je l'avais découvert dans la crypte du manoir de Tromeur, après le suicide de Malherbe. Urvois m'a ordonné de le mettre sous scellé, avec d'autres documents, des cartes routières, des factures, des photographies. Ce soir-là, j'avais emporté le dossier afin de l'étudier.

— Que contenait-il ? demanda Olivier.

— Je n'ai pas eu le temps de le consulter, je n'ai lu que la première page, mentit Nicolas Renan, intérieurement navré de duper les jeunes gens.

— Et qu'est-ce qu'il y avait, sur cette première page ? demanda Lara, intriguée.

— Une phrase tapée à la machine, les noms de Mme et M. Kervella, leur adresse, avec la mention : « Aucune action ne devra être menée à Dinard, personnes intouchables. »

Un terrible silence suivit ces mots. Il fut rompu par les aboiements de Nérée et les pleurs aigus de la petite Loanne. On tambourinait à la porte principale. Odilon courut ouvrir et se trouva confronté à deux gendarmes, dont le lieutenant Auffret.

— Entrez, messieurs, leur dit le commissaire Renan, qui s'était précipité dans le vestibule. Le suspect est prêt à nous suivre.

Affolée, Lara se jeta au cou d'Olivier et effleura sa bouche meurtrie de ses lèvres douces.

— Je te pardonne tout, mon amour, et pire encore, je me sens coupable. Sans mon insistance à rentrer, nous serions là-bas, au Venezuela.

— Je t'aime, Lara, lui répondit-il d'un murmure en l'étreignant. Je t'en prie, téléphone à mon père, exige des explications, et s'il le faut, emmène Loanne à Dinard. Maman en prendra soin. Je deviendrais fou si on touchait à notre petite.

— Je saurai la protéger, Olivier, ne crains rien, et je suis convaincue qu'ils ne te garderont pas longtemps.

— Je l'espère, mon cœur.

Le tendre dialogue à voix basse qu'ils échangeaient les empêchait d'écouter la discussion entre le commissaire et ses subordonnés.

— Le dolmen de la Loge-au-Loup, dites-vous ? interrogeait Renan. Bon sang ! Oui, je connais Trédion, j'y suis déjà allé.

— Votre présence est nécessaire sur les lieux, commissaire, indiqua Auffret. En voiture, vous y serez dans moins d'une heure.

— Je pars tout de suite. Lieutenant, conduisez Olivier Kervella à Auray. Inutile de lui mettre des menottes. Placez-le en cellule, et je veux qu'il soit bien traité. Vous noterez sa déposition.

— D'accord, commissaire.

Lara, sa fille dans les bras, assista au départ d'Olivier, encadré par les deux gendarmes à la mine compassée. Quand il grimpa à l'arrière de la fourgonnette noire, Nicolas Renan roulait déjà vers Trédion.

— Où il va, mon papa ? gémit Loanne.

— Il sera là demain, ma petite chérie, affirma Odilon, demeuré aux côtés de la jeune femme.

— Alors, ze veux encore l'aminoca, balbutia l'enfant, en suçant son pouce.

— Ah, l'harmonica, rectifia le retraité. Je t'en jouerai tout à l'heure. Lara, ne pleure pas. Tout s'arrangera. Je conçois ta peine et ton angoisse, mais tu n'es pas seule. Ce soir, je fermerai bien la villa, les contrevents, la porte du sous-sol.

Elle dédia à Odilon un sourire tremblant, ses beaux yeux noirs brillants de larmes. Il lui tapota l'épaule.

— La police tirera la situation au clair, ajouta-t-il. En pleine bagarre, comment savoir qui a porté un coup fatal ? Il faudrait le témoignage des deux autres types. Ce sont des lâches, pour abandonner ainsi le blessé.

Rozenn les appela de la fenêtre de la cuisine.

— J'ai refait du café, disait-elle. Venez donc !

Aussitôt, Loanne, comme effrayée, nicha son minois contre la poitrine de sa mère, avant de lancer une plainte déchirante.

— Z'eu veux rentrer à la maison, maman. Veux voir Ca'lota.

— Pauvre bout de chou, déplora Lara. Nous irons bientôt. Mais tu dois être sage, entends-tu ? Tu parles mieux, d'habitude.

Lara perdait pied, accoutumée à être secondée par Carlota, sa domestique qu'elle appréciait à l'égal d'une amie. Dans son désarroi, une aide précieuse lui apparut.

— Fantou !

Sa sœur sauta de son vélo, qu'elle poussa par le guidon jusqu'au hangar. La jeune fille, coiffée d'une queue-de-cheval, en pantalon et chemisier, courut vers Lara et Odilon.

— J'ai quitté le lycée à midi et je suis revenue en bus à Locmariaquer. Tant pis, je manquerai juste les deux heures de gymnastique, annonça-t-elle en riant. J'avais besoin d'être près de toi, Lara, et de ma nièce, la plus jolie du monde.

Loanne considéra le gracieux visage de Fantou, sa blondeur, son teint lumineux et ses prunelles de saphir. Ce qu'elle voyait devait lui plaire, car elle tendit ses menottes vers sa tante.

— Quel soulagement, tu es là, soupira Lara en lui confiant sa fille. Si tu pouvais jouer les nurses, ce serait merveilleux. Olivier a des ennuis.

— Je sais. Les gens en parlaient sur le port, quand j'ai récupéré ma bicyclette. J'ai dû avoir un pressentiment.

— Mon petit korrigan, je suis tellement inquiète. Rien ne se déroule comme j'en rêvais.

— Il faut s'accommoder de notre destin, professa sa sœur d'un ton grave.

Un quart d'heure plus tard, Loanne faisait la sieste à l'étage, endormie par une berceuse que lui avait fredonnée Fantou. Rozenn, Lara, la jeune fille et Odilon s'étaient réunis dans la cuisine, qui leur semblait plus accueillante que le salon.

— Savez-vous pourquoi le commissaire Renan est parti aussi vite ? insinua le retraité. J'ai surpris une conversation entre les gendarmes. Un squelette de femme a été découvert sous l'allée couverte du dolmen de la Loge-au-Loup, dans la forêt près de Trédion, au nord de Vannes. Il pourrait s'agir d'une victime du tueur, mais plus ancienne.

— Mon Dieu, combien y a-t-il d'autres malheureuses dont on n'a pas encore retrouvé les corps ? déplora Rozenn en se signant d'un geste effaré.

— Seigneur, moi qui lui ai lancé un regard furieux, lorsqu'il m'a saluée depuis le perron, se désola Lara. Je lui en voulais tant d'envoyer Olivier en prison.

— Il sera simplement placé en cellule à la gendarmerie d'Auray, la rassura le retraité. Il ne sera pas incarcéré, ma chère enfant.

— Et Nicolas Renan a pu prendre cette décision pour protéger Olivier, hasarda Rozenn. Ces voyous peuvent chercher à venger leur complice. Lara, tu dois téléphoner à M. Kervella.

— Je ne suis pas assez calme, protesta-t-elle. Au fond, je me sens coupable de ce gâchis.

— Les vrais coupables, ce sont ceux qui cherchent à détruire Olivier, affirma sa sœur d'une voix nette.

— Un garçon de dix-sept ans est mort cette nuit, il serait en vie si nous étions restés au Venezuela, Fantou. Pourquoi s'entêter à passer l'été ici ? Papa m'a traitée en paria, et mon pays tant aimé me paraît désormais hostile quand je pense aux malheureuses victimes de ce monstre. Je n'ai pas pu le dire à Olivier, mais nous abrégerons notre séjour. Il sera d'accord, il n'avait guère envie de fouler le sol français. Aussi j'ai la ferme intention de retourner chez nous dans une semaine environ. Et je voudrais t'emmener, mon korrigan.

— M'emmener ? Lara, c'est impossible, je passe en classe de terminale, et c'est une année importante pour bien préparer le baccalauréat. C'est très gentil de ta part, d'autant plus que je rêve de voyager. Seulement, je ne peux pas vous suivre.

Un voile de tristesse altéra le joli visage de Fantou. Elle étudia ses mains, sirota le contenu de sa tasse.

— Je tenais à t'éloigner, expliqua Lara. Si jamais le tueur s'en prenait à toi !

— C'est improbable, je n'ai pas l'âge requis. Toi, en revanche, tu es en danger, grande sœur.

— Les crimes ont lieu en septembre, répliqua celle-ci. J'aurai quitté la région depuis longtemps. Rozenn, Odilon, je vous dois un aveu. Le commissaire Renan a lu dans un dossier qu'on lui a dérobé le soir de son agression, que Mme et M. Kervella seraient des personnes intouchables. Olivier, dans sa cellule, va ressasser ces mots. Il a été choqué, je l'ai constaté. Et moi je ne sais plus que penser.

Un hurlement strident, à l'étage, mit fin au débat. Lara se leva et se rua dans l'escalier.

— Maman arrive, mon petit cœur ! cria-t-elle.

Loanne était assise au milieu du grand lit, ses boucles en pagaille, la bouche grande ouverte par la panique qui la terrassait.

— J'ai peur, gémit-elle. La dame, là, toute rouge.

— As-tu fait un cauchemar, mon trésor ? s'inquiéta-t-elle en la serrant sur son cœur.

Lara songeait à Rozenn, dont la physionomie singulière causait un malaise à sa fille. Cependant Loanne tendait l'index vers un des angles de la chambre. La mystérieuse femme était là, d'une beauté hiératique, ses cheveux drapés du voile rouge, vêtue de noir.

— Tu vois cette dame, Loanne ? murmura Lara, sidérée.

— Oui, sanglota l'enfant. J'ai peur d'elle.

La fantasque apparition disparut immédiatement, plongeant la jeune mère dans une vive anxiété.

« Chaque fois qu'elle s'est manifestée, un drame se préparait, se remémora-t-elle. Elle me donne un avertissement, j'en suis sûre. Mais par quel prodige Loanne a pu la voir elle aussi ? »

Fantou pénétra dans la chambre où il faisait sombre, les volets étant fermés. Elle ouvrit la fenêtre et les rabattit contre le mur.

— Regarde, Loanne, il fait soleil, précisa-t-elle. Tu n'as pas dormi longtemps. Est-elle sujette aux cauchemars, Lara ?

— Parfois, comme tous les enfants. Fantou, tu te souviens de la vision que j'ai eue au seuil de la mort, la femme qui m'a dit de vivre, pour faire triompher la justice ?

— Oui, tu m'en avais parlé.

— Ma toute petite fille s'est réveillée à cause de sa présence ici, dans cet angle de la pièce ! Je pensais être la seule à la voir.

— Est-ce qu'elle t'est apparue, au Venezuela ?

— Absolument pas, j'avais presque oublié ce phénomène. Je vais demander son avis à Rozenn.

— Notre amie se repose, patiente un peu, recommanda sa sœur. Et cela nous laisse un peu de temps pour bavarder toutes les deux. Regarde, je crois que ma nièce se rendort. Qu'elle est mignonne !

Loanne, pelotonnée sur les genoux de sa mère, suçait son pouce en clignant des paupières.

— J'aurais aimé savoir que tu étais enceinte, que tu avais eu un bébé, se plaignit Fantou. Te rends-tu compte, Lara, durant plus de trois ans, je n'ai pas entendu ta voix, ni lu une ligne de toi.

— J'en souffrais aussi, je t'assure, mais tu étais dans toutes mes pensées. Il m'arrivait même de contempler un paysage et d'avoir l'impression que tu l'admirais également, à mes côtés. Mais dis-moi, Nicolas Renan a insinué que tu rendais souvent visite à Daniel Masson sur Molène.

— Souvent ? Le commissaire exagère ! s'insurgea sa sœur. J'y suis allée de temps en temps, pendant les vacances d'été.

— Tu espérais peut-être avoir de nos nouvelles ? Oh, je suis désolée !

— Bien sûr, c'était une des raisons de mes expéditions, Lara. Et finalement, Daniel m'a donné des leçons de piano. Nous sommes bons amis.

Fantou ne pouvait pas dissimuler le rose de ses joues. Lara le remarqua, cependant elle ne fit aucun commentaire, pleine de compassion et de tendresse pour la radieuse jeune fille qu'était devenu son petit korrigan.

Forêt de Coëby, même jour, environ deux heures plus tard

Renan avait retrouvé son adjoint, l'inspecteur Ligier, qui guettait son arrivée à quelques dizaines de mètres du dolmen de la Loge-au-Loup. Quatre gendarmes étaient postés autour de l'allée couverte. Ils semblaient surveiller la civière posée sur le sol à leurs pieds.

Le légiste, quant à lui, s'évertuait de fournir aux policiers des renseignements précis.

— D'après mes premières constatations, il s'agit d'une très jeune femme, commissaire. La mort doit remonter à six ou sept ans.

— Avez-vous un indice qui relierait la victime aux autres ?

— C'est difficile d'établir la cause du décès, le corps étant réduit à l'état de squelette, hasarda le médecin. Néanmoins, j'ai ma petite idée. Regardez.

Nicolas Renan observa des morceaux de tissu jauni, que lui présentait le légiste d'un air satisfait, au creux d'un récipient en métal.

— Du coton léger, jadis blanc, précisa-t-il. La matière a résisté aux intempéries, même s'il ne subsiste que des lambeaux épars. Une analyse comparative avec les tuniques en notre possession permettra d'établir un lien, selon moi.

L'inspecteur Ligier lançait des coups d'œil circonspects vers les pierres dressées en épi qui composaient l'allée couverte.

— Comment allons-nous procéder pour emporter le squelette ? demanda-t-il. Je présume qu'il est hors de question de bouger les plaques de rocher.

— Nous n'aurons pas le choix, insinua un des gendarmes. Mes collègues et moi-même, on s'interrogeait. Si c'est un meurtre, lié aux cinq autres, comment le criminel a pu allonger sa victime sous les pierres ? L'entrée du dolmen est fermée par une dalle, donc le tueur devait être sacrément costaud, pour manipuler le corps et le glisser sous l'allée couverte.

— Attendez, il y a une brèche, là, c'est par cet endroit qu'on a dû faire passer le cadavre, indiqua Ligier. On devrait pouvoir sortir le squelette par le même chemin.

— Bah, de toutes les façons, on ne le ramènera pas entier à la morgue, prêcha le médecin légiste, une cigarette au coin des lèvres.

Le commissaire Renan réfléchissait. Il avait émis l'hypothèse, après la mort de Léa Bertho, qu'il pouvait très bien y avoir d'autres victimes dont on n'avait découvert les corps. Sa théorie allait peut-être se confirmer.

— Un point me tracasse, décréta-t-il. J'ai étudié les fichiers des disparitions, au cours de mon enquête. On compte dix adolescents, des garçons de quinze à vingt ans, envolés dans la nature. Mais toutes les affaires concernant des jeunes filles ont été résolues : deux jeunes fugueuses ont été appréhendées et confiées à leur famille, trois autres disparues ont donné des nouvelles à la suite des annonces publiées dans la presse, et la dernière, une fillette de treize ans, s'était malheureusement noyée et la mer a rendu sa dépouille au bout d'un mois. Donc, en étant logique, personne ne s'est inquiété de notre morte.

— Si elle était majeure et sans proches parents, ça me paraît possible, suggéra Ligier.

Le légiste, amateur de spectacle, brandit son ultime carte, en soulevant le récipient qui contenait les vestiges de tissu. Le commissaire et son adjoint virent une gourmette en argent, maculée de terre, disposée sur un carré de plastique.

— Vous ne pouviez pas le dire plus tôt ? enragea Renan.

— Je n'en ai pas eu l'occasion. La jeune femme s'appelait Janig, un prénom typiquement breton.

— Bien, c'est déjà ça, trancha le policier. On se revoit demain matin, au cas où l'autopsie révélerait un détail intéressant. Vous ne me réservez pas une autre surprise, docteur ?

— Non, je suis désolé. Je vous dis à demain.

Les deux policiers reprirent le chemin vers la route, à travers le dédale des chênes.

— Comment allons-nous procéder, commissaire ? demanda Ligier. Découvrir qui était cette fille avec son seul prénom ne va être pas une mince affaire. Autant chercher une aiguille dans une botte de foin !

— Pitié, épargnez-moi les dictons, maugréa Renan. Janig, ce n'est pas si courant que ça. Il faut faire passer un article dans le journal de demain. Si une famille est sans nouvelles de sa fille depuis six ou sept ans, elle contactera le commissariat. Quant à vous, je vous charge d'interroger les gens de la commune, à Trédion, et dans les hameaux alentour. Avec un peu de chance, vous trouverez quelqu'un ayant connu Janig. Je dois retourner à la gendarmerie d'Auray.

Nicolas Renan fut soulagé de s'asseoir au volant de sa fidèle Rosengart. Il démarra aussitôt, en espérant dîner en compagnie de sa maîtresse, lorsqu'il aurait pu discuter avec Olivier Kervella.

« Au moins, ce jeune homme est à l'abri, en cellule, se dit-il. Tant pis s'il m'en veut, je suis le seul capable de le protéger. »

Sainte-Anne-d'Auray, même jour, 18 heures

Tiphaine, les larmes aux yeux, cajolait son fils, comme si elle s'en séparait pour de longues semaines. Killian riait en se débattant un peu, les joues marquées de traces de rouge à lèvres.

— Mon *baby* chéri, susurrait sa mère. Bientôt tu viendras chez papa et maman, dans une belle chambre. Tu vas avoir plein de joujoux.

— Ne lui dis pas ça, à cet âge, il n'a pas la notion du temps, lui reprocha John. Et je considère que Killian est bien assez gâté. Le cadeau d'aujourd'hui était superflu.

Son accent américain déforma ce dernier mot, ce qui fit sourire Loïza, en apparence imperturbable. Les « au revoir » rituels du lundi avaient lieu sur le perron.

Goulven y assistait, les mains dans les poches, le teint enflammé par une nourriture copieuse et de nombreux verres de vin.

— Il se plaît chez nous, ton *babig*[1] ! jeta-t-il à sa fille en haussant les épaules. Ne vous pressez pas de l'emmener.

Paule avait choisi de rester dans la grande cuisine afin de remettre de l'ordre. Tout l'exaspérait. Elle alignait ses griefs à voix basse.

— Seigneur, Tiphaine a l'air d'une poule, avec son maquillage et ses cheveux décolorés. Si elle sert leurs clients dans ce genre de robe, qui exhibe ses seins, Russel ne doit pas rire tous les jours. Et elle veut reprendre Killian, alors qu'elle ne s'en occupe jamais. Elle va vite déchanter !

Encombrée des assiettes sales du goûter, Paule trébucha sur le train à friction du petit garçon, le fameux cadeau superflu. Malgré ses tentatives pour se redresser, elle se heurta au rebord de l'évier, en lâchant la vaisselle.

— Et zut ! pesta-t-elle, assourdie par le fracas de la porcelaine sur les carreaux.

Un sanglot sec lui échappa, face aux dégâts. Loïza accourut et, sans attendre, s'empara du balai et d'une pelle.

— C'était le service à gâteaux de ma dot, geignit sa belle-sœur. Le seul souvenir de ma mère.

— Ne te rends pas malade, Paule. Si tu étais moins nerveuse, aussi !

— Ah c'est ça, fais-moi la morale ! Toi, bien sûr, rien ne t'atteint, tu es parfaite, comme dit l'Américain.

— John, il s'appelle John et c'est ton gendre.

— Pourquoi tu ne t'es pas opposée à Tiphaine ? ajouta Paule d'un ton hostile. La maison sera triste, sans le petit. Peut-être qu'au fond, ça t'arrange, tu pourras fréquenter ton flic plus souvent.

1. « Bébé », en breton.

Loïza ramassa les débris d'assiette et les vida dans la poubelle. Ensuite, elle toisa sa belle-sœur, de son regard gris étincelant de colère.

— Nicolas est un policier digne de respect, commissaire depuis deux ans, lui assena-t-elle. Je ne t'impose pas sa présence, je le tiens à l'écart de notre famille, et je refuse même de l'épouser pour rester ici, avec mon frère et toi. Tu es pétrie de rancune, tu déplores le prochain départ de Killian, pourtant tu lui montres peu d'affection. Je renonce à t'aider, Paule. Ce n'est pas ma faute non plus si Gaël et Agnès ont préféré repartir pour Paris, si Tiphaine sent son instinct maternel s'éveiller.

— Arrête ton bla-bla, Loïza, tu me fatigues !

— Toi aussi tu me fatigues, je sors ! répliqua celle-ci en ôtant son tablier. Passe une bonne soirée en tête à tête avec mon pauvre frère.

— Où vas-tu ?

— J'ai l'intention de téléphoner à Nicolas, de chez la voisine. Qu'il soit à Auray ou bien à Vannes, nous irons au restaurant, lui et moi. Il est toujours prêt à faire de la route pour me voir.

Très digne, Loïza quitta la pièce. Elle s'était installée dans l'ancienne chambre de sa nièce et s'y réfugia, le cœur serré. La voix sonore de Goulven s'éleva du couloir. Il ronchonna :

— Hé, le torchon brûle avec Paule, on dirait ? J'ai le petiot sur les bras, il te réclame !

Le garagiste tourna la poignée en cuivre, poussa le battant d'un pied. Tout de suite, il posa Killian.

— Viens là, mon chéri, appela Loïza. Tu peux nous laisser, Goulven. Et referme la porte, je te prie.

Une fois seule avec l'enfant, elle l'étreignit tendrement. Elle le couvrit de légers baisers, éperdue de chagrin à la perspective de ne plus pouvoir le choyer, d'ici peu.

— Je t'aime, mon petit Killian, chuchota-t-elle à son oreille. Je voudrais tant être ta maman et te garder. On m'a forcée à envoyer Luc dans une institution, et à présent, je vais te perdre.

— Pleure pas, tatie, lui dit-il en l'embrassant. Je suis là, moi.

— Je sais ! Je ne pleure pas. Ce soir, je te relirai l'histoire de Cendrillon, qui te plaît tant.

Loïza le câlina encore, émerveillée par sa beauté d'angelot, le satin de son front, de ses joues.

— Mon petit garçon, tout blond, tout doux, chantonna-t-elle, paupières mi-closes. Que Dieu te garde, mon chéri.

Elle avait déjà oublié son idée soudaine de dîner en compagnie de son amant. Nicolas Renan, de son côté, n'exigeait plus rien de cette belle femme qu'il adorait. Loïza lui avait sauvé la vie, trois ans auparavant. Il se contentait sagement des heures bénies qu'elle lui accordait.

Gendarmerie d'Auray, même jour, 19 heures

Olivier Kervella s'était allongé sur la banquette en bois de l'étroite cellule où il venait de passer tout l'après-midi. Un épais grillage quadrillé lui permettait d'observer son voisin, un clochard d'une cinquantaine d'années, arrêté pour ivresse sur la voie publique.

— Vous avez dû trouver le temps long, jeune homme, supposa le commissaire Renan, en le libérant.

— Est-ce que je peux rentrer à Locmariaquer ? s'enquit aussitôt Olivier, plein d'espoir.

— Non, je vous emmène dans mon bureau, enfin dans le réduit qui en tient lieu. Nous allons relire ensemble votre déposition.

— J'ai déclaré les faits tels que je les ai vécus, commissaire, mais ayant eu le loisir de bien y réfléchir, je suis persuadé de ne pas avoir frappé ce garçon. Je déplore sincèrement sa mort.

— Je m'en doute, trancha Renan en s'enfermant avec son suspect dans une pièce exiguë, où flottait une pénible odeur de tabac froid.

— Il faisait sombre malgré la lune, tout était confus, ces trois types vociféraient, cognaient. Je n'aurais jamais dû prendre la manivelle pour me défendre, plaida Olivier.

— Si vous ne l'aviez pas fait, c'est vous qui seriez à la morgue en ce moment, à mon humble avis. L'autopsie nous renseignera. J'aimerais beaucoup vous renvoyer chez les Bart, mais je dois attendre le rapport du légiste, déjà occupé sur une autre affaire.

Nicolas Renan pinça les lèvres, hanté par la vision du squelette étendu sous l'allée couverte de la Loge-au-Loup.

« Janig, une fille à la fleur de l'âge, disparue dans l'indifférence. Nul n'a signalé son absence, nul ne s'en est inquiété, pensait-il. Il faudra chercher parmi les pupilles de la Nation. »

— Une autre affaire ? répéta Olivier, intrigué.

— Oui, à quoi bon vous le cacher, ce sera dans les journaux demain matin. Des promeneurs ont découvert des ossements dans un mégalithe, en forêt de Coëby. Nous n'avons pas encore de preuve formelle, cependant je suis presque convaincu que c'est une victime, plus ancienne, du tueur que je traque en vain.

— Mon Dieu, ça n'en finira jamais. Commissaire, j'ai eu tort de vouloir combler Lara de bonheur en revenant vite en France. Si je suis innocenté, nous repartirons dans quelques jours. Je tiens à protéger Lara et notre petite Loanne. Nous avons pris des risques inutiles, surtout pour l'accueil que nous réservait Louis Fleury. Certes, il a dû vivre des années épouvantables, en tant que déporté, mais ça ne lui donne pas le droit d'être aussi froid, méprisant, comme pétri de haine.

— De la haine, en voilà un grand mot, s'étonna Renan. Envers qui et pourquoi ?

— Je l'ignore, concéda Olivier. Sait-on toujours quels sont les germes de la haine ? Trop de colères, de souffrances, de peurs enfouies, de jalousie. Pour ma part, en m'envolant vers Caracas, j'ai eu l'impression bizarre d'échapper à ce sentiment dévastateur et si violent. J'en avais assez de craindre sans cesse pour ceux qui m'étaient chers. Confronté à ces trois jeunes types, cette nuit, une rage dont j'ai honte m'a submergé de nouveau.

Nicolas Renan tapa sur la table du plat de la main. Il avoua tout bas :

— C'est ce qu'on souhaitait, Olivier, vous conduire à un acte répréhensible. On voudrait porter atteinte à votre loyauté, à votre statut de jeune héros de la résistance. Bref, on essaie de vous avilir.

Livide, le jeune homme dévisagea le policier d'un air égaré. Il lissa ses épais cheveux noirs du bout des doigts.

— Je ne comprends vraiment pas, commissaire. Daniel m'a tenu des propos similaires, une fois ou deux. Je ne l'ai pas pris très au sérieux. Je suis sûr d'une seule chose, il s'agit d'une vengeance alambiquée, organisée par un fou dangereusement intelligent. Et qu'en est-il au sujet de mes parents ? Je m'interroge en vain depuis des heures. Pourquoi seraient-ils des personnes intouchables ?

— Si je le savais, marmonna Renan.

— Soyez honnête, vous n'avez lu que cette page avant d'être agressé ? Ou bien vous gardez le silence sur le contenu de ce dossier ?

Des coups à la porte du bureau sauvèrent le commissaire d'un nouveau mensonge. L'inspecteur Ligier entra en trombe.

— Patron, je dois vous parler. Tout de suite.

4

Sur les traces de Janig

Gendarmerie d'Auray, lundi 21 mai 1951,
même soir

L'inspecteur Claude Ligier avait entraîné Nicolas Renan dans un angle de la grande salle où se réunissait la brigade. Fringant quadragénaire, l'adjoint du commissaire bouillait d'impatience.

— Un coup de chance, patron, murmura-t-il. Je commençais à peine mon porte-à-porte à Trédion que je tombe sur une vieille femme, la veuve Guiomarch. Je lui demande si elle connaissait une jeune fille prénommée Janig, et elle me répond que oui !

— Reprenez votre souffle, Ligier, on dirait que vous venez de courir un marathon.

— Excusez-moi ! Donc, Janig Cadoret a travaillé il y a huit ans pour les gens du château de Trédion, une superbe bâtisse. Orpheline de père et de mère, elle a été élevée par ses grands-parents, à Ploeren, à l'ouest de Vannes. Le dimanche, Janig traînait dans les rues de Trédion, on la traitait de dévergondée. D'après Mme Guiomarch, elle fréquentait un homme de dix ans son aîné. Quand plus personne ne l'a vue, on a pensé qu'elle était partie avec lui.

— Vous avez bien dit Janig Cadoret ? intervint Renan. Le patronyme est courant en Bretagne, surtout dans le Morbihan, mais c'est tout de même une coïncidence troublante. Il pourrait s'agir de cousins de Yohann Cadoret. J'irai l'interroger demain.

— Il vous faudra aller à Ploemel, commissaire. Le lieutenant Auffret m'a passé un rapport, ce matin. L'épouse de Cadoret l'a mis dehors, quand il est sorti de prison. Il loge chez sa sœur. J'ai son adresse.

— Très bien. Revenons-en à Janig. Avez-vous l'identité du type qu'elle fréquentait ?

— La veuve l'ignorait, patron.

— Et les grands-parents ne se sont pas inquiétés ?

— Non, de toute évidence. C'était pendant la guerre, précisa Ligier. Ils ont dû croire, eux aussi, que leur petite-fille avait quitté la région.

— D'accord, mais on n'a encore aucune preuve qu'il s'agisse de la même Janig, hasarda sèchement son supérieur. Bon, j'irai à Ploeren, au cas où les grands-parents seraient toujours vivants, pour leur parler de la gourmette en argent. Vous pouvez le dire, Ligier, c'était un sacré coup de chance.

L'inspecteur approuva, son enthousiasme tempéré par la mine austère de Renan.

— Bien, on n'avancera pas plus ce soir. Vous pouvez partir, Ligier.

— Je vous attends pour dîner ?

— Non, je n'en ai pas terminé avec Kervella. Demain matin à la première heure, vous retournez à Trédion pour interroger un maximum de gens. Il nous faut absolument le nom de cet homme qui fréquentait Janig Cadoret.

Son adjoint retint un soupir exaspéré. Il aurait volontiers roulé jusqu'à Vannes, afin de retrouver son épouse et leurs deux garçons. Il alluma une cigarette et sortit de la gendarmerie, en se promettant de téléphoner chez lui de la réception de l'Hôtel des Halles, le « quartier général » du commissaire lorsqu'il séjournait à Auray.

Olivier n'avait pas bougé de sa chaise. Les bras croisés sur la poitrine, il fixait le mur qui lui faisait face.

— Je dois vous reconduire en cellule, annonça Nicolas Renan d'un ton neutre. Un gendarme vous donnera de quoi manger, le bar d'à côté nous fournit en sandwichs, l'éternel jambon-beurre. Rien de très original, mais on ne va pas se plaindre, après des années de rationnement. D'abord, je vous accorde un coup de fil à la villa des Bart. Lara sera rassurée de vous entendre.

— Merci, commissaire. J'aurai peut-être des nouvelles de mon père, Lara a dû le contacter.

— Utilisez cet appareil, j'attends dans le couloir.

Un éclat de gaîté illumina le regard bleu nuit d'Olivier. Sous ses airs sévères, le policier demeurait un ami. La communication fut brève. Le jeune homme entrebâilla la porte du bureau, la mine déçue.

— J'ai eu Rozenn, Lara est allée dîner dans sa famille, avec Fantou et Loanne, expliqua-t-il. Il semble aussi qu'elle n'a pas téléphoné à Dinard, comme je lui avais demandé.

— Ah les femmes, ironisa Renan. Eh bien, il serait judicieux de dire vous-même à votre père dans quel pétrin vous êtes.

Chez les Fleury, même soir, même heure

Louis Fleury était assis sur le marchepied du lit clos où avaient dormi ses parents puis ses filles. Il observait le feu que Lara venait d'allumer.

— Ce n'était pas une bonne idée de venir ce soir, dit-il d'un ton rude. Je suis épuisé. Le boulot est pénible, chez Tardivel. Et les collègues me regardent de travers.

— Pourquoi feraient-ils ça, papa ? s'étonna Fantou. Ce sont des gens d'ici, ils te connaissent.

— Je sais ce que je vois, quand même ! rétorqua-t-il.

La petite Loanne jeta un coup d'œil inquiet sur celui qu'elle nommait « le monsieur », et dont la face tannée, le cou maigre et la grosse voix lui faisaient peur. Armeline l'avait installée sur leur meilleure chaise, en rehaussant le siège d'un coussin.

— Tu l'aimes, la soupe de ta *mammig-kozh*[1] ? murmura-t-elle à l'enfant.

— Ne te fatigue pas à lui parler en breton ! tonna son mari. Tu as entendu Lara, elle veut s'en aller dans une semaine. Retour au Venezuela, aux frais des Kervella. Tout ça parce que son crétin de concubin s'est attiré des ennuis. Bon sang, j'aurais mieux fait de crever en Sibérie !

— Papa, tu effrayes Loanne, se rebiffa Fantou. Lara et moi nous voulions te faire plaisir, mais tu persistes à te lamenter.

— C'est vrai, ça, Louis, insista Armeline. Le ragoût est prêt, tu vas te régaler. J'ai cuisiné pour toi. Tu te souviens ? Des carottes, des pommes de terre, du lard et du gîte de bœuf, ça a mijoté trois heures.

— As-tu servi la même chose au vieil Odilon Bart, pendant que tu faisais la pute chez lui ?

— Papa, comment oses-tu ? s'indigna Lara. Tu ne m'encourages pas à prolonger notre séjour en France, ni ici, dans la maison où je t'ai pleuré, attendu, le cœur brisé. Tu me dégoûtes !

Elle contenait mal son envie de pleurer. Loanne, terrifiée par les éclats de voix, poussa une plainte aiguë, tout en recrachant de la soupe. Armeline se mit à sangloter, penchée sur l'évier.

— Tu as raison, papa, tu aurais dû mourir en Sibérie, décréta Fantou froidement. Si tu continues, maman et moi nous retournerons habiter chez Rozenn et Odilon, de précieux amis. Ils nous ont hébergées, nourries. Il faisait chaud, l'hiver, dans la villa, je n'avais plus faim, je

1. « Mamie », en breton.

ne toussais plus. Tu devrais avoir honte de tes stupides suppositions.

— Louis a bu avant votre arrivée, mes pauvres petites, avoua leur mère. Je vais l'aider à se coucher.

— Non, je n'irai pas au lit sans toi, et puis j'ai faim. Toi, Fantou, un mot de plus et je te file une correction.

La jeune fille haussa les épaules. L'amour infini qu'elle avait voué à son père se changeait en dédain, teinté de désespoir. Lara faisait un constat identique.

« Qu'est-ce qui s'est passé durant ces huit ans ? Papa était bel homme, excellent mari, il nous choyait toutes les trois, se disait-elle. Je pourrais presque croire être abusée et voir un imposteur sous notre toit ! »

Elle ne le quitta pas des yeux tandis qu'il mangeait sa part de ragoût avec une avidité gênante. Armeline, calmée, pensait à une autre avidité dont témoignait son mari. Il était à peine rentré du travail qu'il l'avait entraînée dans leur chambre, pour une courte étreinte, brutale et assortie de grossièretés.

« Je voudrais qu'il redevienne celui d'avant, songeait-elle. Où est mon tendre Louis d'avant la guerre ? »

De nouvelles larmes coulèrent sur ses joues. Lara s'en aperçut et elle lui caressa discrètement le dos. Fantou, très pâle, rêvait de monter à bord d'un bateau blanc, qui l'emporterait vers l'île de Molène.

Curieusement, la fin du dîner se déroula sans autre incident. Louis ne prononça plus un mot. Après avoir terminé une portion de far aux pruneaux, il reprit sa place au coin de la cheminée.

— Je dois rentrer coucher Loanne, annonça Lara. Ma petite chérie ne fait que bâiller. Elle a eu son lot d'émotions, comme moi. Fantou, tu pourrais venir dormir à la villa ?

— J'aimerais bien, mais je vais aider maman à débarrasser et à faire la vaisselle.

Les yeux bleus de sa jeune sœur exprimaient ce qu'elle n'osait pas dire à haute voix. Elle restait afin de soutenir leur mère, répugnant à la laisser seule.

— Et puis je dois me lever tôt pour prendre l'autocar pour Auray, ajouta Fantou. Sois prudente, Lara, c'est tellement surprenant que tu saches conduire, à présent.

— Olivier m'a donné des leçons au Venezuela, sur de larges routes désertes. Mais je n'ai pas encore le permis. Je comptais le passer ici, cet été. Monsieur Odilon a été gentil de me prêter sa fourgonnette. Enfin, à cette heure tardive, j'ai peu de chance de croiser les gendarmes, et le trajet est court.

Sa mère et Fantou l'accompagnèrent jusqu'à la route. Elles s'embrassèrent, sans oublier de cajoler Loanne. Bientôt le petit camion s'éloigna, son pot d'échappement pétaradant dans le silence de la nuit.

— Si votre père se comportait mieux, Lara n'aurait pas décidé de repartir dans une semaine, déplora Armeline. Je suis si triste, j'ai tant prié pour le retrouver.

— Moi aussi, maman. Dès que j'avais un peu d'argent, j'allumais un cierge à l'église, en sortant de l'école. Mais j'ai eu tort de lui dire qu'il aurait dû mourir en Sibérie. C'était cruel de ma part. Je vais lui demander pardon.

— Je lui ai crié la même chose hier, soupira sa mère

La jeune fille s'élança vers la maison. Armeline marcha sans hâte, pleine de crainte à la perspective de partager le lit de son mari. Soudain un hurlement de terreur s'éleva, suivi d'un appel au secours.

— Seigneur, qu'est-ce qui se passe ?

Elle se mit à courir, folle d'angoisse. Le sinistre tableau qui l'attendait la fit crier à son tour. Le corps de Louis se balançait au bout d'un cordage. Fantou, perchée sur une chaise, tentait de toutes ses forces de soulever son père, qui avait le regard fixe et le visage cramoisi.

— Aide-moi, maman, grimpe sur le tabouret, coupe la corde, j'ai pu desserrer un peu le nœud autour de sa gorge.

Toutes deux luttèrent en pleurant pour sauver le malheureux. Enfin elles purent l'étendre sur le sol.

— Je prends mon vélo et je ramène le docteur, balbutia Fantou, épouvantée.

— Il vit encore, dépêche-toi. Mon Dieu, Louis, mon amour, murmura Armeline, la tête de son mari calée entre ses genoux, au creux de sa jupe. Ne me meurs pas, Louis, je t'en supplie.

Le portail de la villa était ouvert. Lara manœuvra pour garer la fourgonnette sous le hangar. Sa fille dormait, allongée près d'elle sur la banquette. Odilon devait guetter son retour, car il la rejoignit cinq minutes plus tard, équipé d'une lampe à pile.

— Tu t'en es bien tirée, Lara ! Une jolie femme au volant, ça me plaît. Dis donc, tu as une petite mine soucieuse.

— Papa s'est montré odieux. Il a insulté maman. Je voulais ramener Fantou, mais elle a refusé. Cher Odilon, je ne voulais pas vous en parler, mais c'était révoltant, affreux.

— Armeline doit souffrir le martyre, marmonna-t-il. Ta petite dort, je peux la porter dans son lit.

— Non, je vous remercie. La sentir contre moi me console. Olivier est en prison, la présence de mon père me révulse, je suis à bout de nerfs.

— J'admets que pour ta première journée à Locmariaquer, ça fait beaucoup, concéda le retraité. Rozenn t'attendait de pied ferme, nous allons boire une tisane. Courage.

— Nicolas Renan m'a dit la même chose en début d'après-midi, en arrivant devant chez vous. N'ayez crainte, j'aurai le courage nécessaire.

Elle descendit du véhicule, le contourna pour prendre sa fille dans ses bras. L'enfant s'agita en gémissant, puis elle se blottit sur la poitrine maternelle.

— Olivier a téléphoné vers 19 heures, précisa Odilon. Il était contrarié, parce que tu étais partie et que tu n'avais pas appelé M. Kervella.

— J'ai oublié, volontairement, avoua-t-elle d'un ton amer. Si je l'avais fait, je n'aurais pas pu m'empêcher de l'interroger sur leur statut de personnes intouchables, à sa femme et lui. Et notre cher commissaire voudrait que je leur confie Loanne. Jamais ! Je ne quitterai plus ma petite une seconde, et je suis prête à tuer pour la défendre.

Odilon s'abstint de répondre. Il percevait le chagrin de Lara, son indignation, mais lui-même, atteint dans ses sentiments pour Armeline, avait le cœur trop lourd.

Rozenn les accueillit d'un sourire bienveillant. Elle profita du sommeil de Loanne pour déposer un baiser sur son front.

— J'aurais tellement aimé avoir un bébé, confessa-t-elle en admirant la fillette. Le destin m'a refusé cette joie. Si toutefois un homme avait consenti à m'épouser, mon enfant aurait eu peur de moi, sans doute. Et j'aurais pu lui transmettre mon infirmité.

— Ma chère Rozenn, à l'heure du goûter, Loanne s'était déjà accoutumée à votre apparence. Si vous aviez été mère, votre enfant vous aurait aimée.

— Je suis sotte d'avoir des regrets. Seul un aveugle aurait pu lier son sort au mien.

Interloquée par ces mots, Lara s'engagea dans l'escalier, avec son précieux fardeau. Rozenn l'accompagna.

— J'ai appris par le commissaire que Fantou s'était rendue plusieurs fois sur l'île de Molène, chez Daniel Masson. Le voyage en train, puis en ferry, coûte cher. Lui avez-vous avancé de l'argent, votre frère et vous ?

— Quelle importance, Lara ? Nous tenions tant à lui faire plaisir. Ta petite sœur nous a donné un bonheur inespéré. Nous avons joué aux grands-parents.

— Je vous rembourserai.

— Odilon se vexera.

— Je verrai avec lui.

Lara discutait à voix basse, tout en couchant sa fille au milieu du grand lit. Les visites de Fantou à leur ami l'inquiétaient.

— Elle est un peu jeune pour déambuler à sa guise, Rozenn. Je n'ai pas eu l'occasion d'aborder le sujet avec elle, je le ferai demain soir. Daniel est quelqu'un de sérieux, en qui j'ai toute confiance, et il y a Katell, sa gouvernante, mais…

— Mais quoi ? coupa Rozenn. Que vas-tu imaginer ? Fantou séjournait sur l'île deux ou trois jours, parfois une semaine. Si tu l'entendais jouer du piano, maintenant !

Les deux femmes sortirent de la pièce. Sur le palier, Lara, qui était excédée, perdit patience.

— Comment ma sœur jouerait-elle du piano ici ?

— Nous en avons loué un, mon frère y tenait. Ne te fâche pas, Fantou devait s'exercer. L'instrument est dans sa chambre, un piano droit.

— Vous êtes si généreux, tous les deux, j'aurais honte de vous faire des reproches. Maman et ma sœur ont dû se croire au paradis. Mais à présent, elles sont en enfer, par la faute de papa.

Rozenn prit les mains de Lara dans les siennes. Elle respira, les paupières mi-closes.

— Apaise ton âme, ma chère petite. Tu emploies de bien grands mots. Il faut avoir foi en la providence. Olivier reviendra, et ton père réussira à vaincre le feu mauvais qui le ronge. Si je pouvais le rencontrer, je me sens capable de le soigner. Tu m'as dit que tu avais revu ton mystérieux ange gardien, aujourd'hui, c'est sûrement un signe favorable.

— Je l'ignore, Rozenn. Loanne a pu la voir également, j'en suis bouleversée. Cette étrange apparition n'a pas l'apparence d'un ange, loin de là. Et elle est souvent de mauvais présages. Un malheur va se produire, comme à chaque fois qu'Olivier foule la terre bretonne.

Lara céda aux sanglots qu'elle contenait vaillamment. Rozenn l'attira dans ses bras.

— Tu seras la plus forte, lui chuchota-t-elle en la berçant avec douceur. N'aie pas peur.

Ploemel, mardi 22 mai 1951, le matin

Yohann Cadoret bêchait une parcelle du potager de sa sœur. Il s'arrêta brusquement, alerté par un bruit de moteur et de portière claquée. Le jardin, situé derrière la maison basse, n'avait pas vue sur la route.

— Qui c'est encore ? ronchonna-t-il. Bah, sans doute de la visite pour Mariette.

Il reprit sa tâche, acharné à ressasser les rancœurs qui lui tournaient dans la tête.

« Jeanne s'en mordra vite les doigts, de m'avoir flanqué dehors… Et Denis, il ne pourrait pas prendre son vélo et venir aux nouvelles ? *Ma Doué*, je suis pire qu'un pestiféré ! »

— Yohann, appela sa sœur.

Il fit volte-face et découvrit Mariette escortée par un homme qu'il avait souhaité ne plus jamais revoir.

— Bonjour, Cadoret, lança Nicolas Renan sans amabilité.

— Tiens, l'inspecteur, rétorqua l'ancien marin-pêcheur.

— Commissaire, je vous prie. Alors, après des années en mer, on reprend contact avec la terre !

— Si vous êtes venu me narguer, je n'vous retiens pas.

— Allons, Yohann, sois conciliant, le sermonna sa sœur, son aînée de six ans. Ce monsieur de la police veut t'interroger.

— Ainsi que vous, madame veuve Mahé.

— Je suis à votre disposition, commissaire, dit-elle, contente du moindre imprévu rompant la routine de son existence. Désirez-vous un café ?

— Je vous remercie, mais je n'ai pas le temps. Je peux vous poser la question à tous les deux. Avez-vous un lien de parenté avec une jeune fille du nom de Janig Cadoret ? Le patronyme est courant dans le Morbihan, aussi il s'agit d'une simple vérification.

— C'est tout ? bougonna Yohann. Je pensais que vous veniez me chercher des ennuis, rapport à ma libération anticipée.

— Le juge des peines en a décidé ainsi, je ne suis pas concerné, répliqua Renan.

— Janig, Janig, répéta Mariette.

Le commissaire se tourna vers elle. Il nota une ressemblance frappante avec son frère. C'était une femme d'une cinquantaine d'années, de grande taille, corpulente, les yeux clairs et coiffée de boucles grises.

— On est vaguement cousines, affirma-t-elle. Je l'ai vue une fois, gamine, pendant une fête à Ploeren. Elle était élevée par ses grands-parents. Les pauvres vieux, ils sont morts l'un après l'autre à la Libération. Je lis les convois funèbres dans le journal, alors quand des noms me sont familiers, je regarde bien les dates.

— Moi, je ne la connais pas, Janig, décréta Yohann. Qu'est-ce qu'elle a fait ?

— Hier, un couple a découvert un squelette de femme dans la forêt, près de Trédion, et une gourmette en argent où était gravé « Janig ». Nous n'avons pas encore pu déterminer avec certitude l'identité de la victime, aussi j'espérais en apprendre davantage si vous étiez de la famille.

— *Ma Doué !* Si c'est possible des horreurs pareilles, gémit Mariette en se signant. On l'aurait assassinée ?

— Ce n'est pas établi, madame.

— Mais oui, la gourmette, je m'en souviens ! s'exclama-t-elle. Ce jour-là, à Ploeren, mon mari était avec moi, paix à son âme, et on avait félicité Janig qui montrait le bijou à tout le monde. Elle devait avoir treize ans, son grand-père lui avait offert pour son certificat d'études.

Nicolas Renan respira mieux. Il devrait encore faire quelques vérifications d'usage, mais il était désormais presque certain que la pathétique dépouille, réduite à un tas d'ossements, était bien celle de Janig Cadoret.

— Nom d'un chien ! vociféra Yohann, blafard. Alors elle a peut-être subi le même sort que Léa, la fiancée de mon fils ? Vous savez, commissaire, je crois que je ne me remettrais jamais de la mort d'Erwan.

Le policier approuva en silence, ébranlé par l'expression douloureuse de l'homme. Il s'empressa de préciser :

— Mon adjoint, l'inspecteur Ligier, a obtenu un renseignement intéressant, d'une habitante de Trédion. Votre cousine aurait fréquenté un homme plus âgé qu'elle, avant de disparaître. Connaissiez-vous son nom ?

Yohann eut une moue d'ignorance. Sa sœur soupira, déçue de ne pas pouvoir aider la justice.

— Je suis désolée, monsieur le commissaire. Je pensais que Janig était mariée, ou partie du pays. Je n'ai pas eu de nouvelles, après cette fête à Ploeren.

— Merci, si vous vous souvenez d'un détail, téléphonez à la gendarmerie d'Auray.

Renan les salua. Il était déterminé à ne pas lâcher la piste de l'individu qui avait séduit Janig, et l'avait peut-être tuée, ainsi que cinq autres jeunes filles.

« La première victime de ce fou, de ce maniaque », songea-t-il en reprenant le volant.

Il se fia à son instinct et roula jusqu'à Ploeren. Même si les grands-parents de Janig Cadoret étaient décédés, il trouverait peut-être un renseignement intéressant en questionnant leurs anciens voisins ou les commerçants.

Chez les Fleury, même jour, 10 heures

Louis Fleury gardait les yeux fermés, afin d'échapper aux regards qui pesaient sur lui.

— Laissons papa se reposer, conseilla Lara.

— Oui, il lui faut du calme. Le docteur l'a recommandé, précisa Fantou d'une voix tremblante. Il a prescrit des sédatifs, je dois aller à la pharmacie les acheter.

— Venez, mes pauvres enfants, murmura Armeline, épuisée par une nuit blanche. Je n'ai pas quitté le chevet de votre papa, je vais faire du café, celui que tu nous as rapporté du Venezuela, Lara, il sent tellement bon.

Elles sortirent de la pièce dont Fantou referma doucement la porte. La scène qu'elle avait découverte la veille l'obsédait, au point de lui causer un malaise constant.

— Le médecin nous a dit qu'il s'en était fallu de peu, répéta-t-elle d'un air hébété. Si tu savais, Lara, quand j'ai vu papa pendu à ce cordage ! Ses jambes s'agitaient, son visage était rouge et…

— Chut, arrête de ressasser tout ça, Fantou. Tu m'as déjà tout expliqué en venant me chercher. Mon korrigan, tu l'as sauvé, le docteur te l'a affirmé. Tu as été très courageuse et tu as fait preuve de sang-froid.

— Mais je suis sûre qu'il a tenté de se suicider à cause de moi, de ce que je lui avais dit ! Je ne me le pardonnerai jamais ! Crier à son père qu'il aurait mieux fait de mourir, quelle honte !

Lara prit Fantou dans ses bras pour la réconforter, en lui chuchotant de bonnes paroles à l'oreille.

— Son comportement te faisait souffrir, tu étais trop déçue, en plus il venait d'insulter maman. Pleure un bon coup, là, sur mon cœur, comme quand tu étais toute petite.

Armeline les considéra un instant avec amertume. Elle se sentait coupable également.

— J'ai prononcé les mêmes mots que Fantou, tu dois le savoir, Lara, avoua-t-elle. J'avais mes raisons, hélas. Nous devons être fortes. Le médecin préconise beaucoup de patience.

— Oui, il a été très aimable, admit la jeune fille. Et ce qu'il nous a expliqué sur les symptômes psychologiques propres aux déportés, quand ils ont eu la chance de rentrer chez eux, m'a rassuré. Ils éprouveraient une sorte de remords d'avoir survécu, tout en s'estimant des intrus au sein de leur foyer. Il pense aussi que papa a subi des tortures et enduré des privations inhumaines, d'où son attitude hostile.

— J'apprécie sa proposition de revenir pour discuter avec Louis, ajouta Armeline, seulement nous ne pourrons pas le payer. J'ai déjà dépensé les sous de la semaine en lui versant ses honoraires. Je ne sais pas comment acheter les sédatifs.

— Je m'en chargerai, maman, assura Lara. Olivier et moi, nous avons de l'argent.

— Merci, ma grande, je ne peux pas refuser.

Sans attendre, Lara ouvrit son sac à main pour tendre son portefeuille à Fantou.

— Dès que tu te sentiras mieux, mon korrigan, va à vélo à la pharmacie. Prendre l'air te fera du bien, il fait un beau soleil. Toi, maman, essaie de dormir dans le lit clos, pendant que je veille sur papa.

— Mais au fait, où est Loanne ? s'alarma soudain Armeline.

— Je ne pouvais pas l'emmener ici. Je l'ai confiée à Odilon et à Rozenn. Ils ont déniché de vieux jouets qui appartenaient à Élodie, leur cousine, dans le grenier. Ma chérie était fascinée. Sois tranquille, maman, je ne vous abandonnerai pas, Fantou et toi.

Lara eut un sourire plein de vaillance avant d'entrer à nouveau dans la chambre de ses parents. Elle estimait nécessaire de dissimuler sa nervosité et son anxiété.

— Mon cher petit papa, dit-elle tout bas en s'asseyant près du lit. Je suis tellement triste.

Elle était persuadée que son père dormait. Couché sur le côté, il lui présentait une épaule maigre, les marques violacées autour de son cou, sur sa nuque rasée.

— Maman et Fantou sont désespérées, parce qu'elles t'ont dit toutes les deux des paroles cruelles, aussi cruelles que les tiennes, en somme. Papa, j'ai éprouvé un bonheur immense en apprenant ton retour. Dans l'avion, je m'imaginais en train de courir vers toi ! Tu m'ouvrais les bras, tu riais. Rien de tel n'est arrivé. Et hier soir, tu as voulu en finir. Mon Dieu, quelle horreur si tu avais réussi ! Tu as survécu à des années loin de nous, dans des conditions sûrement abominables, ce n'était pas pour mettre fin à tes jours ici, dans notre maison.

La gorge nouée, Lara se tut. Des larmes embuaient ses yeux.

— Je sais, tu m'en veux, reprit-elle. Je vis en concubinage, j'ai eu un enfant hors des liens du mariage, mais est-ce un si grand crime ? Tu devrais pouvoir en juger, papa, toi qui as souffert de la folie meurtrière des hommes ?

Louis s'allongea sur le dos, d'un mouvement lent qui aurait pu être naturel, même dans le sommeil. Enfin il regarda sa fille.

— Je suis désolé, Lara, chuchota-t-il d'une voix étouffée. Mais ça devait s'arrêter ! Je souffrais trop et j'avais l'impression de devenir fou. Le Seigneur m'est témoin, je me haïssais d'être cet homme grossier, brutal, en proie à la colère, au vice.

Lara en demeura muette de saisissement. Apitoyée par la confession de son père, elle quitta sa chaise et s'installa au bord du matelas, pour prendre ses mains décharnées dans les siennes.

— Il y a eu pire que les séances de torture de la Gestapo. On s'habitue presque à la douleur, aux chairs brûlées, aux coups. J'ai résisté, tout en priant Dieu de me préserver, car j'étais innocent des accusations qui pesaient sur moi.

— Je sais, mon petit papa, ne te fatigue pas à parler.

— Le pire, Lara, ce fut d'assister à la mort injuste de femmes et d'enfants, au camp de Drancy, et plus tard, en Pologne. J'ai vu des massacres, des viols sauvages, des choses affreuses que je n'oserais raconter à personne. Pourtant je gardais foi en Dieu ! Je priais à chaque heure, le ventre creux, la tête vide, assoiffé, je suivais les ordres, mais je priais. Bizarrement je ne perdais pas l'espoir de revenir chez moi, à Locmariaquer.

— Et tu es là, papa, à la maison, dit Lara en souriant et pleurant à la fois.

— Oui, je suis là sans y être. Le retour vers la France a duré deux mois. Plus j'approchais du but, plus j'avais peur. Je pensais surtout à Armeline, ma jolie petite femme si blonde, si menue. Ma terreur, c'était de la retrouver mariée à un autre. Fantou et toi, je vous voyais fidèles à vous-mêmes, une belle fille de seize ans, une adorable gamine de douze ans. Mais tout avait changé. Tout.

Louis Fleury pinça les lèvres, en étreignant les doigts de Lara si fort qu'elle retint un gémissement.

— La maison était vide et les volets clos le matin où je suis arrivé. J'ai dû marcher jusqu'à la villa de ces gens, les Bart, et là, Armeline riait dans les bras d'un vieux type, qui lui caressait les cheveux. Elle riait, au soleil, en corsage blanc, très décolleté. Je ne pouvais plus bouger ni appeler. Quand ta mère m'a aperçu, elle est restée immobile, en m'observant. Si j'avais pu disparaître de la surface de la terre à ce moment-là, je l'aurais fait. Mon rêve de reprendre une vie de famille tombait en miettes. Et sur la dune, il y avait mon bateau.

— Je comprends, papa, mais maman a dû t'expliquer la situation, hasarda Lara.

Une quinte de toux empêcha son père de répondre. Armeline entra sans avoir frappé. Elle tenait une tasse de café à la main.

— Je vous ai entendu discuter, tous les deux, dit-elle, l'air gêné. Tu vas mieux, Louis ?

Il fit oui d'un signe de tête en refermant les yeux. Lara, d'un geste discret, indiqua la porte à sa mère.

— Bon, je vous laisse. J'ai de la cuisine à préparer, déclara celle-ci. Je vous dérange, on dirait.

Il y eut tout de suite des bruits de casserole, des pas pressés dans la pièce voisine.

— Papa, je te plains de tout mon cœur, concéda Lara en lui caressant le front. Je voudrais tant que vous soyez heureux, maman et toi, comme avant. Alors parle-moi encore. Tu dois guérir, pour m'emmener en mer. Nous deux sous le ciel, au gré des vagues. Je t'aime tant, mon petit papa.

— Non, tu me méprises, je te dégoûte, je l'ai senti. Ta sœur aussi me déteste. Et Armeline ne pourra jamais me pardonner.

Un sanglot secoua Louis, dont les traits tirés exprimaient une infinie lassitude.

— Pourquoi dis-tu ça, papa ?

Sans oser la regarder en face, son père poursuivit son amère confession.

— Je maltraite ta mère, je lui manque de respect, et je suis incapable de lui offrir de la tendresse, tu n'as pas besoin de détails. Si je m'en remets à Dieu, Lara, c'est afin de conserver en moi une part d'humanité. Dans les camps de prisonniers, c'était dur, on crevait de faim, de froid l'hiver, mais on parvenait à se faire des camarades. L'amitié, parfois, est plus précieuse qu'un bout de pain. Je te le redis, je voulais vivre, vous revoir, ta mère, ta sœur et toi. Je m'accrochais à cette belle lumière. Mais la mort frappait chaque jour, seuls les plus robustes tenaient le coup. Je redoutais d'y passer moi aussi, alors j'ai tenté une évasion. Je ne suis pas allé très loin. Après ça, on m'a expédié en Sibérie, au bout du monde, un monde glacé, austère. Les types qui servaient de gardiens parlaient un langage incompréhensible. De vrais bourreaux. Si tu savais ce qu'ils m'ont fait… Je te le dirai, mais plus tard, pas maintenant, je n'en ai pas le courage.

— D'accord, papa. Je ne t'obligerai pas, je patienterai jusqu'à ce que tu sois disposé à te confier, même sur les épisodes les plus terribles de ton exil. Moi j'aimerais te faire admettre que maman ne t'a pas trahie avec monsieur Odilon. Il pourrait être son père. Sa sœur et lui sont d'une merveilleuse gentillesse.

— J'ai vu ce que j'ai vu ! s'emporta Louis. Armeline prétend que ce vieux bonhomme enlevait un insecte de ses cheveux. Même si elle dit la vérité, je ne suis pas naïf ! Leur façon d'être ensemble était celle d'un couple.

— D'un couple d'amis, papa, rectifia Lara, soucieuse avant tout d'améliorer l'humeur jalouse de son père. Lorsque tu es arrivé, maman et Fantou habitaient la villa depuis plus de trois ans. Des liens se nouent, évidemment. Tu t'obstines à lui en vouloir, mais elle n'a rien fait de répréhensible. Je t'en supplie, redonne-lui ta confiance, car maman n'a jamais cessé de t'aimer, de t'espérer. Et si tu continues ainsi, tu la perdras pour de bon.

— Je l'ai déjà perdue, se récria-t-il en se redressant. Au travail, chez Tardivel, un collègue m'a traité de cocu. Peut-être que ta mère en aime un autre. Pardi, elle a le champ libre, quand ta sœur va au lycée.

— Non, c'est ridicule.

— Je voudrais en être sûr, Lara. Et puis il y a ces crimes ! J'ai eu droit au récit de Fantou. Elle est intarissable sur le sujet. Moi qui pensais revenir dans mon pays, connaître enfin la paix, un salaud de la pire espèce égorge des filles dans un simulacre de sacrifice. J'en ai eu la nausée.

— On ne pouvait pas te le cacher, tu en aurais forcément entendu parler dans les commerces, ou sur les parcs à huîtres, supposa-t-elle.

— Mais oui, chacun lance sa théorie. Quant à ta mère, elle m'a cité le cas de Léa Bertho, la fiancée à Erwan Cadoret. Le fils a payé pour le père, ce fumier ! J'ai dû encaisser ça aussi. Mon voisin m'avait dénoncé.

— Pauvre papa. En effet, si tu as appris toutes ces tragédies dès ton retour, il y avait de quoi désespérer. De là à te pendre, en sachant que maman et Fantou te trouveraient agonisant, c'était un acte déplorable. J'ai prié devant le corps d'Erwan, qui a été injustement accusé d'avoir tué sa fiancée. J'ai admis son suicide, mais je considère le tien comme un renoncement dont tu devrais avoir honte.

— J'ignore ce qui m'a pris ! Dans mon esprit, c'était la seule solution possible pour ne plus penser, ne plus vous nuire.

— Tu aurais obtenu le résultat contraire. Fantou, maman et moi nous aurions été anéanties, papa.

Un bruit de moteur sur la route la fit taire. Elle perçut des éclats de voix.

— Nous avons de la visite, je vais voir qui c'est.

Lara fut soulagée de sortir de la maison, de respirer l'air vif de la mer, l'odeur ténue des dunes parsemées de fleurettes jaunes et de chardons. Au bord du chemin, les buissons de troènes embaumaient, étoilés de corolles blanches.

Mais son répit fut de courte durée. Un inconnu soutenait sa sœur qui avait le front, le menton et le genou gauche en sang.

— Fantou ! s'exclama-t-elle. Mon Dieu, dans quel état es-tu ?

Armeline accourut à son tour, affolée.

— Bonjour, madame Fleury, lui dit l'homme, d'allure jeune et sportive, brun et le teint hâlé. J'ai ramené votre fille, malgré ses protestations. De toute façon, je revenais examiner votre mari.

— C'est le docteur d'hier soir, Lara, précisa Fantou, d'une pâleur de craie.

— Bonjour monsieur, et merci. Qu'est-ce que tu as fait, mon korrigan ?

Le terme surprit le médecin, qui esquissa un sourire.

— Cette demoiselle pédalait à une vitesse insensée, relata-t-il. J'allais la doubler, en voiture, lorsqu'elle a heurté le bas-côté.

— Je suis tombée de vélo, voilà tout, ce n'est ni la première fois ni la dernière. J'avais hâte de ramener les médicaments pour papa, se défendit-elle. Vous pouvez me lâcher, docteur, je tiens quand même debout !

— Excusez-moi, mademoiselle, c'est un réflexe professionnel. Vous boitiez, tout à l'heure, en vous relevant.

Fantou haussa les épaules. Lara la sentit en proie à une vive contrariété, aussi s'empressa-t-elle de la prendre par la taille, afin de l'accompagner dans la maison.

— Lara est ma fille aînée, confia Armeline au médecin. Elle est revenue du Venezuela pour revoir son père. Et il l'a mal accueillie, je vous assure. Il faut nous aider, docteur.

— Je ferai de mon mieux, madame Fleury, affirma-t-il d'un ton affable.

Gendarmerie d'Auray, même jour, 14 heures

Nicolas Renan discutait avec le brigadier-chef et le lieutenant Auffret, quand son adjoint pénétra dans le local. Il faisait chaud, et l'inspecteur Ligier avait ôté sa veste, qu'il portait pliée sur son bras droit.

— Vous allez être content, commissaire, annonça-t-il aussitôt. J'ai rencontré quasiment toute la population de Trédion.

— Moi, j'ai fouillé du côté de Ploeren sans dénicher l'ombre d'un indice, rétorqua celui-ci. Avez-vous une piste, un nom ?

— Un nom, grâce au gardien du château, précisa Ligier. Il se souvenait très bien de Janig Cadoret. Il m'a décrit une jolie brune, « bien roulée mais dissipée, pas très sérieuse », je le cite. Effectivement, elle voyait un homme d'une trentaine d'années, qu'il voyait traîner le soir devant le portail du domaine. J'ai encore eu de la chance. Si le gardien ignorait le nom du type, son épouse, elle, le connaissait. Un certain Hervé David, individu inquiétant, selon cette dame.

— Pour quelles raisons ? demanda Renan.

— Il avait à l'époque la réputation de se livrer à des pratiques étranges, des cérémonies nocturnes à Carnac, ou près des cairns, souvent en compagnie de jeunes filles et d'adolescents. Ce petit monde s'enivrait et invoquait les druides.

— On le tient, commissaire ! s'enflamma Auffret. Il faudrait vérifier s'il figure dans vos fichiers, à Vannes.

— Tout à fait, répondit Nicolas, qui refusait néanmoins de se réjouir trop vite. Ligier, téléphonez à nos collègues. On doit retrouver cet Hervé David. Sinon, du côté de l'affaire Kervella, je n'ai pas encore reçu le rapport d'autopsie du gamin de dix-sept ans. Je dois donc garder le suspect. Vous lui avez apporté un café, lieutenant Auffret ?

— Un jambon-beurre et un café, commissaire. J'ai rarement eu quelqu'un d'aussi poli et souriant dans ces circonstances.

— Un garçon bien éduqué, je vous l'accorde, soupira Renan. Je vais lui rendre visite.

Il avait à peine fait trois pas vers l'arrière de la pièce, où se trouvaient les deux cellules grillagées, qu'un homme de haute taille, d'une rare élégance, fit irruption dans la gendarmerie.

— Monsieur Jonathan Kervella, se présenta le nouveau venu d'une voix sonore. Ah, vous êtes là, commissaire. Mon fils a-t-il été entendu par un juge ? Je tiens à ce qu'il soit libéré sans plus tarder, dites-moi à combien se monte la caution.

Le brigadier-chef et les trois gendarmes présents étudiaient avec circonspection le père d'Olivier, dont la prestance et le ton impérieux trahissaient son appartenance à la haute société.

— Veuillez me suivre, monsieur, proposa Nicolas. Je vais vous informer de l'avancée de l'enquête concernant votre fils. Ensuite vous pourrez lui parler.

— Très bien, mais vous faites une grave erreur, commissaire.

— C'est à moi d'en décider, rétorqua le policier en s'enfermant avec lui dans le petit bureau où il pouvait jouir d'une relative discrétion.

— Olivier n'a pas pu blesser mortellement ce voyou, déplora Jonathan Kervella. Vous le connaissez un peu, il me semble !

— Monsieur, sans aucune preuve qu'il l'innocenterait, je ne peux rien faire pour lui. J'aviserai en temps voulu. Votre fils lui-même se pose des questions sur son rôle dans cette bagarre qu'il qualifie de très violente. Cela dit, je préfère savoir Olivier ici, où il est en sécurité. Vous n'êtes pas de mon avis ?

En guise de réponse, son interlocuteur s'accouda à la table et dissimula son visage entre ses mains, durant quelques secondes.

— Mon Dieu ! Pourquoi sont-ils revenus en France, sans aucune précaution ? dit-il à mi-voix.

— Et vous, monsieur Kervella, pourquoi m'avez-vous caché que vous étiez des personnes intouchables, votre épouse et vous ? Ces mots m'interpellent, depuis que je les ai lus dans un dossier, avant d'être poignardé à plusieurs reprises. Si je n'avais pas survécu, nul ne saurait qu'on vous épargne depuis bientôt six ans.

— Commissaire, soyons logiques ! Dans votre métier, on ne se fie pas à des fadaises. J'ignore d'où vous sortez ce prétendu dossier et une telle ineptie !

— Je n'ai pas à vous le révéler, du moins pas encore.

— Très bien, je n'insisterai pas. Mais à moi de m'étonner, car il était simple de me rendre visite à Dinard pour m'interroger à ce sujet, une fois que vous avez été rétabli. J'avais lu un article dans la presse, qui relatait votre agression. Il n'y figurait aucun renseignement précis, j'ai pensé à une vengeance de la part d'un ancien détenu. Un de ceux que vous envoyez en prison, et qui en retrouvant leur liberté, décide de régler ses comptes.

— Non, à mon humble avis, ce n'était pas le cas. Et oui, j'ai renoncé à vous interroger, car après plus de trois mois dans un lit d'hôpital, suivis d'une longue convalescence, j'ai été nommé commissaire. J'étais chargé d'enquêter sur ces crimes odieux qui endeuillent le Morbihan. Au fond, sachant notre jeune couple de l'autre côté de l'Atlantique, j'ai oublié de vous importuner.

Renan avait scandé le mot « oublié », non sans ironie.

— Vraiment ? insinua Kervella. Alors que vous étiez déterminé à découvrir ceux qui tourmentaient mon fils, sa compagne, et qui ont sûrement tué Bénédicte, la fille de mon associé !

Le policier tapota le bois de la table du bout des doigts, en toisant les traits altiers de son vis-à-vis.

— Disons que j'avais reçu un avertissement assez clair, comme une lame passant à deux centimètres du cœur ! C'était sans doute plus simple de conclure à des fadaises, n'est-ce pas ?

Les deux hommes échangèrent un regard dénué de sympathie, où s'éveillait une méfiance réciproque.

— Je vous ai écouté, commissaire, à présent j'exige de pouvoir parler avec Olivier.

— Bien sûr, cher monsieur. Allons-y, mais je vous avertis, Lara et votre fils sont au courant de votre statut d'intouchables.

— Vous avez osé leur assener ces sottises ! Que cherchez-vous, à monter mon unique enfant contre sa mère et moi ?

— Je cherche la vérité, et je la découvrirai, riposta Renan.

5

La vérité en fuite

Auray, mardi 22 mai 1951

Il était 19 heures. Olivier respira avidement l'air tiède de la rue. Il reprenait pied dans le monde ordinaire, où une femme poussait un landau sur le trottoir d'en face, tandis qu'un épicier rentrait les cageots de légumes de son présentoir. Mais il ne savourait pas sa liberté retrouvée.

— Quand vas-tu te décider à m'adresser la parole ? s'exaspéra son père, qui marchait près de lui. J'étais ridicule, cet après-midi, planté devant ta cellule, sans obtenir un mot de toi !

— N'exagère pas, je t'ai présenté mes excuses pour la perte de ta voiture. Et j'ai pris des nouvelles de maman.

— C'était la moindre des choses. Dieu soit loué, Madeleine est restée à Dinard. Pourtant elle tenait à m'accompagner, j'ai pu l'en dissuader. Je lui ai téléphoné de mon hôtel, avant de revenir te chercher à la gendarmerie. Elle t'embrasse bien fort. Olivier, si ton attitude à mon égard découle des informations erronées que t'a données Renan, tu me soupçonnes sans aucune preuve.

— Alors donne-moi des explications cohérentes, papa !

— Pas ici, pas tout de suite ! Nous en discuterons pendant le trajet, puisque je te ramène à Locmariaquer.

— Rozenn et Odilon Bart te retiendront sans doute pour dîner, ce sont des gens honnêtes et chaleureux.

— Je serai d'autant plus enchanté de faire leur connaissance. Olivier, tu es disculpé, aucune charge ne pèse plus sur toi, alors je suis infiniment soulagé. J'accepterais même un bivouac de scouts sur une plage, tant que je le partage avec toi, Loanne et notre charmante Lara.

Le jeune homme approuva d'un signe de tête. Il regrettait de ne pas avoir appelé la villa, afin d'annoncer son retour. Dans le secret de son cœur, il peinait à se sentir innocent. Pourtant le rapport d'autopsie transmis au commissaire était formel : la victime de la bagarre avait succombé à une hémorragie, due à une blessure profonde par une lame de couteau, et non d'un coup de manivelle, comme le redoutait Olivier.

— J'ai du mal à me réjouir, papa, avoua-t-il. Par ma faute, un garçon de dix-sept ans est mort. Je n'aurais jamais dû sortir cette nuit-là, rien ne serait arrivé. Ces voyous voulaient sans doute récupérer des pièces de la Delage pour les revendre. La misère pousse au délit, tout comme l'extrême richesse.

Jonathan Kervella s'installait au volant de sa Panhard. Il crispa les mâchoires, vexé par l'allusion perfide de son fils.

— Ta pique venimeuse ne me concerne plus, Olivier, répliqua-t-il. Je serai bientôt ruiné, si mon associé refuse de racheter mes parts du Grand Hôtel.

— Toi, ruiné ? Comment est-ce possible ?

— J'ai fait des mauvais placements dans l'espoir de me remettre à flot, car les années d'après-guerre étaient difficiles. Je n'avais pas l'intention de t'en parler, mais tu me mets sur le banc des accusés, donc je jouerai cartes sur table. Le yacht est vendu, l'immeuble de l'avenue de la Vicomté également. Nous devons rendre les clefs à la fin du mois de juillet. Nous avons prévu d'habiter la petite maison de campagne dont ta mère a hérité de ses parents.

Sidéré, Olivier éprouva des remords. Ils avaient quitté Auray et son père conduisait à vitesse modérée.

— Des mauvais placements ? répéta-t-il. Papa, pardonne-moi, je t'accable alors que tu as de graves soucis.

— Je n'ai rien à te pardonner, mon fils.

— Bien sûr que si ! Admets-le, je suis responsable de ta ruine. Je t'ai coûté une fortune, à cause du voyage vers le Venezuela et de l'argent que tu m'avais confié pour acheter une propriété là-bas. Dieu merci, j'ai réussi à faire fructifier ton apport, mais sans établir un capital conséquent. Je suis désolé.

— Ne le sois pas, trancha son père. Nous serons peut-être plus heureux, ta mère et moi, en menant une existence modeste. Nos domestiques touchaient des gages confortables, nous nous en passerons.

— Seigneur, ça me paraît inimaginable, vous deux veillant à la cuisine, au ménage, au jardinage !

— Moque-toi ! Nous n'aurons pas l'occasion de nous ennuyer, ce qui est un précieux atout.

— Tu acceptes tout ça le cœur léger, on dirait !

Un sourire triste se dessina sur les traits de Jonathan. Il freina et au ralenti, il emprunta l'entrée d'un chemin qui serpentait à travers la lande. Enfin il coupa le moteur. Le soleil déclinait, en irradiant d'un or délicat le paysage. Au loin, on devinait la mer, d'un bleu pailleté de lumière.

— Olivier, le commissaire Renan a évoqué un dossier, dans lequel il aurait lu ces mots bizarres, dont le sens m'échappe. Ce dossier, d'où venait-il ?

— Renan ne t'a rien dit ?

— Non, je te le promets.

— Il a récupéré le dossier dans la crypte du manoir en ruine de Tromeur, quand ils ont fouillé les lieux, après le suicide d'Éric Malherbe.

— Ainsi, c'était dans la planque de ce sale type. Olivier, je voudrais attirer ton attention sur un point inquiétant. Renan, peu de temps après l'intervention de la police à Tromeur, m'a rendu visite à Dinard. Il m'a tout raconté, en m'exhortant à t'envoyer à l'étranger sans tarder. Pourquoi n'a-t-il pas fait état de ce dossier ?

— Tu as raison, même pendant son séjour à Molène, il ne nous en a pas parlé. Hier, à la villa, il prétendait que les objets saisis dans la crypte avaient été placés sous scellé par Urvois, le commissaire de l'époque, expliqua Olivier. Nous sachant en sécurité, Lara et moi, Renan s'est décidé à étudier ces documents mais il a seulement eu le temps de lire la première page avant qu'on tente de le tuer et que son agresseur s'empare du dossier.

— La première page, dis-tu ! Et je suppose que ta mère et moi étions cités sur ce feuillet... Bon sang, ça ne tient pas debout, ou alors il y a une autre hypothèse. Bien sûr, on n'y a pas songé ! Ce mensonge fait partie des agissements sournois et vicieux de ceux qui s'acharnaient sur toi. Ils voulaient te couper de nous, te faire douter de tes parents. Ils ont procédé ainsi en chargeant Gildas Sauvignon de séduire la femme que tu aimais. Si seulement je tenais à ma merci ces êtres malfaisants, d'une rare perversité, je serais capable de les tuer de mes mains. Qui sait s'ils ne sont pas coupables de ma ruine, de l'échec de mes placements ?

Olivier prit le temps de réfléchir. Il hasarda enfin :

— Si ces mots étaient destinés à me troubler, à éveiller ma méfiance envers vous, pourquoi étaient-ils notés dans un dossier soigneusement caché au manoir de Tromeur ?

Jonathan Kervella hocha la tête d'un air songeur. Soudain il prit son fils par l'épaule, dans un élan affectueux.

— Malherbe comptait s'en servir, mais il n'a pas pu mener son plan à bien, grâce à la police. Olivier, je n'ai jamais eu autant de malchance que ces trois dernières années. Estimes-tu que l'on m'a épargné ? Quoi qu'il en soit, je suis soulagé, mon fils. Cette discussion était nécessaire.

— Moi aussi, j'ai un poids en moins sur la poitrine, papa.

Olivier lui adressa un sourire rasséréné. Il se reprochait à présent d'avoir reçu son père avec froideur, lorsqu'ils s'étaient retrouvés à la gendarmerie, chacun d'un côté du grillage de la cellule.

— Lara et moi nous comptons repartir plus tôt que prévu au Venezuela, ajouta-t-il. J'ai une idée, si vous veniez avec nous ? La campagne près de Coro est agréable, il fait moins froid et humide qu'en Bretagne.

— Madeleine en rêvait, murmura Jonathan. Nous aviserons dès que j'aurai réglé mes problèmes.

— On serait au paradis, ajouta le jeune homme. Toi et moi, on travaillerait ensemble et je te parie qu'on referait vite fortune.

— Pourquoi pas ?

L'intonation de son père manquait d'enthousiasme et de sincérité, mais Olivier ne s'en aperçut pas, perdu dans ses projets d'avenir.

Gendarmerie d'Auray, même soir, même heure

La brigade au complet semblait sur le pied de guerre. Debout et alignés en rang d'oignons, les gendarmes se préparaient à écouter le commissaire Renan, assis sur un des bureaux, occupé à parcourir les notes prises par son adjoint.

— Un seul mot d'ordre à compter de demain, déclara-t-il en les regardant tous. Il faut localiser Hervé David, dont nous avons le signalement approximatif : blond, de grande taille, âgé de trente-huit ans environ. Je rappelle que le suspect a un casier judiciaire peu reluisant, en l'occurrence plusieurs agressions sexuelles sur des adolescentes, sans qu'il y ait eu viol. Le profil correspondrait à notre tueur. Bien sûr, mes collègues de Vannes ont relevé plusieurs Hervé David dans le bottin. Nous aurons davantage de renseignements après les vérifications habituelles, l'état civil, les adresses. Il est impératif d'appréhender cet individu au plus vite. J'espère que nous sommes sur la bonne piste. Le tueur agit au mois de septembre, nous le savons tous. Nous devons redoubler d'efforts, afin d'éviter qu'il y ait un nouveau crime. Bonsoir, je vous dis à demain.

Nicolas Renan retint un soupir. Paupières mi-closes, il alluma une cigarette. Son adjoint s'approcha, la mine affligée.

— Ne faites pas cette tête, Ligier, vous avez quartier libre ce soir, profitez-en pour aller dormir à Vannes. Votre épouse et vos gosses seront contents.

— Merci, commissaire, j'allais vous proposer de dîner avec moi, mais si je peux rentrer à la maison…

— Dépêchez-vous de prendre la route, inspecteur. Avant de revenir ici, demain matin, passez au commissariat, nos collègues de Vannes auront peut-être de nouvelles informations à nous communiquer.

— Entendu, patron. Cette fois, nous tenons peut-être notre homme.

Renan acquiesça en silence. Il serra la main de Ligier, puis il enfila sa veste, mit son chapeau. Dix minutes plus tard, attablé à la terrasse d'un café, il sirotait un verre de bière.

« Loïza n'a pas essayé de me joindre, déplorait-il. Je ne l'ai pas vue depuis une semaine. »

La passion qu'il vouait à sa maîtresse prenait parfois des dimensions dont il s'inquiétait. Son besoin d'elle, ce soir-là, le torturait.

— Tant pis, j'irai sonner chez les Jouannic, se dit-il tout bas.

Il fouillait ses poches, en quête de monnaie, quand il aperçut une silhouette féminine, à quelques mètres de lui, devant la porte d'une épicerie. Il reconnut les escarpins en cuir noir, les bas à couture en nylon beige, la robe en cotonnade fleurie, et surtout la chevelure souple, un peu ondulée, d'un roux sombre, nuancé de reflets flamboyants.

— Loïza, s'étonna-t-il tout bas.

Le commissaire se leva brusquement, en bousculant le serveur qui venait encaisser le montant de la note.

— Gardez tout, garçon, lui dit-il.

Au son de sa voix, Loïza regarda derrière elle. Un doux sourire naquit sur ses lèvres pulpeuses, d'un rose intense. Il s'approcha, ébloui de la revoir, juste au moment où elle lui manquait.

— Nicolas, murmura-t-elle. Je te croyais encore à Vannes.

— Je suis arrivé hier matin, très tôt. Des affaires en cours.

— Ne me dis rien, je sais que tu ne peux pas m'en parler. C'est dommage, je rentre à Sainte-Anne avec mon frère. Goulven m'a déposée en ville au début de l'après-midi, mais il n'a pas terminé au garage. Alors je flânais.

Caressée par le regard dévorant de son amant, Loïza eut un mouvement de recul.

— Et par hasard, tu es là, à quelques pas de moi. Je suis certain que tu m'avais vu, à la terrasse du café, insinua-t-il en souriant. Je commence à te connaître. Si nous dînions tous les deux, à mon hôtel ? Je te raccompagnerai. Préviens ton chauffeur !

— Goulven n'apprécierait pas que tu l'appelles comme ça, répondit-elle, égayée. J'accepte ton invitation avec plaisir, Nicolas. En fait, je me languissais de toi. Hier soir, j'ai failli te téléphoner de chez notre voisine.

— Je vais finir par croire que tu m'aimes un peu, souffla-t-il à son oreille. Viens, marchons. Le garage de ton frère n'est pas loin, on pourrait y aller ensemble. Je refuse de te quitter une minute, et là, je rêve de pouvoir te prendre par la taille.

— Sois sérieux, du moins dans la rue. Ensuite, tu pourras faire à ton idée.

La promesse enflamma le bas-ventre du commissaire, tout en accélérant les battements de son cœur. L'amour de cette femme l'investissait entièrement.

— Nous avons tort de nous gêner, murmura-t-il. Notre liaison est de notoriété publique.

— Non, pas ici à Auray, et je déteste susciter des ragots. Attends-moi dans la salle du restaurant, j'en ai pour un petit quart d'heure.

Le soleil sur son déclin dorait le beau visage de Loïza. Elle lui dédia un ravissant sourire et s'éloigna. Nicolas Renan fit demi-tour également. Il estimait avoir le temps de monter dans sa chambre et de se doucher. Le repas lui importait peu, il avait essentiellement faim de sa maîtresse, de sa bouche, de ses seins fermes, bien ronds, de sa peau satinée, de ses cuisses qu'il mangeait de baisers, juste avant de rendre hommage à sa fleur de chair, toujours chaude et soyeuse, dont la saveur le rendait fou.

On frappa lorsqu'il se rhabillait. Devenu très prudent, il donnait deux tours de clef et il demandait le nom du visiteur.

— C'est moi, n'aie pas peur, répliqua Loïza.

Il ouvrit vite, la saisit par un poignet pour l'attirer vers lui.

Elle le repoussa en riant.

— Tu n'étais pas dans la salle, en bas. Alors je suis montée.

Loïza referma la porte, jeta son sac à main sur le parquet. Ils s'embrassèrent à perdre haleine, fébrilement. Renan commença à déboutonner la robe qui faisait obstacle à ses caresses. Comme il était torse nu, elle appuya sa joue sur sa poitrine. Puis du bout des doigts, elle effleura ses cicatrices.

— J'en tremble encore, chaque fois que je te revois étendu, ta chemise souillée de sang, soupira-t-elle. Dieu m'a guidée, car je n'avais pas prévu de te rendre visite, ce jour-là. Mais un étrange sentiment d'urgence m'a décidée.

— N'en parlons plus, ma chérie, dit-il en dégrafant son soutien-gorge en satin noir. Je ne crois guère au destin, cependant tu m'as sauvé la vie, par un extraordinaire hasard.

La respiration du policier était saccadée. Il admira les seins de Loïza, avant de les envelopper de ses paumes. Elle étouffa une plainte lascive.

— Viens sur le lit, j'ai tellement envie de toi, articula-t-il d'un ton égaré. Tu es si belle, je te veux, là, tout de suite.

Le désir le submergea dès qu'elle s'allongea, haletante, le regard voilé. Il la débarrassa de sa petite culotte, pour jouir de la vision qu'elle lui présentait, en porte-jarretelles noir, ses jambes gainées par les bas.

— Je te plais dans cette tenue, n'est-ce pas ? dit-elle, une main posée sur la toison d'or roux qui dessinait un triangle, entre ses cuisses bien jointes.

— Tu me plais à en perdre la tête, affirma-t-il, entièrement nu, les muscles tendus, le souffle court.

D'un geste brusque, il l'obligea à s'offrir, puis il s'enfonça en elle avec un cri étouffé. Les sens exacerbés, lui imposant une cadence frénétique, il guettait ses réactions, avide de lire sur ses traits délicats la montée fulgurante de sa jouissance.

Leurs relations avaient évolué. Ils se connaissaient vraiment intimement, après d'innombrables rendez-vous, des heures et des heures à s'étreindre, nus, ivres de plaisir partagé. Loïza savait que Nicolas appréciait la lingerie, surtout les bas et les jarretelles, et qu'il éprouvait une volupté accrue à faire l'amour en pleine lumière. Quant à lui, il avait compris que sa maîtresse ne prisait guère les préludes sensuels, préférant être pénétrée et investie vigoureusement, après quelques baisers.

— Oui, oui, viens, encore, plus fort, oui, chuchotait-elle dans son abandon.

Il céda au feu qui annihilait sa volonté, le forçait à oublier Loïza. D'un ultime coup de reins, il libéra sa semence, les dents serrées, le corps secoué de soubresauts. Elle capitula, parcourue de spasmes délicieux, cambrée, comblée.

— Je serai plus patient après le dîner, là je ne pouvais rien contrôler, lui dit-il avant de s'étendre à ses côtés.

— C'était bon, Nicolas.

Selon son habitude, elle dissimula prestement sa nudité à l'aide d'un large pan du couvre-lit.

— Il fait chaud, ne te cache pas, ma beauté, protesta-t-il d'un ton câlin.

— Je ne peux pas m'en empêcher. Je suis pudique, ça me rend mal à l'aise, plaida-t-elle.

— Ta pudeur disparaît pendant l'amour, heureusement. Tu peux même être très impudique.

— C'est toi qui l'exiges, Nicolas. Tu veux me regarder partout, je n'ose pas refuser, si ça te fait plaisir.

Il eut un sourire malicieux, en se souvenant de la première fois où il avait insisté pour étudier en détail chaque parcelle de son corps de femme.

— Tu triches, tu adores te montrer, la taquina-t-il. Viens sur mon cœur, ma chérie.

Elle nicha sa tête au creux de son épaule. Renan perçut le léger parfum de lavande de ses cheveux. Il soupira soudain, pris d'une douce tristesse.

— Pourquoi ne pas habiter ensemble, toi et moi, même sans nous marier ? hasarda-t-il. Je suis plus souvent à Auray, dans cet hôtel, que dans mon appartement de Vannes. Je compte changer de voiture, acheter un modèle récent. Quand je devrai faire acte de présence au commissariat, je m'arrangerai pour rentrer le soir. Je supporte difficilement de ne pas vivre avec toi, Loïza.

— Peut-être, nous verrons l'an prochain. Nicolas, je t'aime et je t'en donne la preuve depuis bientôt quatre ans. Mais depuis que tu as failli mourir, mon amour est différent, plus profond, plus tendre.

— Je l'ai compris, tu m'as rendu visite fréquemment et je luttais pour guérir, afin de te retrouver, de pouvoir te chérir encore des années. Je ne remercierai jamais assez le commissaire Urvois, qui a eu l'intelligence d'interdire la publication de ton identité dans les journaux. Il était échaudé par le semi-échec de notre action au manoir de Tromeur.

— Oui, tu m'as expliqué qu'il avait jugé nécessaire d'étouffer au maximum l'histoire de ton agression, ainsi que mon rôle.

Renan la fit taire d'un baiser. De nouveau en proie au désir, il caressa les seins de Loïza.

— Chut, c'est du passé, on oublie tout ça, déclara-t-il. As-tu faim ? Il faut descendre dîner, hélas. Promets-moi que tu resteras jusqu'à minuit !

— Je te le promets. Sais-tu, j'ai eu du chagrin, hier. Tiphaine et son mari nous ont annoncé qu'ils voulaient reprendre Killian. J'y suis attachée, à ce petit, je l'ai quasiment élevé. Paule, ma belle-sœur, était contrariée et bien sûr, elle a été très désagréable, alors je ne suis pas pressée de rentrer à la maison.

Loïza se leva et alla dans la salle de bains, en poursuivant ses confidences.

— Elle devrait être soulagée pourtant. Elle se lamente dès qu'elle doit faire manger Killian ou l'emmener en promenade. Et si je tente de la raisonner, elle se met à pleurer. Le départ de Gaël l'a dévastée.

— Gaël, le frère de Tiphaine ? Celui qui est reparti pour Paris ?

— Oui, parce que son épouse se morfondait en Bretagne.

Nicolas, en se rhabillant, fut saisi par une évidence. Rien ne retenait sa maîtresse sous le toit des Jouannic. Il lui apporta sa robe et ses sous-vêtements.

— Tu n'auras plus d'excuse, si Killian vit avec ses parents, ce qui me semble normal, lui dit-il. Loïza, ton frère et ta belle-sœur n'ont pas besoin de toi, tu leur sers de domestique, au fond.

Elle eut une expression rêveuse. Il s'étonna de sa beauté, en songeant à son âge.

« Le 2 août, elle aura quarante ans, se dit-il. On lui donnerait dix ans de moins. Comme elle a l'air jeune et fragile, soudain. »

Il pensa à ce tueur insaisissable, qui pourrait très bien s'en prendre à Loïza, s'il croisait son chemin un soir.

— Tu es mon unique amour, murmura-t-il en l'enlaçant. Je ne veux pas te perdre, jamais.

En guise de réponse, elle se blottit contre lui avec un sourire tremblant, au bord des larmes.

— Serre-moi fort, Nicolas, je t'en prie.

— Ne pleure pas, ma chérie. Je ferai n'importe quoi pour toi, pour ton bonheur.

Ils demeurèrent enlacés, vibrant d'une immense tendresse et émerveillés d'être deux, dans le clair-obscur de la chambre où leur parvenaient les rumeurs de la place, des rires, la musique d'un accordéon.

Locmariaquer, villa des Bart, même soir

Lara endormait Loanne, lorsqu'elle entendit des voix au rez-de-chaussée de la villa. Nérée aboyait avec force, malgré les tentatives de Rozenn de le faire taire.

— Vilain chien, marmonna la petite fille somnolente. Je n'peux pas faire dodo.

— Nérée fait son travail de chien de garde, mon trésor.

— Moi, j'veux mon papa.

— Il sera peut-être là demain, dors vite. Tu es fatiguée, tu as beaucoup joué aujourd'hui. Rozenn m'a raconté comment tu te balançais vite sur le cheval à bascule que monsieur Odilon a rafistolé ! Et je sais combien de fois tu as lavé le baigneur qu'elle t'a donné. C'est beaucoup de travail pour un bout de chou de trois ans !

— Elle est gentille, la dame rouge, bâilla l'enfant.

— N'appelle pas Rozenn comme ça. C'est bien de notre amie Rozenn que tu parles ?

Loanne se mit à sucer son pouce, en dévisageant sa mère d'un air malicieux. Au même instant, quelqu'un monta l'escalier quatre à quatre. Le cœur de Lara manqua un battement, sous l'effet conjugué d'une crainte irraisonnée et d'un espoir insensé. On poussa la porte entrebâillée.

— Olivier ! Dieu soit loué ! murmura-t-elle. Oh, mon amour, tu es là !

Elle courut se blottir dans ses bras. Il déposa de petits baisers sur ses cheveux, son front, ses joues, puis sa bouche.

— Papa, mon papa ! s'égosilla Loanne, qui s'était levée et sautait sur le lit.

— Ma p'tite bouille, tu m'as tellement manqué, répliqua Olivier en prenant sa fille à son cou pour l'embrasser elle aussi.

Éperdue de soulagement, Lara les contemplait, quand une voix grave s'éleva derrière elle.

— Quel joli tableau ! Bonsoir, ma chère Lara.

Elle se retourna. Jonathan Kervella se tenait sur le seuil de la chambre, tout souriant. Elle le toisa avec méfiance.

— Bonsoir, monsieur, dit-elle sèchement.

— Je suis très content de revoir ma petite-fille. Je vais avoir le temps de l'apprivoiser, je reviens passer la journée de demain avec vous tous. Rozenn et Odilon Bart sont charmants et très accueillants. Auriez-vous des soucis, Lara ? Où s'est envolé votre beau sourire ?

— J'ai du mal à sourire, monsieur, rétorqua-t-elle. Pourrais-je être seule avec Olivier, je vous prie ?

— Bien sûr, je pense même que c'est nécessaire, car vous semblez me ranger dans la catégorie des indésirables.

— Excuse-la, papa, soupira le jeune homme en recouchant Loanne, rassasiée de câlins et de baisers.

Le couple se retrouva en tête à tête, debout près de la fenêtre dont les contrevents filtraient les lueurs sanglantes du coucher de soleil. Leur enfant, nichée entre les draps, clignait déjà des paupières, réconfortée par la présence de ses parents enfin réunis.

— Tu n'aurais pas dû parler sur ce ton de mon père, déplora tout bas Olivier. Nous avons eu tort, Lara, ces mots que nous a rapportés Nicolas Renan signifient une seule chose : Malherbe préparait un autre plan pour me nuire, dénigrer ma famille.

Son compagnon lui faisait rarement des reproches. Lara se sentit désemparée.

— Je suis désolée si je t'ai contrarié, répliqua-t-elle à voix basse. Mais tu aurais pu me prévenir de ton retour, ou du moins, par politesse, avertir Rozenn et son frère, puisque tu leur imposes un visiteur.

— Lara, qu'est-ce qui t'arrive ? Ce visiteur, c'est mon père. Il a roulé des heures depuis Dinard pour plaider ma cause auprès du commissaire Renan. Je te le répète, nous avons discuté, lui et moi. Papa est loin d'être une personne intouchable. Mes parents sont ruinés. Tu entends, ruinés ! J'ai la conviction d'être le responsable de leurs ennuis.

— Vraiment ? chuchota-t-elle, soudain radoucie. Olivier, je suis désolée d'avoir réagi ainsi, mais je suis à fleur de peau. Mon père, lui, a tenté de mourir, hier soir. Il s'est pendu à une poutre de la cuisine, avec un cordage de marin. Fantou l'a sauvé, aidée par maman. Je suis restée à son chevet presque toute la journée.

Olivier aurait voulu consoler Lara, cependant il éprouvait une exaspération anormale. Dans sa cellule, il avait largement eu le temps de méditer sur les raisons leur retour imprévu en France, et, aveuglé par la colère sourde qui grandissait en lui depuis l'incident avec la Delage, il ne pouvait s'empêcher d'en vouloir à Louis Fleury, qui, de surcroît, s'était révélé grossier et hargneux.

— Je suis navré pour ton père, ma chérie, lâcha-t-il d'un ton neutre. Raconte-moi les circonstances de son geste, Lara.

Elle s'exécuta en quelques phrases, troublée par le peu de compassion qu'il lui témoignait.

— Il n'aurait pas osé faire ça, s'il avait été seul, conclut Olivier. Ton père est déséquilibré, il frôle la démence. C'était pour mieux vous accabler, vous obliger à tolérer ses insultes, sa rancœur envers le monde entier. Il faudrait le placer dans un asile.

Lara était outrée et humiliée. Elle le gifla avant de quitter la pièce, la gorge nouée sur des sanglots contenus.

« Je ne reconnais plus Olivier, s'effraya-t-elle. Il peut juger papa, il devient comme lui ! Seigneur, pourquoi ? »

Du salon montaient les voix mêlées d'Odilon et de Jonathan. Les deux hommes discutaient politique. Lara descendit sans bruit l'escalier et se réfugia dans la cuisine. Rozenn la dévisagea attentivement.

— Toi, petite, tu as une grosse envie de pleurer, avança-t-elle. Olivier a été disculpé, pourtant.

— Je viens de le gifler, Rozenn. Lui, mon grand amour, qui m'a rendue heureuse au-delà de tout.

— Approche, Lara.

— Vous allez me tenir les mains et me redire que je suis forte, que l'avenir sera merveilleux ! Mais j'ai la sensation que les choses ne font qu'empirer. J'ai conseillé à Fantou de nous rejoindre, ce soir, et de dormir à la villa. Cela lui changera les idées. J'espère que ça ne vous dérange pas ?

— Je m'en réjouis. Toutes les deux vous êtes les filles que je n'ai pas eues. Mais comment Fantou viendra-t-elle jusqu'ici ? Je n'aime pas la savoir seule sur la route.

— Ne craigniez rien, Rozenn, j'ai demandé à Denis Cadoret de conduire Fantou en mobylette.

— Tu me rassures ! Je tremble pour elle depuis ton départ, à cause de ce monstre qui égorge des innocentes. Tiens, regarde le journal. La police a fait publier un appel à témoins. Ils ont pu mettre un nom sur le squelette découvert en forêt de Coëby.

Rozenn, occupée à rincer de la salade, désigna le quotidien plié sur la table. Lara consulta la première page, où figurait un encart en caractères gras.

— Janig Cadoret, dit-elle d'un ton surpris. C'est une cousine éloignée de mes voisins. Je l'ai connue, Rozenn. Je téléphonerai au numéro indiqué demain matin, qui sait, je pourrai peut-être leur fournir des renseignements.

À cet instant, Lara perçut des pas discrets dans le vestibule. Elle rattrapa le jeune homme au moment où il allait entrer dans le salon.

— Ne sois pas fâché, lui dit-elle. J'ai eu tort de te gifler, mais tu as exagéré, en parlant ainsi de mon père.

— Pourquoi ? Tu étais prête à calomnier le mien !

— Mon amour, qu'est-ce qui nous arrive ? Je n'ai pas souvenir d'une dispute entre nous. Olivier, nous devons rester unis, complices, sinon nous serons en danger, notre petite Loanne aussi.

— Je suis désolé, Lara. Je suis à bout de nerfs, j'ai besoin de temps. Nous en discuterons plus tard.

Elle resta un instant comme pétrifiée de chagrin, avant de le suivre, déterminée à se réconcilier par n'importe quel moyen.

— Ah, ma chère enfant ! s'exclama Jonathan Kervella, un verre d'alcool à la main. Seriez-vous de meilleure humeur ?

— Pas du tout, monsieur. Mais ma sœur ne devrait pas tarder et je me sentirai mieux quand elle sera là, précisa celle-ci.

— Rien d'étonnant, Fantou est une exquise jeune fille, une brillante lycéenne, commenta Odilon.

— N'est-ce pas risqué qu'elle fasse le trajet à la tombée de la nuit, seule ? Le tueur rôde toujours, précisa Kervella.

— Un de ses amis l'amène jusqu'ici, par précaution, répondit Lara. Sinon j'aurais emprunté la fourgonnette.

— Qui donc ? demanda Olivier.

— Denis Cadoret, notre jeune voisin.

— Et vous avez confiance en lui, Lara ? se récria Jonathan. Son père a fait de la prison pour complicité de meurtre, et c'est cet homme qui avait dénoncé mon fils pendant l'épuration.

— Denis n'a rien à se reprocher, il n'est pas responsable des fautes de son père. Et lui aussi a souffert. Vous oubliez sans doute que Léa Bertho, qui aurait dû devenir sa belle-sœur, est une des victimes de l'assassin, et que son frère Erwan s'est suicidé à la suite de ce terrible meurtre.

— Je suis au courant de tout ceci, Lara, mais quand même, vous feriez bien d'être plus prudente, renchérit le père d'Olivier.

Nérée se mit à aboyer, surexcité, puis il gratta à la porte principale en gémissant.

— Du calme, mon chien, fit la voix douce de Fantou. Mais oui, tu es un bon gros chien.

Lara courut rejoindre sa sœur, qui tournait le verrou d'une main, en caressant Nérée de l'autre.

— Comment es-tu rentrée, mon korrigan ?

— Rozenn m'a confié un double des clefs. Avez-vous dîné ?

— Non, pas encore. Comment va papa ?

— Les sédatifs font leur effet, il dort tranquillement. J'ai laissé maman allongée dans le lit clos, bien installée.

— Je pense que le docteur dit vrai, l'essentiel était de calmer papa. Maman m'a dit que ce médecin exerce depuis l'an dernier, il paraît compétent. Viens, Rozenn prépare le repas, mais elle veut surtout te soigner.

— Attends une minute. Ils ont libéré Olivier, j'ai entendu sa voix, dans le salon.

— Son père est là également, il l'a raccompagné.

Fantou étudia mieux la physionomie de sa sœur.

— Qu'est-ce que tu as, Lara ? Tu devrais être heureuse, sourire. Cet après-midi, tu te languissais d'Olivier.

— Il s'est montré désagréable, je l'ai giflé. Depuis il me lance des coups d'œil hostiles. Fantou, peut-être qu'il ne m'aime plus !

— Ne dis pas de sottises, c'est impossible, Lara.

Route d'Auray à Pluvigner, mercredi 23 mai 1951,
5 heures du matin

Livia Menti s'inquiétait des à-coups de son vélomoteur. Elle avait encore quatre kilomètres à parcourir avant d'atteindre Pluvigner. La jeune fille travaillait depuis trois mois dans une grande épicerie, qui faisait aussi dépôt de tabac et bazar.

— Pourvu que je ne sois pas en retard, se dit-elle. Les patrons ne plaisantent pas avec ça ! Papa a peut-être oublié de remettre de l'essence, quand il a emprunté ma machine.

Comme elle vivait chez ses parents, Livia économisait tout son salaire pour son mariage, prévu à la fin du mois de juillet. Elle supportait sans se plaindre les exigences de ses employeurs, très pointilleux sur les horaires.

— Je n'ai qu'à pédaler davantage, ça soulagera le moteur !

Brune, les cheveux coupés court, elle se trouvait assez jolie. Son fiancé, lorsqu'il se montrait trop entreprenant, répétait qu'elle était la plus belle fille de la terre, mais elle riait en lui demandant d'être sage.

Les Menti, d'origine italienne, s'étaient installés en Bretagne après la Première Guerre mondiale. Propriétaires d'une modeste ferme proche d'Auray, ils élevaient des cochons. Livia, qui préférait la ville à la campagne, avait eu une place à la poste, puis elle s'était lassée. Le commerce lui plaisait, si bien qu'elle avait répondu à une petite annonce, pour un emploi à Pluvigner.

— Et zut ! s'écria-t-elle.

L'engin s'était arrêté, malgré son énergie à pédaler. Autour de la jeune fille s'étendaient des champs semés d'orge et de blé, délimités par des halliers. Les oiseaux chantaient, saluant l'aube grise, noyée de brume.

— Qu'est-ce que je vais faire ?

Prête à pleurer de dépit, Livia essaya de redémarrer. Soudain elle vit des phares au loin. Une camionnette arrivait, qui roulait en direction d'Auray.

« Je n'ai pas de chance, se désola-t-elle. Si seulement une voiture passait, dans l'autre sens, vers Pluvigner. »

Pourtant le conducteur s'arrêta à sa hauteur. Livia perçut le déclic du frein de stationnement, pendant qu'elle poussait son vélomoteur sur le bas-côté.

— Je suis sûrement en panne d'essence, expliqua-t-elle bien fort, en espérant obtenir une aide quelconque.

Mais on ne lui répondit pas. Intriguée, elle se retourna à l'instant précis où on appliquait un tissu sur son nez et sa bouche, imprégné de chloroforme.

Pendant quelques secondes, Livia se souvint combien sa mère appréhendait ces trajets en solitaire, en fin de nuit. Son père, aussi, qui lisait à voix haute les articles sur le tueur des dolmens.

« Non, non, pas moi ! »

Ce fut son ultime pensée. Livia sombra dans un univers ouaté, insensible aux mains qui soutenaient son corps, le traînaient à l'intérieur du véhicule, dans l'habitacle arrière. Son vélomoteur fut emporté également. Il ne restait plus aucune trace de la jeune fille sur la chaussée.

Au bout d'une heure environ, à Pluvigner, la patronne de l'épicerie annonçait à son mari qu'elle donnerait son congé à Livia Menti, si elle osait se présenter devant eux.

— C'est son quatrième retard en trois mois, je l'avais avertie ! s'exaspéra-t-elle.

— Elle a pu tomber en panne, hasarda l'homme. Tu manques d'indulgence, c'est une employée sérieuse et mignonne. Les clients l'apprécient, quand elle tient la caisse.

— Surtout les messieurs, oui, ironisa son épouse.

Lorsque l'église proche de la boutique sonna midi, le sort de Livia était réglé. Elle avait perdu son travail, et sa vie. Pour elle, il n'y aurait plus ni mariage, ni foyer paisible, plus rien...

Villa des Bart, même jour, midi

Lara et Fantou marchaient sur la plage, une étroite bande de sable et de cailloux, battue par les vagues de la marée haute. Une nuée de mouettes volaient au-dessus de la mer, sous le ciel voilé de nuages. Un vent chargé d'embruns fouettait leurs visages.

— Vous semblez réconciliés, Olivier et toi...

— Il y a du mieux, mon korrigan. Cette nuit, nous sommes sortis dans le jardin et nous avons parlé longtemps.

— Vous vous êtes contentés de parler ? insinua Fantou.

— S'il s'est passé autre chose, d'un ordre intime, tu n'as pas à le savoir, tu es trop jeune, plaisanta Lara.

— J'aurai dix-sept ans dans deux mois, à mon âge, certaines filles du lycée sont fiancées. D'autres se sont mariées.

— Sans doute, et tu fais preuve de maturité. Excuse-moi si je suis maladroite, parfois. J'ai quitté une grande enfant, je revois une presque femme. Fantou, je t'ai proposé cette promenade dans un but précis. Nous n'avons pas changé d'avis, Olivier et moi. Nous avons prévu de repartir pour le Venezuela, non plus d'ici une semaine, plutôt dans une quinzaine de jours. Je t'en supplie, viens avec nous. Les Kervella aussi envisagent de s'établir là-bas, peut-être l'année prochaine.

— J'aimerais vraiment te suivre, Lara, mais je ne peux pas.

Les deux sœurs s'assirent sur un vestige de tronc d'arbre, dont le bois avait été poli par la mer.

— Tu refuses pour ne pas laisser maman seule avec papa ? Ils finiront par reprendre une vie de couple, j'en suis sûre. Tout à l'heure, nous allons chez le médecin, avec Olivier. Nous lui réglerons ses honoraires, et je compte lui demander de faire des visites régulières à la maison pour veiller sur la santé mentale de notre père.

— Maman aura du mal à gérer tout ceci, c'est mon devoir de l'aider, Lara. Et je te le rappelle encore une fois, je tiens à obtenir mon baccalauréat. Je dois rester ici.

— Mon korrigan, sois franche ! Je pensais que tu sauterais de joie à l'idée de venir avec nous. Tu ne serais pas amoureuse ?

Fantou, au teint toujours pâle, devint toute rose d'émotion. Cependant elle nia farouchement.

— Non, voyons ! De qui je pourrais être amoureuse ? Je ne fréquente aucun garçon, à part Denis Cadoret, mais c'est juste un ami.

— Et Daniel Masson ? Rozenn m'a dit qu'il avait été promu professeur de piano. Tes séjours sur l'île de Molène m'ont surprise.

Lara regretta aussitôt d'avoir évoqué leur ami aveugle. Fantou se leva et fit quelques pas sur la grève. Très mince, ses longs cheveux blonds malmenés par le vent, elle se tenait droite, la tête tournée vers le large.

— Tu déraisonnes, Lara, dit-elle d'une voix tendue. Daniel a quinze ans de plus que moi. Il se comporte en grand frère. Son affection m'a été précieuse, pendant ton absence. Maman m'a infligé le même discours, quand je lui disais combien j'appréciais cet homme. En somme, vous voyez le mal partout !

— Fantou, tu te trompes, ce n'est pas mal d'être amoureuse. Et souvent on ne choisit pas, le cœur décide à notre place. Daniel est séduisant, intelligent, instruit et…

— Et infiniment malheureux, ajouta sa sœur. Ma présence lui redonnait du courage, j'égayais sa maison, il me le disait. Katell me chouchoutait. Je me sens libre et en sécurité, à Molène.

— Très bien, je n'aborderai plus ce thème épineux, répondit Lara, à moitié convaincue. Rentrons à la villa. Si nous continuons la balade, nous verrons la Delage de M. Kervella, échouée comme un bateau. Autant ne pas nous infliger ce triste spectacle.

La mention de la voiture fit soudain germer une pensée troublante dans l'esprit de Lara.

« Pourquoi acheter une automobile de luxe, si on se sait au bord de la faillite ? s'interrogea-t-elle. Je me fais des idées, mon futur beau-père a dû l'acquérir l'an dernier, avant de mesurer l'ampleur de ses pertes à la Bourse. »

— Dis-moi à quoi tu penses, s'enquit Fantou qui lui avait pris la main.

— Devine, à ma petite Loanne bien sûr, gardée par son père et son grand-père, mentit Lara. M. Kervella voudrait qu'elle l'appelle « bon-papa », ça ne lui a pas plu, elle a répondu « non » d'un ton autoritaire.

— Ma nièce a du caractère, comme sa maman. Au fait, Lara, as-tu téléphoné à la gendarmerie, au sujet de Janig Cadoret ?

— Oui, j'ai eu le brigadier-chef. Il a noté mon témoignage et il le transmettra au commissaire. J'espère que ça aidera la police. Si seulement les jours qui viennent se déroulaient sans heurts, sans querelles ! Olivier a très mal vécu notre retour mouvementé, et moi aussi.

— Je suis désolée pour vous. Enfin, demain je retourne au lycée. Je ne te verrai pas beaucoup, si vous repartez bientôt. Tant pis, c'est la vie, conclut Fantou en souriant.

Gendarmerie d'Auray, même jour, 14 heures

Nicolas Renan lisait les notes du brigadier-chef. Il s'était enfermé dans le local exigu qui lui servait de bureau, surpris par le témoignage de Lara Fleury. Personne d'autre ne s'était encore manifesté.

Il en pesait chaque mot quand on frappa à la porte. Le lieutenant Auffret entra aussitôt, l'air affolé.

— Commissaire, un bûcheron a découvert un corps en forêt de Camors, au pied d'un menhir, cette fois. Il y a un alignement de ces mégalithes, au bord d'une piste. Une jeune fille, même topo, égorgée, tunique blanche. On doit y aller rapidement. La brigade de Pluvigner vient de nous prévenir.

— Eh merde ! pesta Renan entre ses dents. Le tueur change de tactique. Je pensais qu'il n'agirait pas avant septembre. On connaît l'identité de la victime ?

— On ne m'a rien dit, donc les gendarmes n'ont pas dû trouver d'indices. Ils sont sûrs d'une chose, la mort est récente, elle doit remonter au milieu de la nuit.

— Demandez au légiste de se rendre sur place, on part tout de suite. Où est l'inspecteur Ligier ?

— Je ne sais pas. Il n'est pas encore de retour, commissaire.

— Quoi ? aboya Renan, survolté. Je l'ai eu en ligne alors qu'il s'apprêtait à quitter Vannes. Il était 10 heures. On se passera de lui.

Il constata qu'il tremblait de nervosité, tant son écœurement et sa révolte étaient violents.

« Une nouvelle victime, se disait-il. Bon sang, je dois coincer ce type et l'envoyer à la guillotine ! »

6

La loi du chaos

Pluvigner, forêt de Camors, même jour

Une pluie fine tombait sur les feuillages des grands arbres. Elle perlait les buissons, l'herbe des talus, les fleurettes blanches qui auraient pu égayer le sous-bois silencieux, s'il n'y avait eu ce jeune corps gisant sur la terre humide. Nicolas Renan serrait les dents, sous le coup d'une rage impuissante.

— Il faut que ça s'arrête ! décréta-t-il, sous les regards des gendarmes rassemblés là.

Trois d'entre eux appartenaient à la brigade d'Auray, et ils étaient accompagnés du brigadier de Pluvigner et de deux de ses hommes. Le plus jeune se tenait un peu à l'écart, le teint verdâtre. Soudain il agita la main, comme un écolier qui demanderait la permission de parler.

— Oui, je vous écoute, lui dit le commissaire.

— Je la connais de vue, murmura timidement le gendarme. Elle travaillait à la grande épicerie-bazar, à Pluvigner.

— Rien d'autre ? s'enquit Renan.

— Je l'ai croisée parfois quand elle repartait en vélomoteur, le soir. Elle n'habite pas ici.

— Dans ce cas, Le Guellec, allez tout de suite interroger ses patrons, ils auront son nom et son adresse ! s'écria son brigadier. Prenez le fourgon.

— Oui, brigadier, j'y vais, répondit celui-ci, manifestement soulagé de quitter le lieu du crime.

Nicolas Renan éprouva une vague satisfaction, à la perspective de pouvoir rapidement obtenir l'identité de la victime.

« Bon, au moins, nous aurons son nom et son âge. Ensuite il faudra prévenir les parents, le sale boulot sera pour moi », songea-t-il, écœuré.

— Cette fois, commissaire, le type fait des imprudences, affirma le lieutenant Auffret. La mort remonte à moins de douze heures, on peut trouver des indices.

— Eh bien, cherchez-les ! ordonna Renan. Examinez tout le sol autour de la victime et dans un cercle plus large. Alors, docteur ?

Il s'adressait au médecin légiste, qui venait de commencer l'examen du cadavre.

— Accordez-moi quelques minutes, commissaire, rétorqua-t-il. Je vais demander ma mutation, si ça continue à ce rythme. Pauvre gosse, elle a été endormie au chloroforme. L'odeur est encore décelable. Aucune trace de lutte, comme les autres, elle ne s'est pas débattue et n'a pas été violée. Néanmoins la demoiselle n'était pas vierge. L'autopsie m'en apprendra davantage. Ah, un détail qui peut vous intéresser, elle portait sûrement une bague à l'annulaire gauche, la chair est marquée. Le genre de bijou que l'on n'ôte pas, une alliance ou une bague de fiançailles. On lui a volé.

— Merci, docteur, on va peut-être la retrouver dans l'herbe, hasarda Renan, partagé entre la fureur et le désespoir.

Il suivait des yeux les déambulations du lieutenant Auffret. Il avançait en scrutant le sol avant chacun de ses pas.

« Pourquoi ce meurtre au mois de mai ? s'inquiétait-il. Je pensais avoir le temps de coincer le tueur avant septembre, mais il semble changer de tactique. Il y a une autre solution, ce fou aurait déjà tué, à des dates différentes, et nous n'avons pas découvert toutes les victimes. Janig Cadoret en serait un exemple. On doit vite mettre la main sur Hervé David. Le témoignage de Lara pourrait nous être d'une aide précieuse. »

Villa des Bart, même jour, même heure

Lara, Loanne et Olivier avaient pris place dans la Panhard noire de Jonathan Kervella, qui devait les conduire à Auray. Au retour, ils verraient le docteur Bacquier, à Locmariaquer.

Rozenn et son frère assistaient au départ, debout derrière le portail de leur cour. La petite fille agita la main pour leur dire au revoir, incitée en cela par sa mère.

— M. Kervella me paraît un homme très bien, loyal et généreux, déclara Odilon à voix basse. Il est simple, en plus. As-tu remarqué comme il s'occupe de sa petite-fille ?

— Tu t'en occupes toi aussi, avec plus de succès, nota sa sœur avec sérieux. Loanne t'a adopté.

— C'est parce que j'ai descendu des jouets du grenier et que je les ai remis en état.

— Ne sois pas modeste, Odilon, tu as le chic avec les enfants, grâce à tes cheveux et à ta barbe blanche, tes yeux bleus, tes joues souvent rouges. Tu as un air de Père Noël, mon frère.

Ils échangèrent un sourire, tandis que la voiture s'éloignait. Le chien, près d'eux, se mit à gémir. La grosse bête blanche aurait volontiers suivi le véhicule qui emmenait la fillette.

— Ce brave Nérée, commenta Rozenn. Il a jeté son dévolu sur Loanne, car Fantou doit lui manquer. Et dans quelques jours, nous nous retrouverons vraiment seuls, toi et moi, après avoir connu les joies de la vie de famille.

— Bah, nous aurons de la visite, de temps en temps, si M. Fleury le permet.

Le ton d'Odilon révélait son amertume. Rozenn lui tapota gentiment l'épaule.

— N'en veux pas à ce pauvre homme, recommanda-t-elle. Il a tellement souffert, je l'ai senti rien qu'en m'approchant de lui. Je pourrais l'aider, mais il n'y consentira pas. Imagine sa déception quand il a trouvé sa maison fermée, Lara envolée à l'étranger, son épouse et Fantou installées chez nous. N'importe qui aurait deviné, aussi, tes sentiments pour Armeline. Alors son mari !

— Je n'ai que de l'amitié pour cette charmante femme, Rozenn.

— Tais-toi, tu mens très mal, rétorqua-t-elle. Tu te comportais en adolescent amoureux. Je t'avais pourtant mis en garde, j'avais la certitude que M. Fleury était vivant et reviendrait. N'en parlons plus. J'ai prévu de ranger mon cabanon, tu devrais faire un tour de bateau, le grand air te ferait du bien.

Furibond, le retraité se dirigea vers la villa en haussant les épaules. Il cria encore :

— Ce rafiot était à Louis Fleury, qu'il le reprenne, comme tout le reste !

Gendarmerie d'Auray, même jour

Malo Guégan, de permanence jusqu'à 19 heures, reçut Lara, qui devait faire sa déposition et la signer. Vêtue d'une robe en mousseline beige, à la jupe fluide, coiffée d'un chignon sur la nuque, la jeune femme lui parut très jolie et d'une sobre élégance. Il l'avait reconnue dès qu'elle était entrée dans la gendarmerie.

— Vous êtes Malo, l'ami de Tiphaine Jouannic, lui dit-elle pendant qu'ils échangeaient une poignée de mains.

— Il faut dire Mme Russel, désormais, rectifia le gendarme avec un sourire triste.

— Oui, j'ai appris son mariage par un courrier de ma mère, et j'ai su également que vous avez été gravement blessé lors d'une opération policière, précisa Lara.

— C'est du passé tout ça, affirma-t-il. Mais asseyez-vous, mademoiselle Fleury. Pardon, vous êtes peut-être mariée ?

— Pas encore. Je viens faire une déposition, à la demande du commissaire Renan. J'ai déjà témoigné par téléphone, ce matin, au sujet de l'enquête sur Janig Cadoret.

— Le lieutenant Auffret m'a mis au courant. Commençons, si vous êtes prête.

Ils étaient l'un en face de l'autre, séparés par une table en bois noir où trônait une machine à écrire. Malo tapa quelques mots d'une main, actionna le mécanisme pour changer de ligne et fixa Lara.

— Je vous écoute, mademoiselle Fleury.

— Voilà, j'étais dans la même classe que Janig Cadoret, au lycée d'Auray, en 1943. Je m'en souviens très bien, car c'est l'année où mon père a été arrêté et déporté. Pendant le premier trimestre, Janig était rarement absente. Mais dès le mois de février, sa conduite a changé. Elle se montrait indisciplinée, insolente, et manquait souvent le matin. Durant les récréations, elle se vantait haut et fort de fréquenter des garçons. En lisant l'annonce dans le journal, je me suis souvenue qu'en mai, Janig nous a annoncé qu'elle quittait le lycée, car elle allait se fiancer. Son apparence avait changé, elle se maquillait beaucoup, fumait dans la cour. Elle refusait de nous dire le nom de ce fameux fiancé, tout en le décrivant comme un homme plus âgé, qui l'emmènerait à Paris.

Lara fit une pause, devant les efforts visibles de Malo Guégan pour dactylographier rapidement ses déclarations.

— Je vais trop vite ? s'enquit-elle en souriant.
— Non, je vous suis, continuez.
— Peu après, je dirais environ une semaine plus tard, Janig, qui avait manqué les cours, attendait sa meilleure amie devant le portail. J'étais à deux mètres environ et je l'ai entendue. Elle venait faire ses adieux, la mine provocante. Je suis partie, et par la suite, je ne l'ai jamais revue.
— Vous souvenez-vous d'une gourmette en argent, qu'elle devait avoir au bras gauche ?
— Tout à fait, Janig en était fière. Son grand-père lui avait offerte.
— Si vous connaissiez le nom de sa meilleure amie, nous gagnerons du temps. Le commissaire Renan vous posera la question.
— Attendez un instant...
Malo alluma une cigarette, tout en relisant le texte. Lara baissa la tête pour observer les motifs de sa robe, en quête du patronyme qui lui échappait.
— Ah ça y est ! Guénaelle Rault, déclara-t-elle. Mais j'ignore où elle vit maintenant. Je suis désolée, j'ai perdu de vue beaucoup de mes anciennes camarades de classe quand j'ai dû renoncer aux cours pour aider ma mère à la maison.
— Ne vous excusez pas, je crois que le commissaire sera content. Il pourra interroger cette personne, dès que nous l'aurons localisée. Vous n'avez rien à ajouter ?
— Non, j'ai bien réfléchi, avant de venir. J'espère que ma démarche vous aidera. Le commissaire Renan s'est absenté ?
Le gendarme afficha immédiatement un air gêné. Il hésita un peu, avant de dire tout bas :
— En principe, je ne devrais pas en parler, mais tout le monde le saura demain, à cause des journaux. Et puis je vous fais confiance, on était tous les deux des amis de Tiphaine. Il y a eu un nouveau crime.

Lara eut une expression effarée. Un collègue de Guégan sortit au même moment d'une autre pièce du local.

— Mademoiselle, marmonna-t-il en la saluant d'un signe.

— Bonjour, monsieur, répliqua-t-elle, la gorge nouée, prise d'une sourde envie de pleurer.

Elle pensait à Fantou. Sa sœur ferait d'innombrables allers et retours d'Auray à Locmariaquer, pour suivre les cours du lycée.

« Et moi je serai au Venezuela, hors de danger, se reprocha-t-elle. Je dois agir, persuader Fantou de partir avec nous. »

Malo lui tendit la feuille et un stylo. Elle signa sa déposition d'une main tremblante. Des éclats de voix et des bruits de pas retentirent dans l'entrée du bâtiment. Nicolas Renan apparut, en chemise, sa veste pliée sur le bras gauche, son chapeau de travers. Il avait une mine affreuse. Les hommes qui le suivaient ne valaient guère mieux.

Vite, Lara se leva. Le policier l'avait aperçue. Il lui indiqua la porte d'un petit bureau.

— J'ai peu de temps, lui jeta-t-il d'un ton las. Guégan, la déposition de Mlle Fleury, je vous prie.

Une fois en possession du document, Renan s'enferma dans le bureau en compagnie de Lara, muette de saisissement. Elle le regarda parcourir les lignes d'un œil soucieux.

— Nom d'un chien !, pesta-t-il entre ses dents. J'aurais préféré en rester à l'enquête sur Janig Cadoret.

— Vous êtes secoué, Nicolas, je le vois bien, chuchota-t-elle. Est-ce que mon témoignage vous sera utile ?

— Il y a des chances, maugréa-t-il en lui tournant le dos. Je suis secoué ! Le mot est faible, Lara. Je dois me rendre dans cinq minutes chez les Menti, dont la fille de vingt ans a été assassinée à l'aube. Livia Menti, ça ne vous dit rien ?

— Non, je suis navrée. La malheureuse ! Je plains ses parents de tout mon cœur. Je n'ose même pas imaginer ce qu'on ressent en apprenant une horreur pareille. Si Fantou…

— Pitié, pas de ça ! coupa Renan en lui faisant face. Lara, fuyez la France dès que vous le pouvez et emmenez votre sœur dans vos bagages. Les charges sont définitivement abandonnées, en ce qui concerne Olivier. Embrassez votre père revenu comme par miracle et fichez le camp !

— Papa a tenté de se suicider avant-hier, confessa-t-elle d'une voix faible. Le médecin l'a placé sous sédatifs. Je compte rester au moins une quinzaine de jours.

— Je suis désolé ! Alors soyez très prudentes, Fantou et vous. Je vois peu fréquemment votre petit korrigan, comme vous l'appeliez, mais c'est une jeune fille si lumineuse, si fascinante ! Mettez-la en sécurité et vous aussi.

— Ma demande va vous agacer, peut-être, osa insinuer Lara, pourtant je voudrais bien savoir ce que vous dira Guénaelle Rault à propos de Janig Cadoret.

— J'aviserai selon l'enquête en cours, rétorqua-t-il. Au fait, ça vous dit quelque chose, Hervé David ? Ce serait peut-être lui, l'homme plus âgé qui avait séduit votre camarade Janig.

— Hervé David ? Non, commissaire. Il doit y avoir beaucoup d'hommes se nommant ainsi en Bretagne.

— En effet. Je vous remercie de vous être déplacée, Lara. Souhaitez-moi du courage, je pars chez les Menti.

— Je penserai à vous, murmura-t-elle. Je m'en vais moi aussi, Olivier et son père m'attendent à la terrasse du café, un peu plus loin dans la rue. Ils sont avec Loanne et Fantou.

— M. Kervella joue les nounous, ironisa le policier.

— Il tient son rôle de « bon-papa » à la perfection, répliqua Lara. Son épouse insiste pour le rejoindre.

Le commissaire Renan approuva distraitement. Dans la salle, il fit signe à Ligier de le suivre. La jeune femme les précéda à l'extérieur. Il pleuvait sur la ville. Elle songea, le cœur lourd, aux larmes que verseraient bientôt les parents de Livia Menti. Une idée la traversa. Depuis son retour, le chaos faisait loi.

Locmariaquer, même jour, 17 heures

Le docteur Jérôme Bacquier reçut Lara et Olivier entre deux consultations. Fantou et Jonathan Kervella promenaient Loanne sur le quai du port, situé à cinq cents mètres environ du cabinet médical.

— Nous venons vous régler vos honoraires, lui précisa Lara. Pour les soins de mon père et ceux prodigués à ma sœur, hier.

— Je refuse d'être payé pour avoir nettoyé les plaies de votre sœur, protesta-t-il aussitôt. Comment va-t-elle depuis sa chute ? J'espérais vérifier l'état de son genou, ce matin, mais votre mère était seule, enfin avec M. Fleury.

— C'est très aimable à vous, docteur, s'étonna Lara. Fantou est allée au lycée, j'ai changé son pansement avant son départ pour Auray.

Olivier, indifférent à la discussion, observait l'aménagement moderne du cabinet médical. La pièce où le médecin recevait, à l'instar de la salle d'attente, était peinte en blanc crème, et les murs ornés de tableaux de style impressionniste. Le mobilier aurait pu figurer dans une revue de décoration à la mode.

— Vous avez pris la suite du docteur Deville ? demanda Lara. Il n'était pas très âgé. Nous l'avions consulté pour ma sœur, il y a quatre ans. Il craignait la tuberculose, Dieu soit loué, elle souffrait d'une simple bronchite.

— Une bronchite peut s'avérer fatale, sur des enfants fragiles, répliqua le médecin en s'asseyant derrière un bureau en acajou. Quant au docteur Deville, il était atteint d'un cancer du poumon, et il est décédé depuis deux ans.

— Je l'ignorais, répondit la jeune femme.

Elle avait posé la question, sachant que le docteur Deville était une relation mondaine d'Éric Malherbe. L'ancien maire, qui l'avait harcelée de ses tentatives de séduction, pouvait très bien avoir des complices insoupçonnables.

— Pour votre père, mademoiselle Fleury, je préconise de poursuivre le traitement par calmants, ajouta Bacquier. Votre mère se dit rassurée, de plus pendant les périodes d'éveil, mon patient s'alimente et accepte de l'eau et des infusions, sans épisode de colère ou de violence.

— Mais que se passerait-il si M. Fleury cessait d'un coup de prendre ce genre de médicaments ? interrogea soudain Olivier.

— Ses troubles mentaux pourraient empirer. Il y aurait de nouveau un risque de suicide. Sans les sédatifs que j'ai prescrits, il faudrait envisager un placement en asile psychiatrique.

— Nous sommes seulement de passage dans la région, j'aimerais que vous rendiez visite régulièrement à Mme et M. Fleury après notre départ, dit le jeune homme. Je vous laisserai une somme d'argent conséquente. C'est assez singulier, je vous l'accorde, mais j'y tiens.

— Vous repartez pour le Venezuela ? demanda le médecin.

Le couple échangea un regard affolé qui interpella Bacquier.

— D'où tenez-vous le renseignement ? s'enquit Olivier.

— De Mme Fleury ! Je vous présente toutes mes excuses si je vous semble indiscret.

Lara garda son sang-froid. Elle eut un sourire rêveur en prenant la main de son compagnon.

— Maman n'a jamais voyagé. C'était mon cadeau pour nos fiançailles, un séjour enchanteur là-bas, mais nos vacances sont terminées, et nous devons rentrer à Lyon.

Elle improvisait, ravissante, sans trahir sa contrariété. Olivier évita de renchérir, d'autant plus mal à l'aise qu'il n'arrivait pas à sortir de son esprit la terrible nouvelle que Lara lui avait confiée : le tueur avait fait une nouvelle victime.

Il contemplait la jeune femme et s'émerveillait de son aplomb, de sa voix musicale, de sa beauté sans artifice, dont la source n'émanait pas seulement de son visage, de son corps adorable, mais aussi de son âme forte, de son cœur plein de compassion pour autrui.

« Je l'aime tant, songea-t-il encore. Même quand elle me gifle, superbe d'indignation. Je m'en veux tellement d'avoir été odieux avec elle. Ma chérie, ma femme. »

Le médecin prit le chèque que lui tendait Lara. Perdu dans ses pensées, Olivier l'entendit enfin, en train d'établir une sorte d'arrangement pour les soins futurs de Louis Fleury.

— Si vous me donnez une adresse, je vous enverrai mes honoraires. Vous pourrez m'expédier des mandats en retour, expliquait-il.

— Nous allons y réfléchir, docteur, trancha-t-il, soudain irrité par ses manières, son timbre velouté.

— Très bien, nous nous reverrons forcément au chevet de mon patient, répliqua-t-il avec civilité. Mademoiselle Fleury, toutes mes amitiés à votre sœur, une jeune personne d'exception.

— Je lui transmettrai, répondit Lara. Au revoir, docteur et merci.

Une fois dans la rue, elle scruta les traits d'Olivier, craignant sa réaction.

— Maman a eu tort, plaida-t-elle. Je lui avais recommandé d'être prudente, et elle révèle à un inconnu d'où nous venons. Je t'en prie, mon amour, pardonne-lui. Elle était choquée à cause du geste désespéré de papa.

— Lara, ma chérie, on dirait que tu as peur de moi ! s'offusqua-t-il. Sur le moment, j'étais ennuyé, mais tu as raison, ta mère avait de quoi oublier nos conseils. J'ai semé le trouble entre nous, à cause de mes sautes d'humeur. C'est à toi de me pardonner.

Olivier l'enlaça et l'embrassa sur les lèvres, malgré les passants et la mine outragée d'une vieille dame penchée à sa fenêtre.

— Nous devons rester unis, tous les deux, chuchota-t-il à son oreille. Des inséparables, comme ces oiseaux qui ne peuvent vivre l'un sans l'autre. Viens, allons retrouver notre Loanne, ma p'tite bouille d'amour.

— Oui, je préfère qu'elle soit avec nous, même si j'ai confiance en Fantou.

— Et en mon père, quand même ?

— Bien sûr. Olivier, as-tu remarqué de quelle façon le docteur parlait de Fantou ? Cela m'avait déjà surprise lorsqu'il soignait sa plaie au genou. Il la dévorait des yeux.

— Ta sœur est très jolie, et Bacquier doit se croire irrésistible, en dépit de leur différence d'âge, hasarda-t-il.

— Et si c'était lui le tueur ? murmura Lara, toute pâle.

— Mon cœur, dans ce cas on peut accuser n'importe quel type. Le docteur semble respecté, il a beaucoup de patients. Et je ne suis pas sûr qu'il soit du pays. Il s'est installé à Locmariaquer récemment et n'était pas là au moment des premiers meurtres.

— Olivier, ça ne prouve rien. J'en arriverais à me méfier de tout le monde !

— Pas de moi, j'espère ?

— Non, car ce matin, à l'aube, nous étions encore au fond du jardin, allongés sur le sable, à l'abri du lilas, dit-elle en lui dédiant un sourire fervent. Tu as un alibi, mon amour.

Ils voulaient plaisanter, repousser les images abominables qu'ils avaient imaginées, lutter de leur mieux contre les ombres mauvaises, contre la mort, toujours aux aguets. Un rire léger s'éleva, tout proche.

— Papa, maman !

Loanne trottinait vers eux, entourée par Fantou et Jonathan Kervella. Avec ses bouclettes brunes, ses fossettes aux joues, en robe de dentelle blanche, c'était une vision de joie et d'espoir.

Vannes, jeudi 24 mai 1951

Le commissaire Renan porta une main à son front. Il avait encore la tête lourde et douloureuse. Son adjoint lui proposa d'avaler un comprimé d'aspirine. Les deux policiers étaient assis à l'avant de la voiture appartenant à l'inspecteur Ligier, en face d'une modeste maison, dans un quartier neuf de Vannes.

— Non, je vous remercie, je paie le prix de mes excès et je ne suis pas fier de moi. Mais la visite chez les parents de Livia Menti m'a complètement retourné. Les cris de cette malheureuse mère, son malaise, le père qui s'est effondré lui aussi. Sans oublier le fiancé qu'on a dû maîtriser, car il était prêt à en découdre avec tous les types du coin.

— C'était difficilement supportable, concéda son adjoint. Moi je ne me suis pas saoulé, mais j'ai téléphoné plus d'une heure à mon épouse. J'avais besoin d'entendre sa voix, et celle de mes garçons.

— Nous devons mettre un terme définitif aux crimes de ce cinglé, Ligier, déclara Renan en tapotant nerveusement le volant. J'en fais une affaire personnelle, une affaire d'honneur. Bien, allons-y. Guénaelle Rault est chez elle, j'ai vu passer une silhouette féminine derrière les rideaux.

Le commissaire frappa à la porte principale. On ouvrit tout de suite. Une jeune femme rousse, en chaussons et tablier de cuisine, étudia d'un air méfiant leurs cartes de police.

— Mademoiselle Guénaelle Rault ?

— Oui, c'est moi, entrez.

Elle les guida dans une pièce aux allures de salon. Un bébé qui devait avoir six mois était au parc, occupé à jouer avec une balle en tissu.

— Je garde le petit de la voisine, expliqua-t-elle. Elle me donne un peu de sous. Pourquoi êtes-vous là ? Je n'ai rien fait.

— Lisez-vous le journal, mademoiselle ? interrogea Renan en la jaugeant discrètement.

— Non, mon mari l'achète de temps en temps, mais je n'ai pas le temps de le regarder.

— Vous êtes mariée ? s'enquit Ligier.

— Pas vraiment, je vis en concubinage, ce n'est pas défendu par la loi !

— En effet, mais nous voudrions des renseignements sur une de vos amies de lycée, Janig Cadoret, précisa l'inspecteur. Votre meilleure amie selon une des anciennes élèves de l'établissement d'Auray.

— Janig ? Il y a des années que je n'ai eu pas de ses nouvelles. Mais si elle a mal tourné, ça ne m'étonne pas. Vous l'avez arrêtée ? Pourquoi vous a-t-elle donné mon nom ?

Le commissaire Renan l'estima sincère, car à moins d'être une excellente comédienne, son indignation sonnait juste. Il joua franc jeu également.

— On a découvert le squelette de Janig Cadoret sous l'allée couverte de la Loge-au-Loup, mademoiselle. Son décès daterait de six ou sept ans. Nous avons pu l'identifier grâce à une gourmette en argent où était inscrit son prénom.

Guénaelle Rault devint livide. Elle jeta un coup d'œil affolé sur le bébé, qui pourtant gazouillait en agitant sa balle.

— Excusez-moi, je dois m'asseoir, dit-elle. La pauvre, ça me fait de la peine. Alors Janig était morte depuis tout ce temps ?

— Je suis désolée, mademoiselle. Mais venons-en au fait, décréta Renan. Avez-vous revu votre amie durant l'été 1943 ? Car d'après le témoignage d'une autre élève du lycée, Janig aurait cessé de suivre les cours au mois de mai 1943. Savez-vous ce qu'elle a fait ensuite ?

— On s'est croisées deux ou trois fois, ici à Auray. Janig était contente, elle avait trouvé un emploi de domestique au château de Trédion et ça lui plaisait beaucoup. Elle était logée et nourrie !

— Est-ce qu'elle fréquentait un homme plus âgé, à cette époque ? Réfléchissez bien, insista Ligier.

Guénaelle regarda tour à tour les policiers, debout près du divan où elle s'était assise.

— Oui, un hurluberlu qui lui promettait monts et merveilles. J'avais mis Janig en garde, il avait l'air dérangé, ce gars. Hervé David, je me souviens très bien de son nom.

Nicolas Renan retint un soupir de satisfaction. Ils venaient de gagner un temps précieux. Ses collègues du commissariat lui avaient fourni une liste où figurait une vingtaine d'hommes portant ce patronyme, uniquement dans le Morbihan.

— Et lui, savez-vous ce qu'il est devenu ? demanda Ligier.

— Mes parents m'en ont parlé, il y a un an, je crois, répondit la jeune femme. Hervé vendait du miel sur les marchés de la région et il distribuait des brochures. J'ai passé quelques soirées avec Janig et lui, en mai 1943 justement. Il était bizarre, plutôt séduisant, mais bizarre.

— Pourquoi ? interrogea Renan, intrigué.

— Il voulait nous faire croire qu'il avait été un druide dans une vie antérieure, qu'il communiquait avec les arbres, des bêtises de ce genre. Janig buvait ses paroles. Attendez, j'ai des photographies où on les voit ensemble.

Elle se leva pour ouvrir le tiroir d'un buffet d'angle d'où elle sortit une pochette en papier beige qui contenait dix clichés. Elle en mit un de côté et leur tendit.

— Là, ce sont eux, dans la forêt de Paimpont. Hervé avait une voiture, équipée au gazogène. On était allés en virée là-bas, un dimanche.

Le commissaire découvrit le visage de Janig, une fille de seize ans rieuse, brune, en robe claire. Le souvenir de ses ossements le traversa, du crâne aux phalanges des orteils. Il réprima un frisson de révolte.

— Vous pensez qu'elle a été tuée ? hasarda Guénaelle.

Ni Ligier ni Renan ne lui répondirent. Ce dernier examinait avec attention le dénommé Hervé David, un grand gaillard en short et chemisette. Il semblait blond et barbu.

— Je dois vous emprunter cette photographie, mademoiselle, déclara-t-il.

— On devrait prendre aussi le négatif, patron, suggéra son adjoint. On pourra faire agrandir le cliché.

— D'accord ! Encore une question, quelle était la différence d'âge entre David et votre amie ?

— Au moins dix ans. Vous le soupçonnez ? s'inquiéta la jeune femme. Ils étaient très amoureux.

Soudain elle recula avec une expression effarée. Elle souleva le bébé et le serra contre sa poitrine, comme pour le protéger d'un danger invisible.

— Maintenant je sais pourquoi vous êtes venus m'interroger, balbutia-t-elle. Vous enquêtez sur le criminel qui égorge ses victimes et place leurs corps sous un dolmen ! Janig aurait été la première victime ? Ce serait Hervé l'assassin ? Non, vous vous trompez, il était loufoque, mais très gentil.

— Nous ne pouvons rien vous dire de plus, mademoiselle, trancha l'inspecteur.

— Je vous remercie de votre aide, ajouta Renan. Appelez la gendarmerie d'Auray si un détail vous revient, n'importe lequel. Au revoir, mademoiselle Rault, et prenez bien soin de ce petit. C'est le vôtre, n'est-ce pas ?

Guénaelle hocha la tête affirmativement, en embrassant son enfant sur le front.

— Je n'osais pas le dire, avoua-t-elle. On me montre du doigt dans le quartier, on me traite de fille-mère, parce que son père est marin et s'absente souvent. On se mariera bientôt.

— Je ne fais pas partie de la brigade des mœurs, mademoiselle, et je me moque un peu des conventions morales, lui précisa le commissaire. Menez votre vie comme vous le désirez.

Il la salua en souriant, imité par Ligier, qui paraissait de bonne humeur.

— On avance, patron, affirma-t-il. Hervé David sera facile à localiser, s'il vend du miel sur les marchés.

— Espérons-le, mais ne nous réjouissons pas trop vite.

Chez les Fleury, samedi 26 mai 1951

Armeline épluchait des navets, Fantou des pommes de terre, pour la soupe du soir. Elles s'étaient installées à la table du jardin, derrière la maison. Après des journées pluvieuses, un franc soleil baignait le paysage.

— C'est dommage que papa soit toujours couché, déplora la jeune fille. Il fait beau, on pourrait mettre une chaise longue dehors. Il serait mieux.

— Nous n'en avons pas, bougonna sa mère.

— Je pourrais en emprunter une à Rozenn !

— Emprunter, nous ne faisons que ça, Fantou. Olivier paie les honoraires du docteur Bacquier, et ces dernières années, nous avons bien assez profité de la générosité d'Odilon. Ton père a travaillé seulement deux semaines chez Tardivel. L'argent ne va pas tomber du ciel, hélas !

— Lara a promis de nous aider, maman.

— Ta sœur n'a qu'une idée en tête, repartir au Venezuela. Elle se croit riche, mais c'est faux. Si encore ils étaient mariés, Olivier et elle, je trouverais plus légitime de la voir dépenser les sous des Kervella.

— Si j'ai tout compris, c'est à moi de travailler, à présent, dit Fantou d'un ton sec. Je chercherai un emploi cet été, il y a toujours des annonces pour faire du service dans la restauration. Ou alors j'accepte la proposition de Lara qui veut m'emmener. Ainsi j'aurai une chance d'échapper au tueur, qui a fait une nouvelle victime cette semaine, et tu auras une bouche en moins à nourrir.

— Ne dis pas de sottises, ma pauvre enfant. Seigneur, que tu as changé, se plaignit Armeline. Où est ma petite fille qui priait Dieu matin et soir, son chapelet à la main ? Tu étais douce, sensible. Rozenn et Odilon t'ont gâté le caractère. Ils cédaient à toutes tes exigences. Voilà le résultat !

Fantou crispa ses doigts sur le manche de son couteau. Ses yeux bleus s'assombrirent.

— Je ne suis pas ainsi, maman. Ils voulaient le mieux pour moi, je ne leur demandais rien. Ils se comportaient en grands-parents, et si je protestais, ils prétendaient que ça les rendait heureux de me choyer.

Un appel rauque leur parvint, par la fenêtre grande ouverte de la cuisine. Armeline se leva pour se précipiter dans la chambre où son mari était alité. Il l'attrapa par le poignet, le regard vide.

— Je suis là, dit-elle en se penchant sur lui. Tu as fait une bonne sieste. Je vais t'apporter du lait à la chicorée, pour avaler tes cachets.

— Non, je dois retourner travailler aux champs. J'ai l'orge et l'avoine à semer, pour les bêtes, marmonna-t-il.

— Louis, nous n'avons ni vaches, ni poules. Mon Dieu, tu délires encore une fois.

Il fit le geste de repousser le drap et la couverture. Elle pesa sur ses épaules, pour l'immobiliser.

— Je vais mourir, qu'on prévienne le curé, gémit-il. Je veux un prêtre… l'extrême-onction, par pitié.

Fantou avait suivi sa mère de son pas glissant, silencieux. Elle assistait à la scène par la porte entrebâillée. L'état pitoyable de ce père qu'elle adorait jadis lui brisait le cœur.

« Pourquoi rester ici ? songea-t-elle. J'ai appris l'espagnol au lycée, je pourrais passer des examens à Caracas, et intégrer une école d'infirmières. »

Elle se prit à rêver, les yeux fermés, se représentant le décor paradisiaque que lui avaient dépeint Olivier et sa sœur. Les plages de sable fin, presque blanc, la mer des Caraïbes couleur de turquoise, la chaleur, les palmiers.

« Je veillerai sur Loanne, nous nous promènerons en calèche dans Coro, la ville la plus proche du domaine. Mais je ne verrai plus jamais Daniel ! »

Elle fut durement ramenée à la réalité par une clameur affreuse de son père. Il pleurait en criant au secours.

— De l'air, j'étouffe ! Ouvrez-moi, à l'aide, mon Dieu !

— Calme-toi, Louis, je t'en supplie, sanglota Armeline. Tu ne vas pas mourir.

— Lara, je veux ma fille, hoqueta-t-il. Où est Lara ?

— Papa, je vais la chercher, intervint Fantou. Répète-lui que Lara arrive, maman. Il est tellement malheureux.

— Non, ne dérange pas ta sœur. Je n'ai qu'à lui donner un cachet tout de suite, même s'il n'a pas encore goûté.

— Le docteur recommande qu'il prenne les sédatifs pendant les repas, s'insurgea Fantou. Arrête de le droguer !

La jeune fille sortit sans rien ajouter. Elle grimpa sur son vélo, qu'Olivier avait fait réparer à ses frais. L'escapade imprévue lui offrait l'occasion de fuir la maison. L'air vif la réconforta. Ses pensées s'envolèrent vers la petite île de Molène, le quai pavé, le salon où Daniel Masson lui apprenait à jouer du piano.

— Ses mains effleuraient les miennes, dit-elle à mi-voix, ravie de confier son secret au vent parfumé par les fleurs de la lande. C'était comme une caresse. Je lui servais le thé, son préféré, à la bergamote. Le soir, dans mon lit, je rêvais qu'il me rejoigne.

Elle s'était éprise de l'aveugle ce lointain soir de Noël 1947, durant ces quelques jours près de Lara et d'Olivier, en compagnie d'Armeline.

— Je n'avais que treize ans et demi, pourtant je l'aimais déjà. Personne ne me comprendra, tant pis. Daniel !

Fantou avait crié le prénom qu'elle chérissait. Une voiture la doubla et freina une dizaine de mètres plus loin, puis se gara sur le bas-côté. Le docteur Bacquier en descendit, l'air soucieux. Elle dut freiner également, car il lui barrait le passage.

— Mademoiselle Fleury, vous êtes d'une imprudence navrante, la sermonna-t-il. La plaie à votre genou risque de s'infecter.

— C'est une blessure légère, rétorqua-t-elle. Vous prenez votre métier trop à cœur, docteur. Laissez-moi passer, je vous prie, je suis pressée.

— Un problème avec votre père ?

En dépit de son physique agréable, de sa prestance, le médecin exaspérait Fantou. Cependant elle se raisonna. Il débutait, selon Lara, et elle ne pouvait pas lui reprocher d'être consciencieux.

— Oui, il réclame ma sœur, je dois la prévenir. Papa a eu une crise de délire, auparavant.

— Dans ce cas, je vais immédiatement chez vous. Une piqûre de calmant serait nécessaire.

— Est-ce la meilleure solution de le traiter par des sédatifs, jour et nuit ?

— Que préconiseriez-vous à ma place, mademoiselle ? soupira-t-il. Comme je l'ai expliqué à votre sœur mercredi, je tente d'éviter une hospitalisation en asile psychiatrique.

— Lara ne m'a rien dit, mais si vous endormez papa, il ne pourra pas lui parler. Patientez un peu, nous reviendrons en voiture.

Jérôme Bacquier la dévisagea en souriant. Fantou, dans sa grâce blonde, correspondait à son archétype féminin. Il avait rarement vu une jeune fille aussi fascinante.

— Je ferai mon possible, je vous le promets, dit-il.

— Merci !

Elle s'éloigna en pédalant avec énergie. Le regard du médecin était explicite. Fantou avait eu la pénible impression d'être déshabillée.

« Je le déteste ! enragea-t-elle intérieurement. Pour qui se prend-il ? »

Nérée l'accueillit d'un aboiement sonore, assorti de courtes plaintes dignes d'un chiot. Rozenn et Lara se trouvaient dans la cour, en admiration devant Loanne qui poussait une brouette à sa taille, en ferraille colorée. Jonathan Kervella la lui avait offerte la veille.

— Mon korrigan ! s'écria sa sœur. Il n'y a rien de grave ?

— Papa veut te voir, répondit Fantou. Il faudrait y aller en voiture, j'ai très mal au genou.

— Tu n'aurais pas dû faire du vélo, s'alarma Rozenn.

— Je n'ai pas eu le choix. Viens-tu, Lara ? Le docteur nous attend.

Lara eut une mimique ennuyée, néanmoins elle attira Fantou dans ses bras pour la cajoler. Elle la devinait au bord des larmes.

— Bien sûr, je viens, mais Madeleine Kervella arrive ce soir à la gare d'Auray. Olivier et son père sont allés faire des achats, en prévision d'un dîner ici. Par malchance, monsieur Odilon s'est décidé à sortir en mer, dans l'espoir de rapporter du poisson.

Rozenn avait entendu. Elle se rapprocha pour murmurer :

— Je proposerais bien de garder Loanne, si mon frère était là. Seule, je n'en ai pas le courage. Olivier craint qu'on s'en prenne à votre petite.

— Venez avec nous, suggéra Fantou. Nous irons en balade sur la dune, Rozenn. Loanne pourra cueillir des fleurs.

— Mais oui, c'est une excellente idée, renchérit Lara.

Dix minutes plus tard, la fourgonnette démarrait. Rozenn avait eu soin d'écrire un message à son frère, afin de le rassurer s'il revenait avant leur retour. Nérée était de l'expédition, car la petite Loanne voulait l'emmener.

— Il vaut mieux accepter, sinon ma poupée nous retardera, avait prétendu Lara, confuse de manquer d'autorité, dès qu'il s'agissait de son enfant.

Armeline parut soulagée en accueillant ses filles et Rozenn. Le docteur Bacquier était assis au chevet de Louis Fleury, dont il guettait le moindre mouvement.

— Je suis là, papa, dit Lara sur le seuil de la chambre.

— Ma belle, c'est gentil, marmonna celui-ci. Je veux te parler.

Le médecin se leva, comme à regret. Il reprit sa sacoche en cuir noir d'un air soucieux. En croisant la jeune femme, il chuchota :

— Faites attention, ces périodes de lucidité peuvent annoncer une crise plus violente que les précédentes.

— Merci, docteur.

Elle referma la porte avant de prendre place au bord du lit. Louis lui saisit les mains.

— Je tenais à te demander pardon, Lara, oui, à toi la première, dit-il. Je me fais horreur, et je voudrais guérir. Souvent, ta mère discute à voix haute quand elle croit que je dors. Depuis que j'ai abandonné mon travail chez Tardivel, je ne ramène plus un sou à la maison, et je vois bien que notre situation financière l'inquiète de plus en plus. Il faut m'aider.

— Papa, sois tranquille, je ne vous laisserai pas dans l'embarras. Mon futur beau-père nous avait alloué une grosse somme, pour nous établir au Venezuela. Il nous reste de l'argent.

— Dès que je serai en état, je retournerai à la pêche et je ferai un potager, balbutia-t-il. Lara, ça tient encore, notre virée en bateau ?

Il tremblait, encore très maigre, le teint olivâtre. Bouleversée, elle lui caressa le front.

— Si tu en as la force, nous irons, mon cher petit papa. Nous pique-niquerons sur notre îlot, tu t'en souviens ?

— Notre bout de paradis, insinua-t-il. Tu l'avais baptisé comme ça, quand tu étais mon matelot.

Lara contenait avec peine son émotion. Elle retrouvait son père, le véritable Louis Fleury.

— J'étais en colère, une terrible colère, depuis mon arrivée en Bretagne, confessa-t-il. Mais au fond, j'étais furieux contre moi-même, à cause de ma vie durant ces années d'exil. Lara, peut-être que les médicaments m'ont soigné, car tout à coup, je me sens en état de réfléchir.

— Pourtant, Fantou m'a dit que tu hurlais et que tu pleurais très fort, il y a moins d'une heure. Tu étouffais, tu réclamais un prêtre, l'extrême-onction ! Tu croyais avoir du bétail…

— Je m'en souviens, mais c'est flou. J'avais fait un cauchemar, pendant la sieste. Jure-moi sur le livre saint de ne rien répéter de ce que je vais te dire, ni à ta mère, ni à ta sœur.

Il lui désigna la bible qu'Armeline avait posée sur la table de nuit. Lara la prit et prononça le serment à mi-voix. Elle éprouvait une vive appréhension, à l'instant d'entendre les aveux de son père. Un silence cotonneux l'enveloppa, tandis que son sang cognait à ses tempes.

« J'ai le vertige, froid et chaud, songea-t-elle, certaine d'une autre présence dans la pièce. Mon Dieu, je sais qui vient ! »

La femme lui apparut, debout près du montant du lit. Tout en noir, hormis le voile rouge désormais drapé sur ses cheveux dénoués. Son regard impérieux plongea dans celui de Lara. La vision avait duré à peine deux secondes.

— Je te rends triste, déplora Louis. Je ne peux pas me taire, ma fille chérie. Quand mon âme sera apaisée, je me rétablirai.

— Je t'écoute, papa, répondit-elle en lui étreignant la main.

— Des soldats m'ont libéré, du camp en Sibérie. J'ai dû loger en Pologne, dans une ferme, chez une jeune veuve, Zofia. Au début, on ne se comprenait pas. Et puis, au fil des jours, on a réussi à discuter. Elle ressemblait un peu à Armeline, des nattes blondes, des joues roses. Je lui racontais ma vie ici. Elle avait perdu une fille, du typhus. Seigneur, je n'ai pas résisté quand elle m'a ouvert ses bras. J'ai connu un bonheur tout simple. Nous avons cultivé deux champs, de l'orge, de l'avoine, pour nourrir son cheval et ses deux vaches. Zofia m'a donné un fils, le fils que j'espérais tant. Je l'ai fait baptiser Pierre. Un matin, d'autres soldats sont venus me chercher. Je n'avais plus envie de revenir en France, mais d'après eux, je ne pouvais pas m'établir en Pologne, ta mère ayant soumis plusieurs requêtes au ministère de la Guerre. Dieu m'a puni pour ma faute, puisque j'ai dû abandonner cette femme si douce, et notre fils. Pierre avait deux ans.

D'abord muette de stupeur, Lara mesura l'ampleur du nouveau drame prêt à s'abattre sur sa famille. Elle se révolta :

— Et confronté à ton passé, à ton épouse légitime, à Fantou devenue jeune fille, tu leur as menti, tu as feint la jalousie, pour mieux torturer maman, accabler ma sœur ? Tu pouvais me donner des leçons de morale, papa ! C'est ignoble de se conduire ainsi !

— Au point d'en perdre l'esprit, je m'en suis rendu compte. Zofia me manquait tant, Pierre aussi. J'étais incapable de jouer le mari tout heureux de retrouver sa femme, son foyer. J'aurais voulu repartir, les rejoindre. J'ai pris le prétexte de la jalousie pour expliquer ma colère, mon chagrin. Par désespoir, je vous ai insultées, reniées.

— Et enfin honteux, tu as voulu mourir, supposa-t-elle d'un ton glacial. C'était plus honnête d'avouer la vérité à maman, de divorcer peut-être.

— Je le sais bien, hélas. Un soir, à Locmariaquer, je me suis confessé. Le curé avait célébré notre mariage, à Armeline et moi. Il m'a conseillé d'oublier Zofia et mon fils, de montrer du respect et de l'amour à ma famille. Je vais essayer, Lara, je te le promets.

Elle lâcha sa main, en détournant la tête. Un étau broyait sa poitrine, la faisait suffoquer. Louis s'aperçut de son malaise.

— Tu tiendras ta parole, ma fille ? Je suis en paix, maintenant que tu es au courant.

— Eh bien, moi, je ne le suis pas du tout, murmura-t-elle. J'ai juré, papa, mais je le regrette amèrement.

Lara réussit à se lever. Ses jambes tremblaient. Elle eut envie de hurler à son tour.

« Nous ne pourrons pas repartir au Venezuela dans dix jours, j'en suis sûre, s'affola-t-elle. Comment abandonner maman et Fantou, comment leur mentir ? L'apparition a eu lieu pour m'avertir d'un danger, et ce danger, mon propre père en est responsable. »

7
En forêt de Paimpont

Locmariaquer, villa des Bart,
lundi 28 mai 1951

Lara avait tenu sa promesse. Elle était la seule à savoir ce qui perturbait autant son père. Mais le poids de ce secret devenait plus accablant d'heure en heure. Il la rendait triste et nerveuse.

— Je vous reconnais à peine, Lara, fit remarquer Madeleine Kervella d'un ton désolé. Je me doute que vous êtes préoccupée par l'état de votre papa. Olivier m'a informée de ce qui s'est passé dès mon arrivée à la gare. Il faut vous ressaisir, faire front. Votre enfant ne doit pas en souffrir. J'étais navrée, tout à l'heure, quand vous avez rabroué Loanne, notre délicieuse petite poupée.

— Je ne crois pas l'avoir rabrouée, Madeleine !

— Si, je vous assure, à la fin du déjeuner, quand notre chérie voulait une deuxième part de gâteau.

La mère d'Olivier abusait des qualificatifs réservés d'ordinaire aux parents de l'enfant. Lara s'en irritait, sans le montrer. C'était la première fois qu'elle cohabitait plus de deux jours avec Madeleine Kervella et de telles remarques, de plus en plus fréquentes, mettaient sa patience à rude épreuve.

— Je lui ai seulement déconseillé de reprendre du dessert, se défendit-elle d'un ton poli. Loanne est très gourmande, et ensuite elle se plaint de douleurs au ventre.

— Dans ce cas, je n'ai rien dit, ma chère Lara. J'admets que je ne connais pas encore bien ma petite-fille. J'ai donc tort de m'en mêler, mais je suis si sensible, les larmes des chérubins me font de la peine. Je crois même n'avoir jamais fait pleurer mon fils.

L'allusion agaça Lara, car elle la prit comme un léger reproche. Pourtant Madeleine lui adressa un sourire très doux.

— Je suis insupportable, n'est-ce pas ? Excusez-moi, je parle souvent étourdiment, mon mari vous le confirmerait. Et je suis désolée pour votre père.

— Merci, j'avoue être soucieuse et trop nerveuse, plaida Lara, désireuse d'entretenir de bonnes relations avec sa future belle-mère.

Les deux femmes étaient assises à l'ombre d'un parasol, dans le jardin de la villa, qui donnait sur la mer. Un repas en plein air avait réuni Rozenn, Madeleine, Odilon, Jonathan et Olivier. La table ronde en fer forgé n'était pas encore débarrassée.

Lara se leva d'un mouvement gracieux. Elle s'en voulait de laisser une grande part de travail à son amie Rozenn.

— Ne m'en veuillez pas, Madeleine, je vous abandonne un moment. Je vais emporter les assiettes sales à la cuisine. Ces messieurs doivent nous servir le café.

— Mon mari s'entend à merveille avec ce sympathique Odilon, qui me fait penser à *Santa Claus*, ou bien à saint Nicolas.

— Au Père Noël, si j'ai bien compris, insinua Lara gentiment.

— Je préfère dire *Santa Claus*, c'est plus chic, pouffa Madeleine en allumant une cigarette. Que je suis sotte !

— Mais non ! protesta Lara en la dévisageant.

Madeleine Kervella demeurait d'une beauté surprenante, à quarante-six ans. Ses cheveux noirs d'encre s'ornaient de crans réguliers, faisant un contraste charmant avec la peau laiteuse de ses épaules rondes. Une robe en soie bleue moulait son corps potelé. Un collier de perles sublimait son décolleté audacieux.

— Ne vous sauvez pas tout de suite, Lara, s'alarma-t-elle de sa voix pointue. Je voulais que nous discutions du mariage ! Je vous imagine nimbée de satin ivoire, une toilette rehaussée de fleurs en nacre. Vous serez éblouissante.

— Nous y songerons plus tard, au Venezuela.

— Pourquoi attendre ? Il faudrait vous marier à Dinard, avant votre départ qu'il est possible de retarder un peu. Vos parents et votre sœur doivent assister à la cérémonie. Il suffit de faire publier les bans pendant trois semaines. Tout va bien, cette histoire de voiture n'a aucun rapport avec ceux qui voulaient nuire à notre fils. Certes, c'est une perte, la Delage valait cher, mais Jonathan avait souscrit une bonne assurance.

Lara allait répondre quand Olivier arriva, un plateau vide à la main.

— Ne bouge pas d'ici, mon petit cœur, lui dit-il avec le sourire lumineux qu'elle aimait tant. Je débarrasse la table et ensuite j'apporte le café. Loanne s'est endormie tout de suite, son pouce à la bouche. Nous avons mangé tard, il était temps qu'elle fasse sa sieste.

— Et elle adore quand c'est son papa qui la couche !

— Que vous êtes touchants, tous les deux, s'extasia Madeleine. Jonathan n'avait guère le temps de s'occuper de toi, Olivier. Mon chéri, puisque tu es là, j'en profite. Pourquoi ne pas vous marier vers la fin du mois de juin, à Dinard ? Je viens de le proposer à Lara.

— Maman, c'est impossible. Nous sommes heureux ainsi, nous verrons plus tard pour officialiser notre union. Tant qu'il y a ces menaces sur nous, sur Loanne, nous devons rester discrets. Je te prierai de ne plus importuner Lara sur ce point dès que j'ai le dos tourné.

— Olivier, mon chéri, qu'est-ce que tu as ? s'effraya sa mère. Tu ne m'as jamais parlé aussi sèchement.

— J'avais juste oublié combien tu as coutume de tout régenter en douceur, rétorqua-t-il.

Il empila la vaisselle sale et repartit vers la villa. Lara le suivit, de plus en plus mal à l'aise. Ils se retrouvèrent seuls dans la cuisine, Rozenn étant dans le salon en compagnie de son frère et de Jonathan.

— Je pense que ta mère voulait bien faire, elle rêve de nous voir mariés, soupira la jeune femme en touchant son front d'un geste las.

— Lara, mon cœur, tu ne te sens pas bien ? s'inquiéta-t-il.

— Je suis fatiguée, et j'ai bu un peu de vin, ça ne me réussit pas. Olivier, je voudrais retourner voir papa. Si nous repartons bientôt, je ne lui aurai pas accordé beaucoup de temps.

— Oui, vas-y tout de suite, si tu veux. Nous sommes en force pour garder Loanne. Emprunte la Panhard de mon père. Je suis fier de toi, tu conduis à merveille. Maintenant, je dois veiller à la cérémonie du café.

Il contempla Lara avant de lui donner un baiser sur les lèvres. Elle était consciente des efforts d'Olivier, qui voulait à tout prix paraître joyeux et détendu en présence de ses parents.

— Je t'aime, murmura-t-elle en l'embrassant à son tour. J'espère que je ne froisserai personne si je m'éclipse maintenant. Je reviendrai pour le goûter de Loanne.

Elle l'aida cependant à disposer les tasses et le sucrier sur le plateau. Il sortit de la pièce à l'instant où Rozenn y entrait.

— Ma chère petite, tu as du chagrin, affirma celle-ci dès qu'elles furent en tête à tête. Je t'observe depuis samedi, tu n'es plus la même. Je serai plus précise, depuis l'heure que tu as passée au chevet de ton père. C'était pourtant plaisant, d'être chez toi ! Fantou nous a emmenées en balade sur la dune, Loanne tenait Nérée en laisse.

— J'aurais préféré vous accompagner, croyez-moi, Rozenn. Tant pis si je manque à mon serment, j'ai besoin de me confier, sinon je ne tiendrai pas longtemps. Papa m'a fait jurer de ne rien dire à maman et à Fantou, mais il n'a pas cité d'autres personnes. Est-ce mal si je vous en parle ?

— C'est une décision qui te concerne, Lara, seulement toi. Mon Dieu, comme tu souffres ! Tes mains sont glacées, alors qu'il fait chaud. Je pourrais au moins partager ce secret, il te terrasse, ronge ton énergie.

Les doigts de Rozenn enveloppaient ceux de la jeune femme, sa voix berçait sa peine. Lara lui résuma les terribles aveux de Louis Fleury.

— On dirait que papa n'aime plus maman, chuchota-t-elle en conclusion, la gorge nouée. Ni Fantou, ni moi, ou si peu. Il ferait mieux de s'en aller. Il trouvera bien un moyen de retourner en Pologne.

Sidérée par le bref récit qu'elle venait d'entendre, Rozenn étreignit Lara un instant, avec une immense douceur.

— Nous devons réfléchir, ma petite. Une chose m'intrigue. Tu as revu déjà deux fois cette femme au voile rouge, mais elle ne s'est pas manifestée avant le geste désespéré de ton père. Je voudrais tant la voir, au moins quelques secondes. Pourquoi s'est-elle montrée à Loanne ?

— Qui est-ce ? Et surtout, que veut-elle ? s'exaspéra Lara.

Forêt de Paimpont, même jour, même heure

L'inspecteur Ligier s'était garé au bord de l'allée forestière qui menait à une ancienne maison de garde, au lieu-dit le Pas-du-Houx.

— On y est, marmonna Nicolas Renan. Hervé David doit être là, on aperçoit une camionnette.

— Et des ruches, sur votre gauche, patron.

— Si notre suspect vend du miel, je m'attendais à trouver des ruches dans le coin, Ligier. Un conseil, si ça tourne mal, vous tirez en l'air. Les renforts arriveront.

Le policier avait tout prévu, du moins le pensait-il. Le fourgon de la gendarmerie d'Auray était stationné cent mètres derrière eux, avec quatre hommes armés dont le brigadier-chef.

— Allons-y, dit Renan.

Ils avancèrent de front, les yeux rivés sur la façade décrépite du logement. La peinture des volets et de la porte était délavée, les murs tapissés de lierre et des orties poussaient un peu partout. Cependant des voix et des rires leur parvenaient.

— Il y a au moins deux personnes de l'autre côté de la maison, indiqua le commissaire. On frappe, et s'ils n'entendent pas, on fera le tour.

— Hervé David pourrait s'enfuir, patron, hasarda son adjoint.

— Nous le saurons d'ici peu, Ligier.

Nicolas Renan toqua trois coups sonores. Un chien grogna puis aboya en retour, d'un timbre grave qui laissait présager un animal de grande taille. Le battant s'ouvrit sur une jolie fille aux longs cheveux châtain clair, vêtue d'une robe blanche quasiment transparente. On voyait les mamelons de ses seins et son corps délié à travers le tissu.

— Sois sage, Mordred, dit-elle à l'énorme chien-loup qu'elle retenait par son collier. Il n'est pas méchant, messieurs.

— Bonjour, mademoiselle, dit Renan, très surpris par sa toilette aérienne. Est-ce que M. David est là ?

— Oui, entrez ou contournez la maison, nous déjeunions dehors. Hervé découpe le rôti.

La précision eut le don de faire naître une mimique ironique sur le visage austère du commissaire.

— Vous venez acheter du miel ? leur demanda la jeune femme.

— Nous désirons seulement parler à M. David, insista l'inspecteur Ligier.

Il la fixait dans les yeux, craignant d'être indélicat s'il posait son regard un peu plus bas.

— Pourriez-vous lui dire de venir jusqu'ici, mademoiselle ? proposa Renan.

— J'arrive, fit une voix d'homme. Viviane, attache Mordred.

Hervé David apparut. Il avait dû emprunter une autre porte, communiquant avec l'arrière de la bâtisse. Son aspect médusa les deux policiers. Grand, musclé, il arborait une barbe blonde et sa chevelure bouclée effleurait sa nuque. C'était un bel homme, aux yeux de félin, d'un vert intense. De surcroît, il était habillé d'une large tunique en lin beige, dont le bas frôlait ses pieds nus.

— Messieurs, soyez les bienvenus en forêt de Brocéliande, déclama-t-il d'un ton recueilli.

— J'ignore si vous préparez un spectacle sur la légende du roi Arthur, décréta Renan. Je connais mes classiques, la fée Viviane, Mordred, le mauvais fils, et vous monsieur, vous avez sans doute le rôle de Merlin.

— Je n'oserais pas usurper le nom de l'enchanteur qui nous protège, car Merlin vit toujours dans ces bois, rétorqua Hervé David. Pour ma part, je me dépeindrais comme un druide en apprentissage. Mais à qui ai-je l'honneur ? Un historien ?

— Commissaire Renan, et mon adjoint l'inspecteur Ligier.

L'homme prêta à peine attention aux cartes de police que les visiteurs lui montraient. Il semblait perplexe.

— Quelqu'un s'est égaré ? Les touristes sont souvent incapables de se repérer dans la forêt. Et quiconque y passe la nuit contre son gré devient le témoin d'étranges phénomènes.

« Un illuminé, pensa Nicolas Renan. Il doit avoir un petit groupe d'adeptes, dont cette demoiselle. »

— Viviane, rejoins ta sœur, et poursuivez la cérémonie du repas, conseilla David à la jeune femme. Ne m'attendez pas, je devrai peut-être participer aux recherches. J'emmènerai le chien.

Elle approuva et se dirigea d'une démarche sensuelle vers le fond de la pièce, en exhibant cette fois le modelé de ses fesses.

— Personne ne s'est égaré, monsieur, trancha le commissaire. Je viens vous interroger sur Janig Cadoret, que vous fréquentiez au mois de mai 1943.

Hervé David esquissa un sourire amusé. Il se gratta la barbe avant de répondre.

— J'ai fréquenté, comme vous dites, de nombreuses filles, et je serais incapable de toutes les évoquer. Janig ? Au printemps 1943 ? Je suis désolé, je n'en ai aucun souvenir.

Renan nota que l'apprenti druide dédaignait de poser des questions sur Janig. Il sortit alors la photographie que lui avait confiée Guénaelle Rault.

— Vous n'avez toujours aucun souvenir, monsieur David ? dit-il sèchement.

— Peut-être, oui, son visage me dit quelque chose.

— Vous seriez bien en peine de nier, trancha Renan. Vous allez nous suivre au commissariat de Vannes. Passez une tenue correcte, nous ne sommes pas en période de carnaval.

— Hé, doucement, je loue cette maison, c'est mon domicile. Je suis libre de m'habiller à mon idée quand je suis chez moi.

— Et n'essayez pas de filer, ajouta l'inspecteur Ligier.

Hervé David haussa ses larges épaules en guise de réponse. Par précaution, les policiers le suivirent à l'intérieur, malgré les grognements sourds du chien, attaché par une corde à un anneau en fer, serti dans le mur.

Ils virent leur suspect entrer dans une chambre voisine, en ayant soin de laisser la porte ouverte.

— D'où vient cette bête ? s'intéressa Renan. C'est un berger allemand, la Wehrmacht utilisait cette race de chien pour traquer les fugitifs et les maquisards.

— J'ai trouvé une chienne blessée dans la forêt, expliqua Hervé David depuis la chambre. Elle était pleine, trois chiots sont morts, celui-ci a survécu. Je l'ai gardé. Sa mère est morte deux ans après. Elle appartenait à une division allemande, son collier le prouvait. Mordred est un bon gardien.

— Sûrement, acquiesça le commissaire. Ligier, il me faut aussi la véritable identité de la fée Viviane et de sa sœur. Allez me les chercher.

— D'accord, patron.

L'inspecteur Ligier avait examiné les lieux avec attention. Le décor était simple et désuet. Il y avait des livres sur une étagère, des pots de miel empilés sur le dessus d'un vieux buffet. Il avança vers la porte vitrée donnant sur une clairière.

— Mesdemoiselles, appela-t-il, veuillez me suivre.

Elles obéirent en lui souriant, égayées par la confusion qu'il éprouvait, car la sœur de la prétendue Viviane était presque nue, à l'exception d'un tissu brun noué autour de ses hanches. Un pendentif en argent reposait entre ses seins. Elle avait tressé en deux longues nattes ses cheveux, plus blonds que ceux de sa sœur. Son regard noisette pétillait de malice.

— C'est de pire en pire, marmonna Renan quand elles furent devant lui. Franchement, à quoi rime tout ce cinéma ?

— Nous communions avec les forces de la nature, par tous les pores de notre peau, autant être le moins vêtu possible, déclara David en les rejoignant.

Il avait enfilé un pantalon en toile, une chemise et était chaussé d'espadrilles.

— Messieurs, voici Aline et Yvonnick Duval, dit-il. Elles sont toutes dévouées à ma cause. Je les ai rencontrées cet hiver.

— Ligier, vérifiez leurs papiers et notez leur adresse. Il faut aussi récupérer le couteau qui servait à découper le rôti.

— Est-ce que nous pouvons rester ici, commissaire ? demanda Aline. Hervé reviendra ce soir ?

— Je n'en sais rien, mais si vous tenez à rester, je n'y vois pas d'inconvénient, rétorqua celui-ci. Au revoir.

Son adjoint fut rapide. Il lui présenta le couteau sur une feuille de journal. La poignée était en bois de cervidé, la lame d'une taille impressionnante.

— J'ai fait attention à ne pas mettre mes empreintes, patron.

— Une belle arme, bien affûtée, nota Renan.

Chez les Fleury, même jour, même heure

Lara avait repris sa place au chevet de son père. Il faisait la sieste lorsqu'elle était arrivée et sa mère lui avait recommandé de ne pas le réveiller.

— Louis est de mauvaise humeur. Je n'y comprends rien, ma grande, hier il semblait mieux. Il avait refusé de prendre ses cachets et il est même venu manger à table, avait expliqué Armeline, en lançant des coups d'œil soucieux vers la chambre. Je reprenais espoir, il m'a suppliée de le pardonner, ensuite il m'a embrassée sur le front. Mais ce matin, il y avait une lettre à son nom. Je lui ai donnée, il l'a rangée dans le tiroir de la table de nuit. Je me demande bien qui lui a écrit. Le timbre n'était pas français, l'enveloppe avait dû prendre la pluie, je n'ai pas pu lire tout le cachet de la poste.

Après ce petit discours, elle avait servi de la chicorée à sa fille, tout en lavant la vaisselle. Fantou était au lycée, si bien que la maison avait paru sombre et sinistre à Lara.

« Papa devra pousser ses confidences, je veux en savoir plus sur cette femme et cet enfant qui est mon demi-frère, songeait-elle, en guettant les traits émaciés du dormeur. De qui est cette lettre ? »

Son père commença à s'agiter au bout de vingt minutes. Il vit tout de suite la jeune femme.

— Tu es là, c'est gentil, lâcha-t-il d'une voix éteinte.

— Je ne suis pas vraiment là par gentillesse, papa, répondit-elle. J'ai beaucoup réfléchi, depuis samedi. Cette histoire que tu m'as racontée me révolte. Mais le pire, c'est que tu nous as menti honteusement.

— Non, je t'ai dit la vérité, Lara.

— Je ne parlais pas de ta liaison avec une autre femme, ni de ton fils. Tu as menti pour le reste, dès ton retour et les jours suivants, quand tu disais que tu voulais rentrer chez toi, que tu avais survécu grâce à ta volonté de nous retrouver.

— J'étais sincère, c'était le cas pendant les premières années, dans les camps de déportation, puis en Sibérie. L'espoir m'aidait à survivre et Dieu était mon refuge. Mais là-bas, j'ai subi une épreuve ignoble. Quand il m'a entendu en confession, le curé a pu prendre la mesure de mon calvaire. Les gardiens, mes bourreaux, m'affamaient, ils me privaient d'eau. Pour obtenir un quignon de pain, une maigre ration de bouillie d'orge, je devais me plier à leurs ordres, à leurs lubies sadiques.

— Je suis sincèrement désolée, papa, c'est atroce, concéda-t-elle dans un souffle.

— Plus tard, il y a eu Zofia, en Pologne. Sa douceur, son corps tendre. Elle répétait qu'elle m'aimait. Quel vieux sot je suis ! Si tu m'avais vu, à la naissance du bébé. J'étais fier, j'en ai pleuré.

Durant quelques secondes, Lara se demanda si son père n'avait pas inventé les sévices qu'il venait d'évoquer afin de l'apitoyer. Elle ne lui faisait plus confiance. Il s'était montré injurieux, méprisant, brutal, alors qu'il aurait dû témoigner du repentir, de l'indulgence envers sa mère, Fantou et elle.

— Tu as eu droit à une grande joie, comme pour compenser les horreurs que tu avais vécues, fit-elle remarquer. Mais rien ne peut excuser ta conduite de ces dernières semaines. Et ta tentative de suicide n'était qu'une lâcheté de plus.

— Que tu es sévère, Lara ! se plaignit-il.

— Pas plus que toi. Maintenant j'ai besoin de savoir une chose. Tu as reçu une lettre ce matin. S'il s'agit de cette femme, ça signifie que tu lui avais laissé ton adresse en France.

— Non, je n'en avais pas eu le temps. Le jour de mon départ, Zofia était avec sa sœur. Tout s'est déroulé dans une totale confusion. Mais je lui ai écrit deux lettres, quand je travaillais chez Tardivel.

— En polonais ? Tu as pu apprendre la langue ?

— Je le parlais un peu. Par chance, sa sœur aînée connaissait le français, elle nous a aidés.

— Et que lui as-tu écrit ?

— Le plus important à mes yeux ! Je voulais retourner près d'elle, je ne supportais pas ma vie ici, j'en devenais fou. Je m'accrochais à ce rêve, Lara. Je dois te décevoir ?

— Me décevoir ? Le mot est faible. Tu es un étranger pour moi. Il fallait avouer ta situation à maman et Fantou dès vos retrouvailles, au lieu de les tourmenter et de débiter des sermons sur la morale, les convenances.

Ses idées menaient une ronde folle, l'empêchant de réfléchir. Le père tant aimé, le protecteur, le complice de jadis, n'était pas rentré en France. Elle avait un inconnu devant elle, un homme geignard, hanté par une autre existence dont il se languissait.

— Zofia t'a répondu, ajouta-t-elle. Et toi tu renonces aussitôt à tes bonnes résolutions. Tu es en colère, ou bien tu as peur, parce que tu dois tout révéler à maman, puis t'en aller, pour une autre femme. Tu lui briseras le cœur, tu piétineras l'amour que Fantou t'a voué pendant des années. Nous avons tant souffert de ton absence, papa.

— Tu te trompes, Lara, je ne m'en irai pas. Zofia m'a dit de rester dans ma famille française. Elle s'est mise en ménage avec un de ses voisins, qui a son âge. Ils vont se marier. Il élèvera l'enfant. Mon fils. L'ordre est rétabli, chacun à sa place. Je suis bien puni. Ta mère et Fantou n'ont pas besoin de le savoir, Lara. Tu as juré !

— Je tiendrai parole à une condition, déclara-t-elle d'une voix dure. Redeviens un bon mari, un père affectueux. Ne bois plus une goutte d'alcool. M. Tardivel te reprendra, le travail te plaisait.

— Je le ferai, ma petite.

— Sois courageux, désormais. Tu as subi de terribles épreuves, et pour cette raison je pourrai peut-être accepter un jour tes erreurs, tes mensonges. Mais je ne suis pas près de te pardonner.

— Je comprends, avoua-t-il. Je vous ai causé du tort.

Louis se redressa en tremblant. Il prit la main gauche de sa fille et se pencha pour la couvrir de baisers fébriles. Une répulsion instinctive envahit Lara, face au pathétique fantôme qui avait été beau, honnête, le meilleur des pères. Elle retira sa main, avant de se lever précipitamment.

— Calme-toi, papa, tu devrais te reposer.

— Il n'y aura plus de repos pour moi, répliqua-t-il.

Louis Fleury attrapa sa bible et l'ouvrit. Il tendit une petite enveloppe à Lara.

— Rends-moi un dernier service, prends cette lettre et brûle-la vite. Je vais prier. Le Seigneur ne rejette pas les brebis égarées.

Lara s'empara de l'enveloppe qu'elle plia en deux. Elle sortit de la chambre, ravagée par l'amertume. Son père n'avait même pas demandé à revoir Loanne.

« Il se désintéresse de nous tous. Tant pis, j'ai Olivier et notre enfant adorée, se dit-elle. Et j'emmènerai mon korrigan, ma petite sœur, loin d'ici, très loin. »

Armeline étendait du linge au fond du jardin. Des flammes pétillèrent quelques secondes dans l'âtre, consumant le courrier venu de Pologne. Mais Lara en connaissait le contenu par cœur et elle avait eu soin de ne pas brûler l'enveloppe où figurait l'adresse de la femme qui lui avait volé le cœur de son père.

Commissariat de Vannes, même jour, une heure plus tard

La docilité d'Hervé David désorientait les deux policiers. L'homme s'était montré silencieux dans la voiture. Il avait observé d'un air rêveur le paysage qui défilait derrière les vitres des portières, les bras croisés sur sa poitrine. L'inspecteur Ligier venait de le conduire dans le bureau de Renan.

— Le commissaire vous interrogera dès qu'il aura fini son appel avec le procureur, monsieur David, lui dit-il.

— Pourrais-je avoir un verre d'eau ?

— Oui, bien sûr.

En sortant, Ligier se trouva nez à nez avec Nicolas, qui venait de raccrocher le combiné de la salle principale.

— Dites, patron, on est tombés sur des fous, insinua-t-il tout bas. Ces filles à moitié nues, ce type en robe de druide !

— Des fous, j'en doute, inspecteur. Vous êtes breton ?

— Du côté de ma mère. J'ai grandi à Rennes.

— Alors vous devez savoir que certains passionnés de légende situent l'antique forêt de Brocéliande, le domaine de Merlin et de la fée Viviane, à l'emplacement de la forêt de Paimpont, où se dressent de nombreux mégalithes. Si notre apprenti druide n'a plus rien à se reprocher, je me fiche qu'il continue à se déguiser et que ces charmantes adeptes déambulent en tenue légère.

— Quand même, il s'est rendu coupable d'agressions sexuelles, par le passé.

— Oui, mais il a été jugé et il a purgé des peines légères. Je ne peux pas le considérer d'emblée comme le tueur sur ces faits remontants à presque dix ans, Ligier.

— Pour moi, le type colle au profil de l'assassin. Et ces filles à moitié nues, ce n'est pas catholique. Si je raconte ça à mon épouse, elle sera furieuse.

— Eh bien ne lui racontez pas, Ligier. Sinon, j'ai le feu vert du procureur. Le dernier crime risque de semer la panique, on me prie d'avoir un coupable rapidement.

Renan entra enfin dans son bureau. Il regarda par la fenêtre, et constata que le ciel s'était couvert de nuages.

— Monsieur David, la mémoire vous est-elle revenue durant le trajet ? D'après mes renseignements, Janig Cadoret vous fréquentait lorsqu'elle était domestique au château de Trédion. Une de ses amies l'a confirmé, en vous qualifiant d'hurluberlu. Une chose m'étonne. En toute logique, vous auriez dû me poser une question, or vous ne l'avez pas fait.

— Laquelle ?

— Pourquoi vous ai-je parlé de Janig Cadoret, notamment. Je viens à votre domicile, après avoir eu du mal à obtenir votre adresse exacte, je vous annonce la raison de ma visite, je vous montre un cliché où vous êtes avec cette jeune fille, et ça ne semble pas vous intéresser.

— Je suppose que vous comptez me fournir des explications, commissaire.

— Nous y viendrons. Pour l'instant, dites-moi où vous étiez mardi entre 5 heures du matin et 14 heures.

— Sur le marché de Paimpont. J'ai installé mon stand vers 4 h 30, je suis reparti vers 15 heures, les autres marchands pourront en témoigner, Aline aussi. Mais je ne suis pas sûr de bien comprendre. Il me faut un alibi ? Pourquoi ? De quoi vous m'accusez ?

Hervé David esquissa un sourire dédaigneux. Il s'exprimait de manière posée, sans hausser la voix.

— Puisque vous êtes souvent sur des marchés, répondit Renan, vous devez savoir ce qui se passe dans le Morbihan. Le tueur des dolmens, vous n'en avez jamais entendu parler ? Livia Menti, vingt ans, découverte égorgée mercredi dans la forêt de Camors, à Pluvigner, ça ne vous dit rien, pas plus que Janig Cadoret ? *Ouest-France* a publié un appel à témoins et un article relatant comment des promeneurs ont trouvé ses ossements, sous l'allée couverte de la Loge-au-Loup.

— Évidemment, je suis au courant. Je ne vis pas en reclus.

— Vous devez donc savoir également que les ossements sont ceux de Janig.

— Oui, je le reconnais. J'ai été terriblement choqué en apprenant sa mort. Moi, je croyais qu'elle avait quitté la région pour dénicher du boulot à Paris, c'était son rêve.

— Pour quelle raison avez-vous donc joué les amnésiques tout à l'heure ?

— J'ai eu peur d'être soupçonné, et je m'attendais à être tôt ou tard dans le collimateur des flics. Au fond, je me sentais coupable. Mais je n'ai pas tué Janig, c'était une chic fille.

— Précisez, monsieur David.

— On s'était querellés, Janig et moi, le 14 juillet 1943. La date m'a marqué. Il y avait un petit bal à Trédion. On s'est retrouvés là-bas. Je l'ai invitée à danser mais elle a refusé en me foudroyant du regard, et elle m'a entraîné à l'écart. Je ne l'avais jamais vue aussi furieuse.

— Pourquoi ?

— J'avais couché avec une femme du village, la nuit précédente, qui s'en est vantée en croisant Janig le matin. Bon sang, c'était une vraie tigresse, elle me frappait, me griffait. J'ai fini par perdre patience… Je lui ai dit que nous deux, c'était terminé. Janig s'est éloignée en sanglotant en direction du château. De mon côté, j'ai repris ma voiture et je suis parti. J'étais sûr qu'elle était rentrée se coucher. Ses patrons la logeaient, une jolie chambrette dans les étages. J'avais rompu, je n'ai pas cherché à la revoir, mais deux semaines plus tard, son grand-père est venu me demander où était sa petite-fille. Les gens du château lui avaient écrit, afin de signifier son congé à Janig, car elle n'était pas revenue travailler.

Hervé David crispa les mâchoires, fit jouer ses doigts. Pour Renan, cela trahissait un malaise.

— Si je me base sur votre version, Janig aurait été assassinée la nuit du 14 au 15 juillet 1943. Et vous êtes donc la dernière personne à avoir vu Janig Cadoret vivante. Monsieur David, je suis contraint de vous placer en garde à vue, dans le cadre de l'enquête sur son décès. Il me faudrait aussi des alibis pour les autres crimes commis dans la région depuis septembre 1946.

— C'est ridicule ! se rebiffa-t-il. Ai-je la tête d'un meurtrier, commissaire ?

— En quinze ans de carrière, je serais incapable de dire à quoi ressemble un criminel notoire, monsieur David. Je m'en tiens aux éléments en ma possession. De surcroît, votre casier judiciaire ne plaide pas en votre faveur. Quelle tête aviez-vous pour les deux adolescentes que vous avez agressées jadis ?

— Je m'en doutais, bougonna David. J'étais trop porté sur la chose, à l'époque, dès qu'une fille répondait à mes avances, je croyais que c'était dans la poche, alors je sortais le grand jeu et le reste… vous comprenez ?

— Parfaitement. J'ajoute à ça le fait que vous avez menti, et que les victimes sont égorgées et vêtues de tuniques blanches, leur corps déposé dans un bois ou en forêt, près d'un mégalithe.

Furieux, le suspect bondit de sa chaise et tapa du poing sur le bureau. Il toisa Renan d'un œil hargneux.

— Vous tirez des conclusions un peu hâtives ! hurla-t-il. Aujourd'hui, mes amies et moi mettions au point une idée de spectacle pour cet été, sur le thème de Merlin l'enchanteur, de quoi gagner un peu d'argent. Je ne suis pas un hurluberlu, même si j'ai fait les quatre cents coups quand j'étais plus jeune. Je m'occupe de mes ruches, je vends du miel et des confitures. Et si je pratiquais des sacrifices rituels, ce serait au solstice d'hiver ou d'été, pas à n'importe quel moment de l'année.

Le policier hocha la tête. Il alluma une cigarette et en proposa une à Hervé David qui refusa.

— Attention, reprit Renan, la mort de Janig n'a peut-être aucun rapport avec les autres crimes. Si vous avez des alibis pour chaque date que l'inspecteur Ligier va vous donner, il n'en reste pas moins que vous pouvez très bien avoir tué une petite amie jalouse, volontairement ou par accident.

— Et je serais allé l'ensevelir sous l'allée couverte de la Loge-au-Loup ? Je n'ai pas tant de sang-froid, tel que je me connais, j'aurais préféré me dénoncer. J'étais amoureux de Janig.

— Pourtant vous l'avez trompée !

— Je plais aux femmes, et je ne sais pas leur résister, ça m'attire souvent des ennuis.

Nicolas Renan pinça les lèvres. Il faisait fausse route, il en avait la conviction, néanmoins il ne pouvait pas libérer Hervé David sur-le-champ.

— Un de mes hommes va prendre votre déposition, monsieur, déclara-t-il. Vous êtes dès maintenant en garde à vue.

— Si ça peut soulager votre conscience pour quelques heures, commissaire. Et puis c'est plus facile d'arrêter un innocent que de coincer le véritable assassin.

L'orage éclata à cet instant précis, comme une bruyante repartie à la critique acerbe du prévenu. Renan appela Ligier et un de ses collègues. Il leur donna des consignes avant de sortir dans la rue. Les éclairs striaient la nuée couleur de plomb. Une pluie fraîche s'abattait sur les pavés.

« Ce n'est pas lui qui a tué Livia Menti, pensait-il, en marchant le long du trottoir. Mais j'ai des doutes pour Janig Cadoret, il a pu provoquer son décès par accident. Le légiste n'avait que des ossements à étudier, on ignore comment elle est morte. Peut-être que nous avons affaire à des meurtriers différents. Un type aurait pu se débarrasser de Livia Menti en imitant le vrai criminel que je traque en vain… »

Ainsi cogitait le commissaire Nicolas Renan, insensible au déluge, au fracas du tonnerre.

Villa des Bart, même jour, 18 heures

Lara avait manqué le goûter de Loanne, et Madeleine Kervella l'avait attendue en vain pour boire le thé, ce que lui annonça Rozenn d'un ton faussement sentencieux.

— Ton retard a été commenté en haut lieu, se moqua-t-elle.

— Tant pis, j'ai pu discuter avec papa. Ensuite j'ai aidé maman à désherber notre modeste potager. Mais où sont-ils tous ? s'enquit la jeune femme, surprise de trouver la villa pratiquement déserte et son amie seule dans la cuisine.

— Ils font une promenade digestive, répondit Rozenn. Ces gens sont charmants, mais ils avaient encore acheté des gâteaux de pâtissier, qui sont très sucrés et un peu gras à mon goût. Mon frère, quant à lui, s'est entêté à faire cuire un far aux pruneaux. Ils ont décidé de longer la plage.

— En vous laissant encore de la vaisselle sale, déplora Lara.

— Ne t'en fais pas, j'apprécie d'avoir les mains dans l'eau, ça m'aide à réfléchir. Comment allait ton papa ?

— Il était dans un état bizarre, à la fois malheureux et résigné. Quand je suis partie, il lisait la Bible, assis dans son lit. Il cherche du réconfort auprès de Dieu. Cette femme, en Pologne, lui a écrit qu'elle se mariait. Cette nouvelle l'a complètement bouleversé. Je n'aurai pas le courage de cacher ça à Fantou.

— Je t'en conjure, Lara, tu dois épargner ta sœur. Elle joue les frondeuses, en ce moment, mais elle est fragile. Si ton père consentait à me recevoir, je pourrais l'aider. Mais mon aspect l'a rebuté, je l'ai senti le jour où nous avons fait connaissance. J'ai remarqué aussi les réticences de Mme Kervella à me regarder.

— Comme vous devez en souffrir, ma chère Rozenn ! La mère d'Olivier est une mondaine, un peu frivole, en passe d'être ruinée, elle en veut sans doute au monde entier. Quant à papa, ce n'est pas votre visage qui le gêne, mais vous êtes la sœur d'Odilon, qu'il considérait comme un rival. Du moins il faisait semblant d'être jaloux.

Rozenn secoua la tête, en s'asseyant à la table. Elle fixa Lara un court instant.

— Ton père était vraiment jaloux, petite. Rien n'est simple, je t'assure. Il aimait encore ta mère, même s'il s'était épris d'une autre femme, plus jeune. Certains hommes ont un sens aigu de la possession. Je voudrais tant l'apaiser, le rendre à lui-même. Les calmants le tranquillisent, sans panser les plaies invisibles de son âme.

— Oh, Rozenn, je vous aime tant ! s'écria Lara. C'est vous, mon ange gardien. Je persuaderai papa que vous pouvez le soigner. Il m'écoutera.

Elle étouffa un sanglot, soudain très pâle. Rozenn se releva pour la prendre dans ses bras.

— Dis-moi ce qui te fait pleurer, ma douce enfant !

— Je n'en peux plus, gémit Lara. J'ai peur, si vous saviez combien j'ai peur. J'ai la terrible sensation que mon père s'éloigne de plus en plus de nous. Et il y a ces menaces qui pèsent sur Olivier, sur ma petite Loanne, mais aussi sur Fantou, à cause de ce monstre avide de sang.

Rozenn frissonna, saisie d'une crainte superstitieuse. Aucune parole de réconfort ne put franchir ses lèvres. Chaque fibre de son être percevait des ondes de malheur, prêtes à déferler sur Locmariaquer, à l'image d'une tempête destructrice.

Chez les Fleury, mardi 29 mai 1951, 5 heures du matin

Une clameur stridente réveilla Fantou. Elle couchait dans le lit clos de la grande cuisine, qui avait abrité ses sommeils d'enfant. D'abord incrédule, la jeune fille crut avoir rêvé, mais une plainte gutturale résonna, entrecoupée de cris aigus.

— Papa recommence, il torture maman, se dit-elle tout bas. Cette fois, je ne me boucherai pas les oreilles.

Furieuse, affolée, Fantou courut vers la chambre et tambourina à la porte. Une lamentation lui parvint.

— Louis ! Seigneur, pitié ! Louis, non, non, geignait sa mère.

Elle entra, le cœur cognant à se rompre. Armeline se tenait debout à côté du lit. Malgré la pénombre, ses traits blêmes se devinaient, ainsi que ses gesticulations.

— Il est mort, annonça-t-elle. Fantou, ton papa est mort ! Les oiseaux chantaient, je voulais me lever, alors comme je fais toujours, j'ai touché Louis sur la joue. Il était froid, déjà ! Seigneur, pitié !

— Maman, c'est impossible.

Tremblante de la tête aux pieds, Fantou tourna le commutateur électrique. La lumière crue du plafonnier éclaira la face livide de son père, ses mains inertes sur le drap. Armeline se remit à hurler, en agitant les bras.

— Qu'est-ce qu'il a fait ? Il est mort, touche-le, ma fille, moi je ne peux pas.

Faisant appel à tout son courage, Fantou effleura du bout des doigts le front paternel. La peau était glacée.

— Il est mort, oui, balbutia-t-elle.

— Hier soir, tu te souviens, il s'est couché avant moi. Je lui ai apporté un pichet d'eau pour lui faire avaler ses calmants. Il ne voulait pas les prendre, j'ai insisté.

— Le tube, maman, où as-tu laissé le tube de sédatifs ?

— Comme d'habitude, dans le tiroir de la commode, là, derrière toi ! Fantou, pourquoi ça nous arrive ? Dimanche, Louis a été si gentil. Il m'a même promis de ne plus me brutaliser…

Incapable de répondre, Fantou se concentra sur le tube métallique contenant les comprimés de somnifère, qu'elle ouvrit d'une main tremblante.

— Maman, il est vide. Papa a réussi cette fois, il a dû avaler tous les cachets. Son organisme était affaibli, ça l'a tué. Il devait être désespéré.

— Et pourquoi ? s'égosilla Armeline. Il avait retrouvé son épouse, ses filles, sa maison, un emploi ! Il n'était pas content, ça ne lui suffisait plus ! Seigneur, je l'ai haï, oui, j'ai haï Louis, ton papa.

— Tais-toi ! s'insurgea Fantou. Je t'en supplie, maman, tais-toi ! Je ne veux plus rien entendre, as-tu compris ? Plus rien !

La vision de son père, la tête nichée au creux de l'oreiller, les paupières closes, la bouche entrouverte, la révulsait autant que les propos de sa mère. Cette nuit-là, Fantou quitta définitivement l'enfance et devint adulte.

— Tout est brisé, murmura-t-elle. Ma foi de petite fille, ma dévotion à la Sainte Vierge, ma joie de prier à l'église. J'aurais voulu conserver intacte l'image adorée de papa.

— Et moi donc ! Je me languissais d'un époux aimé, d'un homme digne de ce nom, mais pendant ces années loin de nous, il s'est changé en barbare, en sauvage !

— La guerre l'a détruit, sanglota Fantou.

— Oh non, ce n'est pas la guerre, rétorqua Armeline d'une voix rauque, un doigt tendu vers la fenêtre. Le coupable, je le connais, c'est Yohann Cadoret ! Il a dénoncé Louis, pour de l'argent. Il a cru s'en débarrasser et puis m'attirer dans ses filets. Il le paiera cher, Fantou. On l'a laissé sortir de prison, je te jure qu'il va y retourner, ou bien ce sera moi, car je me vengerai, entends-tu, je me vengerai !

Fantou considéra sa mère avec effroi. Les traits crispés, le teint blafard, échevelée, celle-ci avait une expression de pure démence. Soudain elle se jeta à genoux sur le lit pour secouer le cadavre par les épaules.

— Louis, réveille-toi ! Louis, je t'aime ! Ne m'abandonne pas, pas deux fois ! Louis !

— Arrête, maman, pitié, arrête ! Viens, sortons de la chambre.

Au prix d'un effort surhumain, Fantou domina son envie de fuir. Elle saisit sa mère à bras-le-corps pour l'entraîner hors de la pièce. Armeline sanglotait, hébétée.

— C'est fini, maman, c'est bien fini, lui dit-elle doucement. Nous allons marcher un peu dans le jardin. Papa a dû trouver la paix, il semblait si tranquille.

— Que vont penser les gens ? demanda tout à coup sa mère, qui reprenait peu à peu ses esprits. On m'accusera d'avoir mal reçu mon mari.

Elles avancèrent jusqu'à l'extrémité de la dune. L'air frais les caressait tandis qu'elles contemplaient la mer, irisée par la pâle clarté de l'aube naissante. Toutes deux en chemise de nuit blanche, la chevelure dénouée, on aurait pu les confondre avec des âmes errantes, prêtes à disparaître avec le jour.

— Nous allons mettre la maison en vente, maman, déclara enfin Fantou. Nous ne pourrons plus y habiter, car je verrai toujours papa pendu à une corde, et tel que je l'ai vu dans votre lit. Oublie tes idées de vengeance, sinon tu seras encore plus malheureuse. Les véritables coupables, ce sont ceux qui ont poussé Yohann Cadoret à dénoncer papa et oncle Patrick. Nous retournerons vivre chez Rozenn et Odilon. Ils étaient tristes, sans nous.

— Non, je n'oserai pas, protesta sa mère. Louis m'a soupçonnée d'être la maîtresse d'Odilon. Ce ne serait pas correct de ma part. Je ne vendrai pas non plus la maison, je l'ai héritée de mon grand-père, Loïc Guillemot. Je n'ai que ça bien à moi, sur terre.

— Très bien, nous verrons, maman. Maintenant, il faut prévenir Lara, soupira Fantou. Nous devons nous habiller et partir pour la villa. Nous irons à pied, sans nous presser. Marcher soulage le chagrin, j'en sais quelque chose.

Plus tard, Armeline confierait à Rozenn que sa plus jeune fille avait fait preuve de sagesse, de courage, veillant sur elle sans jamais faillir, durant les heures qui avaient suivi la mort de Louis.

— J'avais l'impression d'être une enfant perdue protégée par une grande personne lucide et raisonnable, dirait-elle.

Dans l'après-midi, le docteur Bacquier confirma le décès par une absorption massive de sédatifs. Il délivra le permis d'inhumer, sous le regard bleu de Fantou et sous celui noir et brillant de larmes de Lara. Olivier était présent, afin de les assister au cours de cette tragique épreuve.

— Je n'ai rien pu faire, la mort rôdait, je le savais, chuchota Rozenn à l'oreille d'Odilon.

Ils venaient d'arriver chez les Fleury pour apporter leur soutien et leur affection à Armeline. Madeleine et Jonathan Kervella, accablés par ce drame, gardaient Loanne, qui, gâtée et cajolée par eux à outrance, commençait à les adopter dans son petit cœur innocent.

Lorsque le médecin quitta la maison des Fleury, après avoir réitéré ses condoléances, un visiteur imprévu se présenta.

— Commissaire ? s'étonna Lara, en robe noire, les cheveux tirés et attachés sur la nuque.

— J'ai appris la mauvaise nouvelle par Rozenn. Elle m'a téléphoné juste avant de venir vous rejoindre, expliqua le policier. Je suis vraiment désolé, Lara.

Il lui tendit un bouquet de roses et de lys.

— Nicolas, appela Fantou, assise dans la cuisine. Entrez, c'est si gentil de votre part.

Lara constata à cette occasion que sa sœur et le commissaire Renan semblaient avoir noué des liens d'amitié. Elle vit, très surprise, que Renan embrassait Fantou sur les joues, mais accablée de chagrin, elle n'y prêta guère attention.

— Comment va votre maman ? s'inquiéta-t-il. Ce doit être très dur pour elle, de retrouver son mari et de le perdre quelques semaines plus tard.

— Notre mère est dans le jardin avec Rozenn et M. Bart, précisa la jeune fille. Ce sont de précieux amis, un peu notre famille de cœur. Je vous accompagne, Nicolas, maman sera touchée par votre visite.

Olivier attira Lara contre sa poitrine. Il la berça, la couvrit de légers baisers. Elle pleura encore.

— Le destin nous joue des tours étranges, ma chérie, dit-il. Nous sommes rentrés en Bretagne parce que ton père était de retour, et il décide de mourir huit jours après notre arrivée. J'en déduis qu'il souffrait d'une forme de folie, à la suite de ce qu'il avait enduré en déportation.

— Oui, il n'y a pas d'autres explications, répondit Lara. Le docteur pense comme toi. Et s'il y avait une autre raison, papa a emporté son secret avec lui. Serre-moi fort, mon amour, bien fort, je suis tellement triste.

— N'aie pas peur, je suis là, ma belle chérie. Rien ne peut nous séparer, et bientôt, nous serons loin d'ici, dans notre domaine au bord de la mer des Caraïbes.

Lara approuva d'un signe de tête, en se blottissant dans les bras d'Olivier. Elle aurait voulu le croire, mais une chape de plomb pesait sur son cœur, comme si le bonheur leur était désormais interdit.

8

La valse des suspects

Chez les Fleury, dimanche 3 juin 1951

Armeline pliait le linge de son mari. Durant huit ans, elle avait soigneusement conservé les chemises de Louis, ses pantalons, ses tricots, ses gilets de corps. Les vêtements étaient trop grands, à son retour, mais il les avait retrouvés propres et repassés.

— Ton père tenait à les porter, pourtant il flottait dedans, confia-t-elle à Lara. Je ne comprends pas ce qui nous est arrivé. Pourquoi s'est-il donné la mort ? Dieu soit loué, le curé a consenti à célébrer des obsèques religieuses grâce au docteur Bacquier. Sans le certificat attestant d'une maladie mentale, Louis ne reposerait pas en terre chrétienne.

— Ne te tourmente pas, maman, soupira Fantou. Ce n'était plus papa, cet homme furieux, hargneux, grossier.

— Je t'en prie, respecte sa mémoire ! s'insurgea Lara. Tu me déçois, Fantou, car malgré son comportement déplorable, c'était bien notre père, celui que nous aimions tant.

— Non ! trancha sa sœur. Pas un instant, je n'ai revu mon cher papa, qui me cajolait, me prenait sur ses genoux. Tu ignores la façon dont il traitait maman, la nuit ! J'avais beau me boucher les oreilles, j'entendais tout.

— Veux-tu te taire ? hurla Armeline. Dire du mal d'un défunt ! Tu devrais avoir honte, ma fille !

— Eh bien non, je n'ai pas honte ! rétorqua Fantou. J'en ai assez de la tristesse, des lamentations, et moi au moins j'évite d'être hypocrite. Si vous n'avez pas besoin de moi ici, je reprends mes affaires et je retourne à la villa. Hier, au cimetière, Rozenn et Odilon ont dit que je pouvais revenir chez eux.

— Eh bien, vas-y ! s'écria Armeline.

Un sanglot affreux la secoua aussitôt. Elle caressait la laine d'une écharpe bleu marine.

— Je lui avais offerte à Noël, en 1942, précisa-t-elle d'une voix brisée. Tu vas m'écouter, Fantou ! Louis, mon époux, est mort, mais à présent je vais pouvoir vénérer son souvenir. Oui, je chérirai l'homme que j'adorais et que j'ai perdu. Je ferai en sorte d'oublier celui qui est revenu et n'avait plus toute sa tête. Je suis sa veuve et je ne salirai pas son nom.

— Tu as raison, ma petite maman, approuva Lara. Nous avons de beaux souvenirs à évoquer, où papa tenait le premier rôle. Ce serait cruel de le dénigrer.

— Dans ce cas, je vous laisse, murmura Fantou.

Elle s'empara de son cartable en cuir dans lequel elle mit ses livres scolaires et sa trousse. Enfin, elle vérifia le contenu d'une valise où étaient rangés quelques habits.

— Lara, est-ce que je dois transmettre un message à Olivier ? demanda-t-elle, prête à partir.

— Dis-lui de me rejoindre ici avec Loanne, je te prie. Nous dînerons tous les trois avec maman. Il ne faut pas qu'elle reste seule.

— D'accord, mais tu dors à la villa, donc cette nuit il n'y aura personne avec elle, fit remarquer la jeune fille.

— Si, je resterai et Olivier rentrera coucher Loanne, explique-lui.

Très pâle, Armeline les écoutait. Elle songea soudain à la lettre au timbre étranger, qui devait toujours être dans le tiroir de la table de chevet. D'un pas décidé, elle alla jusqu'à la chambre où Louis s'était éteint.

Armeline chercha en vain l'enveloppe dont le cachet postal l'avait tant intriguée. Les nerfs à vif, elle commença à fouiller la veste que mettait Louis pour aller travailler sur les parcs à huîtres. D'une étroite poche intérieure, elle extirpa une page de calepin où figurait une adresse.

— Il a dû passer du temps chez des gens dans ce pays, marmonna-t-elle.

Lara entra à son tour, certaine que sa mère ne trouverait rien.

— Qu'est-ce que c'est, maman ? s'étonna-t-elle en apercevant le morceau de papier.

— Un nom de femme, Zofia Filipek. Elle vit en Pologne.

— Sûrement une famille qui aura hébergé papa pendant le voyage du retour. J'écrirai, si tu veux, pour leur annoncer son décès.

— Comment feras-tu, Lara, ils sont polonais ?

— Ces gens auront bien un moyen de faire traduire ma lettre. Je pense que ce serait correct de les prévenir.

— Quelle importance, se désola Armeline. Mais si tu y tiens !

La page de calepin, un peu froissée, échut à Lara. Elle la garda dans sa main droite, en cédant à une singulière rêverie.

« Il y a là-bas un petit garçon qui est peut-être mon demi-frère. Je ne le connaîtrai jamais, ce petit bout de chou, baptisé Pierre. Si j'obtenais une photographie de lui, je pourrais au moins le voir… »

Fantou, déjà repentante, vint l'embrasser, ainsi que leur mère. Elle jeta un coup d'œil effaré vers le lit, recula d'un pas.

— Je suis navrée d'avoir été désagréable, plaida-t-elle. Cette fois, je m'en vais pour de bon. Je jouerai du piano à la villa, ça me détendra.

Lara la serra contre elle, incapable de lui en vouloir.

— Quand on souffre, on se réfugie parfois dans la colère, mon korrigan, chuchota-t-elle à son oreille. Fais à ton idée.

Cinq minutes plus tard, Fantou s'élançait sur la route, en « danseuse » sur son vélo. Sa valise et son cartable étaient fixés sur le porte-bagages à l'aide d'un sandow.

Une voiture était garée sur le bas-côté, au début de la route de Guilvin. Le docteur Jérôme Bacquier en sortit précipitamment et observa la jeune fille qui pédalait sans hâte.

— Mademoiselle ! la héla-t-il en agitant la main.

Elle fut obligée de s'arrêter, par politesse, tout en éprouvant une vive contrariété. La seule vue du médecin l'irritait sans raison valable.

— Bonjour, lança-t-elle, sans descendre de la bicyclette. On est dimanche, vous travaillez quand même ?

— Oui, je suis de garde, mais là, je vous attendais, Fantou ! M'autorisez-vous à vous appeler par votre prénom ?

— Dans quel but ? Ce serait inconvenant, monsieur. Excusez-moi, je suis vraiment pressée. Allez-vous prendre l'habitude de vous trouver sur mon chemin ?

— Accordez-moi un peu de votre temps, je dois vous parler.

— De quoi ? Souhaitez-vous encore des remerciements pour le certificat que vous avez signé, au sujet de mon père ?

Bacquier saisit le guidon, en se penchant un peu. Il admirait l'ovale parfait du visage de Fantou, sa bouche rose, au dessin exquis, sa peau laiteuse. Elle prit peur, confrontée au désir qui brillait dans ses yeux d'un brun doré.

— Lâchez mon vélo, vous n'avez pas à me retenir ainsi ! dit-elle en essayant de s'exprimer froidement.

Son cœur cognait dans sa poitrine. Elle songeait au tueur qui avait sacrifié six jeunes femmes, peut-être sept, si l'enquête prouvait que Janig Cadoret faisait partie des victimes.

— Fantou, vous avez bientôt dix-sept ans, vous n'êtes plus une enfant, dit le médecin d'un ton enjôleur. Je suis amoureux de vous, ne faites pas l'innocente, vous avez dû vous en apercevoir. Les filles de votre âge sont romantiques.

— J'ai surtout constaté que vous m'importunez à la moindre occasion ! rétorqua-t-elle.

— Et on a le verbe haut, aussi, ce qui ajoute à votre charme ! Je rêve de vos lèvres, comment me les refuser ?

La panique s'empara de Fantou. Elle regarda autour d'eux. La lande était déserte.

— Docteur Bacquier, reprenez-vous, sinon vous aurez des ennuis tôt ou tard, déclara-t-elle avec fermeté. Faites un geste de trop et votre réputation sera déplorable à Locmariaquer. Quand on vient de s'installer, autant ne pas perdre tous ses futurs patients.

— Pourquoi tremblez-vous ? interrogea-t-il soudain. Je vous fais peur ? Pauvre petite oiselle, je ne vous veux pourtant que du bien !

Il caressa ses cheveux, dont la soie blonde lui parut d'une douceur ensorcelante. Tétanisée, Fantou se demandait si le tueur procédait ainsi, en jouant la séduction. Elle s'attendait à chaque instant à être endormie par un linge imprégné de chloroforme, la technique de l'assassin pour terrasser sa proie et l'emmener sur le lieu de l'exécution.

— Ne me touchez pas ! hurla-t-elle. Et lâchez mon vélo ! Non, je n'ai pas peur, je suis indignée par votre conduite.

Un bruit de moteur, assorti de pétarades, se fit entendre. Une camionnette approchait. Fantou se retourna afin d'identifier le conducteur.

« Et si c'était un complice ? se dit-elle, terrifiée. Non, merci mon Dieu, je reconnais Odilon, mon cher monsieur Odilon. »

Bacquier libéra le guidon en faisant vite deux pas en arrière. Il avait vu le retraité à l'enterrement de Louis Fleury.

— Ne gâchez pas tout, si vous vous plaignez de moi, j'aurai des soucis, murmura le médecin.

Il remonta dans sa voiture au moment où Odilon Bart freinait et s'arrêtait à hauteur de la jeune fille.

— Ma petite Fantou ! s'écria-t-il. Bon sang, tu es chargée ! Je vais te conduire à la villa, je parie que tu reviens chez nous !

— Oui, vous êtes ma famille, maintenant, Rozenn et toi !

Odilon nota son intonation altérée, sa pâleur, son expression effarée. Il suivit des yeux l'automobile noire de Bacquier, qui s'éloignait à bonne allure. En quelques minutes, le vélo fut calé dans l'habitacle et Fantou grimpa sur la banquette avant. Là, certaine d'être en sécurité, elle essuya les larmes qui coulaient sur ses joues.

— Mais qu'est-ce que tu as, ma mignonne ? s'enquit Odilon. Tu penses à ton papa ?

— Non, non, enfin oui, je ne sais plus !

— C'était le nouveau docteur qui te faisait la conversation ?

— Odilon, si je t'appelais papi, ça te plairait ? suggéra Fantou en guise de réponse.

— Je serais flatté, et bien content. Tu te souviens, le jour où tu as commencé à nous tutoyer, ma sœur et moi, j'étais heureux comme un roi.

Fantou nicha sa tête au creux de son épaule en reniflant. Il s'inquiéta, car elle pleurait rarement.

— Si tu savais comme j'ai eu peur, avoua-t-elle. Ce médecin, Bacquier, m'a fait des avances. Il voulait m'embrasser, il disait des choses bizarres. J'ai cru que c'était lui, le tueur.

— Nom d'un chien ! jura Odilon. Quel culot ! J'irai lui dire ce que j'en pense dès demain, à son cabinet. Mon pauvre petit agneau !

— J'ai remercié Dieu, quand tu es arrivé, papi ! Je t'assure, sans toi, j'ignore ce qu'il aurait manigancé. Il refusait de lâcher le guidon de mon vélo.

— Ce type se croit tout permis, ma parole ! enragea le retraité. Cependant je doute qu'il soit un criminel. Beaucoup d'hommes sont coureurs, ils n'hésitent pas à manquer de respect à une femme si elle leur plaît. Mais ce n'est pas une excuse. Tu es toute jeune, il n'avait pas à user de son ascendant sur toi.

Odilon Bart roula au ralenti jusqu'à la villa. Lorsqu'il se gara dans la cour, le moteur chauffait. Rozenn sortit de son cabanon, récemment repeint en bleu ciel. Des capucines jaunes grimpaient le long d'un treillis.

— Ta fourgonnette sent le brûlé, constata-t-elle en riant. Mais c'est notre Fantou !

— Oui, et je me félicite d'être parti à l'impromptu chez le père Larieux, pour récupérer les outils que je lui avais prêtés, clama son frère en claquant sa portière. J'ai tiré la petite d'un mauvais pas. Je vais finir par me ranger à ton avis, Rozenn, il n'y a pas de hasard. Dieu veille ! Tu es témoin, je ne pouvais pas remettre à demain, comme si on me poussait dans le dos !

— Explique-moi, Odilon, s'impatienta sa sœur.

Fantou renonça à prendre ses affaires. Elle marcha doucement vers Rozenn qui lui tendait les bras.

— Oh, tu as une mine d'enfant perdue, déplora celle-ci.

— J'ai eu si peur, murmura la jeune fille. Le docteur Bacquier s'est comporté d'une manière indécente. Je vais te raconter ce qu'il a fait. Mais je me sens déjà mieux maintenant que je suis ici, avec vous deux, à l'abri. Rozenn, je voudrais que notre bonne vie revienne.

Pendant ces trois ans, nous étions si bien, toi, Odilon, maman et moi.

Rozenn l'étreignit et la câlina. Elle chérissait Fantou à l'égal de l'enfant qu'elle n'avait pas eu.

— Viens dans ma cabane, proposa-t-elle. J'ai préparé du thé à la menthe, ça te requinquera. Et je soignerai le désordre de ton esprit, qui perturbe tout ton corps. Nous sommes tranquilles pour quelques heures. Olivier et ses parents sont à Carnac, ils ont emmené Loanne. Ils visitent les alignements de menhirs.

— Ce n'était pas prévu, objecta Fantou. Lara sera déçue, je devais dire à Olivier de la rejoindre chez nous, avec Loanne.

— Mme Kervella ne tient pas en place, lui confia Rozenn. Et son mari et son fils suivent le mouvement.

Elles entrèrent dans le petit bâtiment où il faisait assez frais. Odilon les suivit. Nérée les accueillit en remuant la queue. Le gros chien s'était couché dans le recoin le plus frais.

— Il m'aurait défendue, lui, affirma Fantou, qui s'était accroupie pour le caresser.

Quand Rozenn fut au courant de sa mésaventure, elle jugea opportun de téléphoner au commissaire Renan. Odilon avança que le policier ne serait sans doute pas à la gendarmerie d'Auray un dimanche, mais sa sœur le contredit.

— Nous aurons un gendarme en ligne, qui réussira à le joindre. On ne peut prendre aucun risque. Ce médecin a pu choisir de s'établir dans la région même où il signe ses crimes abjects. Que savons-nous de lui ? Rien ! Et si tu n'étais pas passé sur la route, où serait Fantou à présent ? Lara serait d'accord, figurez-vous qu'elle a eu des doutes sur le docteur Bacquier, et qu'elle m'en a fait part. C'était avant la mort de ton papa, ma petite.

— Très bien, alors téléphonons, décréta Odilon.

Commissariat de Vannes, même jour, même heure

Nicolas Renan ne faisait guère de différence entre la semaine et les dimanches, notamment lorsqu'il tenait un suspect. Après avoir libéré Hervé David mercredi, faute de preuves, il venait de le faire interpeller à son domicile par l'inspecteur Ligier, sur ordre du procureur.

— Qu'est-ce que vous me voulez encore, commissaire ? s'impatienta celui que Renan surnommait l'apprenti druide, devant ses collègues. J'étais sur le marché de Paimpont à 6 heures ce matin, je suis resté à la disposition de la police, selon vos consignes. J'avais le droit de m'octroyer une sieste.

— En galante compagnie, je présume ?

— Oui, avec Aline et sa sœur. Entre adultes consentants, il n'y a pas de mal ! Vous avez du nouveau à propos de Janig ?

— C'est moi qui pose les questions, David, trancha Renan, agacé par la désinvolture de ce grand gaillard barbu. Je n'ai pas de bonnes nouvelles. Il nous est impossible de vérifier votre alibi pour le soir du 14 juillet 1943. L'ami chez qui vous auriez fini la nuit est introuvable. Le procureur n'a pas apprécié ma décision de mercredi.

— Je vous l'ai dit, ce type magouillait, il devait cacher sa vraie identité.

— Admettons. En ce qui concerne les meurtres ayant eu lieu ces six dernières années, dont celui de Livia Menti, vous avez pu nous fournir votre emploi du temps et des alibis en règle. Mais vous demeurez le principal suspect dans l'affaire Janig Cadoret. En conséquence, le procureur a prononcé votre inculpation.

— Vous allez m'envoyer en prison ? se rebella Hervé David. Sans aucune preuve contre moi ? Commissaire, je n'ai pas tué Janig. J'aurais dû la rattraper, la consoler, mais elle m'avait frappé et j'ai ma fierté.

— Si quelqu'un l'avait revue, après cette nuit-là, ça jouerait en votre faveur, précisa Renan. Le journal publie encore l'appel à témoins, sait-on jamais, quelqu'un peut se manifester.

— C'est une injustice flagrante, commissaire ! s'emporta David en secouant ses poignets menottés.

— Tout vous accuse, votre engouement pour les rites celtes, votre façon de vivre, le couteau que vous possédiez.

— Je le répète, comme je l'ai répété durant ma garde à vue, si par malheur ou accident j'avais causé la mort de Janig, soit je me serais dénoncé, soit j'aurais eu l'intelligence d'enterrer son corps dans un coin reculé de la forêt. Réfléchissez ! Pourquoi cette mise en scène, disposer le cadavre sous l'allée couverte ? Vous le savez aussi bien que moi, au fond, c'est le même type qui a fait ça, c'était peut-être la première victime et par malchance, personne n'a découvert Janig.

Le commissaire avait tenu exactement ce raisonnement. Il doutait de plus en plus de la culpabilité d'Hervé David. De surcroît, l'autopsie sur les ossements et les fragments de tissu n'avait révélé aucun élément concluant. Janig Cadoret avait tout aussi bien pu être tuée un ou deux mois plus tard, à la fin de l'été, en septembre.

— Une histoire d'intuition, avait-il dit à Ligier la veille. Ce type n'est pas un assassin, je sens qu'il est sincère.

Le procureur de la République en avait décidé autrement. Dès le lendemain, la presse stigmatiserait David comme un ignoble criminel. Même s'il était innocent, il ne pourrait plus vendre son miel ni monter ses spectacles pour touristes.

L'irruption d'un jeune inspecteur stagiaire lui procura une diversion inespérée.

— Commissaire Renan, un appel de la gendarmerie d'Auray pour vous.

— Je le prends dans le bureau de Ligier. Surveillez le prévenu.

Il eut Malo Guégan en ligne, qui lui communiqua le numéro de téléphone des Bart et lui précisa qu'il devait les rappeler au plus vite.

Bientôt une voix limpide, flûtée, résonnait dans le combiné. Renan reconnut immédiatement le timbre charmant de Fantou. Elle prononça deux fois « Nicolas », avant de lui raconter les agissements étranges du médecin de Locmariaquer. Il lui promit d'éclaircir la situation.

— Merci de m'avoir fait confiance, Fantou, murmura-t-il.

Il raccrocha l'appareil, l'esprit en alerte, mais également perplexe. Une phrase lui revint en mémoire, un adage prétendant qu'il valait mieux laisser courir dix coupables que de punir un innocent. L'instant suivant, il demandait une communication avec le procureur, qu'il allait déranger un dimanche.

Après une interminable discussion, Renan eut gain de cause. Il répéta que David semblait sincère, qu'aucune nouvelle preuve ne justifiait son incarcération, même provisoire. Il remporta la partie en affirmant qu'il avait un nouveau suspect, un médecin de Locmariaquer, au comportement inquiétant. Il retourna dans son bureau, considéra Hervé David d'un œil circonspect.

— Je vous ai obtenu un délai, annonça-t-il. Vous pouvez partir, on va vous raccompagner chez vous. Ne quittez pas la région, bien sûr et tenez-vous à la disposition de la justice.

— Le baratin d'usage, répliqua David, qui se redressa d'un air hautain. Merci, commissaire. Si quelque chose me revient, au sujet de Janig, je vous le ferai savoir.

Chez les Fleury, lundi 4 juin 1951

Lara était venue très tôt chez sa mère afin de l'aider à des aménagements dans la maison. Armeline s'entêtait. Elle refusait de remettre les pieds à la villa.

— Désormais, je coucherai dans votre ancienne chambre, dit-elle en mettant des draps propres sur le grand lit où ses filles avaient dormi ensemble si souvent.

Fantou était assise sur le rebord de la fenêtre grande ouverte. Elle avait suivi sa sœur, malgré le malaise qu'elle éprouvait à se retrouver là.

— Tu aurais pu aller au lycée aujourd'hui, mon korrigan, lui reprocha gentiment Lara. Olivier avait proposé de t'y conduire et monsieur Odilon t'aurait ramenée ce soir.

— Non, je ne me sentirai pas en sécurité tant que Nicolas n'aura pas enquêté sur le docteur Bacquier. Je te dis que cet homme me suit, m'épie.

— Tu te fais des idées, Fantou, trancha sa mère. Nous avons beaucoup discuté, avec le docteur. Il sait que tu veux devenir infirmière et je suis certaine que c'est pour cela qu'il cherche à te voir.

— Il sait aussi que nous étions au Venezuela, Olivier et moi, fit remarquer Lara. Tu en as parlé sans réfléchir, maman.

— Seigneur ! On ne peut plus rien dire, dans ce cas, s'enflamma Armeline. On doit se méfier de tout le monde ! À cause de quoi, de qui ? Je me le demande.

— Maman, on dirait que ce qui m'est arrivé t'est complètement égal ! s'indigna Fantou. Cet homme voulait m'embrasser, et pas sur la joue ! Toi qui prêchais la morale, la vertu, les convenances, chaque fois que je partais chez Daniel Masson. Pourquoi ? Parce que ce type est docteur ? C'est mieux qu'un aveugle ?

— Vas-tu te taire ! s'égosilla sa mère d'une voix stridente.

— Je vous en prie, calmez-vous ! ordonna Lara. Nous sommes tous sur les nerfs, il faudrait éviter les sujets pénibles. Et Fantou, réfléchis quand même à ton attitude. Tu es effectivement un peu jeune pour séjourner chez un homme célibataire, de quinze ans ton aîné. Mais je t'assure, le comportement du docteur Bacquier m'a révoltée et je n'ai pas confiance en lui. Autre chose, maman, tu as tort de vouloir rester là, où tu viens de vivre un long cauchemar, notamment par la faute de Yohann Cadoret. Tu l'as dit à Fantou, il est le principal coupable de la mort de papa.

— Mon pauvre Louis, sanglota soudain Armeline. Il semblait mieux, pourtant, dimanche dernier. Il m'a embrassée là, sur le front.

Elle porta une main à l'endroit précis, avant de s'asseoir sur le lit, défigurée par une grimace douloureuse. Fantou ferma les yeux en respirant à petits coups, Lara caressa les cheveux de sa mère.

— Maman, écoute mes conseils, dit-elle d'un ton net. Vous avez déjà loué cette maison pendant deux ans, tu trouveras vite d'autres locataires. Rozenn et Odilon sauront te consoler. Tu étais heureuse avec eux.

— Et si Louis voyait, de là-haut, que je me suis précipitée à la villa, comme si j'avais hâte de retrouver mon amant ? Ton père était persuadé que je l'avais trompé, moi qui repoussais sans cesse les avances de Yohann, ce traître, moi qui osais à peine faire la bise à Odilon, au premier de l'An.

Incapable de continuer, Armeline pleura de plus belle, pliée en deux. Des images traversaient son esprit affolé, celles des jours de bonheur entre Rozenn et son frère. Ils avaient fêté Noël, en dressant un sapin dans le salon. Odilon avait même acheté un électrophone. Fantou choisissait les disques, et ils avaient dansé tous les quatre, la valse, la polka, le charleston.

— Sois courageuse, maman, l'exhorta Lara, le cœur lourd de son terrible secret. Tu n'as rien fait de mal, tu as le droit d'avoir une vie agréable. Tourne-toi vers l'avenir, pas vers le passé. C'est vraiment inutile de rendre visite à Yohann Cadoret à Ploemel, comme tu le voulais. Nous étions prêts à t'y conduire, Olivier et moi, mais ça n'avancera à rien.

Silencieuse, Fantou assistait à la scène, quand elle ne jetait pas un regard inquiet derrière elle, dans l'allée menant à la route. Il lui semblait parfois qu'une présence menaçante se tenait dans son dos, et que des mains avides se noueraient autour de sa taille.

— Lara a raison, maman, dit-elle en les rejoignant. Même en ce qui me concerne. Je suis sans doute trop familière avec les gens que j'apprécie.

— Nous en discuterons plus tard, mon korrigan. Et n'aie pas cette petite mine angoissée, je suis là, je te protège.

Fantou approuva en prenant le bras de sa sœur. Armeline les considéra toutes les deux d'un air tragique.

— J'ai tout gâché, par ma faute vous n'avez plus votre papa, se lamenta-t-elle. Je ne sais pas su l'accueillir, ni lui prouver que je l'aimais toujours. Il me faisait peur et je ne le reconnaissais pas.

— Maman, je t'en conjure, arrête de t'accuser, j'ai ressenti la même chose que toi, trancha Lara.

Elle hésitait, déchirée entre l'envie de crier la vérité à sa mère et celle de se taire à jamais, pour préserver l'image de Louis Fleury, au moins dans le cœur de Fantou, comme le lui avait recommandé Rozenn.

— Il avait tellement souffert, j'aurais dû l'aider, mes pauvres petites. Pendant trois ans, j'étais au paradis à la villa, mais lui, il endurait des privations, seul, en rêvant de nous retrouver.

C'en était trop pour Lara. Elle obligea Armeline à se relever et l'entraîna dans la cuisine.

— Fantou chérie, prépare du café et sors la bouteille d'eau-de-vie que Rozenn vous a donnée. J'en ai assez, je dois vous parler, surtout à toi, maman.

Sainte-Anne-d'Auray, chez les Jouannic,
même jour, même heure

Loïza cueillait les plus jolies roses du jardin, pour les apporter à la basilique. Depuis des années, elle fleurissait l'autel de sainte Anne, situé dans le transept sud, dont elle admirait la magnificence. Une statue en bois doré représentait la mère de Marie, à laquelle toutes ses prières s'adressaient.

Le bruit d'un moteur de voiture, qui lui était familier, la détourna un instant de son agréable labeur. Elle posa son sécateur au fond d'un large panier en osier.

— C'est peut-être Nicolas, se dit-elle tout bas.

Bientôt la silhouette du policier apparut derrière le portillon qui ouvrait sur la rue. Sans lâcher son bouquet, Loïza remonta la petite allée gravillonnée. Il entrait déjà, en la fixant d'un air grave.

— Nicolas, appela-t-elle, la gorge nouée par l'émotion. J'étais inquiète, je t'ai attendu longtemps hier.

Il la regarda avec passion. Elle lui souriait, auréolée des mèches cuivrées échappées de son chignon, ses yeux gris et or brillant de joie. Il avait faim de sa peau, de son corps, et soif de ses lèvres, d'un rouge satiné.

— Loïza, j'avais peur que tu sois sortie, dit-il.

— J'allais porter un bouquet à la basilique, et prier pour Luc. J'ai reçu une lettre ce matin de l'institution, il serait tuberculeux.

— Tu dois être triste, je suis navré. Le monde est si triste, de toute façon, si noir. Et sanglant aussi.

— Nicolas, mais qu'est-ce que tu as ? Viens à la maison, il n'y a personne. Goulven et Paule passent la journée à Erdeven, chez Tiphaine et John. Ils ont emmené Killian.

— Je boirais bien un verre, ma douce, un remontant.

Elle prit son bras, tenant les roses de sa main libre. Renan se laissa guider, pareil à un malade.

— Assieds-toi, je mets les fleurs dans l'eau, ensuite je te sers du calvados. As-tu faim ? J'ai fait un clafoutis aux cerises.

Il marmonna un oui, tout en observant la grande cuisine qui avait servi de décor à l'interrogatoire de Tiphaine Jouannic, en septembre 1946, après la découverte de Madalen Le Goff, une des premières victimes.

— Je suis entré seulement dans cette pièce, constata-t-il. Tu te souviens, je voulais voir ta chambre, un jour où je venais te chercher, tu as refusé.

— Ma belle-sœur était là, Nicolas, elle aurait jugé ça scandaleux.

Comme elle passait près de lui, il la saisit par la taille pour l'attirer sur ses genoux. Tout de suite, il l'embrassa dans le cou, où sa chair était chaude et parfumée.

— L'unique scandale, Loïza, c'est la mort, la Faucheuse qui nous guette tous. Ce sont ces crimes atroces qui ensanglantent la Bretagne depuis bientôt six ans, ces malheureuses sacrifiées dans la fleur de l'âge. C'est ce meurtrier qui continue à tuer en toute impunité, et qui nous échappe malgré tous nos efforts.

Loïza tremblait entre ses bras. Renan l'étreignit plus fort.

— Pardonne-moi, je ne t'ai jamais rien dit, car je ne voulais pas te mêler à toutes ces horreurs que je vois dans mon métier. Mais cette affaire devient trop lourde à porter.

— Je suis quand même au courant, puisque Goulven lit le journal à voix haute et commente les articles, répondit-elle d'une voix faible.

— Je m'en veux, Loïza, au fond, je suis en partie coupable de la mort de Livia Menti. Il était de ma responsabilité d'arrêter le tueur, mais j'en ai été incapable jusque-là et la malheureuse l'a payé de sa vie. Je me sens tellement impuissant.

— Pitié, je vais pleurer si tu dis un mot encore, se plaignit Loïza. Tu es si pâle, Nicolas. Tu as vraiment besoin d'un remontant. J'en prendrai un peu moi aussi, j'en ai le cœur serré.

— C'est toi, mon remontant, dit-il très vite, à son oreille. Où est ta chambre ?

Il s'empara de sa bouche qu'il écrasa de baisers. Ses mains pétrissaient ses hanches, ses seins. Elle s'abandonna, avec sa docilité habituelle.

— Suis-moi, souffla-t-elle. C'est au rez-de-chaussée, je me suis installée dans l'ancienne chambre de ma nièce, avec Killian.

Le commissaire Renan, à cet instant, ne réfléchissait pas. Le désir consumait ses pensées, et avide d'oubli, il obéissait à ses pulsions d'homme amoureux, en quête du plaisir total que lui offrait sa maîtresse. Il poussa le verrou, ôta sa veste, sa cravate. Loïza, debout près du lit, ne faisait pas un geste, une expression rêveuse sur le visage.

— Oh toi, toi, scanda-t-il en l'enlaçant.

Il aimait ses silences, ses sourires timides, sa manière de s'en remettre à lui pour orchestrer leurs ébats torrides. Mais elle se montrait obstinée dès qu'il souhaitait certaines positions, sous le prétexte qu'elle les estimait scabreuses. Il en riait, le mot sonnant bizarrement, à son avis. Là encore, elle s'allongea, sa robe de lin retroussée, ses belles jambes un peu écartées.

— Je te retrouve, enfin, soupira-t-il tandis qu'il caressait ses cuisses chaudes.

Renan fit glisser la culotte en satin, l'ultime barrage dressé entre sa bouche et la fleur intime de Loïza, sa toison mordorée, son sexe de femme, tendre, moite, tiède. Il la pénétra aussitôt, dans son besoin frénétique de se perdre en elle, de s'enivrer de jouissance.

— Oh oui, Nicolas, oui, j'aime ça, gémit-elle.

Il se sentit soudain invulnérable, car les plaintes langoureuses et les soubresauts lascifs qu'il faisait naître étaient une arme contre la mort, le désespoir.

— Tu es belle, dit-il. Tellement belle ! Regarde-moi, ne ferme pas les yeux, ma chérie. Dis-moi encore que tu aimes ça.

Fébrile, il se déchaîna à grands coups de reins, car Loïza lui dédiait un regard hébété, en répétant ce qu'il désirait entendre. Il atteignit un paroxysme d'extase, qui lui donnait envie de la mordiller, de téter ses beaux seins lourds aux mamelons durcis. Il l'embrassa sur les lèvres, en suspendant ses mouvements trop rudes, ravagé par la passion qu'elle lui inspirait.

— Si je pouvais, je resterais en toi nuit et jour, soupira-t-il. Tu es la vie, la joie, la beauté.

Elle le griffa dans le dos lorsqu'il reprit une cadence forcenée. Lui, égaré, se livra tout entier, l'esprit vide de la moindre image morbide. La vision des cadavres égorgés avait disparu, et la valse des suspects tournait au loin, très loin.

Au bout de cinq minutes, Nicolas gisait à côté de Loïza, encore haletant. Elle lui donna un léger baiser sur la joue.

— Ma douce chérie, aie pitié, épouse-moi. Si chaque soir je peux dormir contre ton corps, je serai plus fort, je pourrai me battre contre ces ombres, toutes ces ombres.

Il se redressa sur un coude, admirant sa poitrine dénudée, qu'il effleura d'un doigt.

— Nicolas, sois patient. Nous vivrons ensemble un jour, pas dans l'immédiat. Ne te vexe pas, mais j'ai l'intention de reprendre Luc, pour le soigner. Il dépérit sans moi, je le sens dans mon cœur. Nous nous verrons malgré tout, je te le promets.

— Tu pourrais attraper sa maladie, s'alarma Renan. Ce garçon est presque un adulte, maintenant, il n'a pas besoin de toi. Tu as pris cette décision parce que Tiphaine veut récupérer Killian. On dirait que tu trouves toujours une solution pour ne pas quitter ton frère et ta belle-sœur.

— Je me suis engagée envers Goulven il y a des années, c'est mon problème. Mais surtout, je suis chez moi ici, à parts égales. Notre maison date du siècle dernier, je m'occupe du potager, du jardin, du pré. J'ai mes poules, mes canards, ma chèvre. En ville, je dépérirais. Tu sais bien que tu seras absent toute la journée.

Soudain amer, Nicolas songea qu'il avait entendu ce refrain des dizaines de fois. Il se leva et se rhabilla.

— Ne sois pas en colère, je t'en prie ! s'écria-t-elle. Le mariage peut se révéler néfaste. J'en ai un exemple avec mon frère et Paule. Ils se querellent sans cesse, ils n'échangent jamais un seul baiser. Moi, j'ai envie de préserver notre amour.

Elle avait parlé d'une voix tremblante. Pris de remords, son amant la dévisagea tendrement.

— Continuons ainsi, tant que tu veux d'un vieux flic acariâtre, ça me va !

— Tu n'es pas vieux, Nicolas.

Loïza reboutonna sa robe. Ses cheveux dénoués voilaient à demi ses traits ravissants.

— Je vais à Locmariaquer, annonça-t-il. Une jeune fille m'a appelé à l'aide. La sœur de Lara Fleury, l'ancienne camarade de ta nièce.

— Ah oui, sa collègue chez Tardivel. Je croyais qu'elle était partie en Italie. Enfin Tiphaine me l'avait dit.

— Elle est rentrée pour passer un peu de temps avec sa famille. Et son retour est malheureusement marqué par un terrible deuil, car son père, Louis Fleury, s'est suicidé.

— J'aurai beaucoup de prières à faire, ce soir. Je tiens à orner l'autel de sainte Anne. Ce serait dommage d'avoir coupé ces roses pour rien.

— N'oublie pas d'aller à confesse, plaisanta-t-il.

— Moque-toi, la foi m'a sauvée bien souvent, monsieur le commissaire.

Ils s'embrassèrent encore, étroitement enlacés.

Chez les Fleury, même jour, même heure

Lara avait tout raconté à sa mère. Le secret de Louis Fleury était dorénavant une épine vénéneuse piquée dans le cœur d'Armeline. Quant à Fantou, elle semblait soulagée. Férue de philosophie, de sciences exactes, la jeune fille comprenait à présent ce qui avait tourmenté son père, lors de son retour. Son chagrin en était atténué.

— Je devais vous le dire, quitte à vous faire encore du mal, plaida Lara, en serrant la main de sa sœur. Le fardeau était trop lourd. J'ignore pourquoi papa s'est confié à moi. Au fond, j'aurais préféré ne pas écouter ses aveux. Ils m'ont empêchée de dormir, ils me rongeaient. J'étais nerveuse, obsédée par ces mots qui dépeignaient des ignominies, et son amour pour cette femme.

— Une Polonaise, articula sèchement Armeline. Plus jeune que lui, plus jolie que moi, ça, j'en suis sûre. Tout s'explique, Louis ne m'aimait plus du tout, il me le faisait payer. Et il a osé vous insulter, vous dénigrer. Seigneur, je ne lui pardonnerai jamais. S'il n'était pas mort, je le haïrais !

— Papa s'est infligé la plus irrémédiable des punitions, déclara Fantou.

— Oui, car il avait honte. Je ne pouvais pas te laisser pleurer sur tes prétendues erreurs, maman. Tu n'étais pas responsable de ces crises de violence, de sa colère.

— En fait, mon mari s'est tué, parce qu'une catin refusait de le revoir. Elle en épousait un autre, et Louis ne l'a pas supporté. Ce gamin n'est pas le sien, j'en mettrai ma main au feu.

— J'ai l'intention d'écrire à Zofia Filipek pour lui poser la question et obtenir une photographie.

— Pourquoi le ferais-tu, Lara ? protesta Fantou. Cet enfant ne viendra jamais en France, même s'il est notre demi-frère. Ce petit est innocent des fautes de papa, cependant ce serait vraiment inutile de créer des liens avec lui.

— Trêve de discours, mes filles, décréta subitement Armeline. Je fais mes valises, vous allez m'aider. J'y vois clair maintenant, grâce à toi, Lara. Tu avais raison, tout à l'heure, je vais regarder droit devant moi, penser à mon avenir et prendre le bonheur où il est. J'ai suffisamment souffert.

Elle but la dernière goutte de son verre d'alcool, la mine résolue. Lara s'étonna de la transformation qui venait de s'opérer chez leur mère. Son visage était détendu, elle se tenait bien droite, un éclat volontaire faisait étinceler son regard bleu ciel.

— Alors, tu reviens à la villa, maman ? demanda Fantou.

— Oui, près de ceux qui m'aiment. Il faudra faire publier une petite annonce dans le journal, pour louer la maison le plus vite possible, car je n'ai plus un sou. Mais je ne volerai pas mon pain chez Rozenn et Odilon. Je travaillerai dur.

Un sentiment de délivrance submergeait Armeline. Elle eut un sourire mystérieux, qui n'échappa pas à Lara. La jeune femme en saisit la signification.

« Maman était malheureuse ici, et elle l'aurait été même si papa s'était montré tendre et gentil. Elle aime notre cher Odilon ! »

Cette pensée la réconforta. Le chemin serait long avant de rétablir un peu d'harmonie, mais leur ami à la chevelure de neige saurait redonner de la joie de vivre à la femme qu'il chérissait.

— J'ai de la chance que tu sois venue en fourgonnette, nota Armeline. Nous pourrons emporter mes affaires en un seul voyage. Tiens, des gens arrivent.

Fantou virevolta pour observer les visiteurs. Elle reçut un choc au cœur, au point de manquer d'air. Soudain elle s'élança en courant, ses longs cheveux blonds fouettés par le vent. Lara l'entendit crier.

— Katell, Daniel ! Mais… Quelle joie, j'en pleurerais !

L'aveugle marchait à pas prudents, une canne blanche à la main. Il souriait, très élégant en costume de lin gris et coiffé d'un canotier. Des lunettes noires dissimulaient ses yeux éteints. Sa gouvernante le tenait par le bras.

— Daniel, vous êtes là, dit Fantou en s'arrêtant près de lui.

— Bonjour, demoiselle, répondit l'infirme de sa voix veloutée. Olivier nous a invités, Katell et moi. Dès que j'ai reçu son télégramme, nous avons pris le bateau et le train. Je sais l'épreuve que vous venez de subir. Je tenais à vous consoler.

Lara s'approcha. Elle était dans la confidence et se réjouissait aussi, mais elle fut frappée par l'émerveillement qui se lisait sur le radieux visage de son précieux korrigan. Un korrigan devenu femme, et une femme amoureuse.

9

Fantou

Locmariaquer, mardi 5 juin 1951

Le docteur Jérôme Bacquier demeurait tête haute, le regard méprisant, confronté au commissaire Renan. Les deux hommes se trouvaient dans le cabinet médical, l'un assis, en blouse blanche, le second debout, en complet veston.

— Je suis curieux de connaître l'objet de votre visite, monsieur, déclara le médecin. Ma salle d'attente est bondée. Vous avez abusé de vos prérogatives de policier pour passer devant mes patients.

— C'est mon droit, dans ce cas précis, docteur, rétorqua Renan.

— Qu'est-ce que vous me voulez ? Je n'ai rien à me reprocher.

— Vous l'affirmez un peu vite pour que ça sonne juste. Je suis ici afin de vous interroger au sujet de Mlle Fantou Fleury, que vos avances ont effrayée, dimanche, sur la route de Saint-Guilvin. Par les temps qui courent, la méfiance est de mise. Il y a quatorze jours exactement, Livia Menti, a été tuée par le criminel qui sévit dans la région depuis six ans. Le moindre comportement inhabituel chez un homme, dans un lieu désert, a donc de quoi terrifier une jeune fille.

Bacquier secoua la tête, avec une expression de stupeur.

— D'accord ! Si j'ai bien compris, on ne peut plus faire la cour à une femme sans être soupçonné de noirs desseins ? Fantou Fleury me plaît beaucoup, je lui ai dit, ce n'est pas un crime.

— Si ce n'était que ça, trancha Renan. Mais vous comptiez l'embrasser. Mettez-vous à sa place. Un homme qu'elle connaît à peine bloque le guidon de son vélo, il a sa voiture garée à deux pas, et au nom de sa toquade amoureuse, il décide de lui imposer un ou plusieurs baisers.

— Franchement, cette fille a trop d'imagination, enragea le médecin. Ne me dites pas qu'elle a porté plainte contre moi, pour une tentative de flirt ?

— Un flirt ? Non, ce n'est plus de votre âge, je parlerais plutôt de tentative de séduction. Mlle Fleury refuse depuis cet incident de retourner au lycée et de se promener seule.

— Je la pensais plus intelligente, maugréa Bacquier. De plus, je m'étonne qu'un commissaire de police se dérange à la suite des allégations d'une jolie allumeuse.

Renan dut se contenir, exaspéré par ces derniers mots. Il éprouvait pour Fantou des sentiments paternels, mais aussi du respect.

— Je connais très bien Mlle Fleury, décréta-t-il. Elle est discrète, sérieuse, excellente élève. Ce n'est pas sa faute si vous vous êtes entiché d'elle. Pour être plus précis, vous vous êtes allumé tout seul.

Le docteur Bacquier, l'air excédé, se leva. Il portait sa blouse ouverte, sur une chemise blanche impeccable, agrémentée d'une cravate verte. Il alluma une cigarette, en regardant par la fenêtre.

— J'ai eu l'impression de lui plaire, commissaire, hasarda-t-il. Et je ne suis pas un inconnu pour elle. J'ai soigné son père, nous nous sommes rencontrés plusieurs fois. Soit, j'avoue qu'elle n'a pas adopté envers moi d'attitude équivoque, mais être aussi belle lui attirera d'autres ennuis.

— Vos propos sont fort déplaisants. Tenez-vous loin de Fantou Fleury, recommanda Renan. Où étiez-vous le matin du mercredi 23 mai, vers 5 heures ?

— Dans mon lit !

— Seul ?

— Hélas, oui. Je ne suis pas marié, et je n'ai pas de maîtresse attitrée. Attendez, vous me considérez comme un suspect ?

— Je constate que vous n'avez pas d'alibi pour le matin où Livia Menti a été tuée. Il faudra par ailleurs me donner votre emploi du temps aux dates que j'ai notées sur ce document.

— C'est une plaisanterie, commissaire ! s'offusqua Bacquier en étudiant la liste que le policier lui donnait. En septembre 1946, j'étais interne à l'hôpital de Lille. J'ai accepté de succéder au docteur Deville, afin de quitter Rennes où j'exerçais auparavant. Je suis féru de voile, et je désirais être au bord de la mer. J'ai d'ailleurs fait l'acquisition d'une goélette, dès mon arrivée. Ne me faites pas payer votre incompétence, car si j'en crois la presse, l'assassin de ces malheureuses n'a pas été arrêté.

Renan reçut la critique en plein cœur. Il n'en fut que plus acerbe et véhément.

— Peu importe, j'exige des justifications aux dates indiquées. Un individu adepte de la vie au grand air, une sorte de baladin, s'y est plié sans rechigner. Faites de même. Je vous signale également que dans le cadre de cette enquête, nous interrogeons la plupart des hommes du pays.

— Enfin, soyez un peu raisonnable, commissaire. Je suis médecin, ma vocation sera toujours de sauver des vies, pas de les détruire. J'écrirai quelques mots d'excuse à Mlle Fleury, si je l'ai vraiment effrayée. Ce n'était pas le but. Si vous pouviez prendre congé, mes patients sont prioritaires à mes yeux.

— Je reviendrai demain, d'ici là, ne quittez pas la ville.

Le docteur Bacquier haussa les épaules et s'empressa de passer dans le corridor, afin de se présenter sur le seuil de la salle d'attente. Il reçut en premier une femme qui tenait son enfant en larmes sur ses genoux.

« Un dur à cuire, ce toubib, songea Renan. J'ai peut-être affaire à un vulgaire séducteur, mais il me hérisse, c'est viscéral. J'en saurai davantage quand le lieutenant Auffret se sera renseigné sur lui auprès du conseil de l'Ordre. »

Malo Guégan, qui l'avait accompagné, attendait dans la rue. Le jeune gendarme lui emboîta aussitôt le pas, en direction du port. La marée était haute, le vent assez fort, si bien que les mâts des voiliers ancrés se balançaient, avec des sifflements ténus.

— Alors, commissaire ? demanda-t-il.

— Rien de concluant. Pourtant si on y réfléchit, un statut social convenable pourrait faire une bonne couverture au tueur. En tout cas une chose est sûre, si c'est lui le coupable pour Livia Menti, il a pris des risques en changeant de tactique. Jusqu'à maintenant, le fait qu'il ne sacrifie ses victimes qu'une fois par an a été un vrai frein dans l'enquête. Mais s'il accélère le rythme, il est possible qu'il commette des erreurs. À nous d'être d'autant plus vigilants ! Et je vais demander qu'on diffuse un communiqué à la radio. On conseillera aux jeunes femmes de se déplacer le moins possible seules et de nuit. Ce carnage doit cesser.

— C'est sûr, commissaire, approuva Malo. Moi, je suis content d'être célibataire, ça m'épargne de trembler pour une fiancée ou une épouse.

Ils arpentèrent le quai, battu par des vagues grisâtres. Le ciel s'était couvert, des gouttes de pluie tombaient.

Le policier jeta un coup d'œil autour de lui, puis il fit demi-tour.

— Je vais rendre visite aux Bart, de bons amis, annonça Renan. Vous prendrez le volant, Guégan, je vous indiquerai le chemin.

Villa des Bart, même jour, même heure

Fantou et Daniel Masson étaient seuls dans le jardin de la villa. Assis sur un banc, à l'ombre de la haie de lilas, ils avaient discuté jusqu'à présent de banalités.

— Je suis toute désorientée de vous voir ici, confia soudain la jeune fille. J'avais l'impression stupide que vous ne pouviez pas quitter l'île de Molène.

— Ce n'est pas si stupide, j'en suis le premier surpris, répliqua-t-il avec un léger rire. J'ai vécu une véritable aventure, après des années à être resté cloîtré là-bas. Le plus déroutant était le roulis, en bateau. J'avais oublié la sensation. Katell vous imitait, en me décrivant ce qui nous entourait, mais elle est moins douée que vous, ma chère Fantou.

Il respira profondément, sensible à la tiédeur de l'air, au plus ténu parfum qu'exhalaient les fleurs des massifs, la terre humide. Une autre senteur le grisait, qu'il connaissait bien, une fragrance de lavande.

— Vous utilisez toujours cette eau de Cologne si fraîche, dit-il tout bas. N'en changez pas, elle vous va parfaitement.

Rose d'émotion, Fantou regardait les mains de l'aveugle, des mains de pianiste, longues, fines, racées. Elle brûlait d'envie de les toucher, de les embrasser.

— Que veut dire votre silence ? s'inquiéta-t-il. Fantou, j'espère que l'initiative d'Olivier n'est pas source de gêne pour vous. Il m'a invité à séjourner quelques jours à Locmariaquer, puisqu'il ne pouvait pas me rendre visite sur Molène. Il m'en informait dans son télégramme, un message assez long, grâce auquel j'ai appris la tragédie qui vous a frappées, votre mère, Lara et vous. J'en ai été très affligé. Je me suis souvenu de votre joie, lors de votre dernière venue chez moi, parce que votre père était vivant, et de retour dans son foyer. Combien vous devez souffrir ! Je me suis tourmenté durant le trajet en train, en songeant à votre grand chagrin. Alors, si une présence amicale peut vous consoler, je suis là, pauvre petite fille.

— Ne m'appelez pas ainsi, je vous en prie ! protesta-t-elle. Vous ne le faisiez pas, quand je séjournais sur l'île, même quand j'avais quatorze ou quinze ans.

— Pardonnez-moi, c'était affectueux. Vous êtes si jeune et si fragile encore.

En proie à une vive confusion, Fantou se pencha sur le chien, couché à ses pieds. Elle caressa Nérée, qui émit un jappement de satisfaction.

— Je suis content d'être là, poursuivit Daniel. D'autant plus que je pourrai vous dire au revoir, à tous les trois, avant votre départ pour le Venezuela.

Stupéfaite, Fantou n'eut pas le loisir de protester. Très vite, il ajouta :

— Hier soir, en nous raccompagnant à l'hôtel, Lara et Olivier m'ont annoncé qu'ils vous emmenaient là-bas. Et comme vous tenez à finir votre année scolaire, ils ont décidé de repousser le voyage au début du mois de juillet.

— Je l'ignorais, ma sœur ne m'en a rien dit, se rebiffa Fantou. Je devrais être la première informée. C'est inouï ! Olivier et Lara n'ont pas à m'imposer leur volonté. Je préfère rester en France, avec Rozenn, maman et Odilon.

Daniel percevait sa détresse. Il dit d'un ton persuasif :

— Lara vous adore, elle craint pour votre vie, à cause de ces crimes ignobles qui endeuillent le pays. Olivier m'a raconté la frayeur que vous avez eue, dimanche, par la faute du docteur. J'étais révolté, et même furieux que cet homme ait osé vous importuner. Vous serez en sécurité, dans leur domaine de Coro.

— Seigneur, c'est un comble ! s'insurgea-t-elle. Que savez-vous encore sur moi, Daniel ? De toute évidence, j'ai fait l'objet de discussions auxquelles j'aurais pu participer.

— Peut-être pas, nous avons évoqué vos soucis entre adultes, précisa-t-il, conscient qu'il la blessait de nouveau.

— Entre adultes, bien sûr, répondit-elle dans un souffle, ce que je ne suis pas, de l'avis général. Quel dommage, Daniel, j'étais très heureuse de vous revoir, mais j'ai dû faire erreur quelque part. Je vous pensais mon ami.

— Mais je le suis, Fantou, ou bien considérez-moi en grand frère, à l'occasion.

— Non, je ne pourrai jamais.

Un silence s'installa. Daniel Masson retardait le moment où il devrait décourager la jeune fille de l'aimer, ce que Lara l'avait supplié de faire. Fantou avait envie de s'enfuir, de courir droit devant elle, afin d'oublier sa déception, son humiliation.

— C'est bizarre, personne ne vient nous déranger, remarqua-t-elle tout à coup. On ne nous surveille pas ! Pourtant ma sœur m'a clairement signifié que je n'avais pas à demeurer seule avec vous, notamment à Molène. Daniel, quel mal y avait-il à ça, puisque Katell était là, dans la maison ? Tout était magnifique, je me sentais libre. Nous passions des heures au piano.

— J'étais enchanté de vous accueillir, concéda-t-il. Mais Olivier m'a laissé entendre que j'ai eu tort.

— Ah vraiment ? Il aurait dû s'organiser différemment, dans ce cas. Vous étiez le seul habilité à correspondre avec lui, et si j'avais une nouvelle importante à communiquer, je devais aller chez vous. Tout ceci me paraît insensé.

— Mon Dieu, que vous êtes nerveuse ! déplora-t-il d'un ton angoissé.

— Il y a de quoi. Ma sœur ne s'aperçoit pas que j'ai grandi, elle me surnomme encore son korrigan. Mon père nous a reniées avant de se supprimer. Olivier doit vivre de l'autre côté de l'océan pour échapper à ses ennemis, en nous prenant Lara et Loanne. Mais existent-ils encore, ces mystérieux ennemis ? Que lui a-t-on fait d'aussi grave ? Il pourrait rester en France, j'en suis sûre. On a voulu se venger de lui, à cause de son implication dans la Résistance. Mais la guerre est terminée depuis six ans. De toutes les façons, je ne suis pas concernée, je ne les suivrai pas. Ma vie sera ici, sous le toit de la villa des Bart, ou bien sur l'île de Molène. Comprenez-vous, cette fois, ce que j'éprouve ?

Daniel Masson était terrassé par cet aveu. Sans plus raisonner, il tendit une main vers le visage de Fantou, qu'il effleura.

— En effet, vous n'êtes plus une petite fille, murmura-t-il. Je le savais, surtout depuis ces derniers mois. Laissons de côté Olivier et ses problèmes. Votre sœur s'inquiète beaucoup, parce que vous auriez des sentiments pour le malheureux infirme que je suis. J'ai été flatté de l'apprendre, mais très ennuyé aussi. Fantou, si c'est la vérité, je suis désolé. Vous avez confondu la pitié et l'amour. Vous rencontrerez un jour un jeune homme digne de vous. Et même si je n'étais pas aveugle, je ne serais pas en mesure de vous aimer, à cause de notre différence d'âge, à cause du souvenir fervent que je garde de Rébecca, mon épouse.

Atteinte dans sa fierté et sa pudeur, Fantou se leva d'un bond. On l'aurait vue entièrement nue qu'elle n'aurait pas été plus horrifiée.

— Lara n'a pas pu me faire une chose pareille, balbutia-t-elle, des sanglots dans la voix. Pas elle, pas ma sœur !

— Fantou, attendez, appela Daniel, car il percevait le bruit de ses pas sur les graviers de l'allée.

Elle dévalait déjà les marches en ciment qui descendait sur la plage. De hautes vagues écumeuses brassaient les galets et des algues brunes, reculaient puis revenaient à l'assaut de la grève étroite.

— Je n'ai plus rien ! hurla Fantou, échevelée par le vent. Plus rien ! Papa est mort, ma sœur me trahit ! C'était mon secret, mon amour secret, et ils en ont discuté comme du caprice d'une gamine !

Le cœur brisé, en proie à un immense dégoût, elle se mit à courir. Le chien l'avait suivie et il l'escorta ainsi sur plus d'un kilomètre. Dès qu'elle s'estima à une distance suffisante de la villa, Fantou s'allongea dans un creux de la dune, essoufflée et épuisée. Nérée se coucha à ses côtés.

— Je voudrais partir le plus loin possible, dit-elle en pleurant. Ne jamais revoir Daniel, j'ai trop honte.

En dépit de sa volonté, l'image de l'aveugle se dessina dans son esprit, derrière l'écran de ses paupières closes.

« Son beau visage, ses cheveux blonds aux boucles souples, qui frôlent sa nuque, son corps mince, et ses mains, songea-t-elle. C'est lui que j'aime, personne ne sait à quel point. Et je l'ai perdu. »

Daniel Masson, pendant ce temps, avait réussi à regagner le seuil de la villa, en s'aidant de sa canne blanche. Le perron lui avait posé quelques difficultés, mais il était tellement déterminé qu'aucun obstacle ne l'aurait freiné.

Rozenn le vit entrer d'une démarche prudente dans le vestibule. Elle se précipita vers lui.

— Monsieur Masson ! Vous êtes seul ?

— Madame Bart ? Je reconnais votre voix.

— Où est Fantou ?

— Je ne sais pas, elle s'est enfuie. J'espérais qu'elle était là, avec vous. J'ai été d'une maladresse lamentable. Il faut avertir Lara.

— Calmez-vous, monsieur, et dites-moi ce qui est arrivé.

Dans un élan instinctif, Rozenn prit le bras de l'infirme. Elle avait eu le temps d'apprécier son instruction et son intelligence, au cours du dîner de la veille, qui avait réuni les Kervella, Lara et Olivier, ainsi qu'Armeline, Fantou, Odilon et elle.

— Lara doit partir à la recherche de Fantou, insista Daniel. Ce serait délicat de vous confier pourquoi.

— Je crois le savoir, soupira Rozenn. Hélas, mon frère vient de partir avec Armeline, Lara et Loanne en fourgonnette. Votre gouvernante les a accompagnés, elle désirait faire des achats au Grand Bazar. Mais le commissaire Renan et un gendarme sont dans le salon, avec Olivier et ses parents.

Désemparé, le jeune homme secoua la tête. Il s'adressait de lourds reproches, sans pouvoir l'avouer à Rozenn.

— Fantou ne doit pas être très loin, murmura celle-ci. J'ai fait du café, en voulez-vous une tasse ?

— Volontiers, madame.

— Appelez-moi Rozenn.

— Vous avez une voix très douce, musicale, Rozenn.

Elle le guida vers la cuisine, soulagée à l'idée que cet homme ne pouvait pas voir sa face écarlate. C'était la première fois où elle se sentait détendue envers un visiteur.

— Fantou vous aime, chuchota-t-elle. Je ne lui ai jamais posé de questions, afin de respecter son doux secret, pourtant je l'avais deviné il y a longtemps. Lara s'en est aperçue récemment.

— Si seulement je pouvais répondre à son amour, si j'étais plus jeune, si j'avais le bonheur de la contempler, se désola Daniel. Hier soir, au bar de l'hôtel, Lara m'a demandé de décourager Fantou, de jouer les grands frères, et j'ai obéi, sans mesurer le chagrin que je lui causerais. Je vous en prie, il faut la retrouver, elle doit être tellement triste.

— Attendez-moi ici, je vais la ramener, je vous le promets. Elle doit marcher au bord de la mer.

Olivier, assis dans le canapé du salon, aperçut Rozenn qui traversait le vestibule. Il n'y prêta guère attention, absorbé par les paroles du commissaire.

— Je doute fort que Bacquier puisse être le tueur, disait Renan. Mais sa désinvolture, ses regards hautains m'ont déplu. Et un point me tracasse, il était interne à Lille, une ville très proche de la Belgique, où doit se cacher le dénommé Barry, l'acolyte de Malherbe. Bizarrement aussi, il succède au docteur Deville, un grand ami de l'ancien maire. De surcroît, sa conduite envers Fantou m'a fait penser aux manœuvres de séduction déployées par Gildas Sauvignon, même si ce dernier s'était montré plus subtil.

— Vous supposez que Bacquier ferait partie de ceux qui tentent de me nuire ? hasarda Olivier. Si c'était le cas, il s'en prendrait à Lara, ma compagne, et non à sa sœur.

— Allez savoir, bougonna Jonathan Kervella. On peut s'attendre à tout. Et à propos, commissaire, avez-vous retrouvé les voyous qui ont volé et saccagé ma Delage ? J'ai la conviction que ces jeunes types ont agi sciemment, qu'ils en voulaient à mon fils.

— Jonathan, pitié, j'en ai des frissons, se plaignit son épouse.

Madeleine jeta un regard affolé à son mari, puis elle se tourna vers Malo Guégan, qui assistait à l'entretien. Le gendarme était debout près de la baie vitrée.

— Asseyez-vous, jeune homme, lui proposa-t-elle.

— Non, vous êtes très aimable, madame Kervella, mais je suis en service.

— Madeleine, tu l'embarrasses, marmonna Jonathan. Où en étions-nous ?

— Vous me rappeliez la perte de votre luxueuse automobile, monsieur, ironisa Nicolas Renan. Quant à moi, j'ai toujours deux enquêtes à mener de front, et les deux sont malheureusement au point mort. De plus, la mort de Livia Menti relance le débat dans la presse, les journaux nous accusent de ne rien faire.

De la cuisine, Daniel Masson pouvait les écouter, sensible aux nuances de voix des uns et des autres. Il perçut ainsi des fausses notes dans les exclamations de Madeleine, une peur larvée chez Jonathan. Le policier lui faisait l'effet d'un homme méfiant, sur le qui-vive, doté par ailleurs d'une sensibilité à fleur de peau.

« Je suis impoli, en suivant leur discussion sans me montrer, se dit-il. Autant les rejoindre. »

Son apparition, sur le seuil de la grande pièce, stupéfia Olivier. Ne voyant près de son ami ni Fantou ni Rozenn, il se leva pour l'accueillir et le guider vers un siège.

— Daniel, que fais-tu ici, tout seul ? demanda-t-il. As-tu parlé à Fantou ? Où est-elle ?

— Je l'ignore, Olivier. J'ai suivi les conseils de Lara, j'ai joué les vieux barbons moralisateurs, et elle s'est enfuie. Je ne me le pardonnerai pas s'il lui arrive malheur. Mme Bart est partie à sa recherche.

Le commissaire Renan éprouva un sérieux pincement au cœur. On lui avait assuré que Fantou se trouvait dans le jardin avec Daniel Masson.

— Mais c'est n'importe quoi ! s'indigna-t-il. Guégan, allez sur la plage. Je prends ma voiture et je longerai la route.

Un vent de panique souffla dans le salon. Madeleine entraîna son époux dehors.

— Rendons-nous utiles, Jonathan, décréta-t-elle. Cherchons aussi. Nous irons en Panhard dans la direction opposée à celle du commissaire.

Olivier étouffa un juron en voyant sortir ses parents. Il n'y avait plus que l'aveugle et lui dans la pièce.

— Je suis sincèrement navré, Daniel, avoua-t-il tout bas. C'est ma faute. Tu dois le savoir, c'était mon idée, pas celle de Lara. Mon initiative la rebutait, pourtant elle a fini par céder et j'ai préféré qu'elle t'en parle, en ayant le rôle de la grande sœur inquiète. Je voulais protéger Fantou d'elle-même, mais surtout te protéger, toi, t'éviter de souffrir, si par malheur tu t'attachais à cette jeune fille.

— Eh bien, c'est un échec ! répliqua Daniel. Tu nous as fait souffrir tous les deux, Fantou et moi. Ni Lara, ni toi ne savez rien de nos relations. Comme par miracle, dans ma nuit, une fée s'est penchée sur mon désespoir, dont la voix douce, exquise, suffisait à mon bonheur.

— Tu es amoureux ?

— Oui, follement amoureux.

— Mais ça te mènera où, cet amour ? s'exaspéra Olivier. Tu es un incorrigible romantique. Je pense que tu aurais succombé au charme de n'importe quelle femme passant du temps avec toi. Daniel, sois rationnel. Fantou aura dix-sept ans en juillet, tu en as trente-deux ! Elle était trop seule sans Lara, elle s'est inventé une belle histoire.

— Et toi, Olivier, tu ne t'es jamais raconté d'histoire ?

Furieux, Daniel s'écarta un peu de son ami. Il tâtonna du bout de sa canne, en quête d'un siège. Il était humilié et blessé à son tour, ramené à sa condition d'infirme par celui qu'il considérait comme un frère.

— Tu pourrais te montrer plus compréhensif, Olivier, et moins cruel. Après tout, je t'ai sacrifié mes yeux. Si j'en suis réduit à ce déplorable sort, c'est pour que tu vives, que tu puisses aimer !

Ces terribles mots lui avaient échappé, ce dont il eut honte aussitôt.

— Enfin tu l'admets ! s'écria Olivier, touché en plein cœur. Je suis soulagé que tu l'aies dit, que tu m'accuses.

— Pardonne-moi, je n'aurais pas dû parler ainsi, j'étais en colère. Tu n'as rien fait de mal, à l'époque.

— Sans doute, mais tu as payé à ma place. C'est moi que la Gestapo devait arrêter et torturer.

Olivier tremblait de tout son corps. Il était à bout de nerfs. Soudain il tomba à genoux devant Daniel et lui saisit les mains.

— Je m'en voudrais jusqu'à mon dernier jour, confessa-t-il. Tu serais le seul en droit de te venger.

— Tais-toi ! Qu'est-ce que tu insinues ? Me penses-tu capable d'être de ceux qui ont cherché à détruire ton âme, ta bonté ?

— Non, je te le jure, Daniel, mon ami, mon frère. Je regrette d'être rentré en France, de t'avoir obligé à quitter Molène. Rien n'aurait changé pour toi, ni pour moi. Depuis notre arrivée, les tragédies s'enchaînent. Maintenant, à cause de ma bêtise, de ma vanité, Fantou est encore plus malheureuse qu'elle ne l'était déjà.

Apitoyé, Daniel étreignit brièvement les doigts d'Olivier.

— Relève-toi, ordonna-t-il. Si tu veux me rendre un service, pars toi aussi chercher Fantou. Mme Bart semblait sûre de la trouver sur la plage, mais elles ne reviennent pas. Le policier avait peur, je l'ai senti dans sa voix. Va vite.

— Je la ramènerai, Daniel.

Port de Locmariaquer, même jour, même heure

Odilon Bart avait coutume de se garer à proximité du port, où il achetait souvent du poisson aux marins-pêcheurs, quand ils accostaient. Cet après-midi-là, il discutait avec l'un d'eux, qui lui proposait des limandes et des églefins.

Tout en marchandant le prix, par habitude, le retraité scrutait régulièrement la foule, dans l'espoir de reconnaître Armeline. Il dissimulait avec soin la joie qu'il éprouvait, certain désormais qu'elle demeurerait à la villa, auprès de sa sœur et de lui.

— Nous avons du monde à table, en ce moment, expliquait-il à son interlocuteur.

— Monsieur Odilon !

Il identifia sans peine la voix qui l'appelait. Lara accourait, très pâle, son regard noir trahissant de l'affolement.

— Il y a un souci ? lui demanda-t-il.

— Je vous en prie, je dois emprunter la fourgonnette, murmura-t-elle en l'entraînant vers le véhicule. J'ai confié Loanne à maman et à Katell. Elles vont boire une limonade au Café du Port. Allez les rejoindre, j'enverrai M. Kervella vous récupérer.

— Vas-tu me dire ce qui se passe, Lara ? Tu me fais peur, là !

— J'étais à la caisse du Grand Bazar, lorsque j'ai vu la femme au voile rouge ? Elle me fixait d'un air dur, presque menaçant, et j'ai cru lire sur ses lèvres le prénom de ma sœur. Il s'est produit un drame, j'en suis sûre.

— Alors, vas-y, mais sois prudente, ne roule pas trop vite !

Lara grimpa sur le siège du petit camion bleu et actionna le démarreur d'un geste nerveux. Cinq minutes plus tard, elle roulait sur la route de Guilvin.

Fantou, transie et épuisée, se cramponnait au corps-mort[1] du plus proche voisin des Bart. L'homme devait être sorti en mer, puisque sa barque n'était pas à l'amarre.

---

1. Terme de marine qui désigne une dalle de béton ou un objet pesant, posé au fond de l'eau et relié par un filin ou une chaîne à une bouée, pour que les bateaux puissent s'y amarrer.

— Au secours, gémit-elle.

Les vagues la harcelaient, fouettaient son visage, parfois si violemment qu'elle en avait le souffle coupé. La houle soulevait son corps, le malmenait, comme pour lui faire lâcher prise. La jeune fille regrettait amèrement son coup de folie, qui l'avait poussée à nager droit devant elle, le plus loin possible.

« Je ne peux pas revenir sur la plage, la marée descend, je n'ai plus la force de lutter contre le courant, se dit-elle. Pauvre Nérée, il n'a pas dû comprendre. »

Le chien s'était jeté à l'eau pour la suivre, mais Fantou lui avait ordonné de retourner à la villa. Il s'obstinait à nager derrière elle, maintenant avec peine sa grosse tête blanche à la surface. Par crainte de le voir se noyer, elle avait dû hurler afin de se faire obéir. De retour sur la grève, l'animal s'était couché sur le sable grossier, haletant. Une fois reposé, il avait commencé à aboyer.

Rozenn l'avait entendu, malgré le vent et le grondement de la mer. Elle venait d'arriver près de lui, tout essoufflée.

— Seigneur ! Où est Fantou ? marmonna-t-elle en caressant Nérée. Tu es trempé !

Malade d'anxiété, Rozenn regarda autour d'elle, du côté de la dune, vers l'amorce d'une falaise. Les mouettes lançaient leurs cris aigus, en sillonnant le ciel couvert de nuages couleur de plomb.

— Elle n'aurait pas fait ça, quand même, dit-elle tout bas. Pas Fantou, mon petit ange !

Le déferlement des lames crénelées d'écume lui cachait la bouée du corps-mort et la rescapée qui s'y accrochait avec l'énergie du désespoir.

— Mon Dieu, sauvez-la, se lamenta Rozenn, aveuglée par des larmes de panique. Nérée, cherche Fantou !

Le chien se remit à aboyer de toutes ses forces, en direction du large. Un appel retentit, en provenance d'un chemin creusé dans la dune. Nicolas Renan déboula en courant.

— Je l'ai vue, annonça-t-il. Elle est là-bas, sûrement vivante, sinon elle aurait coulé. Elle s'accroche à une bouée.

— Mais où l'avez-vous vue, comment ?

— De là-haut, on domine les vagues, précisa-t-il en désignant un pan de falaise. Je m'étais garé, car j'entendais le chien.

— Il nous faut un bateau, et tout de suite, se lamenta Rozenn.

— Où se trouve celui de votre frère ?

— Au bassin de radoub[1], il y avait une avarie sur la coque.

Ni le commissaire ni Rozenn ne comprirent par quel prodige Olivier accourut à son tour.

— J'ai fait le trajet à vélo en surveillant la mer. Je sais où est Fantou.

Il se tut, occupé à ôter son pantalon et sa chemise. Il s'élança dans l'eau, qu'il ne tarda pas à fendre d'un crawl frénétique.

— Il est fou, pesta Renan.

— C'est un excellent nageur, commissaire, Lara me le disait encore avant-hier.

— Il pourra sans doute parvenir jusqu'à la bouée, mais il aura des difficultés à la ramener. Réfléchissez, Rozenn, qui pourrait mettre à la mer un bateau à moteur, dans le voisinage ? On doit les sauver, tous les deux.

— Reprenez votre voiture et allez sur le port alerter le garde-côte. Il est équipé, il arrivera peut-être à temps, balbutia-t-elle.

Lara, sans soupçonner une seconde la gravité de la situation, entrait dans la villa. Elle avait laissé la fourgonnette au bord de la route, pour repartir rapidement

1. Réparation d'un bateau qui est mis en cale sèche.

si c'était nécessaire. Daniel était toujours assis dans le salon.

— Fantou ? Rozenn ? cria-t-il, dès qu'il perçut un bruit de pas dans le vestibule.

— Non, c'est moi, Lara !

Elle s'approcha du fauteuil où l'infirme se morfondait, les doigts crispés sur les accoudoirs.

— Que s'est-il passé ? Où est ma sœur, Daniel ? Et Rozenn, Olivier, ses parents ?

— Je n'en sais rien, mais je suis terrifié, répondit-il d'une voix altérée par l'émotion. J'ai eu tort de vous écouter, de consentir à briser le cœur de Fantou, et vous avez eu tort, Lara, de vous plier à la volonté d'Olivier. Il m'a tout avoué.

— Je m'en veux beaucoup, Daniel !

— Vous perdez du temps à discuter, je vous en prie, il vaut mieux chercher Fantou, vous qui le pouvez. Moi, je suis là, à ruminer mon incapacité à me déplacer seul.

— Je suis désolée, vraiment désolée, je vous laisse.

La gorge nouée, la poitrine broyée dans un étau, Lara se rua dans le jardin. Elle rêvait de surprendre la silhouette blonde de sa sœur parmi les bosquets de rhododendrons, ou de la voir apparaître dans la cour, le chien sur ses talons.

— Qu'est-ce que j'ai fait ? murmura-t-elle. J'aurais dû m'opposer à Olivier, Daniel dit vrai.

Ses pensées se bousculaient, empreintes de remords. Après avoir abandonné Fantou pendant plus de trois ans, elle la trahissait, sans tenir compte de sa pudeur, de son orgueil.

— Fantou, mon korrigan, reviens, supplia-t-elle.

D'instinct, comme attirée par la mer dont la rumeur lui parvenait, Lara descendit l'escalier en ciment. Une fois sur la plage, elle observa les environs. Un gendarme approchait, son képi en main, car le vent soufflait fort.

— Malo ? Que faites-vous là ?

— Le commissaire m'a envoyé à la recherche de votre sœur. J'ai marché jusqu'au port puis j'ai fait demi-tour. Je n'ai pas vu de traces de pas dans le sable.

— Alors Nicolas Renan était à la villa ? s'étonna Lara, dont le cœur cognait à se rompre.

— Oui, il venait justement pour parler du docteur Bacquier, qu'il a interrogé aujourd'hui. Mais quand il a su que votre sœur était partie, le commissaire a pris sa voiture pour longer la côte, M. et Mme Kervella aussi, dans la direction opposée.

Lara approuva en silence. Une atroce frayeur l'envahissait.

— Si vous pouviez rentrer à la villa, Malo, un de nos amis est seul et très inquiet, hasarda-t-elle. Il est aveugle.

— Je l'ai croisé dans le salon, il semblait anxieux. J'y vais, mademoiselle. J'espère qu'il n'est rien arrivé de grave à votre sœur.

— Merci, Malo.

Il grimpait les marches en toute hâte lorsque Lara vit la vedette à moteur des garde-côtes se diriger vers l'ouest, en franchissant de grosses vagues. Elle se mit à courir sur le sable mouillé, pour ne pas trébucher sur les galets. L'image de la femme au voile rouge l'obsédait, son expression dure, les mouvements de ses lèvres qui articulait « Fantou est en danger ».

— Pitié ! hurla-t-elle. Mon Dieu, rendez-moi ma sœur saine et sauve !

Olivier soutenait Fantou par la taille d'une main, et s'accrochait de l'autre au filin du corps-mort.

— Je vais te ramener sur la plage, affirma-t-il. Je me repose un peu, ensuite on y va.

— Tu ne pourras pas, la marée descend, le courant est trop fort, chuchota-t-elle, prête à sombrer dans l'inconscience.

Elle avait les lèvres bleues, le teint livide. Ses longs cheveux blonds, à peine assombris par l'eau, dansaient au gré des vagues. Seule sa tête émergeait, et son visage ruisselait, chaque fois qu'une lame les heurtait.

— Pardonne-moi, Fantou, murmura-t-il en l'attirant contre lui. Tout est ma faute, Lara n'a pas osé me contrarier.

— Je m'en moque, je ne veux pas mourir, pas déjà, geignit-elle en fermant les yeux. Et toi non plus, tu ne dois pas mourir à cause de moi. Lara serait si malheureuse.

Sa voix faiblit sur ce dernier mot. Olivier s'affola, car elle ne luttait plus et ses mains glissaient autour de la bouée. Il lâcha le filin pour l'empêcher de couler, en la saisissant à pleins bras.

— Fantou, du cran, n'abandonne pas ! On vivra tous les deux, tu entends ? Réponds !

Il décida d'entreprendre le périlleux trajet du retour. Comme la jeune fille clignait des yeux, il l'exhorta à suivre ses conseils.

— Allonge-toi sur l'eau, je te tiendrai sous le menton, je nagerai la brasse.

— Non, laisse-moi, tant pis.

— Tu délires, Fantou, il faut m'aider, fais ce que je te dis.

Au fond de lui, Olivier doutait de réussir. Le vent soufflait, les vagues refluaient avec puissance. Ils seraient entraînés vers le large, même s'il déployait des efforts surhumains. Mais le bruit caractéristique d'un moteur lui redonna espoir.

— Un bateau arrive ! hurla-t-il en se cramponnant de nouveau au filin du corps-mort. Je te tiens, Fantou, courage.

La vedette les avait repérés. Les garde-côtes effectuèrent un large cercle au ralenti, afin de s'approcher le plus possible de la bouée. L'un d'eux lança un cordage à Olivier, qui levait le bras.

— La mer est mauvaise, aujourd'hui ! s'égosilla l'homme. Il ne fallait pas se baigner.

Infiniment soulagé, Olivier accepta le reproche d'un signe de tête. Bientôt on les hissait tour à tour à bord. Un des hommes enveloppa Fantou dans une couverture. Elle n'avait pas perdu connaissance, mais faisait peine à voir, hébétée, assise à l'arrière du canot.

— Ma belle-sœur s'est montrée imprudente, concéda-t-il en souriant à leurs sauveurs. J'ai voulu l'aider, mais je n'aurais pas pu la ramener. Je vous remercie de tout cœur. Qui vous a avertis que nous étions en difficulté ?

— Le policier de Vannes, celui qui enquête dans le pays depuis un sacré bout de temps, précisa un des hommes, le plus âgé.

Ils reprirent la direction du port, sans échanger d'autres paroles, assourdis par le vrombissement du moteur et les sifflements du vent.

Sur le quai, Nicolas Renan guettait le retour de la vedette. Il respira à son aise en apercevant la jeune fille, blottie contre Olivier.

Villa des Bart, 18 heures

Lara veillait sur le sommeil de sa sœur. Séchée et frictionnée à l'eau de Cologne, une bouillotte sous les pieds, Fantou dormait depuis plus d'une heure lorsqu'elle se réveilla brusquement, l'air épouvanté.

— Tout va bien, mon korrigan, dit tout bas Lara en lui prenant la main. Tu es en sécurité.

— J'ai fait un cauchemar. Olivier se noyait, je ne pouvais pas le secourir, il coulait, l'eau était verte, glacée.

— C'est normal, tu as dû avoir si peur, pour toi et pour lui.

— Un des garde-côtes m'a sermonnée, il disait que j'avais mis la vie de mon beau-frère en danger.

Fantou se redressa sur ses oreillers. Elle osait à peine regarder Lara, tant elle était gênée.

— Tu aurais pu mourir, murmura celle-ci. J'en serais devenue folle de chagrin. Pourquoi as-tu nagé aussi loin ?

— J'étais furieuse, exaspérée, mais surtout humiliée, parce que Daniel connaissait mes sentiments. C'était mon secret. Peux-tu imaginer ce que j'ai éprouvé ? Il me traitait en fillette, évoquait son épouse, Rébecca. Vous aviez étudié mon cas entre adultes, voilà ce que j'ai entendu. Olivier s'accuse de tout, mais à la base, c'est toi qui en as discuté avec lui, et il a décidé de s'en mêler. J'étais désespérée, Lara, car tu m'avais trahie !

Fantou décocha un coup d'œil plein de rancune à Lara qui détourna la tête, au bord des larmes.

— Je suis désolée. Nous avons eu tort tous les deux, plaida-t-elle. Si tu m'avais avoué que tu étais amoureuse à ce point, je n'aurais rien dit à Olivier. Je pensais à un élan de compassion, une toquade comme on peut en avoir à ton âge.

— Et toi, quel âge avais-tu quand tu as rencontré Olivier ? Un an de plus que moi. Tu as pourtant su tout de suite qu'il serait l'amour de ta vie. Tu me l'as assez répété. Alors, écoute bien, Lara, dès le premier soir sur l'île de Molène, dans la maison de Daniel, j'ai ressenti ce que l'on appelle un coup de foudre. Souviens-toi, après le dîner de Noël, nous sommes allées ensemble sur le quai. J'étais sur un nuage, mon cœur battait délicieusement, car j'avais trouvé l'homme que je voulais.

— Mais tu étais encore une enfant, Fantou !

— Peut-être, mais je n'avais aucun doute.

— Tu devrais en avoir, à présent. Qu'espères-tu ? Te marier avec un homme plus âgé et infirme ? Sacrifier ton avenir, ta jeunesse ? Toi seule m'importes, aussi je m'en voudrais de ne pas te mettre en garde.

— Sois tranquille, Daniel se moque bien de mes sentiments. Il m'a également appris, ce que j'ignorais, qu'Olivier et toi, vous repoussiez votre départ, pardon notre départ pour le Venezuela, dans la louable intention de me laisser finir mon année scolaire. Tu comptes m'emmener de force ?

— Si tu veux qu'on te traite en adulte, ne fais plus l'enfant, la tança Lara. Tu as été terrifiée par l'attitude du docteur Bacquier, n'est-ce pas ? Eh bien, moi aussi j'ai peur, une peur affreuse. Si le tueur s'en prenait à toi, en septembre ou l'an prochain, pendant que je suis à des milliers de kilomètres… Je veux t'avoir à mes côtés, te faire découvrir un pays magnifique.

Fantou haussa les épaules, les bras croisés sur sa poitrine. Cependant elle parut se radoucir.

— Alors je t'ai manqué pendant ces trois ans et cinq mois ? insinua-t-elle avec un demi-sourire.

— Oui, matin et soir ! J'aurais savouré deux fois plus le climat et les beautés du Venezuela en ta compagnie. Fantou, je t'aime très fort. Si tu savais combien j'ai eu peur de te perdre, cet après-midi. Je courais à toute vitesse sur la plage, je voyais la vedette des garde-côtes avancer, et je priais pour te retrouver vivante, où que tu sois. La femme au voile rouge m'est apparue, dans le Grand Bazar, j'ai lu un avertissement sur ses lèvres et il te concernait. Alors j'ai emprunté la fourgonnette, et j'ai fini par rejoindre Rozenn en bas de la dune. Nous avons pu assister de très loin à votre sauvetage.

Exaltée, Lara couvrit la main de sa sœur de petits baisers. Attendrie, Fantou confia tout bas :

— J'étais furieuse, malheureuse, je pensais à papa, à son suicide qui m'a révoltée. J'étais de plus en plus nerveuse, alors j'ai décidé de nager, pour me calmer. Mais j'ai causé du souci à tout le monde, à Rozenn, à Olivier, à Nicolas. Il m'a caressé la joue, quand on m'a transportée du bateau à sa voiture.

— Le commissaire Renan t'apprécie beaucoup. Il a dû partir, mais il reviendra te voir demain. Maman a failli faire un malaise, en apprenant ce qui s'était passé. Et Katell s'est mise à pleurer. Je leur ai confié Loanne, pour rester à ton chevet.

On frappa à la porte. Rozenn entra sur la pointe des pieds. En voyant Fantou du rose aux joues, le regard étincelant, elle fut totalement rassurée.

— Tu vas mieux, ma petite ! Je ne vous dérange pas longtemps, dit-elle en souriant. Lara, Mme et M. Kervella s'en vont, ils dorment à leur hôtel ce soir, et ils prendront la route pour Dinard tôt le matin. Ils voudraient te dire au revoir. Et ils t'envoient leurs amitiés, Fantou.

— En es-tu certaine ? J'ai mis la vie de leur fils en danger, ils doivent me juger sévèrement.

— Une jeune fille a le droit de se baigner, de nager un peu trop loin et d'avoir une crampe, c'est la version d'Olivier, précisa Rozenn à mi-voix. Ta mère te prépare un bon potage de légumes pour le dîner. Et mon frère fera griller du poisson. Il faut que tu reprennes des forces.

— Tu es si gentille, déclara Fantou. Odilon et toi, vous êtes mes grands-parents, je vous ai adoptés.

Très émue, Rozenn embrassa le front de la jeune fille, puis elle sortit, précédée par Lara qui laissait sa sœur à contrecœur. Olivier et Daniel semblaient les attendre, sur le palier.

— Je souhaite parler à Fantou, dit l'aveugle d'un ton ferme.

— Bien sûr, je vous accompagne, proposa Rozenn sans hésiter.

— Est-ce le bon moment ? protesta Lara. Il faudrait demander son avis à Fantou.

Olivier s'interposa. Un éclat insolite brillait dans ses yeux bleu nuit. Il prit la main de sa compagne.

— Descendons, ma chérie, mes parents sont sur le départ, et Loanne te réclame.

Peu après, Fantou perçut de légers tapotements sur le parquet, ainsi qu'une respiration rapide. Elle s'était rallongée, le drap remonté jusqu'au menton.

— Qui est là ? s'écria-t-elle en se retournant. Daniel ? Non, je vous en prie, sortez, je suis fatiguée.

Guidé par sa voix tremblante, il avança vers le bout du lit. Ses mains s'agrippèrent au montant en cuivre.

— Je ne sortirai pas sans vous avoir dit la vérité, Fantou. Elle est si simple, je vous aime de tout mon être.

10

Une brève accalmie

Villa des Bart, même soir, même heure

Fantou tournait dans son esprit les derniers mots de Daniel, sans pouvoir y croire. Il avait dit « je vous aime de tout mon être », avec un accent de sincérité dont elle ressentait encore la douce vibration. Il se tenait au bout du lit, sans faire un geste, comme s'il attendait un verdict. Elle devina, à l'altération de ses traits, qu'il était violemment ému.

— Mais de quelle façon m'aimez-vous ? se défendit-elle d'une voix tremblante. Si vous faites allusion à l'affection d'un grand frère pour une petite sœur, de passage dans votre vie, ça ne m'intéresse pas. Je croyais aussi que vous vénériez le souvenir de votre épouse, au point de dédaigner les autres femmes !

— Vous m'avez très bien compris, Fantou, répliqua-t-il.

Toujours à l'aide de sa canne, l'aveugle se mit en quête d'un siège. Il prit place sur la chaise qu'occupait Lara auparavant, calée contre le montant du lit. La respiration précipitée de la jeune fille faisait écho aux battements fous de son propre cœur.

— Peut-être dites-vous ceci pour me consoler, protesta-t-elle faiblement. Cet après-midi, dans le jardin, je tiens à le dire, j'ai eu l'abominable impression d'être dépouillée d'un précieux viatique, mon cher secret depuis plus de trois ans. J'ai imaginé la scène où ma sœur et vous discutiez de mes sentiments du haut de votre statut d'adultes, en les comparant à un caprice ou à une toquade de gamine exaltée. J'ai été humiliée, blessée.

— Au point de vouloir mourir ? insinua Daniel. Concevez-vous le chagrin que j'aurais eu, si vous aviez disparu par ma faute ?

— Je n'avais pas envie de me noyer, rétorqua Fantou. Pas un instant, je n'ai songé à mourir, vous vous trompez. J'espérais seulement apaiser mes nerfs, mon désespoir et aussi lutter contre quelque chose de tangible. La mer était mauvaise, mais au moins je l'affrontais de mon plein gré. Après tous ces mois où j'étais privée de ma sœur, après avoir subi le comportement irrationnel de mon père, sa cruauté, c'était presque rassurant de sentir la violence des vagues, d'avancer malgré cette force invincible.

Daniel hocha la tête, touché d'entendre cette confession qui lui dévoilait une nouvelle Fantou, dont le caractère passionné le fascinait.

— Vous étiez tellement douce et discrète, pendant vos séjours chez moi, déclara-t-il. Je me croyais aux bons soins d'un ange, d'une fée. Mais en vérité, vous avez un tempérament de feu.

— Alors je mérite le surnom de korrigan, que Lara m'a donné.

— J'en doute, ces lutins sont dépeints comme des nains au physique ingrat, souvent animés de méchantes intentions envers les mortels. Et à ce propos, pourquoi votre sœur vous appelle-t-elle ainsi ? Je me suis souvent posé la question.

Le sujet faisait diversion. Fantou s'empressa de répondre d'une voix moins tendue.

— En fait, ça date de ma naissance. Lara avait sept ans et son enfance avait été bercée par le récit de nos vieilles légendes bretonnes, grâce à notre arrière-grand-mère. On lui a présenté le bébé nouveau-né, moi en l'occurrence, et ma sœur m'a trouvée très vilaine. Il paraît que j'étais fripée, les traits marqués. De plus je pleurais vigoureusement, en grimaçant. Elle s'est exclamée : « On dirait un petit korrigan ! » Ce surnom est resté, et j'aimais bien être comparée à ces lutins malicieux, même s'ils avaient la réputation d'être laids et redoutables.

L'aveugle tendit la main pour tâtonner le couvre-lit. Il finit par s'emparer de la main de Fantou.

— Vous êtes très belle, maintenant, dit-il tout bas. Je n'ai pas besoin de mes yeux pour le savoir. Certes, Olivier vous a décrite de manière détaillée, ainsi que Lara, mais certaines beautés viennent également de l'âme.

— Daniel, vérifiez-le, murmura-t-elle, soudain pleine d'audace.

Elle s'approcha de lui, en guidant ses doigts vers son visage. Il se prêta à l'exercice, dont il avait tant rêvé, au cours de leur soirée sur l'île de Molène, tous deux assis au piano. Du bout des doigts, il caressa les joues de Fantou, suivit l'arête délicate de son nez, effleura son menton, le modelé de son front. Puis il joua avec ses cheveux lisses, qui n'étaient pas tout à fait secs.

— Vous deviez ressembler à une sirène, quand Olivier vous a retrouvée, une merveilleuse sirène en perdition. Fantou, j'aurais tant voulu être votre sauveur, ou bien me noyer en vous tenant serrée dans mes bras.

— Ce serait beaucoup plus agréable de vivre blottis l'un contre l'autre, murmura-t-elle. Daniel, je vous aime de tout mon être.

Fantou posa ses lèvres sur la bouche du jeune homme. Elle n'avait jamais donné ni reçu de baisers et fit à son idée, un peu maladroitement. En homme expérimenté, Daniel se montra plus talentueux, mais il recula sans brusquerie, afin de résister au désir qui déferlait en lui.

— J'ai été ébloui par les somptueuses couleurs du bonheur, confessa-t-il.

— Vraiment ?

— Oui, ma petite fée.

Un profond soupir échappa à Fantou. D'un geste fébrile, elle s'empara à nouveau des mains de Daniel pour les embrasser, puis les presser sur sa poitrine.

— Sentez-vous comme mon cœur bat fort ? demanda-t-elle dans un souffle. Si vous m'aimez, j'oublierai tout, l'absence de Lara, le suicide de papa. Je vous en prie, Daniel, emmenez-moi, allons passer l'été sur Molène, rien que nous deux… et Katell, bien sûr.

— Et le lycée ? De plus, il me faudrait l'accord de votre mère. Ma chérie, vous n'êtes pas majeure, loin de là.

— Au diable les conventions, et même mes études !

— Ne citez pas le diable, par pitié. Je ne crois pas à l'existence de Satan, mais la terre abrite des démons humains, trop contents si on évoque leur prétendu maître.

Désorientée, Fantou demeura muette un instant. Il en profita pour la raisonner.

— Nous aurons une sérieuse discussion avec votre mère et votre sœur, dit-il tendrement. Si vous êtes autorisée à séjourner chez moi, je vous accueillerai avec une joie infinie. Mais je me fais des illusions. Au début du mois de juillet, vous devez partir pour le Venezuela.

— Je n'en ai pas l'intention, Daniel. Je pourrais me séparer de maman, de Rozenn et d'Odilon, mais pas de vous. J'ai failli vous l'avouer, cet après-midi.

— Sur l'île, vous serez en sécurité, le monstre qui tue les jeunes filles de notre pays n'ira pas là-bas, hasarda-t-il.

— Nous parlons trop, trancha Fantou. Je vous en prie, encore un baiser, avant qu'on vienne nous déranger.

Daniel fut ravi de lui obéir. Cette fois, il l'enlaça, bouleversé d'étreindre son corps mince. Il sut apprivoiser sa bouche, en attisant le timide plaisir qu'elle éprouvait. Lorsque trois petits coups heurtèrent la porte de la chambre, ils s'écartèrent vite l'un de l'autre, en riant d'exaltation.

— C'est Rozenn, annonça-t-on. J'ai monté un plateau pour notre rescapée.

— Entre, je suis affamée, répondit Fantou.

Elle trônait au milieu du lit, adossée à de gros oreillers, la mine si radieuse que Rozenn devina tout de suite ce qui s'était passé. Loin de s'en inquiéter, comme le faisait Lara, elle songea à la singulière puissance du destin, capable de réunir deux âmes sœurs, promises l'une à l'autre depuis toujours.

Quelque part dans le Morbihan, même soir

L'homme était assis dans un confortable fauteuil en cuir fauve, près d'une monumentale cheminée en marbre, ornée d'un blason et de fioritures de style Renaissance, sculptées dans la pierre. Malgré la saison, un feu brûlait dans l'âtre. Les flammes éclairaient la colossale plaque en fonte représentant une scène de chasse à courre.

— C'est l'heure, Monsieur, indiqua un domestique en livrée bleue à passementeries dorées, une tenue démodée mais neuve, cependant.

— Très bien, Jonas. Il était temps, je m'impatientais.

Le dénommé Jonas actionna un système dissimulé dans une des boiseries en chêne. Un panneau, qui supportait une étagère garnie de livres, pivota sur un axe invisible, pour donner accès à un couloir. L'homme s'y engouffra d'une démarche féline. Tout vêtu de noir, il fit irruption dans une pièce voûtée, aux murs taillés dans le rocher. Les bougies d'un chandelier y dispensaient une luminosité dorée.

Une femme d'environ trente ans s'inclina devant lui, ainsi qu'un personnage au crâne rasé, au faciès impassible.

— Aurai-je enfin droit à un rapport favorable ? leur demanda l'homme. Je l'attends depuis son retour en France.

— Il y a de l'espoir, Maître, répondit très vite la femme. Olivier Kervella a fait preuve d'une violente fureur, face à ceux qui avaient saccagé l'automobile de son père. Selon leur témoignage, il paraissait ressentir de la haine, quand il a pris la manivelle dans la malle arrière de la Delage. Il s'est battu avec rage, ce sont leurs mots, sans craindre de commettre un acte irréparable.

— Exact, il pensait avoir tué un de nos employés, celui qui a été achevé au couteau, renchérit le chauve. Mais une fois en prison, il se repentait et acceptait son sort.

— Quoi d'autre ?

— Olivier Kervella a sauvé la sœur de sa compagne de la noyade, Maître, répondit craintivement la femme.

Les traits altiers de l'homme se crispèrent. Malgré l'approche de la soixantaine, il dégageait une rare séduction. Son regard vert brillait d'intelligence, sous un grand front couronné de cheveux argentés, coupés très court.

— C'est à désespérer ! jeta-t-il entre ses dents. Il faut précipiter les choses.

— Il faudrait surtout se débarrasser du commissaire Renan, décréta d'un ton froid son second interlocuteur. Il a peut-être eu le temps de lire le dossier.

— Pas encore, rien ne presse, Barry, cela me distrait de savoir que ce minable policier se creuse la cervelle en vain. Je l'admets, s'il a eu connaissance de certains documents, il a dû échafauder bien des hypothèses. Mais il ne peut pas soupçonner la vérité.

— Maître, je dois aussi vous apprendre que les Kervella se sont rendus plusieurs fois chez les Bart. Ils dormaient dans un hôtel à Locmariaquer et j'ai pu prendre des photographies d'eux dans la rue, ajouta la femme. Il y a la fille d'Olivier sur deux clichés, une petite de trois ans.

— Remettez-les à Jonas, ordonna l'homme. Je ne me servirai pas de l'enfant, ce serait m'abaisser.

Le domestique se tenait debout à l'entrée du couloir, il avança de quelques pas pour s'emparer de la pochette en papier.

— Mais il est hors de question de les laisser repartir à l'étranger, Maître, intervint Barry, dont la face sévère cachait des pulsions perverses.

— Bien sûr, et nous avons tous les atouts en main. Jonas, va chercher à boire. J'ai envie d'oublier ma contrariété.

Le cœur de la femme manqua un battement, à l'écoute de ces mots. Elle ne songea pas à protester, et docile, le regard vide, elle ôta d'abord son gilet, ensuite sa robe. Celui qu'elle appelait Maître avait tous les droits.

Villa des Bart, dimanche 10 juin 1951

Le drame qui avait failli s'achever en tragédie, quatre jours auparavant, hantait encore Lara. Au moment de grimper sur la banquette avant de la fourgonnette, elle considéra une dernière fois sa sœur d'un air soucieux.

— Tu ferais mieux de venir avec nous à Erdeven, Fantou, insista-t-elle. Je n'aime pas te laisser seule.

— Comment peux-tu dire que je suis seule ? Il y a maman, Rozenn et papi Odilon, sans oublier Nérée. Hein, mon chien ?

Elle se pencha sur l'animal qui était assis à ses pieds. Elle le gratta au sommet du crâne, puis le caressa.

— Viens avec nous, tata Fantou, fit une voix fluette.

Loanne, assise à côté d'Olivier, souriait de toutes ses petites dents à Fantou.

— Même ta nièce te réclame, nota Lara. Ce sera amusant, je te présenterai à Tiphaine. Elle voulait tant faire ta connaissance.

— Non, j'ai un devoir de mathématiques à rendre demain, rétorqua Fantou. Allez-y. Je resterai enfermée dans ma chambre, si ça peut te rassurer.

Dépitée, Lara s'installa près de sa fille et claqua la portière. Olivier démarra aussitôt. Fantou suivit des yeux le vieux véhicule qui s'éloignait, puis elle traversa la cour d'un pas aérien, en faisant voleter sa large jupe en cotonnade. Elle se dirigea vers le jardin, pour s'installer sur le banc où son grand amour s'était assis, quelques jours plus tôt.

— Je peux enfin respirer, Nérée. On me surveille comme si j'allais m'envoler à la moindre occasion.

Daniel et sa gouvernante avaient quitté Locmariaquer la veille, de très bonne heure. Néanmoins Fantou avait pu passer du temps avec lui, grâce à la complicité de Rozenn et de Lara, désormais totalement ralliée à sa cause.

— Nous étions si heureux, Nérée, confia-t-elle au chien. Il m'a beaucoup embrassée, surtout vendredi soir, ici même. Mais il est respectueux, presque trop. Enfin, il me suffit d'être patiente, je le reverrai dans trois semaines, maman m'a donné la permission de lui rendre visite dès le 1er juillet.

Songeuse, Fantou se projeta sur l'île de Molène. Là-bas, ils seraient bien plus tranquilles.

« Le jour comme la nuit, se dit-elle en retenant un soupir de satisfaction anticipée. Je le rejoindrai dans sa chambre, je me coucherai à côté de lui, toute nue, pour qu'il puisse apprécier mes charmes. »

Un rire malicieux la secoua, doublé d'un frisson exquis. Ils avaient établi un plan de bataille, conscients tous les deux des arguments que l'on opposerait à leur projet de fiançailles, puis de mariage.

— Ne rien dévoiler dans l'immédiat, se remémora Fantou. Je reste en France, l'an prochain j'ai mon baccalauréat. Je le rejoins à chaque congé scolaire. Une fois l'examen obtenu, nous parlons de nos fiançailles à maman. Nérée, tu te rends compte, je serai fiancée à Daniel !

La grosse bête lança un aboiement grave, en guise de réponse aux intonations exaltées de Fantou.

— Je voudrais t'emmener sur son île, mon chien, soupira-t-elle. Mais je n'y habiterai pas avant deux ou trois ans, le temps d'aller dans une école d'infirmière. Tu m'attendras, Nérée ?

Elle lui vouait une affection encore enfantine. Pourtant Rozenn l'avait mise en garde. D'expérience, elle affirmait qu'un animal de cette taille ne vivait guère très vieux.

— Toi, tu tiendras le coup, plaisanta Fantou. Maintenant, au travail. Par chance, je suis assez douée en mathématiques.

Rozenn la vit accourir, depuis le perron qu'elle balayait. Il lui sembla recevoir un cadeau du ciel, devant tant de grâce et de blondeur. Armeline sortit au même moment et admira elle aussi la jeune fille.

— Dire qu'on a failli la perdre, mardi, murmura-t-elle à Rozenn. Je ne m'en serais pas remise, une semaine après le décès de mon mari, en plus.

— Notre Fantou ne pouvait pas mourir, Armeline. C'est une bonne nageuse et Olivier aussi. Dieu a veillé sur eux.

— Peut-être ! Je suis navrée, mais ma foi bat de l'aile, ces temps-ci. Moi qui étais si pieuse.

Fantou grimpa les marches en souriant. Elle gratifia sa mère et Rozenn d'une bise sur la joue, avant d'entrer dans la villa qui était devenue son foyer.

Erdeven, Bar de la Plage, même jour, une heure plus tard

Lara descendit la première de la fourgonnette. Elle avait mis une robe beige, à manches courtes, qu'une ceinture en cuir rouge marquait à la taille. Sa longue chevelure brune ruisselait dans son dos, simplement retenue en arrière par des peignes au-dessus des oreilles.

Elle observa la terrasse du bar, abritée par un auvent en toile rouge. Il faisait un franc soleil et la journée s'annonçait très chaude. Olivier la rejoignit, en tenant Loanne par la main.

— C'est bondé, fit-il remarquer. Tu aurais dû avertir ton amie de notre visite, d'autant plus que tu comptais déjeuner ici.

— Tiphaine aura forcément une table pour nous trois, répliqua-t-elle. De toute façon, nous serons mieux à l'intérieur.

Dès qu'ils s'approchèrent, un serveur, son plateau à bout de bras, vint les accueillir.

— Madame, monsieur, il faudra patienter un peu, le restaurant affiche complet.

— Je voudrais voir Mme Russel, en attendant, objecta Lara d'un ton aimable. Nous nous connaissons.

— Très bien, entrez, la patronne est au comptoir.

Olivier souleva sa fille pour la porter, car la foule des clients, fort bruyante, intimidait l'enfant. Lara les précéda dans la salle, où l'air lui parut étouffant.

— Seigneur, c'n'est pas possible, s'égosilla une jolie femme aux boucles blond platine, debout près d'un bar en acajou, surmonté d'un zinc. Lara Fleury !

Tiphaine se faufila entre les tables, son corps aux formes rondes moulé dans un bustier en satin vert et une jupe droite qu'on pouvait supposer prête à se fendre à chacun de ses pas.

— Lara Fleury, répéta-t-elle en sautant au cou de son ancienne collègue de travail. Tu as quitté l'Italie, tu reviens au bercail ?

— Non, je suis juste de passage.

Lara se laissa embrasser, suffoquée par le parfum lourd et sucré de Tiphaine. Olivier considérait la fameuse Mme Russel d'un œil circonspect. Il l'estimait maquillée à outrance et habillée de manière vulgaire.

— Ma mère m'a dit que tu étais mariée et que vous aviez ouvert cet établissement à Erdeven, précisa Lara. Alors j'ai décidé de te rendre visite. Je te présente mon compagnon et ma fille, Loanne.

— Bonjour, monsieur, bonjour, ma poulette, susurra Tiphaine en chatouillant la petite sous le menton. Dites, si vous voulez déjeuner, on va monter chez moi. John m'a offert tout le confort moderne.

La solution qu'elle proposait soulagea Olivier, mal à l'aise à cause du brouhaha et des rires gênés d'une jeune serveuse que des hommes taquinaient. Un grand type blond, au regard très bleu, vint les rappeler à l'ordre.

— C'est mon John, chuchota Tiphaine. Je vais lui expliquer, il me remplacera au bar. Ces gars, là, qui font du raffut, ce sont des habitués. On doit les remettre au pas tous les dimanches, mais ils consomment beaucoup, alors on les ménage.

Abasourdie par ces retrouvailles animées, Lara approuva en silence. Tiphaine les précéda vers une porte pleine où figurait le panneau « Privé », puis dans un escalier en spirale.

— Tu verras, mon appartement est superbe, promit-elle à Lara. Ma bonne revient à 14 heures, une fille en or, qui sait rester à sa place. Ce n'est pas facile de dénicher du personnel efficace.

Lara acquiesça en souriant, tandis qu'Olivier retenait un soupir agacé. Ils se sentirent mieux à l'étage, dans une grande salle à manger lumineuse.

— Voilà, on est au calme, se réjouit Tiphaine. Tu avais peur du raffut, ma petite caille !

Loanne s'était entendue appeler « poulette » sans protester, mais elle ignorait ce qu'était une caille. Intimidée, elle se réfugia dans les bras de son père.

— Dis donc, Lara, faudrait que tu voies mon Killian, ajouta Tiphaine. Ils pourraient jouer ensemble, ces mignons. Ils ont presque le même âge, non ?

— Ton fils doit avoir quinze mois de plus, je crois. Mais où est-il ? Il fait la sieste ?

— Non, je l'ai confié à ma tante Loïza, qui adore les bébés. Je ne pouvais pas le garder, avec notre commerce. On va le voir tous les lundis chez mes parents et bientôt je le prendrai ici. John m'a promis d'embaucher une nounou, en plus de notre bonne. Allez, raconte-moi ce que tu deviens, Lara. On peut bavarder un peu, Paulo, notre apprenti en cuisine, va vous monter trois assiettes, le menu du jour ! Steak frites salade. La petite aura une glace en dessert.

— Ce sera parfait, affirma Olivier. Nous sommes assez pressés, n'est-ce pas, ma chérie ?

Lara comprit la tentative de son compagnon pour repartir au plus vite. Elle en fut agacée. Malgré sa toilette provocante et son franc-parler, assorti d'une voix aiguë, Tiphaine évoquait à ses yeux une période agréable d'un passé encore proche. Celle-ci, comme si elle lisait dans ses pensées, débita soudain :

— Tu te souviens, Lara, ces heures au triage des huîtres ! Je ne faisais que râler, contre le froid, l'humidité, mes doigts gercés. Et toi, tu ne te plaignais jamais, toujours digne, courageuse. Est-ce qu'elle vous a raconté, monsieur, le jour où elle m'a aidée à accoucher ? Mon Dieu, sans toi, Lara, je ne serais pas là ! Ni mon Killian.

— Je suis au courant, concéda Olivier.

— C'est pile ce que j'ai dit à John, en bas, reprit Tiphaine. Je l'ai regardé bien en face, en lui annonçant que mon amie Lara était là, celle qui nous a sauvés, Killian et moi.

— Tu exagères un peu, s'esclaffa Lara. Je me suis contentée de briser la vitre du bureau, pour téléphoner à l'hôpital.

— C'était la seule chose à faire, ma belle. Les docteurs l'ont dit, si on n'était pas venu me chercher en ambulance, je m'en allais d'un flux de sang, dans le réfectoire de Tardivel. Je ne t'ai pas oubliée, Lara, crois-moi.

Tiphaine trottina sur ses talons hauts jusqu'à un buffet dont elle ouvrit un des tiroirs. Elle ramena des couverts et des verres.

On toqua à la porte de la pièce. Un jeune homme en veste de toile blanche entra, une assiette à la main, deux autres en équilibre sur le bras.

John Russel le suivait, en brandissant une bouteille de cidre. L'Américain donna une chaleureuse accolade à Lara, avant de serrer la main d'Olivier. Loanne dut apprécier son teint hâlé, son regard bleu et son large sourire, car elle accepta sans protester une caresse sur sa joue.

— Je suis content de vous connaître enfin, Lara ! Vous êtes chez vous, ici, déclama John. Il faudra revenir un soir, on vous servira du homard et du champagne.

— Pose tout ça sur la table, Paulo, recommanda Tiphaine à l'apprenti cuisinier.

— Oui, patronne, marmonna celui-ci, en piquant du nez.

Tétanisé, Olivier scrutait le visage du commis, dont le front était barré d'une estafilade mal cicatrisée.

— C'est un des types avec qui je me suis battu, chuchota-t-il à l'oreille de Lara, tandis que le dénommé Paulo s'éclipsait en toute hâte.

Gendarmerie d'Auray, même jour, même heure

Le commissaire Renan arpentait la salle principale de la gendarmerie, pratiquement déserte à l'heure du déjeuner. Il ne tenait pas en place, obsédé par le meurtre récent de Livia Menti.

Malo Guégan, de permanence ce dimanche-là, terminait un sandwich jambon-beurre, auquel il trouvait un léger goût de ranci.

— Vous ne voulez rien manger, commissaire ? s'inquiéta-t-il.

— Non, je devrais être au restaurant en bonne compagnie mais le rendez-vous a été annulé, rétorqua Nicolas. Je n'ai pas faim, ça tombe bien.

Loïza avait laissé un message à la réception de son hôtel, quelques mots pour lui dire qu'elle ne viendrait pas à Auray. Ils avaient pourtant prévu de déjeuner ensemble.

« Elle a sûrement préféré aller à la messe, fleurir l'autel de sainte Anne, ruminait-il. Je commence à me demander si je fais le poids, comparé à la mère de la Vierge Marie. Bon sang, il fallait que je sois amoureux d'une jolie bigote. Amoureux fou, donc je lui pardonnerai encore une fois, tant qu'elle me revient. »

Le jeune gendarme, rassasié, but un grand verre d'eau. Il jugea poli de faire la conversation, ce qu'il déplora aussitôt.

— L'enquête sur le tueur des dolmens piétine, c'est quand même bizarre de n'avoir jamais d'indices, à part la vieille paire de godillots de l'armée[1], soupira-t-il.

— Nom d'un chien, vous le faites exprès, Guégan ! Je n'ai pas besoin qu'on remue le couteau dans la plaie, si vous voyez ce que je veux dire.

— Excusez-moi, commissaire.

— Je lis les journaux tous les matins, ils se rengorgent de notre incompétence. Alors n'en rajoutez pas. Je suis lucide, à ce rythme, on va me retirer l'affaire et envoyer quelqu'un de Paris, plus qualifié que moi, du moins ce sera placardé dans la presse, pour rassurer la population.

1. Tome I, *La Ronde des soupçons.*

— Vous faites le maximum, pourtant, plaida Guégan.

— Nous faisons tous le maximum, rectifia Renan. Mais des points restent à éclaircir. Vous parliez des chaussures que l'on a repêchées dans un étang, après l'assassinat de Léa Bertho. Nous y avons découvert la chaîne et la médaille de la victime, or dans l'affaire Livia Menti, sa bague de fiançailles demeure introuvable. C'était une aigue-marine montée sur argent, d'après le fiancé.

— Ah, nous avons de la visite, commissaire, indiqua Malo en se levant.

Une jeune femme venait d'entrer, en jean et chemisette, un chapeau de paille sur ses cheveux châtain doré. Nicolas Renan l'identifia sans peine. C'était une des demoiselles en tenue légère qu'il avait rencontrée chez « l'apprenti druide », Hervé David.

— Vous me reconnaissez, commissaire ? dit-elle d'une voix feutrée. Je suis Aline Duval.

— Bien sûr, répliqua-t-il en lui serrant la main. Qu'est-ce que vous faites ici ? Il y a plus de quatre-vingt-dix kilomètres, d'Auray à Paimpont.

— J'étais chez ma grand-mère, elle habite là, derrière la gare. Je viens souvent en train pour m'occuper d'elle, de son ménage.

— D'accord, et qu'est-ce qui vous amène à la gendarmerie ? s'enquit Renan, intrigué.

— Il y a une demi-heure, j'ai reçu un appel d'Yvonnick, ma sœur. Elle est très amoureuse d'Hervé, aussi elle est restée chez lui, mais il n'est pas rentré hier soir. Yvonnick s'est endormie, et ce matin, toujours rien. Elle a peur qu'il ait eu des ennuis.

— Des ennuis ? J'en doute. Franchement, votre sœur s'affole pour si peu ? Ce gaillard a dû découcher dans d'autres bras, vu sa réputation.

— Non, Hervé a changé. Yvonnick et lui, c'est du sérieux. D'habitude, elle l'aurait accompagné, car maintenant il va vendre son miel à bonne distance de

Paimpont. Il faut le comprendre, il n'ose plus dresser son stand dans le village, depuis que son nom a figuré dans un article, comme un éventuel suspect.

Malo Guégan les écoutait, très droit, l'air grave. Il avait remarqué combien la visiteuse était jolie, et surtout qu'elle ne portait pas de soutien-gorge sous sa chemisette.

— Quand il revient d'un marché, s'il fait chaud, Hervé ne traîne pas en route, insista Aline Duval. Il rentre décharger ses pots de miel et il rapporte des légumes frais, de la viande aussi. Ma sœur se fait du souci pour une autre raison, commissaire.

— Laquelle ?

— Hervé voulait vous téléphoner, il l'avait dit à Yvonnick, parce qu'il s'était souvenu de quelque chose, d'un témoin susceptible de l'innocenter définitivement, pour la mort de Janig Cadoret.

— Je n'avais pas de preuves contre lui, hasarda Nicolas Renan, mais le moindre renseignement peut m'aider, en effet. Guégan, David a-t-il appelé, hier, ou ce matin ?

— Non, commissaire, et si c'était le cas, les collègues l'auraient noté. Hervé David a pu téléphoner au commissariat de Vannes !

— On nous aurait prévenus ou transmis la communication, trancha Renan. Et vous, mademoiselle Duval, pourquoi êtes-vous venue directement à la gendarmerie ?

— J'ai d'abord appelé à Vannes, de chez ma grand-mère. Elle était commerçante, il y a un appareil dans son ancienne boutique. On m'a dit que je vous trouverais sans doute à Auray. Je préférais vous expliquer tout ça de vive voix.

— Votre sœur vous a téléphoné il y a longtemps ? demanda Renan.

— Il y a deux heures environ, mais je n'ai pas pu venir plus tôt.

— Sur quel marché était David hier ?

— Celui de Grand-Champ, à une trentaine de kilomètres d'ici ! Il y est allé la semaine dernière aussi, parce qu'il vendait bien.

— Est-ce que votre sœur vous a dit quelque chose de plus précis, à propos de ce témoin ?

— Non, commissaire, et je ne lui ai pas posé la question. En fait, nous évitons d'aborder ce genre de choses, quand nous sommes avec Hervé. Il est très discret sur son passé.

Le policier enfila sa veste, vérifia son arme de service. Son instinct lui soufflait d'agir au plus vite. Il fut soulagé de voir apparaître le lieutenant Auffret, qui reprenait son service.

— J'emmène Guégan, lui annonça-t-il aussitôt d'un ton sec. Nous partons pour Paimpont, en passant par Grand-Champ. Si Hervé David téléphone, dites-lui que je serai à son domicile dans l'après-midi.

— Entendu, commissaire, répondit le lieutenant.

Erdeven, Bar de la Plage, même jour

Lara avait à peine touché à son assiette. Olivier s'était chargé de faire manger leur fille, en lui découpant des lamelles de steak et en lui donnant des frites, une par une.

— Voici une petite qui est gâtée, commenta Tiphaine pour la deuxième fois. Dans deux ou trois ans, j'aimerais bien avoir un autre bébé, une jolie poupée comme la tienne, Lara.

John Russel était redescendu depuis une vingtaine de minutes et la conversation languissait déjà. De l'étage, on percevait sa voix puissante, à l'accent américain prononcé.

— Je vais sortir fumer une cigarette, déclara Olivier d'un ton qui se voulait naturel. Je pourrai remonter la glace pour Loanne, Tiphaine, si vous me dites à qui m'adresser.

— Demandez à John, s'il est derrière le bar, ou au serveur, Fred. On pourrait peut-être se tutoyer, Olivier ?

La jeune femme ponctua sa suggestion d'une moue qu'elle pensait aguicheuse.

— Bien sûr, répondit-il en souriant.

Dès qu'elles furent seules, Tiphaine poussa un soupir exagéré.

— Il n'est pas mal du tout, ton homme, murmura-t-elle. Je n'avais jamais vu des yeux de cette couleur, bleu foncé. Mais on dirait qu'il est un peu fier. Il n'est pas de notre milieu, ça se sent tout de suite.

La remarque de Tiphaine troubla un peu Lara, qui songea aux Kervella, notamment à Madeleine. Mais elle répugna à révéler que ses futurs beaux-parents étaient en effet des gens de la haute société, de grands bourgeois.

— Tu te trompes, il n'est pas fier du tout. Olivier est plutôt réservé, expliqua-t-elle. Mets-toi à sa place, il ne te connaît pas et nous bavardons sans arrêt, toutes les deux. Au fait, tu devais me montrer une photographie de Killian !

— Eh oui, que je suis sotte, une vraie tête de linotte, comme dit mon père.

— Il tient toujours son garage à Auray ?

— Oh ça, il n'est pas près de fermer, il gagne bien. Penses-tu, il y a de plus en plus de voitures qui roulent. J'espère que vous viendrez dîner, un de ces soirs. La journée, John a besoin de moi à la caisse.

— Nous allons repartir dans deux semaines, répliqua Lara. Si nous venons, j'amènerai Fantou, ma sœur.

Tiphaine fouillait le contenu d'une petite valise rectangulaire. Elle brassa des pochettes en papier coloré, puis elle revint s'asseoir à côté de Lara.

— Tu vas être épatée, Killian est le portrait de son papa, dit-elle en riant.

Elles regardèrent les clichés de l'enfant, dont la beauté fit l'admiration de Lara. Killian posait chez un professionnel, un ours en peluche dans les bras, sur un fond blanc.

— Là, il avait deux ans, sur celle-ci, trois ans. Chaque anniversaire, je le vais faire photographier. Tiens, j'en ai pris une où il y a ma tante. Elle le portait à son cou, John a réussi à les prendre en vitesse, avec son appareil, un Kodak. Tata Loïza déteste ça !

— Quoi donc ?

— Se voir en photographie !

— Pourtant elle semble très jolie.

— C'est une belle femme pour son âge, affirma Tiphaine. John m'en rabâche les oreilles. Parfois, je serais presque jalouse. Mais il n'y a pas de danger, tata a eu quarante ans, et puis elle a un amant. Un flic ! Tu sais bien, l'inspecteur grognon qui enquêtait sur la mort de Madalen Le Goff et de Léa Bertho. Il passe son temps dans le coin, même qu'il est commissaire, maintenant.

L'information sidéra Lara. Elle ne s'était jamais interrogée sur la vie privée de Nicolas Renan.

— Ta tante entretient une liaison avec le commissaire Renan ? murmura-t-elle. Je le connais un peu. Enfin, j'ai eu affaire à lui et à son supérieur, quand Erwan Cadoret a été arrêté. C'est loin, tout ça. Lorsqu'on s'installe à l'étranger, on doit mettre certains souvenirs à l'écart.

Lara en disait le moins possible, suivant les consignes établies par son compagnon et le policier.

— Où habitais-tu en Italie ?

— Vers Rome, dans la campagne.

Le retour d'Olivier les empêcha de développer le sujet. Lara vit tout de suite qu'il y avait eu un problème.

— Nous partons, décréta-t-il en prenant sa fille dans ses bras.

— Déjà ! Mais je voulais vous offrir un café et un digestif en terrasse, s'insurgea Tiphaine.

— Moi, ze veux ma glace, papa, gémit Loanne.

— Tu en auras une, ma p'tite bouille, affirma-t-il. M. Russel la prépare. Viens, Lara. J'étais pressé, tu sais bien.

— Oui, oui, j'arrive. Je suis désolée, Tiphaine, nous reviendrons un soir, c'est promis.

— Mais pourquoi partez-vous aussi vite ? s'indigna celle-ci. Il y a un souci dans la salle ?

— Je vous présente toutes mes excuses, rétorqua Olivier. Pour ne rien vous cacher, votre apprenti cuisinier s'est enfui car il m'a reconnu. Nous avons eu des démêlés, le mois dernier. Ce jeune type a dû craindre que j'appelle la police, et je vais le faire.

— Mon Dieu ! s'effraya Tiphaine. Il s'agit de Paulo ? Mais il paraissait honnête, ce garçon.

— Méfiez-vous des apparences à l'avenir, lui conseilla Olivier d'un ton cassant. Je réglerai nos repas à votre mari.

— Je vous le défends, je vous ai invités. Je suis navrée, on ne pouvait pas se douter, John et moi.

— Sois tranquille, ce n'est pas votre faute, Tiphaine, la rassura Lara gentiment. Je te téléphonerai demain.

Dix minutes plus tard, Olivier roulait à vive allure en direction d'Auray, afin d'avertir la gendarmerie.

Forêt de Paimpont, au lieu-dit le Pas-du-Houx,
même jour, deux heures plus tard

La maison d'Hervé David était dorée par le soleil. Cependant les contrevents étaient fermés et la modeste bâtisse présentait au commissaire Renan et à Malo Guégan un aspect d'abandon.

— On dirait qu'il n'y a personne, hasarda le jeune gendarme.

Ils s'étaient garés au plus près. Un détail frappa Renan, qui l'exprima à voix basse :

— Le chien devrait aboyer. Je vous préviens, c'est un berger allemand assez impressionnant. J'espère qu'il est attaché, je n'ai pas envie de le voir débouler de la forêt.

Ils descendirent prudemment de la Rosengart, une main sur leur arme de service.

— Yvonnick Duval ? appela Renan en toquant à la porte. Oh, il y a quelqu'un ?

Une angoisse insidieuse s'empara de lui. Sans plus attendre, il essaya d'ouvrir.

— C'est fermé à clef, Guégan. On fait le tour.

Un espace mieux entretenu s'étendait derrière la maison. Un parasol abritait une table ronde, en fer, entourée de quatre chaises dépareillées. Un carré d'herbes aromatiques était délimité par des planches. Une porte-fenêtre, aux vitres sales, qui communiquait avec une cuisine, était elle aussi fermée à clef.

— La demoiselle s'est absentée, conclut le commissaire. Peut-être qu'on a fait toute cette route pour rien. David a pu rentrer et ils sont repartis en camionnette.

— Peut-être, marmonna Malo. Mais écoutez, un chien aboie.

— Exact, ça provient de ce côté.

Une silhouette déliée leur apparut bientôt, en robe claire. Renan éprouva un intense soulagement en reconnaissant la jeune femme, qui tirait sur la laisse de Mordred, le berger allemand.

— Bonjour, mademoiselle Duval, je suis très content de vous trouver, dit-il quand elle se rapprocha d'eux.

— Bonjour, commissaire. Aline vous a prévenus, cria-t-elle en retour. Je promenais le chien. J'avais besoin de marcher, j'étais trop anxieuse. Hervé n'est toujours pas là.

Le berger allemand grognait, le poil du dos hérissé. Guégan recula d'instinct, à la vue des crocs de l'animal.

— N'ayez pas peur, il le sent et il devient encore plus menaçant, recommanda Yvonnick. Je vais l'enfermer dans la maison. Il attend son maître, ça le rend nerveux.

— Faites donc, l'encouragea Renan. Nous discuterons dehors.

La jeune femme fut rapide, cependant elle revint avec une bouteille d'eau fraîche et trois verres.

— L'hospitalité est importante pour Hervé, précisa-t-elle. Il fait chaud, vous devez être assoiffés.

— Mademoiselle Duval, votre sœur est venue à la gendarmerie d'Auray. Je sais qu'Hervé David souhaitait me parler d'un témoin capable de l'innocenter dans l'affaire Janig Cadoret. Vous a-t-il cité un nom ?

— Non, commissaire. Il m'a dit ça samedi dernier, en rentrant du marché de Grand-Champ.

— Et vous ne l'avez pas questionné ?

— Pourquoi je l'aurais fait ? Son passé ne m'intéresse pas. Et il est innocent. Nous laissons le monde d'aujourd'hui à l'orée de la forêt. Ici nous sommes en communion avec les arbres, l'eau des sources, les pierres. Chaque fois qu'il revient d'une ville ou d'un village, Hervé se lave entièrement… et je l'aide. Ensuite, nous nous célébrons notre amour, avec ou sans ma sœur.

— Je vois, répliqua Renan, mais samedi dernier, quand David a évoqué ce témoin, il n'a pas laissé le monde actuel sur le seuil de la maison. Vous êtes certaine qu'il n'a pas évoqué une personne en particulier ?

— Absolument certaine. Je m'en souviens très bien. Hervé n'a rien ajouté, il s'est déshabillé dans la chambre, ensuite il a caressé Mordred. Moi, je préparais l'eau pour sa douche. C'est un petit travail, je tire trois seaux au puits, car je me sers d'un arrosoir. Il n'y a pas de cabinet de toilette.

Nicolas Renan réfléchissait. Hervé David avait pu faire une nouvelle conquête et laisser en plan la ravissante Yvonnick, mais il en doutait fortement.

— Toujours selon votre sœur Aline, votre compagnon avait l'intention de me joindre par téléphone, or il ne l'a pas fait. Avez-vous une idée de l'endroit où il pourrait se trouver ?

— Si j'en avais la moindre idée, commissaire, je serais partie à pied, ou à vélo. Je suis sûre qu'il a eu un accident. Je ne sais plus quoi faire. Je refuse de passer une deuxième nuit seule ici, mais si je m'en vais et qu'il revienne enfin, Hervé sera déçu.

— Dans ce cas, écrivez-lui un message, proposa Malo Guégan. Vous lui dites où vous êtes, voilà tout.

— Oui, vous avez raison. Est-ce que vous pourriez me ramener à Auray, chez ma grand-mère ?

— Je n'y vois pas d'inconvénient, répondit Renan. Par les temps qui courent, il ne fait pas bon être seule, mademoiselle.

— Merci beaucoup. Je préviens Aline, qu'elle m'attende. Nous avons de la chance, le téléphone fonctionne, un vieux combiné d'avant-guerre.

Renan suivit la jeune femme qui se ruait dans la maison. Elle décrocha un appareil mural qui datait en effet d'une vingtaine d'années.

— Une minute, mademoiselle ! Pourquoi David n'a-t-il pas utilisé ce poste pour me contacter ? s'étonna-t-il. Une semaine s'est écoulée, durant laquelle il ne m'a pas appelé, ni à Vannes ni à la gendarmerie d'Auray.

— Hervé n'en fait qu'à sa tête, commissaire.

Le policier patienta pendant la brève conversation entre les deux sœurs. Il y eut un dilemme à propos du chien. Enfin Yvonnick raccrocha.

— Mordred peut rester à l'intérieur jusqu'à demain, dit-elle. Je lui donne de l'eau et sa pâtée.

Bien qu'un peu surpris, Renan ne fit aucun commentaire. Au fond, il commençait à éprouver de la sympathie pour ce trio hors norme, en marge de la société bien ordonnée. Il rejoignit Malo Guégan à l'extérieur.

— Nous aurons une jolie passagère, insinua celui-ci. Hervé David ne doit pas s'ennuyer.

— Sans doute ! Vous l'enviez, Guégan ?

— Pas vraiment, je suis un sentimental. Ma mère se moque de moi parce que je pense encore à Tiphaine Jouannic, pardon à Mme Russel.

— Un jour, vous retomberez amoureux, et vous l'oublierez, prêcha le commissaire. Allons, pas de nostalgie. Je conduirai, vous pourrez bavarder avec une charmante demoiselle.

Gendarmerie d'Auray, lundi 11 juin 1951,
le lendemain matin

Il pleuvait, après deux jours de grand soleil. Nicolas Renan frotta son visage puis respira profondément, sous le regard attentif de son adjoint.

— Le type a prévenu les gendarmes de Vannes, patron. Puisque je passe au commissariat avant de me mettre en route, j'ai été le premier au courant. J'ai préféré vous l'annoncer moi-même.

L'inspecteur Ligier était arrivé à 9 heures, porteur d'une mauvaise nouvelle : un paysan avait découvert le cadavre d'Hervé David lacéré de coups de couteau, dans un étang entre Locminé et Grand-Champ.

— Un peu plus tôt, un peu plus tard, ça ne change rien pour ce malheureux, maugréa Renan. Et vous me disiez donc qu'Olivier Kervella a débarqué ici hier pendant mon absence ?

— Oui, il a informé le lieutenant Auffret qu'un de ses agresseurs du mois dernier travaillait au Bar de la Plage d'Erdeven, sans aucun doute sous une fausse identité, se faisant appeler Paulo. J'ai lu sa déposition. Le commis de cuisine a pris la fuite après l'avoir reconnu, dans la salle à manger de Mme Tiphaine Russel.

— Envoyez Auffret et un autre homme là-bas pour interroger les patrons. Guégan a sa matinée ?

— Il reprend le service à 18 heures, commissaire, lui cria le brigadier-chef depuis le fond de la salle.

Kervella doit repasser vers midi, il tenait à vous parler en particulier.

— Navré, je ne serai pas là. Ligier, pouvez-vous téléphoner chez Odilon Bart, pour avertir Kervella que je rentrerai en fin de journée ? Je vous attends dans ma voiture.

— D'accord, patron.

Le policier sortit dans la rue. Il alluma une cigarette, à l'abri d'un auvent. Les heures à venir le répugnaient. Il devait rendre visite à Aline et Yvonnick Duval, toujours chez leur grand-mère, et leur apprendre la mort de l'homme qu'elles se partageaient.

« Ça tourne à l'hécatombe, songea Renan. Pauvre gars, il ne jouera plus jamais les druides. »

11

Les silences du commissaire Renan

Gendarmerie d'Auray, mardi 12 juin 1951

Olivier et Nicolas Renan étaient assis face à face, séparés par la table qui servait de bureau au commissaire. Ils avaient tous les deux le moral au plus bas.

— Finalement, je ne suis pas revenu hier, déclara le jeune homme. J'ai préféré passer une soirée tranquille en famille.

— Vous avez de la chance, rétorqua le policier. Moi, j'ai dû constater le meurtre d'un homme dans la force de l'âge, qui m'était assez sympathique.

— Je suis au courant, j'ai lu le journal au café. Je suppose que retrouver le dénommé Paulo vous paraît de moindre importance.

Exaspéré, Renan secoua la tête. Il prit une feuille sur une pile de chemises en carton et l'examina.

— C'est important pour moi, Kervella ! trancha-t-il. Pour ma part, je doute beaucoup des motivations de ces trois voyous. Si encore ils avaient tenté de sauver leur complice, mais non. Il a été poignardé pendant que vous couriez chercher du secours. Le meilleur moyen de l'empêcher de parler, si on le faisait soigner. Quant à ce patronyme, Paulo Rieux, il dissimule forcément une autre identité, ce qui rend les recherches épineuses. Mon adjoint, Ligier, a interrogé les Russel. Ils ont engagé leur commis de cuisine il y a deux mois. Tiphaine Russel s'est occupée de l'entretien d'embauche, sans exiger de qualification spécifique. Le prétendu Paulo s'est montré persuasif et il a eu le job. J'admets qu'il était bien planqué. D'après John Russel, son employé campait derrière le bar, ces derniers temps, mais les premiers jours, il partait le soir vers 23 heures et revenait pour le service de midi.

— Une chose est sûre, le type m'a tout de suite reconnu et il avait une blessure mal cicatrisée au front, décréta Olivier.

— L'inspecteur Ligier va tracer un portrait-robot avec votre témoignage. Nous le ferons imprimer. En fait, il y a une probabilité que ce soit l'assassin du jeune gars poignardé, donc nous pouvons agir. J'ai obtenu l'aval du procureur.

— Je vous remercie, commissaire. Si vous l'appréhendez et qu'il est mêlé à mon affaire, nous pourrons peut-être apprendre des éléments intéressants.

— Espérons-le, marmonna Renan. Je dois être sur tous les fronts, désormais. Je vous le répète, Kervella, quittez la France au plus vite, retournez au Venezuela, et emmenez Fantou. J'ai eu des informations déplaisantes sur le docteur Bacquier. Je me permets de vous en parler, car vous êtes concernés, Lara et vous.

— Lesquelles ?

— Deux patientes ont déposé une main courante contre lui, du temps où ce médecin exerçait à Rennes, car il aurait été très entreprenant. Il n'y a pas eu de suites, néanmoins un de mes collègues doit interroger ces personnes afin d'en savoir plus. Le comportement de Bacquier envers les femmes me semble inquiétant, sans pour autant établir qu'il pourrait être le tueur.

Olivier approuva en silence. Il n'avait pas confié à Lara à quel point il se sentait mal, depuis leur retour. Une main de fer broyait son cœur fréquemment et il souffrait d'insomnies.

— J'aimerais repartir dès demain si c'était possible, commissaire, lâcha-t-il à voix basse. Mais Lara s'y refuse. Elle tient à emmener sa sœur, comme vous le conseillez, ce qui reporte notre départ au début du mois de juillet. Je ne peux pas lui reprocher de vouloir s'attarder, après l'épreuve que Fantou et elle ont subie. Le suicide de leur père les a profondément affectées. La moins touchée, c'est leur mère, car elle a appris l'existence d'une rivale, en Pologne.

Renan ignorait tout de cette histoire. Il se contenta de froncer les sourcils, estimant que cela ne le concernait en rien.

— Je vous considère comme un ami, ajouta aussitôt Olivier. Puis-je vous parler franchement, entre hommes ?

— Bien sûr, je vous écoute, affirma le policier. Et je saurai être discret si nécessaire.

— Je n'en doute pas. En fait, Fantou se prétend amoureuse de mon ami Daniel Masson. Pour ne rien vous cacher, l'incident de mardi dernier était dû à une vexation qu'elle n'a pas tolérée. Lara et moi estimions ce début d'idylle inconvenant et sujet à caution. Aussi nous avions incité Daniel à décourager Fantou. Je pensais agir pour son bien, la sachant d'une nature fantasque.

Bien que très surpris par ce qu'il apprenait, Nicolas Renan demeura impassible, afin de ne pas interrompre le jeune homme.

— Daniel a quinze ans de plus que Fantou, précisa Olivier. Mais après s'être rangé à notre avis, il m'a signifié qu'il l'aimait lui aussi et ne renoncerait pas à elle. J'en suis outré. Du coup, j'en viens à soupçonner mon seul ami de longue date, moi qui déjà soupçonne tout le monde. On m'a taxé de paranoïaque, ou d'être atteint d'un délire de persécution, et ça ne fait qu'empirer.

— Expliquez-vous, demanda Renan d'un ton encourageant.

— Daniel serait le plus susceptible de se venger. Il a perdu la vue par ma faute, en pleine jeunesse. C'était également le seul à savoir que nous revenions en Bretagne, je l'avais averti par télégramme de la date exacte. Je ne lui ai jamais rien caché de mes ennuis, ni vous d'ailleurs, quand vous avez séjourné chez lui. Maintenant, il cherche à séduire la sœur de Lara, une gosse qui n'a pas encore dix-sept ans.

— Je ne qualifierai pas Fantou Fleury ainsi, le coupa Renan. Cette jeune fille est très mûre pour son âge.

— Mais en lui faisant croire qu'il l'aime, il la retient en France. Il l'a invitée à le rejoindre précisément début juillet. J'en viendrais presque à le haïr.

— Qui d'autre soupçonnez-vous, Olivier ?

— Parfois j'observe Odilon Bart, ou bien je l'écoute en trouvant une portée nouvelle à ses paroles en apparence anodines. Quant à Rozenn, pourquoi a-t-elle tout de suite témoigné d'une vive sympathie pour Daniel, qu'elle rencontrait pour la première fois ? Elle est beaucoup moins chaleureuse à mon égard.

Olivier pinça les lèvres. Renan le vit se tordre les mains, jeter des coups d'œil par l'étroite fenêtre équipée de barreaux, dans son dos.

— Et vos parents ne font pas partie du lot ? insinua le policier d'un air songeur.

— Non, ni Lara et Fantou. Je vous en prie, commissaire, laissez ma mère et mon père en dehors de ça. Ils sont ruinés, peut-être par ma faute.

Encore une fois, Renan afficha une mine indifférente, pourtant il frémissait intérieurement.

— Souhaitez-vous que j'enquête sur Daniel Masson ? proposa-t-il d'un air détaché. Nous sommes en moyen de vérifier les câbles[1] qu'il aurait envoyés de Molène, et de questionner ses plus proches voisins. Mais pour être sincère, j'imagine mal votre ami dans le rôle d'instigateur d'un complot dirigé contre vous. Qu'il soit tombé

---

1. Ici, comprendre télégramme, car le terme était souvent employé.

amoureux de Fantou Fleury ne fait pas de lui un coupable dans votre affaire.

— Je n'en sais rien, j'ai l'esprit confus, admit Olivier en passant une main lasse dans ses cheveux d'un brun intense. J'atteins un paroxysme d'anxiété, ces jours-ci.

— Restez sur vos gardes, dans ce cas. On essaie peut-être de vous faire commettre une erreur que vous regretterez ensuite.

On toqua à la porte. L'inspecteur Ligier entra dès que Renan répondit d'un « oui » agacé.

— Je suis désolé de vous déranger, patron, dit son adjoint. Mlle Aline Duval est arrivée.

— Très bien, je vais la recevoir. Commencez à dresser un portrait-robot du commis de cuisine avec M. Kervella.

En quelques minutes, la jeune femme succéda à Olivier dans le bureau de Renan. Le commissaire put constater, à son visage marqué, qu'elle avait dû beaucoup pleurer durant la nuit.

— Bonjour, mademoiselle, dit-il gentiment. Comment va votre sœur ?

— Elle dort, commissaire. J'ai appelé un docteur qui lui a prescrit des calmants. Pourquoi m'avez-vous convoquée ? Je n'ai guère de temps, ma grand-mère ne peut pas veiller sur Yvonnick.

— Je serai bref. Hervé David a été assassiné, sans nul doute parce qu'il détenait une information impliquant le criminel que je traque en vain depuis cinq ans. Mais celui qui l'a tué peut s'en prendre à vous et à votre sœur. Il ignore en effet si David vous a fait part du nom de ce fameux témoin. Je vous recommande donc de rester toutes les deux chez votre grand-mère, ici à Auray. Je vais faire surveiller son domicile.

— Et le chien ? s'alarma Aline Duval. Mordred est enfermé depuis avant-hier. Je dois aller le récupérer, mais je ne pourrai pas le garder plus de deux ou trois jours.

— Il faudra lui trouver un autre maître, mademoiselle. Hervé David devait bien avoir un ami habitant à la campagne ?

La jeune femme baissa la tête comme pour mieux réfléchir. Elle avait mis une robe noire très stricte et ses cheveux étaient attachés, ce qui la changeait un peu. Nicolas Renan, pendant quelques secondes, se la représenta allongée sur le sol, exsangue, en longue tunique blanche. Un frisson lui parcourut le dos.

— Soyez vraiment très prudente, votre sœur et vous, insista-t-il en la fixant. Je n'ai aucune envie de vous retrouver, l'une ou l'autre, dans l'état où était votre ami Hervé. Si jamais quelque chose vous revenait en mémoire, téléphonez-moi, ici ou à l'Hôtel des Halles. Je reste à Auray pendant plus d'une semaine.

— J'ai le permis de conduire, commissaire, mais je n'ai pas de voiture, déclara Aline Duval en guise de réponse. Est-ce que je pourrais prendre la camionnette d'Hervé pour retourner à Paimpont ?

— Non, on doit d'abord relever les empreintes à l'extérieur et à l'intérieur du véhicule, mademoiselle. De même le logement a été mis sous scellé. Et je vous déconseille d'y aller seule. Si vous vous tracassez pour le chien, j'estime que ce n'est pas urgent. Demandez de l'aide à votre famille.

— Nos parents désapprouvaient nos fréquentations de ces derniers mois, je ne veux pas les solliciter.

— Bon, j'avais prévu de fouiller la maison de David. J'irai en fin de journée avec mon adjoint. J'emporterai une muselière pour cet animal dont je me méfie et je vous le ramènerai. Maintenant rentrez chez votre grand-mère, je vous envoie l'agent Guégan pour surveiller la maison.

Aline Duval acquiesça tout bas. Le policier la raccompagna jusqu'à la porte principale de la gendarmerie. Il aperçut ainsi, dans l'entrebâillement, la silhouette de

Lara, qui tenait sa fille par la main, sur le trottoir d'en face.

« Elle attend celui qu'elle aime, songea-t-il tristement. Et moi je désespère de passer une heure avec Loïza. Je ne la verrai pas ce soir, Luc est rentré au bercail. Il lui faut un protégé, Killian ou ce pauvre garçon sourd et muet. »

Deux heures plus tard, alors qu'Olivier avait rejoint Lara depuis longtemps, le médecin légiste de Vannes fit irruption dans la gendarmerie. Il apportait au commissaire le rapport d'autopsie d'Hervé David. Celui-ci l'étudia soigneusement, en compagnie de l'inspecteur Ligier.

— Vous pouvez le constater, leur dit le médecin, la victime a d'abord reçu un violent coup à l'arrière du crâne. Il n'a pas été fait usage de chloroforme, j'aurais pu le déterminer malgré le séjour de plusieurs heures dans l'eau de l'étang. David a ensuite été poignardé en plein cœur, ce qui a entraîné la mort de façon instantanée. De toute évidence, on s'est acharné sur lui post-mortem. Les poumons ont été atteints, le foie aussi.

Trois lignes fascinaient surtout le commissaire. Il les relut de nouveau, en les suivant de la pointe de son stylo.

— Fort intéressant, n'est-ce pas ? commenta le légiste. Il s'agit de la bague que vous cherchiez, la description correspond. Une aigue-marine montée sur un anneau d'argent.

— Il faudra la montrer aux parents de Livia Menti pour en avoir la certitude, répliqua Renan. Mais le crime est signé, si c'est le cas. Le tueur, allez savoir pourquoi, a fait avaler ce bijou à Hervé David. Peut-être un geste symbolique

— Le fait que la bague soit dans son estomac indique qu'on lui a fait ingurgiter avant de l'assommer, affirma le médecin.

— On dirait que le tueur cherche à nous faire passer un message, patron, fit remarquer Ligier.

— Je le pense également, concéda celui-ci. Il en savait trop et on l'a empêché de parler.

Nicolas Renan retint un soupir. Il se sentait dépassé par la situation. Le tueur les narguait tous, de son repaire introuvable.

— Nom d'un chien, je donnerai cher pour avoir ce type en face de moi, lui faire cracher ses sales combines, enragea-t-il. Il ne commet pas d'erreurs, il ne laisse pas d'indices. Combien de malheureuses victimes, égorgées, ou poignardées allons-nous encore découvrir ? Il faut le coincer, ça ne peut pas continuer.

Les gendarmes, Ligier et le légiste approuvèrent d'un signe de tête, mais sans conviction. Ils pourchassaient une ombre et ils éprouvaient eux aussi un amer sentiment d'impuissance.

Chez les Fleury, même jour, plus tard

Armeline avait demandé à Lara de faire un peu de ménage et d'ultimes rangements dans leur maison. Un jeune couple de Locmariaquer se disait intéressé pour la louer et devait la visiter le lendemain. Au retour d'Auray, Olivier l'avait accompagnée, après avoir confié Loanne à Fantou, chez les Bart.

— Comme tout est paisible, s'étonna-t-il en parcourant la grande cuisine. Je n'ai pas encore eu l'occasion de découvrir le lieu où tu as grandi, ma chérie. Je veux dire, seul avec toi.

— Dis plutôt le fond de ta pensée, Olivier, rétorqua Lara. Chaque fois que tu es venu ici, l'atmosphère était pesante, à cause de mon père qui maugréait et nous cherchait querelle. Et pour ta dernière visite, il reposait sur son lit de mort. J'ai l'impression d'avoir fait un cauchemar et que ce n'était pas vraiment lui. Tout s'est passé tellement vite.

— S'il te plaît, mon cœur, raconte-moi ton enfance, suggéra-t-il en la prenant dans ses bras. J'ai besoin d'oublier le déplorable entretien que j'ai eu avec Nicolas Renan.

— Tu ne dois pas l'oublier, mais te raisonner, le sermonna-t-elle. Comment as-tu osé accuser Daniel d'être à l'origine de tous tes ennuis ? Fantou doit l'ignorer, sinon elle te méprisera.

— C'est déjà fait ! Mais sois tranquille, je ne m'en vanterai pas. Lara, n'en parlons plus. As-tu dormi dans le lit clos, quand tu étais petite fille ?

Il l'enlaçait avec ardeur, tout en lui donnant des baisers dans le cou, sur la nuque.

— Non, je couchais dans la chambre de mes parents, car ma grand-mère Henriette, qui était très faible à l'époque, passait ses journées dans le lit clos, où elle s'est éteinte. Fantou a exigé de coucher dedans vers ses dix ans. Pourtant, le plus souvent, je la prenais avec moi, dans mon lit. Viens, je vais te montrer mon ancien domaine.

Olivier l'embrassa encore, mais il observa d'un œil impartial la pièce qui les entourait. Les dalles du sol étaient propres, les meubles cirés. Un gros bouquet de marguerites égayait la table. Des bibelots bon marché ornaient le manteau de la cheminée de belle dimension.

— Nous aurions pu vivre là, tous les deux, pardon, tous les trois, avec notre Loanne, murmura-t-il.

— C'était un peu mon rêve, avoua Lara. Hériter de ces murs et ne jamais les quitter. La mer est toute proche, les dunes et la lande commencent où s'arrête notre jardin.

— Je suis désolé, par ma faute, tu as été contrainte de t'exiler, déplora-t-il. J'aurais dû te laisser en paix, il y a cinq ans, au lieu de revenir et de t'entraîner dans mon existence chaotique.

Révoltée, Lara échappa à son étreinte pour le regarder bien en face. Elle le saisit par les épaules.

— Olivier, tu es mon amour. Je me considère comme ta femme pour le meilleur et pour le pire. Je suis prête à te suivre n'importe où, tant que tu m'aimes toi aussi. Tu m'as offert le paradis, en m'emmenant au Venezuela, nous avons eu une fille, notre petite bouille adorée, qui nous comble de joie. Je ne regrette rien, entends-tu ? Et si d'autres épreuves nous attendent, nous les affronterons ensemble. Tu es déprimé, tu vois tout en noir, je le sais. Mais tu es un homme merveilleux, mon chéri. Sans toi, Fantou serait peut-être morte et là, oui, ma vie aurait été brisée. Je t'en prie, ne te décourage pas.

— Tu me manques, chuchota-t-il en l'attirant contre lui. Nous n'avons aucun moyen de nous isoler, chez Rozenn et Odilon.

— C'est hors de propos, nota Lara d'un air malicieux. Mais moi aussi, notre intimité me manque. Tu te souviens, sur la plage de Coro, le soir, lorsque Carlota veillait sur le sommeil de Loanne ?

— Oui, nos bains au crépuscule, ton beau corps doré par le soleil couchant, dit-il en l'étreignant.

Lara se dégagea pour fermer la porte à clef. Elle prit Olivier par la main et le conduisit dans son ancienne chambre. Les murs en plâtre étaient peints en bleu ciel, des rideaux en dentelle couleur ivoire ornaient la fenêtre.

— Regarde, sur la commode, il y a une photographie de moi, le jour de ma première communion.

— Tu étais très jolie, tout en blanc !

— Ce coffret en coquillage, papa me l'a offert pour mes treize ans. J'étais très fière d'avoir eu ce cadeau et j'ai rangé mes petits trésors à l'intérieur.

— Et d'où vient ce lit en cuivre ?

— Des Guillemot, du côté de maman. Il a dû abriter les nuits de mes ancêtres, hasarda-t-elle.

Un baiser la fit taire, auquel elle répondit fébrilement. Leurs bouches se retrouvèrent, tout de suite complices, insatiables. Olivier défit d'une main le chignon de Lara, puis il déboutonna son corsage avec brusquerie, dans sa hâte de la voir nue. Elle se débarrassa de sa jupe, de son soutien-gorge et de sa culotte en satin rose, aussi pressée que lui de s'abandonner au désir dont les ondes chaudes l'affaiblissaient.

— Enfin, nous sommes tous les deux, marmonna-t-il. Rien que tous les deux. J'en avais tellement envie, ma chérie, ma beauté.

Il recula un peu pour la contempler. Sa chair nacrée, à peine dorée, semblait capter la lumière. Ses seins ronds aux mamelons sombres le fascinaient, tant ils étaient parfaits.

Vite, il se débarrassa de ses vêtements, tandis qu'elle s'allongeait sur le lit, auréolée de sa somptueuse chevelure brune.

« Nous allons faire l'amour à deux mètres du lieu où mon père s'est donné la mort, songeait Lara. Ce n'est peut-être pas bien, mais si je me refuse à Olivier, il en souffrira, il m'en voudra un peu. Je ne dois penser qu'à lui, lui seul, le rendre heureux. »

Son compagnon fut traversé par une idée similaire, qu'il chassa vite de son esprit et de son cœur. Tressaillant de désir, le sexe durci, il se dédouana de tout scrupule.

« La vie doit triompher, se dit-il. Et l'amour, le véritable amour ! »

Il s'étendit auprès de Lara et il commença à la caresser du bout des doigts, sur le visage, puis en parcourant son corps avec une infinie délicatesse. Olivier était un amant tendre, patient et très doux. Ils échangèrent de nouveaux baisers, étroitement enlacés. Plus ils s'embrassaient, plus un plaisir subtil les grisait.

— Je retrouve ma sirène, chuchota-t-il à son oreille. Je te revois, sur ton îlot, assise sur un rocher, toute nue, les cheveux mouillés. Nous avons connu un tel bonheur, là-bas, au milieu du golfe, cernés par la mer.

— Oui, nous étions libres, insouciants, tu m'as fait découvrir l'extase, le paradis, répondit-elle en effleurant ses cuisses et le bas de son dos d'une main câline. J'étais ignorante en la matière, tu m'as enseigné la joie, les secrets de mon corps.

— Comme ceci ? demanda-t-il, illuminé d'un sourire rêveur.

Olivier exaltait de l'index les sensations enivrantes que procurait à Lara un point précis de son intimité, ce bouton d'amour niché au sein d'un calice humide.

— Oui, oui, gémit-elle d'une voix changée.

Bientôt, tandis qu'elle se cambrait et haletait, il changea de position pour boire de ses lèvres chaudes à la source même de son plaisir de femme. Un cri langoureux échappa à Lara, qui céda au besoin lancinant de combler le vide qu'elle ressentait.

— Viens en moi, viens, mon amour, supplia-t-elle.

Il s'exécuta, non sans couvrir de baisers son ventre, ses seins, sa bouche. En s'abîmant en elle, il poussa une plainte rauque, à laquelle répondit l'exclamation ravie de Lara qui noua ses jambes autour de sa taille, pour mieux s'offrir.

— Je t'aime tant, murmura-t-elle. C'est tellement bon, d'être là, tous les deux.

Hagard, les reins en feu, Olivier contrôlait pourtant ses mouvements, afin de savourer la lente montée de la jouissance. Il savait comment attiser le désir et le plaisir, en se retirant parfois un court instant, pour reprendre ensuite possession de Lara, totalement abandonnée. Soudain il roula sur le côté, se coucha et l'obligea à le chevaucher.

— J'aime te regarder, ma belle sirène, dit-il, le souffle court.

Dans cette position, il la voyait s'agiter, les cheveux épars, et son excitation en était sublimée. S'il se redressait, tout en la tenant par la taille, il pouvait embrasser sa poitrine et mordiller ses mamelons.

Lara capitula la première, dans un bref cri de surprise, le ventre palpitant de spasmes voluptueux. Elle s'abattit sur lui, les larmes aux yeux.

— Je n'ai jamais ressenti ça, avoua-t-elle dans un souffle.

— Ma chérie, je t'aime à en mourir, dit-il tout bas, en décochant un dernier mouvement impérieux, tandis qu'il libérait sa semence d'homme. Je t'aime, je t'aime, ma femme, mon cœur.

Ils demeurèrent longtemps enlacés, étourdis par l'intensité merveilleuse de cette étreinte. Lara, comblée, espéra en secret qu'ils avaient conçu un deuxième enfant.

Forêt de Paimpont, lieu-dit le Pas-du-Houx,
même jour, même heure

Le commissaire Renan et l'inspecteur Ligier avaient terminé de fouiller minutieusement la maison où Hervé David habitait depuis environ six ans, selon Aline Duval. Le lieutenant Auffret, qui se prétendait expert dans le dressage des chiens, les avait accompagnés.

Le gendarme tenait à s'occuper du berger allemand, mais Mordred lui avait donné du fil à retordre, comme en attestait la morsure qui saignait à son poignet gauche.

— Il vaudrait mieux abattre cette bête, commissaire, répéta-t-il pour la troisième fois. Elle est dangereuse.

— Je suis désolé, Auffret, répliqua le policier, je ne tuerai pas cet animal sans raison valable. Vous vous y êtes mal pris, voilà tout. Il ne vous connaissait pas, il fallait vous méfier. Aline Duval et sa sœur décideront de son sort. Au pire, il finira à la fourrière.

— Conseillez à ces demoiselles de confier ce chien à la SPA[1], patron, intervint Ligier. L'organisme lui trouvera un nouveau maître.

— Vous avez raison, trancha Renan. Pour le moment, il n'y a plus de danger, puisque le lieutenant a quand même réussi à museler Mordred. Bien, nous pouvons rentrer à Auray et apposer les scellés. J'emporte les livres de compte de David et le paquet de lettres que vous avez trouvé, Ligier. Sait-on jamais, on y dénichera peut-être quelques renseignements.

— Entendu, patron.

Le lieutenant, furieux d'avoir été mordu, vidait sans aucune précaution le contenu d'un petit placard à pharmacie. Il désinfecta la plaie au Dakin, avant de l'envelopper d'une bande Velpeau. Il jeta ensuite un coup d'œil plein de hargne à Mordred, qui, muselé, attaché par une solide corde au pied d'une lourde armoire, grondait à intervalles réguliers.

En l'observant, Nicolas Renan pensa à Nérée, le chien de Rozenn. D'une taille presque aussi imposante que le berger allemand, il se montrait d'un caractère plus paisible.

« Le protecteur de Fantou, se dit-il. Elle y est très attachée, sûrement comme David appréciait celui-ci. »

Peu après, Ligier fermait à clef la maisonnette entourée par la forêt. Le ciel était gris, mais il faisait chaud. Des nuées d'oiseaux s'envolèrent, lorsque le lieutenant Auffret fit démarrer le fourgon de la gendarmerie. Quant au commissaire, il était venu au volant de sa Rosengart et, à l'étonnement de l'inspecteur et du gendarme, il décida de faire monter Mordred dans sa propre voiture.

— Je me charge de déposer cette bête à Auray, chez la grand-mère des demoiselles, expliqua-t-il, sans révéler l'idée qu'il avait eue.

---

1. La Société protectrice des animaux a été fondée, en France, en 1845.

Il conduisit à vive allure, en ayant soin de vérifier, à l'aide du rétroviseur intérieur, le comportement du chien, couché sur la banquette arrière. L'animal ne bronchait pas, lui lançant parfois un regard inquiet, de ses yeux bruns et brillants.

Sainte-Anne-d'Auray, chez les Jouannic,
une heure plus tard

Loïza avait installé Luc dans une antique chaise longue en rotin, garnie de coussins. L'adolescent, les traits émaciés, le teint livide, somnolait. Les nuages, poussés vers l'est par le vent, avaient dévoilé un azur pâle. Le soleil, qui déclinait, dorait la cime d'un sapin, planté un siècle auparavant par un Jouannic, au fond du jardin d'agrément.

— Repose-toi, mon pauvre enfant, soupira Loïza qui tricotait, assise sur un tabouret. Il te faut du bon air, une bonne nourriture, pour vaincre la maladie.

Killian jouait près d'eux, sur la pelouse d'un vert velouté. L'enfant poussait un cerceau coloré, du plat de la main. Il éclatait de rire lorsqu'il le faisait tomber.

— Maman viendra quand, tata ? claironna-t-il.

— Sûrement demain, mentit Loïza.

La veille, Tiphaine et John Russel n'étaient pas venus rendre visite à leur petit garçon, qui avait pleuré un quart d'heure. Pour le consoler, Paule Jouannic s'était résignée à lui prêter ce cerceau en aluminium peinturluré, qui avait appartenu à Gaël, son fils adoré, désormais bien établi à Paris.

Un bruit de moteur résonna dans la rue, assorti d'un coup de klaxon. Loïza reconnut la voiture de Nicolas, à travers la haie. Elle se leva après avoir rangé son ouvrage dans un cabas.

— Sois sage, Killian, je vais voir qui c'est !

Consciencieusement, elle toucha l'épaule de Luc qui entrouvrit les yeux. Par signes, elle lui annonça qu'elle s'éloignait quelques minutes. Il approuva en souriant.

— Nicolas, qu'est-ce qui se passe ? demanda tout de suite Loïza à son amant, debout derrière le portillon.

— Bonsoir, ma douce, murmura-t-il. Sors un moment, je veux te montrer quelque chose.

— Juste un moment, alors, répondit-elle. Je suis seule avec les enfants. Paule est partie à la basilique, Goulven reviendra tard du garage.

— Ce ne sera pas long, insista-t-il. J'ai pensé à toi, car je sais que tu aimes les animaux.

Intriguée, Loïza le suivit sur le trottoir, jusqu'à la Rosengart. Elle aperçut, par la lunette arrière, un énorme chien au poil fauve et noir.

— Son propriétaire est mort, précisa Renan. Je le ramène chez des jeunes filles qui ne pourront pas le garder. Je suis sûr que tu es très capable de l'amadouer. Au fond, ça me tranquilliserait si tu avais un chien de cette taille pour te protéger. Nous avons fini par sympathiser, lui et moi. Je me suis arrêté près d'un bois et je l'ai promené. Il s'est laissé caresser, je lui ai ôté la muselière qu'on avait mise par prudence.

Mordred, au même instant, se redressa. Il montra les crocs et il aboya, en heurtant la vitre de la portière de sa grosse tête.

— Ma parole, tu es fou, Nicolas ! se rebiffa Loïza qui avait reculé d'un mètre. J'ai peur des chiens, je croyais te l'avoir dit. Je préfère les chèvres, les ânes et les poules !

— Vous n'avez jamais eu de chien, dans ta famille ? s'enquit-il.

— Mon père, oui, un épagneul doux comme un mouton, dit-elle d'une voix altérée, tendue.

Nicolas Renan remarqua, stupéfait, que Loïza tremblait de façon convulsive, le regard effrayé. Il l'avait rarement vue aussi livide. Mordred continuait à gronder, ou bien à aboyer, en la fixant.

— Je suis navré, ma douce, je me suis trompé, plaida-t-il. Je pensais te faire plaisir.

— Va-t'en vite, emmène ce monstre à destination, déclara-t-elle, la gorge nouée. Tu aurais pu réfléchir, avant de débarquer ici. Un animal de cette race représente un danger pour les enfants, pour les passants. Je déteste les chiens, surtout ceux-là, j'en ai assez vu au bout d'une laisse tenue par les soldats allemands.

Loïza courut se réfugier de l'autre côté du portillon. Elle toisa le policier d'un air dur, hostile.

— Allons, ma chérie, calme-toi, dit-il en la rejoignant. Pardonne-moi, je ne pouvais pas deviner que tu avais aussi peur des chiens. Tu me parlais souvent de l'affection que tu portais à tes bêtes.

— Mes bêtes sont inoffensives et utiles, répliqua-t-elle. Pars vite, de toute façon, je n'aurai plus l'occasion de te voir, Luc est très malade.

Elle lui tourna le dos pour remonter l'allée gravillonnée. Son attitude porta un rude coup au commissaire, déjà démoralisé. Il hésita à la rattraper, mais Killian courait vers elle.

— Quel crétin je fais ! dit-il entre ses dents.

Il refusait d'admettre que Loïza rompait à nouveau leur liaison sans lui accorder une seconde chance. Dépité, se répétant qu'elle changerait d'avis, il regagna sa voiture. Mordred s'était recouché sur la banquette, sans se douter du mauvais rôle qu'il avait joué.

Quelque part dans le Morbihan, mardi 19 juin 1951,
le soir, une semaine plus tard

L'homme guettait l'heure à la pendule qui trônait sur une majestueuse commode en merisier. C'était une remarquable antiquité. Le cadran rond, inséré dans du marbre noir, affichait des chiffres de style gothique. Des faunes en bronze complétaient l'ouvrage, admirablement bien représentés, de leur faciès grimaçant à leurs pattes de bouc velues et terminées par des sabots.

Une large porte à double battant s'entrouvrit sur Jonas, le majordome. Il introduisit un visiteur, de haute taille, au crâne chauve.

— Bonsoir, Maître, dit respectueusement Barry en s'approchant.

— Bonsoir, Magnus ! Je t'en prie, épargne-moi ce vocable de maître, inutile entre nous, quand nous sommes en tête à tête. Réservons-le aux moments où je reçois ces tristes pantins qui m'obéissent aveuglément. Allons, assieds-toi et bois un verre de cet excellent cognac, Magnus le bien nommé ! Tes parents ont été inspirés en te baptisant ainsi.

— C'est un prénom de mon pays, monsieur, mais fort peu usité. La Belgique m'a vu naître.

— Et elle te sert de repaire, le plus souvent. Tu n'y retourneras pas cette année, Magnus. Je vais avoir besoin de toi. Olivier Kervella a perdu la partie, il ne sera jamais celui que j'espérais. Je suis déçu.

Barry plissa les paupières lorsque l'homme lui servit un verre de cognac. Derrière les hautes fenêtres de la pièce, le ciel nocturne se devinait, où étincelait la pleine lune du mois de juin.

— Hier soir, j'ai réglé le problème qui vous préoccupait, monsieur, annonça-t-il d'un ton désinvolte. La police aura du mal à retrouver son suspect.

— Ah, ce pitoyable Paulo ! Très bien, Magnus. Maintenant à toi d'agir, de la manière dont tu le décideras. Je t'accorde deux semaines, ou même trois, je suis de bonne humeur. L'attente fait partie du plaisir, n'est-ce pas ?

— En effet, monsieur. Est-ce que je dois toujours suivre les consignes établies au début du contrat ?

— Oui, je n'ai qu'une parole. De plus, la difficulté pimente les choses, nous l'avons constaté à plusieurs reprises. À présent nous pouvons descendre et nous distraire un peu, mon cher Magnus.

— Volontiers, monsieur. J'apprécie beaucoup les amusements que vous daignez partager avec moi.

— Et tu te montres un partenaire de qualité.

Ils se levèrent en même temps, tous deux déployant leur haute stature. L'homme lança un dernier regard au disque argenté de la lune. Ses yeux clairs brillaient d'une intense exaltation. La nuit était son domaine de prédilection.

Villa des Bart, lundi 2 juillet 1951

Lara et Fantou venaient de s'enfermer dans le cabanon de Rozenn, afin de ne pas être dérangées, ni par leur mère, ni par Loanne. Une discussion s'imposait, que l'une et l'autre avaient repoussé jusqu'à ce chaud matin d'été.

— Ton année scolaire est finie, Fantou. Tu dois prendre une décision et ne plus en changer. Réfléchis bien, mon korrigan. Soit tu nous suis au Venezuela, soit tu restes en Bretagne. Mais Olivier ne tient plus en place, nous devons repartir. J'ai peur, tu n'es pas en sécurité ici.

— Je ne serai pas en danger chez Daniel. Personne n'a jamais importuné Olivier quand il séjournait sur l'île de Molène.

— Il peut t'arriver malheur au cours du trajet, insinua Lara.

— Tu te fais des idées, comme Nicolas Renan, comme Olivier. Je suis d'accord avec Mme et M. Kervella, vous auriez mieux fait de vous marier à Dinard, puisque vous êtes en France depuis deux mois. Au moins, il y aurait eu un semblant de fête. L'ambiance devient pénible à la villa. Loanne fait caprice sur caprice. Maman est tiraillée entre ses remords envers papa, et son enthousiasme indécent dès qu'elle s'autorise une escapade au bras d'Odilon. Rozenn est la seule à tenir bon. Elle demeure aimable, patiente, courageuse, ce qui devrait exhorter Olivier à l'imiter.

— Il se sent oppressé, Fantou. Peu importe que nous soyons mariés ou non, je l'aime et je n'en peux plus de le voir tourner en rond, se relever la nuit. Nous n'avons même pas la possibilité de nous isoler, puisqu'il y a des locataires dans notre maison.

— Que veux-tu dire par s'isoler, Lara ? ironisa sa sœur. Je me doute, un couple a besoin d'intimité. Si je vis près de vous, à Coro, vous n'en aurez plus guère.

— Ne sois pas stupide, il y a six chambres là-bas, tu choisiras la tienne, précisa Lara, exaspérée. Je t'ai souvent imaginée dans la plus agréable, qui possède une baie vitrée sur le parc. Fantou, ne t'entête pas ainsi. L'existence est presque magique, au Venezuela. Il y a des oiseaux magnifiques, des fruits à profusion, les gens sont gentils. Toi qui aimes la musique, elle est omniprésente.

— J'aime la musique quand Daniel joue du piano, rétorqua Fantou.

Malgré son air buté, elle était tentée. Petite fille, elle rêvait de contrées lointaines, de pays étrangers, de grands espaces. Mais son amour pour Daniel l'empêchait d'accepter ce voyage dont elle se serait réjouie trois ans auparavant.

— Au fond, tu viendrais sans hésiter si tu n'étais pas amoureuse, déplora Lara. Es-tu vraiment sûre de tes sentiments ?

— Oui, enfin je le serai après avoir passé du temps chez Daniel, sans contrainte, ni chaperon.

— Seigneur ! Qu'as-tu prévu, Fantou ?

Sa sœur se réfugia dans l'angle le plus sombre de la cabane. Des bouquets de plantes officinales, suspendus aux solives de la charpente, frôlaient son front et ses cheveux blonds.

— Rien qui te regarde, Lara. J'aurai dix-sept ans dans huit jours à peine. Je n'ai pas pu en parler avec toi, tu étais partie au bout du monde, mais certaines camarades du lycée sont loquaces sur le sujet. Une fois, je leur ai confié que les relations sexuelles entre un homme et une femme me dégoûtaient. Elles se sont moquées de moi. Pourtant c'était la vérité. Je n'ai pas pu oublier le soir où Erwan Cadoret t'a violentée, sur la plage. Ses gestes affreux, toi qui te débattais, j'étais horrifiée.

Bouleversée, Lara rejoignit Fantou et lui caressa la joue.

— Je me suis réfugiée dans la foi, ajouta celle-ci. J'ai prié Dieu et Jésus Christ de me prendre sous leur aile, j'avais envie d'entrer au couvent le plus tôt possible, pour vivre dans la chasteté.

— Tu étais déjà très pieuse toute petite, dit Lara. Tu désirais prendre le voile, même avant cet incident avec Erwan.

— Je sais, je m'en souviens, mais pour moi, ça demeurait irréel, comme un beau songe éveillé. Ensuite, en vous voyant, Olivier et toi, j'ai commencé à évoluer. J'ai eu l'impression que l'amour physique n'était pas forcément répugnant, si le cœur vibrait à l'unisson. Hélas, le retour de papa et son comportement odieux envers maman ont tout gâché. J'ai assisté sans le vouloir à une scène ignoble, bestiale. Maintenant je me sens perdue.

— Si nous allions marcher, proposa tout à coup Lara. On étouffe ici. Il fera meilleur au bord de la mer. Viens, mon korrigan. Me permets-tu de te surnommer encore comme ça ?

— Si nous sommes seules, oui, murmura Fantou.

Nérée guettait leur réapparition, couché à l'ombre dans la cour. Le chien bondit pour les suivre dans le jardin, puis sur la grève humide, tapissée de galets et de longues algues brunes. La marée était basse. Un couple, équipé d'un seau, ramassait des palourdes. C'était une paisible journée, sous un ciel d'un bleu pur.

— Je crois avoir deviné, reprit Lara en serrant le bras de sa sœur. Tu voudrais faire l'amour avec Daniel ?

— Oui, c'est ça, avoua sa sœur, les joues en feu.

— Si c'est un homme bien, il refusera. Personne ne s'opposera à ton choix, ni maman ni moi, si vous vous fiancez, mais autant ne pas brûler les étapes. Fantou, je te propose une autre solution. Nous pourrions partir tous les trois pour Molène. Tu passes une semaine près de Daniel, à flirter en tout bien tout honneur. Ensuite tu viens avec nous au Venezuela, un an seulement. Je te promets que tu rentreras en France l'été prochain. Si tes sentiments et ceux de Daniel n'ont pas changé, rien ne vous empêchera de vous fiancer.

— Et mon baccalauréat, mes études d'infirmière ?

— Tu es si jeune, tu retourneras au lycée à ton retour. Ne sois pas trop pressée, mon korrigan. La liberté est précieuse !

— C'est toi qui dis ça, alors que tu vis suspendue aux moindres souffles de Loanne et d'Olivier ?

— Là, tu es injuste ! s'indigna Lara. Je me dévoue pour eux, c'est différent. Réfléchis à ma proposition, il me faudrait une réponse dès demain matin. Et ce serait judicieux que Daniel et Olivier puissent se revoir et se réconcilier, ils se sont séparés en mauvais termes.

Fantou s'arrêta de marcher et contempla la mer. Avec un bref soupir, elle observa le vol d'une mouette solitaire.

— Qui paiera ma place de bateau, d'avion ? s'inquiéta-t-elle. Je n'ai même pas de passeport. Pourquoi vous en aller aussi vite ? Si vous restiez jusqu'au début du mois de septembre, comme c'était prévu, j'aurais eu le temps de me décider, de savoir…

— De savoir si tu étais capable de coucher avec un homme ?

— Notamment, oui, et tant pis si je te choque.

— Quel sale caractère, plaisanta Lara. Tu ferais mieux de me poser des questions sur ce qui te tracasse. Je peux te renseigner.

Les deux sœurs se regardèrent. D'abord sérieuses, elles finirent par éclater de rire.

Auray, Hôtel des Halles, même jour

Allongé sur son lit, Nicolas Renan consultait une liasse de documents. Il les avait emportés en quittant la gendarmerie, afin de les étudier à nouveau, « au calme ».

Mais le calme tant espéré échappait au commissaire. La presse régionale, toujours bien informée, multipliait les titres alarmants, et même les journaux nationaux consacraient une colonne aux crimes endeuillant le Morbihan. On évoquait à loisir les meurtres sauvages de Livia Menti et d'Hervé David, dont les portraits en noir et blanc illustraient les articles correspondants.

— Les deux dernières victimes du tueur des dolmens, marmonna Renan entre ses dents. La jolie Livia et l'apprenti druide. Bon sang, qui a pu renseigner les journalistes à propos de la bague de fiançailles ? J'avais recommandé de ne rien divulguer.

Le policier alluma une cigarette. Il était en chemisette, le front moite de sueur. Comme cinq ans plus tôt, après la découverte du corps de Madalen Le Goff, la panique s'était répandue parmi la population.

Les brigades de gendarmerie du département effectuaient des rondes durant la nuit, on conseillait aux familles de réduire les sorties de leurs filles. Les dénonciations redevenaient d'actualité, car on soupçonnait chaque individu aux allures louches.

— La mort de David a brouillé les pistes, maugréa Renan. Bien sûr, les interrogatoires sur le marché de Grand-Champ n'ont rien donné.

Ligier et lui, ainsi que trois gendarmes, avaient questionné en vain les commerçants susceptibles de témoigner. Hervé David dressait son étal entre une marchande de primeurs et un crémier. Ils avaient répondu ne pas faire attention aux clients du vendeur de miel, dont la faconde et les cheveux un peu trop longs leur déplaisaient.

— J'en ai assez, je devrais démissionner et m'exiler je ne sais où, en Chine, tiens !

Un juron bien senti lui échappa. Enrager ne soulagea guère le commissaire. Une blessure plus cruelle le torturait. Il avait écrit deux courtes lettres à Loïza, où il la suppliait de lui rendre visite, mais sans résultat. Lorsqu'on frappa à la porte de sa chambre, il fut persuadé qu'un nouveau crime venait d'être découvert.

— Qui est-ce ? demanda-t-il sèchement.

— Ouvre donc, Nicolas.

Il reconnut la voix suave de sa maîtresse. Dès qu'elle entra, Loïza se jeta à son cou. Il la serra contre lui, surpris de la sentir trembler nerveusement. Soudain elle se mit à sangloter.

— Ma douce, qu'est-ce qui se passe ?

— J'ai le cœur brisé, Nicolas. Je voulais être forte, je n'ai pas pu. Pourtant j'ai réussi à ne pas pleurer. Ils ont emmené Killian tout à l'heure… Mon Dieu, c'était affreux. Mon bout de chou était en larmes et s'accrochait à moi. J'ai élevé ce petit, comprends-tu, et on me l'arrache ! Je m'y étais préparée, ces dernières semaines, mais j'ai trop de chagrin.

Le policier n'avait jamais vu Loïza aussi désespérée. Il la pensait un peu froide, soucieuse de bienséance au point de se dominer jusqu'à en paraître guindée. Seuls leurs ébats passionnés l'obligeaient à dévoiler sa nature sensuelle.

— Je suis désolé, ma chérie, dit-il en se reprochant de proférer une telle banalité. Que puis-je faire pour te consoler ?

— Juste être là, me serrer très fort. Nicolas, pardonne-moi, je n'ai pas répondu à tes lettres.

— Tu es revenue, c'est le plus important. Tu m'as manqué.

Il caressa ses épaules, son dos, sa chute de reins, terrassé par le désir. Le parfum de Loïza, l'odeur de ses cheveux, le grisaient. Il chercha ses lèvres, mais elle le repoussa.

— Je t'en prie, Nicolas, ramène-moi à Sainte-Anne. Le docteur doit examiner Luc dans une heure. Le pauvre garçon… Le départ de Killian l'a fait pleurer. Lui aussi, je vais le perdre.

Loïza sanglota encore un peu, blottie contre la poitrine de son amant. Une infinie tendresse le submergea, qui coupa court à son envie de la posséder, de lui faire tout oublier dans une brève étreinte. Pour la première fois, Renan envisagea d'adopter un enfant, qu'ils chériraient tous les deux, mais il n'en parla pas.

« Ce n'est pas le bon moment, se dit-il. Demain peut-être. »

12

Retour sur l'île de Molène

En mer d'Iroise, mercredi 4 juillet 1951

Une houle profonde soulevait avec régularité le ferry qui approchait de l'île de Molène. Le bateau se dressait puis glissait au creux des hautes vagues avant de se redresser encore. Le roulis était venu à bout de plusieurs passagers, penchés sur le bastingage de crainte de vomir ou l'ayant déjà fait. En cette saison, l'*Enez Eussa*[1] transportait aussi quelques touristes qui souhaitaient visiter ce bout de terre et de roches, en mer d'Iroise, ou bien découvrir l'île d'Ouessant, encore plus éloignée du continent.

Fantou, désormais accoutumée à cette traversée sur des eaux agitées, avait acquis le pied marin. Aucunement indisposée par le tangage, elle guettait avec impatience l'apparition du sémaphore de Molène, qui dominait l'île. Elle s'était habillée de façon pratique, en pantalon et pull, une casquette dissimulant sa chevelure blonde. Son maigre bagage logeait dans un sac en cuir, posé entre ses pieds chaussés de sandales.

« Lara croyait m'avoir raisonnée. Elle doit être furieuse, à l'heure qu'il est, songea-t-elle, le cœur serré. Mais je n'ai pas eu le choix, j'ai fugué. Olivier est le seul responsable. »

1. Ferry qui faisait la liaison entre le continent et les îles de Molène et d'Ouessant.

La jeune fille s'était lancée dans une aventure hasardeuse, dont elle refusait d'envisager les conséquences. S'estimant sur le seuil de l'âge adulte, elle avait décidé de rejoindre Daniel Masson, parce qu'il l'aimait et qu'elle l'aimait aussi. Pourtant le mot « fugue » résonnait dans son esprit, contre son gré. Et ce n'était pas l'unique source du malaise qu'elle éprouvait. En arrivant dans le port de Brest, sur l'embarcadère d'où partait le ferry, elle s'était retrouvée en face du docteur Bacquier.

« Il m'a saluée froidement, d'un signe de tête, sans daigner m'adresser la parole, se remémora-t-elle. Et pour comble de malchance, il est monté à bord lui aussi. Pourvu qu'il se rende à Ouessant. »

Elle avait cherché en vain à repérer sa silhouette sur le pont, parmi les autres voyageurs. Il devait rester à l'intérieur du bateau, peut-être pour l'éviter. Lorsque la sirène du ferry s'éleva pour annoncer la prochaine escale, Fantou respira mieux. Dans une vingtaine de minutes, elle reverrait Daniel.

« Il va être tellement heureux, se dit-elle. Je suis sa fée, son ange ! »

Au fond, Fantou n'en était pas complètement sûre. De quinze ans son aîné, soucieux des conventions sociales, Daniel Masson pouvait très bien être effaré par sa visite imprévue.

« Pourtant je suis allée plusieurs fois à Molène, avec l'accord de maman, certes, et en prévenant des dates de mes séjours. C'est la seule différence. J'agis en adulte, en femme amoureuse. »

Ce raisonnement ne parvint pas à la tranquilliser, mais elle tendit son délicat visage vers l'île à présent toute proche, où se dressaient les maisons édifiées près du quai. Le clocher de l'église Saint-Renan se dessinait sur le bleu vif du ciel.

Fébrile, Fantou ramassa son sac, tout en observant la foule qui déambulait sur les pavés du petit port. Elle espérait apercevoir Katell, la fidèle gouvernante de Daniel.

— Pour une jeune fille qu'un simple baiser effarouche, lui glissa-t-on à l'oreille, on voyage sans chaperon, sans protecteur ! Il faut croire que vous bernez votre monde, mademoiselle Fleury, de ce crétin de flic à votre pauvre mère.

Elle identifia sans peine la voix du docteur Bacquier, au timbre éraillé, nuancé d'un indéfinissable accent.

— Laissez-moi tranquille ! protesta-t-elle. Que faites-vous ici, vous m'avez suivie ?

— J'ai d'autres chats à fouetter ! Je ne perdrais pas de temps, puisque je suis en congé, à courir derrière une donzelle de votre genre ! J'avais prêté mon voilier à un ami, je vais le récupérer dans le port d'Ouessant. Et vous, où allez-vous, déguisée de la sorte ? Ceci dit, votre minois à l'ombre d'une casquette ne me déplaît pas.

Il s'enhardit jusqu'à la prendre par la taille. Furieuse, Fantou s'écarta de lui. Un des employés du ferry accourut, témoin de la scène. Père de famille et d'une moralité irréprochable, il écarta le médecin d'un geste autoritaire.

— Je vous ai vu ennuyer cette demoiselle, monsieur, il y a des consignes à respecter, à bord.

— Nom d'un chien ! jura Bacquier. Je n'ai rien fait de mal, c'est une de mes patientes, je m'informais de sa santé !

— C'est vrai, mademoiselle ?

— Oui, marmonna-t-elle bien à regret.

Le docteur Bacquier s'éloigna en maugréant des invectives. Le matelot renonça à comprendre et fit demi-tour. Dix minutes plus tard, Fantou débarquait sur la jetée pavée, en poussant un soupir de soulagement. Le médecin était resté à bord du ferry.

« Bon débarras », songeait-elle en marchant vers la maison de famille des Masson, située à côté du seul hôtel-restaurant de l'île.

Elle se souvenait des dernières recommandations de Nicolas Renan. Si Bacquier ne pouvait guère être le tueur des dolmens, comme l'avaient attesté ses alibis pour quatre des crimes, il s'était cependant permis des privautés avec certaines patientes.

— Je n'ai pas de motifs suffisants pour l'arrêter, mais je n'ai aucune confiance en lui, avait conclu le commissaire.

Ces mots tournaient dans l'esprit de Fantou, tandis qu'elle frappait à la porte peinte en bleu foncé, dépourvue de heurtoir. Katell ouvrit et la dévisagea d'un air ébahi.

— Fantou ! On ne t'attendait pas ces jours-ci !

— Je suis désolée, je n'ai pas pu vous avertir de ma venue.

— Entre ! Excuse-moi, je suis toute surprise.

La familiarité était de mise, après plusieurs séjours de la jeune fille sur Molène. La gouvernante la tutoyait depuis deux ans, et elle avait exigé de l'être.

— Tu ne m'embrasses pas ? s'étonna Fantou.

— Si, bien sûr, ma jolie !

Elle lui donna une bise rapide sur la joue, puis elle se dirigea vers le bas de l'escalier situé au fond du couloir.

— Je monte dire à monsieur Daniel que tu es là, il se reposait après le déjeuner. As-tu mangé, toi ?

— Non, Katell, et je suis affamée.

— Va dans la cuisine, il y a du fromage et du pain.

En dépit du sourire qu'affichait Katell, son accueil manquait de chaleur. Gênée, Fantou la vit monter d'un pas pesant la volée de marches étroites, lustrées par les années.

« J'aurais dû envoyer un télégramme, mais je n'ai pas pu, je n'avais pas assez d'argent », déplora-t-elle.

L'écho d'une discussion animée lui parvint, de l'étage. Figée sur place entre la porte donnant dans la cuisine et celle du salon, la visiteuse oubliait sa faim, de plus en plus inquiète.

« Daniel sera heureux de me revoir, lui, se rassurait-elle. Il était triste en quittant Locmariaquer. »

Bientôt Fantou entendit le léger martèlement d'une canne sur le palier, un bruit significatif qui précipita les battements de son cœur. N'y tenant plus, elle avança d'un mètre, en appelant d'une voix douce, vibrante d'amour.

— Daniel ! Je suis là !

Il lui apparut, une main cramponnée au bas de la rampe, l'autre crispée sur le pommeau de sa canne blanche. Il était en chemise, sans cravate, ses mèches blondes en bataille, un timide sourire sur les lèvres.

— Fantou ! Quand Katell m'a annoncé votre arrivée, je ne pouvais pas le croire. Où sont Lara et Olivier, la petite Loanne ?

— Mais je suis seule, Daniel ! Katell ne vous l'a pas précisé.

— J'ai dû mal comprendre, plaida-t-il. Allons dans le salon, vous m'expliquerez ce qui se passe.

Désemparée, car il ne cherchait même pas à l'enlacer, Fantou le précéda dans la pièce où elle avait connu des heures exquises en sa compagnie. Ils partageaient de longues conversations, autour du plateau de thé, ou bien ils écoutaient des disques de musique classique, assis sur le divan, en se frôlant souvent.

— Je pensais me jeter à votre cou, dit-elle tout bas. Ou je vous imaginais tellement heureux que vous me serreriez très fort dans vos bras, comme vous l'aviez fait à la villa, le matin de votre départ.

— Pardonnez-moi, ma chère Fantou, je n'étais pas préparé à un tel bonheur, se défendit-il. Venez plus près !

Elle obéit, la gorge nouée, prête à pleurer de déception. Il perçut sa présence et lui caressa l'épaule.

— Ce n'est pas très convenable de vous recevoir, si vous êtes seule, murmura-t-il.

— Pourquoi ? Qu'est-ce qui a changé ?

— Nos relations, justement. Nous avons parlé fiançailles, nous avons échangé des baisers, mais il y avait votre mère, votre sœur non loin, ainsi que vos amis Bart.

Terriblement vexée, Fantou recula et elle se posta près de la fenêtre. Dehors des enfants jouaient sur les pavés, des marins étendaient leurs filets.

— J'ai volé vers vous, Daniel, peut-être au sens figuré, mais j'ai vraiment eu l'impression d'un envol, le cœur plein de vous, ravie d'être libre. Je ne supportais plus d'être séparée de l'homme que j'aime et qui m'aime. Je me répétais ces quelques mots, en fuyant la villa. Hélas, vous me recevez presque froidement. Du coup, j'ai honte, je me sens ridicule.

— Il ne faut pas, ma chérie, répondit-il d'un ton câlin. Mais est-ce que Lara et Olivier vous ont permis ce voyage ? Il faut me comprendre, nous nous sommes quittés en assez mauvais termes, Olivier et moi. J'étais persuadé de ne pas le revoir avant le grand départ pour le Venezuela.

Fantou essuya une larme. Elle dut se contenir pour ne pas en verser d'autres.

— Vous aviez raison, Daniel, répliqua-t-elle. Autant vous dire la vérité. Pour me faire plaisir, Lara avait prévu de venir passer trois ou quatre jours ici, avec Olivier, Loanne et moi. J'étais enchantée, et même folle de joie. Nous serions partis de l'île en direction de l'Angleterre, en bateau. Mais Olivier a refusé catégoriquement. Mon futur beau-frère souffre de paranoïa, j'en ai la conviction.

— On ne peut pas lui en vouloir, Fantou. J'ai été le premier à songer qu'il avait la manie de la persécution, cependant des gens ont cherché à lui nuire, ça ne fait aucun doute.

— Peu importe ! Toujours est-il que j'ai fugué, en prenant un autocar à 5 heures du matin pour Vannes, ensuite un train pour Rennes et un second qui m'a amenée à Brest.

— Seigneur, c'est insensé ! s'écria Daniel Masson. S'il vous était arrivé malheur, j'en serais responsable.

— Pas du tout ! se récria-t-elle. Vous n'y êtes pour rien, si je suis là, en quête d'un amour qui me semble inexistant à présent, du moins de votre côté. Je reprendrai le ferry ce soir, vous serez débarrassé de moi.

Daniel entreprit de la rejoindre en se guidant au son de sa voix tremblante de chagrin. Il s'appuya au dossier d'une chaise, avant de poser ses mains sur ses épaules, non sans avoir effleuré sa poitrine par maladresse.

— Je suis navré, marmonna-t-il. Fantou, ma chérie, je voudrais me réjouir de vous avoir près de moi, mais tout le monde doit être très inquiet, si vous avez fugué.

— Non, je ne suis pas méchante, j'ai écrit un message à ma sœur, lui indiquant que j'allais vous retrouver.

— Olivier va me maudire, déplora le jeune homme. Le mieux serait que vous logiez à l'hôtel, cette nuit. Dès que Katell descendra, je lui demanderai de vous prendre une chambre.

— C'est inutile, je ne resterai pas sur Molène ce soir, Daniel, ça me servira de leçon, décréta-t-elle. Je reprendrai le ferry tout à l'heure. Je me suis trompée.

— Sur quel point ?

— Quand vous m'avez embrassée avec tant de douceur et de passion, dans ma chambre, à Locmariaquer, j'étais au paradis, et certaine que vous aviez des sentiments pour moi.

— J'étais sincère, je le suis encore, Fantou. Je me soucie de votre réputation, en me méfiant de moi-même. Vous êtes la tentation incarnée, chérie.

Elle se berçait de ce petit mot tendre, « chérie ». D'un élan irréfléchi, elle noua ses mains derrière sa nuque et les paupières closes, elle lui donna un baiser sur la bouche. Il frémit tout entier, incapable de résister à la chaleur soyeuse de ses lèvres. Frustré de contact féminin, Daniel s'enflamma comme un feu de paille. Il osa des caresses qui exaltaient encore son désir, en parcourant le jeune corps abandonné contre le sien, des seins à la chute de reins, du dos à sa taille souple.

— Alors, vous m'aimez quand même, chuchota-t-elle lorsqu'il la laissa respirer.

— Je vous adore, c'est bien là le problème, avoua-t-il dans un souffle. Mais je me détesterai si je vous manque de respect.

Daniel s'écarta prudemment. Fantou constata alors que la porte du salon avait été fermée, et que la gouvernante ne se manifestait pas. Un léger vertige la fit vaciller, dû à la faim mais aussi aux sensations inouïes qu'elle venait d'éprouver.

— Katell m'avait proposé du pain et du fromage, hasarda-t-elle. Je n'ai rien avalé depuis l'aube. J'avais juste assez d'argent pour payer les billets de l'aller.

— Pauvre petite aventurière, plaisanta-t-il gentiment. Allons à la cuisine, vous pourrez grignoter ce que vous voudrez.

D'un geste nerveux, Fantou ôta sa casquette pour libérer ses longs cheveux lisses. Elle ne savait plus quoi faire.

— Attendez, Daniel ! Je suis désolée si je vous cause du souci. Lara et Olivier doivent être furieux. Laissez-moi passer la nuit chez vous, je repartirai demain matin si vous me prêtez de quoi rentrer à Locmariaquer. Nous pouvons nous accorder une soirée ensemble. J'ai progressé en piano, j'aimerais avoir votre avis.

L'infirme hésitait. Il redoutait la colère de son seul ami, qui déjà l'avait pratiquement renié, pour être tombé amoureux de Fantou. Elle sembla lire dans ses pensées.

— Tant pis pour les conventions, la moralité et le reste, déclara-t-elle. Tant pis si Olivier joue les beaux-frères outragés, il vous doit bien ça, non ?

Daniel saisit clairement l'allusion.

— Vous vous égarez, soupira-t-il. Je m'en veux encore d'avoir reproché ce tragique épisode à celui que je considère comme un frère, quand il m'a ordonné de vous laisser en paix.

— Très bien, je ne fais pas le poids face à l'amitié virile, ironisa-t-elle. Accordez-moi un morceau de pain et je m'en irai sur le port, guetter le passage du ferry.

— Ce serait préférable, Fantou, trancha-t-il.

Locmariaquer, villa des Bart,
même jour, deux heures plus tôt

D'abord, on avait cru que Fantou traînait au lit, ce qui n'était pourtant pas dans ses habitudes. Vers 10 heures, Lara avait toqué à sa porte, prête à la taquiner sur sa paresse. N'ayant pas de réponse, elle était entrée pour découvrir le lit impeccable et une enveloppe posée sur un des coussins brodés.

Incrédule, elle avait lu deux fois le court message de sa sœur :

> *Lara, ne m'en veux pas, je pars chez Daniel. Tu ferais comme moi, si on t'empêchait de voir l'homme que tu aimes. N'aie pas peur, je serai prudente et sérieuse. Fantou*

Ces quelques lignes avaient semé la désolation et une solide dose d'indignation, dès que Lara les avait lues à leur mère, puis à Rozenn et Odilon. Olivier avait été le dernier informé, étant sorti à vélo pour acheter du lait frais.

— Ta sœur s'est vraiment moquée de toi, de nous tous ! s'était-il écrié en apprenant la nouvelle. Daniel a dû lui envoyer un télégramme et un mandat, pour l'encourager à le rejoindre.

Des discussions virulentes avaient retenti dans la villa, chacun réagissant à sa manière, selon ses idées.

— Est-ce si grave ? disait Rozenn. Fantou s'est souvent rendue seule à Molène. Peut-on lui en vouloir d'être amoureuse ?

— Si tu avais consenti à nous accompagner là-bas, Olivier, ma sœur ne serait pas partie en cachette, renchérissait Lara.

— Il faut bien que jeunesse se passe, proférait Odilon, en ayant soin de taire la disparition de quelques billets de banque dans son portefeuille.

— Fantou me déçoit beaucoup, elle était si mignonne, petite fille ! Pourquoi s'est-elle entichée d'un homme plus âgé, infirme en plus ? se lamentait Armeline.

Quant à Loanne, elle avait écouté sans chercher à comprendre, mais en s'autorisant un caprice à la fin du repas de midi.

Maintenant, le café était servi dans le salon, où Olivier brassait sa colère impuissante. Il faisait les cent pas, les poings serrés, sous les regards consternés de Rozenn, d'Armeline et de Lara. Odilon avait emmené Loanne dans le jardin, pour éviter à l'enfant les tensions entre adultes.

— Fantou n'a pas réfléchi une seconde, déclara-t-il. Elle aurait pu croiser le tueur, en partant avant le lever du jour.

— Ne dis pas une chose pareille, Olivier, gémit Lara.

— Il me faudrait une voiture, enragea-t-il sans daigner lui répondre. La fourgonnette ne fera pas le trajet jusqu'à Brest.

— Olivier, soyez raisonnable, même si vous preniez la route tout de suite, vous n'aurez pas de bateau pour Molène, lui dit Rozenn. J'ai la fiche des horaires. Il vaudrait mieux envoyer un télégramme à M. Masson, en le priant de nous rassurer par retour au sujet de Fantou. Si elle est bien arrivée chez lui, nous n'avons rien à craindre.

— C'est la meilleure solution, approuva Lara. Et tu ajouteras qu'elle doit revenir dès demain.

— Entendu, je vais à la poste à vélo, concéda Olivier.

Il s'équipa d'un chapeau en toile et de lunettes de soleil. Sur le perron, il croisa Odilon qui ramenait Loanne par la main.

— Tu t'en vas, p'pa ? balbutia la fillette.

— Je reviens vite, ma petite bouille, c'est l'heure de ta sieste, maman va te coucher.

— Où vas-tu, mon garçon ? s'enquit le retraité.

— Expédier un télégramme à Daniel. Rien ne nous prouve que Fantou soit en sécurité chez lui.

— Tout dépend du danger auquel tu penses, insinua Odilon. Ne te retarde pas, je suis anxieux et contrarié aussi. Comme quoi on ne connaît jamais bien les personnes qui nous sont chères !

— À qui le dites-vous, rétorqua Olivier.

Sur l'île de Molène, même jour

Fantou, assise sur un banc, mangeait une tartine de pain, nappée de fromage blanc. Daniel, étrangement silencieux, s'était accoudé au plateau d'un lourd buffet en bois. Katell semblait s'être volatilisée.

— Je me sens mieux, admit la jeune fille. Si je faisais du café ?

— Volontiers, puisque ma fidèle gouvernante s'obstine à rester dans sa chambre. Gageons qu'elle dort à poings fermés. Vous nous avez surpris au sacro-saint moment de la sieste, Fantou.

— Dites plutôt que je vous ai dérangés, tous les deux. J'en rejette la faute sur Olivier. Il compte repartir au Venezuela sans vous rendre visite. On ne traite pas ainsi ses amis. Du même coup, il me privait de vous revoir, il se comportait en égoïste. Daniel, vous souhaitez vraiment que je reprenne le ferry ?

— Je voudrais surtout ne pas entendre de telles critiques à propos d'Olivier. En une demi-heure, vous l'avez accusé de tous les maux. Fantou, une fois dans leur domaine de Coro, serez-vous hostiles au compagnon de votre sœur ? Lara serait la première à en souffrir, vous le savez très bien.

— Ne vous méprenez pas, j'apprécie Olivier, mais hier, j'étais tellement triste lorsqu'il a refusé la proposition de Lara de venir ici. Et ma sœur s'est rangée de son côté sans discuter.

Des coups à la porte principale firent sursauter l'aveugle. Il prit sa canne, calée contre le buffet et se dirigea vers le couloir.

— Je vous accompagne ! s'écria Fantou.

Elle éprouvait une peur illogique, craignant de trouver sa sœur ou Olivier sur le seuil de la maison. Mais une petite femme d'une quarantaine d'années salua Daniel, en lui tendant un télégramme.

— Voilà, monsieur Masson, cette demoiselle peut vous le lire, on exige une réponse ! Comme je vais bientôt fermer le bureau de poste, dépêchez-vous.

— Lisez, Fantou, je vous prie, murmura-t-il.

— C'est un message d'Olivier, annonça-t-elle dans un souffle. On veut savoir si je suis bien arrivée ici, et si c'est le cas, je dois rentrer demain par le premier bateau.

Il acquiesça, la mine grave, en fouillant sa poche de pantalon, d'où il extirpa un billet et des pièces.

— Allez-y, Fantou. Répondez que vous partez demain matin, et que je vous ai sermonnée.

Elle fut sensible à la nuance complice de son intonation. En amoureuse digne de ce nom, plus rien ne lui importait, excepté la soirée et la nuit à venir, qui lui semblaient un cadeau inespéré.

— Je vous suis, madame, dit-elle en souriant à la préposée.

Locmariaquer, même jour

Olivier fumait une cigarette, adossé au mur tiède de soleil du bâtiment abritant le bureau de poste. Il attendait une réponse au télégramme qu'il avait envoyé. L'île de Molène n'avait pas de secret pour lui.

« Les maisons tiendraient presque dans un mouchoir de poche, songea-t-il. Je n'aurai pas à patienter longtemps. »

Sa colère, dont il s'étonnait un peu à présent, était retombée. En s'interrogeant, il comprit ce qui l'avait rendu furieux.

« J'ai eu le malheur de suspecter Daniel, qui est au-dessus de tout soupçon. Je lui dois la vie, c'est un ami, un frère. Fantou n'avait pas tort, hier, en me criant que je devenais fou, obsédé par des dangers imaginaires. J'aurais dû accepter d'aller à Molène. Loanne se serait amusée, en observant les phoques, il y en a souvent en cette saison. »

Envahi de regrets, Olivier prêtait à peine attention à des coups frappés à la fenêtre de la poste. L'employée lui faisait signe. Il finit par entendre et se précipita à l'intérieur.

« *Bien arrivée. Daniel mécontent. Reçu gros sermon. Pardon. Rentre demain soir* », avait répondu Fantou.

Soulagé, il remercia la postière au chignon gris. Peu après, il flânait sur le port. Le vent agitait les mâts des bateaux à l'ancre. Un chalutier se dirigeait vers les eaux du golfe, en laissant un sillage argenté derrière lui.

« Si mon voilier était amarré là, je prendrais la mer pour rejoindre Molène », se dit-il.

Mais le *Rhuys* se trouvait à Dinard, au bassin de radoub. Nostalgique de ses anciennes virées maritimes, Olivier chercha la grosse barque ayant appartenu à Louis Fleury, désormais propriété d'Odilon. Le retraité l'avait équipée d'un moteur. Quand il put l'identifier, grâce au nom dont Rozenn l'avait baptisée, *Néréide*, il fut tenté de sauter à bord.

— Non, ce serait trop risqué, marmonna-t-il. Lara m'attend avec ma petite Loanne.

Olivier se résigna à repartir à vélo. Néanmoins, sa décision était prise. Il devait trouver un moyen de retourner sur l'île de Molène, afin de se réconcilier avec Daniel.

Villa des Bart, même jour, même heure

Lara s'était allongée près de sa fille, qu'elle contemplait avec ferveur. Loanne dormait, son pouce dans la bouche, les joues roses, sa frimousse ronde auréolée de boucles brunes.

— Mon petit cœur, mon trésor, chantonna-t-elle. Fais de jolis rêves. Nous t'aimons si fort, ton papa et moi.

Un soupir lui échappa. L'escapade de Fantou, qu'on pouvait qualifier de fugue, la désorientait. Lara essaya de se représenter leur existence à Coro. La présence de sa sœur changerait sans nul doute la sérénité qu'ils avaient connue là-bas, coupés de leur famille respective, jouissant d'une intimité privilégiée.

« Olivier a réagi très violemment, aujourd'hui. Il prétend que Fantou est une grande enfant, trop gâtée par Rozenn et Odilon, déplora-t-elle. Maman était d'accord avec lui. Comment mon korrigan se comportera-t-elle, au Venezuela ? Elle est si belle, sa blondeur et ses yeux bleus feront sensation. Des garçons voudront la séduire. »

Sérieusement préoccupée par cette perspective, Lara se leva, après avoir déposé un baiser sur le front de sa fille. Elle voulait confier ses craintes à Rozenn, qui devait se reposer dans la chambre voisine. Pieds nus, elle se glissa par la porte entrebâillée. Au moment de traverser le palier, des chuchotements et des bruits ténus lui parvinrent du rez-de-chaussée. Intriguée, elle se pencha par-dessus la rampe d'où elle découvrit un couple enlacé.

« Maman et Odilon ! »

Les yeux mi-clos, Armeline recevait des baisers dans le cou, à la naissance des seins, sur les lèvres. En robe légère, ses fins cheveux d'un blond pâle répandus sur ses épaules, on aurait dit une jeune femme.

Vite, elle recula et entra dans la chambre de Rozenn. Son amie était assise sur une chaise, près de la fenêtre aux contrevents coffrés, pour ménager un peu de fraîcheur. Elle tenait un chapelet entre ses mains.

— Pardonnez-moi, je n'ai pas frappé, murmura-t-elle. Je devais être discrète. Vous étiez en train de prier ?

— Oui, Lara, je prie beaucoup ces temps-ci. Mais une prochaine fois, je préférerais que tu toques, les deux petits coups auxquels ta sœur et toi vous m'avez habituée. Tu en as une mine effarée ! Et pourquoi devais-tu être discrète ?

— Pour ne pas réveiller Loanne, mentit Lara. Rozenn, j'aurais besoin de vos conseils. Je me pose beaucoup de questions à propos de Fantou. Elle est si différente d'il y a trois ans !

— Trois ans et cinq mois exactement, durant lesquels ta sœur s'est forgé une personnalité. Elle est presque devenue une adulte et tu n'en tiens pas compte.

— Mais elle se conduit en dépit du bon sens, surtout depuis mon retour. Un peu plus, elle se noyait, à cause de ses sentiments exacerbés pour Daniel Masson. Vous ignorez un point affolant, lundi, nous avons eu une longue conversation. Fantou m'a avoué ouvertement, sans paraître très gênée, qu'elle voulait avoir des relations physiques avec lui. Vous me comprenez, Rozenn ?

— Tout à fait, Lara, même si ce domaine m'est inconnu et le restera jusqu'à ma mort. Tu supposes que Fantou est partie sur Molène dans ce but ?

— J'en ai bien peur.

— Beaucoup de jeunes filles de son âge se marient, et jadis c'était parfois encore plus tôt, mais ça me déplaît quand même, je l'admets. Il faut croire que leur amour est très fort, celui de deux âmes sœurs. Je pressens ces choses, Lara, tu le sais. J'ai acquis la certitude que Fantou et Daniel se sont trouvés. Toi et Olivier aussi, vous étiez faits l'un pour l'autre.

— De toute façon, nous ne pourrons rien empêcher, se désola Lara. J'espère que Daniel saura la décourager, la raisonner.

— Aie confiance, c'est quelqu'un de bien, affirma Rozenn.

— Peut-être, mais la passion ou le besoin de plaisir poussent les plus sérieux à certaines extrémités.

Elle songeait à sa mère, comme en extase sous les baisers du retraité. En dépit de toute sa bonne volonté, la scène qu'elle avait entrevue la dérangeait. Un crissement de freins sur la route, le grincement du portail sur ses gonds, l'attirèrent à la fenêtre.

— Olivier est revenu, je descends, ma chère Rozenn. Merci de m'avoir écoutée.

— Je ne t'ai pas réconfortée pour autant. Je crois entendre ton cœur battre tellement tu es bouleversée.

— J'irai mieux quand j'aurai des nouvelles de ma fantasque sœur, qui mérite bien son surnom de korrigan, aujourd'hui !

Elle dévala l'escalier sans précaution, et trouva Olivier sur le perron. Il la prit dans ses bras et la couvrit de baisers.

— Fantou a répondu, elle est bien chez Daniel, précisa-t-il en lui tendant le télégramme expédié de Molène. Mon cœur, j'ai trouvé une bonne voiture à emprunter, dans un garage près du port, moyennant finance. Je pars dans une demi-heure. Je prends un pull et un casse-croûte à emporter. Ne t'inquiète surtout pas, je ramènerai notre fugueuse demain soir, et du même coup, je me réconcilierai avec Daniel. Je voudrais embrasser Loanne, sans la réveiller.

Sidérée, Lara se retint de protester. Au fond, c'était la meilleure solution.

« Tu as une nuit de liberté, Fantou, dit-elle en son for intérieur. Je t'en prie, ma petite sœur, ne brûle pas les étapes de l'amour. »

Sur l'île de Molène, deux heures plus tard

Fantou avait réussi à entraîner Daniel en promenade, malgré ses réticences. Pendue à son bras gauche, car il tenait sa canne de la main droite, elle lui dépeignait d'une voix douce le paysage qui les entourait.

— Je me doute que vous connaissez l'île mieux que moi, car vous y veniez en vacances, enfant, mais selon la lumière et le jeu des nuages, les couleurs varient, dans la lande, sur la grève. Les genêts sont en fleur, j'adore leur parfum.

— Moi, c'est votre parfum que j'aime, répondit-il.

— De la vulgaire eau de Cologne bon marché, plaisanta-t-elle.

— Je ne parlais pas de celui-ci, Fantou.

Rougissante, elle garda le silence. Le court instant où Daniel l'avait embrassée sur la bouche, en la caressant avec fébrilité, lui paraissait un peu irréel. Des sensations agréables étaient nées au plus intime de son corps de femme, qu'elle avait hâte d'éprouver à nouveau.

— Vous m'emmenez vers le passage de Ledenez Vraz[1], dit-il en riant. La marée est basse, mais elle ne tardera pas à remonter, nous pourrions être piégés sur ce petit bout de terre et de galets.

— Comment avez-vous deviné ?

---

1. Très petite île reliée à Molène par un passage de galets, à marée basse.

— Katell me conduit souvent à proximité, au cas où il y aurait des phoques. Gamin, je venais les observer. J'apprécie de les entendre aboyer. Vous êtes d'accord, ma chérie, ces bêtes aboient, on dirait des chiens.

— Jadis, on les appelait des chiens de mer, renchérit-elle. Pour le moment, j'aperçois des macareux, des goélands, mais aucun phoque. J'ai oublié de vous le dire, pendant la traversée, au large du Conquet, un groupe de dauphins a escorté le ferry. C'est la deuxième fois que j'en vois d'aussi près.

L'enthousiasme de la jeune fille, son débit rapide, trahissaient l'exaltation qu'elle ressentait. Daniel, attendri, voulut déposer un baiser sur sa joue, mais comme elle s'était tournée vers lui, il effleura ses lèvres. Tout de suite, Fantou s'arrêta, pour se blottir contre sa poitrine d'homme, où elle appuya son visage.

— Que vous êtes jeune ! soupira-t-il.

La remarque eut le don de la vexer. Elle attendait un vrai baiser, non pas une exclamation navrée de ce style.

— Que vous manquez de passion ! rétorqua-t-elle. Lara me conseillait de flirter avec vous, si toutefois nous étions venus comme prévu, en famille.

— Je déteste ce mot de flirter, il me hérisse, ne l'employez pas, je vous en supplie. Rentrons à la maison, je ne suis plus d'humeur à me balader ainsi.

— Mais Daniel…

— Soyez gentille, Fantou. Vous me plongez dans un mélange de joie et de culpabilité. Pendant quelques minutes, j'ai envie d'avoir votre insouciance, ensuite je me juge ridicule.

Elle le lâcha brusquement et s'assit sur l'herbe, en brisant une touffe de bruyère. Il demeura immobile, attentif. Enfin il perçut des pleurs étouffés.

— Ne versez pas de larmes sur le vieil idiot que je suis, Fantou, décréta-t-il. J'ai eu tort de m'emballer à votre chevet, après votre sauvetage. Mais j'avais eu si peur pour vous. Je ne dois rien vous promettre, ni fiançailles ni mariage. Et ce soir, j'y tiens, vous irez dormir à l'hôtel. Veuillez me pardonner.

Touchée en plein cœur, furieuse de ce revirement, Fantou se releva et courut vers le passage tapissé de galets qui reliait la plage de Molène à l'îlot de Ledenez Vraz. Sans l'ombre d'un remords, elle abandonna l'aveugle, au milieu de la lande.

« Je n'aurais jamais dû venir ici, je suis stupide, une gamine sans cervelle, se disait-elle, secouée par de gros sanglots. J'ai bâti de toutes pièces une belle romance, mais il ne m'aime pas. Au mieux, il me désire. »

Des vagues transparentes, à peine ourlées d'écume, couraient déjà sur la langue sablonneuse couverte de galets. Fantou se vit isolée sur l'îlot, à marée haute, coupée de Molène et de Daniel. L'idée la soulagea infiniment. Elle avança en courant, ce qui fit s'envoler une nuée d'oiseaux.

— Fantou ! appela l'infirme. Ne faites pas la sotte, revenez !

Butée, elle haussa les épaules, en s'accordant cependant le droit de l'observer. Il n'avait pas bougé. La clarté grise du ciel se reflétait sur le verre noir, très opaque, de ses lunettes. Elle nota qu'il explorait le sol autour de lui, du bout de sa canne. Soudain la honte la suffoqua.

« Si nous étions mariés, Daniel et moi, est-ce que je le laisserais seul, en difficulté, à la première querelle ? Il me respecte, il refuse de m'imposer son handicap durant des années, c'est peut-être la plus grande preuve d'amour ? »

La réponse à ces questions était simple. Elle bondit sur ses pieds et le rejoignit, repentante.

— Je suis navrée, je me comporte en gamine, pardonnez-moi, Daniel. Rentrons, nous prendrons le thé.

— Sommes-nous seuls ? demanda-t-il.

— Je vois des moutons dans un pré, un âne au loin, derrière un muret. Il n'y a personne aux alentours des maisons. Je crois que les gens sont sur le quai, l'*Enez Eussa* revient.

— Vous devriez visiter Ouessant, un jour, murmura-t-il. L'île est beaucoup plus grande que Molène. Si je n'étais pas aveugle, j'aurais été ravi de vous accompagner. Fantou, asseyons-nous un moment tous les deux.

Il jeta sa canne à un mètre de ses pieds avant de s'installer parmi les bruyères jaunies par l'été. La jeune fille prit place à ses côtés, sans tenter un rapprochement. Ce fut lui qui s'empara de sa main, en étreignit les doigts.

— Je pourrais abuser de la situation, ma chérie, dit-il. Seigneur, que c'est bon de vous appeler ainsi. Mon épouse se moquait, si je la surnommais de ces mots doux, charmants à mon humble avis. Pauvre Rébecca, elle est morte loin de moi. Deux mois, nous n'avons eu que deux mois pour nous aimer. Je tiens à être honnête, et vous êtes en âge d'entendre ma confession. Je n'ai pas connu de femme depuis son arrestation. Alors, comment oser briser ma chasteté volontaire dans vos bras, Fantou ? Vous êtes toute neuve, et encore très innocente, sinon vous sauriez que vous jouez avec le feu. Je rêve de vous embrasser à perdre haleine, de découvrir votre corps, de vous faire mienne, mais je n'en ai pas le droit. Je pourrais vous dégoûter à jamais des relations charnelles.

— Je le suis déjà, répliqua Fantou en s'allongeant, ses yeux bleus fixés sur un petit nuage couleur de plomb, poussé par le vent.

— Comment est-ce possible ? s'étonna-t-il.

— Non, n'allez pas imaginer que j'ai couché avec un garçon, affirma-t-elle à voix basse. J'ai grandi imprégnée d'une passion pour Jésus-Christ, en étant persuadée que j'avais une vocation religieuse. Le destin m'a détournée de cette voie. Un soir, j'ai vu Erwan, que je considérais comme mon grand frère, un ami fidèle, violenter Lara sur notre plage. J'ai hurlé si fort qu'il s'est enfui, mais j'ai été longtemps hantée par l'incident. Plus récemment, j'ai assisté à une scène affreuse, entre mon père et ma mère. J'aurais pu vomir, tant j'étais révulsée par certains gestes. Pourtant, j'étais quand même amoureuse de vous.

— Et moi, dans votre chambre, je vous ai imposé un baiser, j'en suis désolé.

— Plusieurs baisers, rectifia-t-elle en souriant. J'ai aimé ça, je vous le promets. J'étais aussi très heureuse lorsque nous avons projeté de nous fiancer, mais Daniel, comment pourrais-je m'engager avec vous si j'ignore une chose importante ! Une épouse doit combler son mari, sur tous les plans.

Fantou se tut, les joues brûlantes de confusion. L'essentiel était dit, elle ne ferait plus marche arrière. Interloqué, Daniel ne savait pas quoi lui répondre.

— Petite folle chérie, dit-il enfin.

Au rythme particulier de sa respiration, il devina qu'elle s'était étendue par terre. Il se coucha près d'elle, dans un mouvement d'abandon. Fantou se réfugia au creux de son épaule.

— Un autre homme vous renseignera sur ce plan, chuchota-t-il à son oreille.

— C'est vous que je veux, Daniel, souffla-t-elle.

Il glissa une main sous son pull en laine, pour caresser sa peau satinée et chaude. D'instinct, il chercha le contour de ses seins, dont le mamelon pointait à travers le satin de la lingerie.

— Pitié, embrassez-moi, implora-t-elle, affolée par les ondes de volupté qui palpitaient au creux de son ventre.

Daniel s'empara de sa bouche, pour un interminable baiser où il exprimait son désir, mais aussi son amour. Incapable de se dominer, il déboutonna le pantalon en toile de la jeune fille, en quête de son sexe vierge, niché sous une courte toison de soie blonde. Il n'eut pas le temps de pousser plus loin son investigation. Un chien lança des jappements menaçants, à quelque distance d'eux.

Effarée, Fantou se redressa. Un pêcheur à la barbe blanche, une nasse à bout de bras, marchait à pas lents sur le sentier de la lande, suivi de l'animal.

— C'est la saison *tas amours*[1] ! leur cria-t-il, goguenard.

Daniel Masson resta étendu, un bras sur le visage. Son cœur cognait follement. Un peu plus et il perdait la tête. Il vit dans la venue de l'homme un signe du destin.

— Le vieux Nedeleg m'a reconnu, déplora-t-il tout bas. J'allais en mer avec lui quand j'avais quinze ans. Il n'est pas bavard, et il m'aime bien.

— Vous avez peur pour votre réputation ? hasarda Fantou, à la fois déçue et soulagée.

— Non, mais vous prétendiez qu'il n'y avait personne en vue.

— C'était la vérité, votre ami Nedeleg a surgi comme par magie. Venez, autant rentrer, Katell a dû faire un gâteau. Je suis affamée.

Elle esquissa une mimique dubitative, ajusta ses vêtements avec discrétion, même si le pêcheur lui tournait le dos, à présent.

Sa chair, éveillée au plaisir par les caresses audacieuses de Daniel, frémissait encore.

« J'ai eu envie d'être toute nue, qu'il me touche partout, qu'il me fasse sienne, comme il disait. Ce sera cette nuit. »

Câline, Fantou reprit le bras de l'aveugle. Elle avait sur son joli visage une expression comblée, teintée d'impatience, qui aurait sûrement alarmé celui-ci, s'il avait pu la voir.

Villa des Bart, même jour, une heure plus tard

Rozenn et Lara s'étaient installées à la table du jardin, pour profiter de l'air marin. L'une tricotait, la seconde,

1. En breton, « c'est la saison des amours ».

sa fille sur les genoux, songeait au départ précipité de son compagnon, qui devait rouler vers le Conquet. Olivier avait décidé de longer la côte, en passant près de Lorient, afin de gagner du temps.

— Je suis certain de trouver à embarquer, une fois au Conquet. L'île de Molène dépend de cette commune, il y aura peut-être des pêcheurs ou des plaisanciers susceptibles de m'emmener.

Odilon lui avait fait remarquer qu'à l'heure où il serait sur ce petit port, les gens seraient en train de dîner.

— Pas tous, sans doute, avait-il répliqué en riant.

Il était évident que l'expédition l'enchantait. Lara le revit, les traits détendus, le regard joyeux, semblable à celui qu'il était au Venezuela, toujours avide d'action, de défi.

— Ton papa est content, murmura-t-elle à Loanne. Il va faire du bateau, ce soir ou cette nuit. Et toi, ma petite bouille, est-ce que tu voudrais monter dans la barque d'Odilon ?

— Oui, j'voud'ais, susurra l'enfant, sans ôter son pouce de la bouche.

— Je t'emmènerai sur l'îlot des Fleury, mon cœur, et nous ferons un pique-nique avec papa et tata Fantou.

— Si la mer le permet, s'inquiéta Rozenn. Mon frère a acheté des gilets de sauvetage, il faudra les prendre, Lara. Je n'aime pas en parler, mais avez-vous décidé d'une date pour votre grand départ ?

— Olivier ne tient plus en place, il vient de le prouver. Nous en discuterons demain soir, quand je pourrai sermonner ma sœur et être certaine qu'elle ne nous causera pas trop de problèmes à Coro. Mais son escapade décale tout. Les parents d'Olivier nous attendaient vendredi, à Dinard. Nous prendrons le train samedi, si c'est possible, ou dimanche.

Le cœur lourd, Rozenn approuva, penchée sur les mailles de son ouvrage. Nérée, couché à ses pieds, bondit soudain sur ses pattes, en aboyant avec vigueur.

— Ce doit être un passant sur la route, supposa Lara. Maman repasse du linge à l'étage.

— Et mon frère ramasse des palourdes sur la plage, ajouta Rozenn.

Le chien trottina en direction de la cour, les poils du dos hérissés. Il continuait à donner de la voix. Lara se leva, sa fille dans ses bras.

— Au cou, m'man, gémit la petite.

— Oui, je te garde, trésor, nous allons voir qui a mis Nérée en colère, plaisanta la jeune femme. Enlève ce pouce de ta bouche, sinon je te pose.

Pendant quelques secondes, Lara songea qu'elle enfreignait les consignes de Nicolas Renan, qui prêchait au jeune couple une extrême vigilance, même dans l'enceinte de la villa, et envers les visiteurs imprévus. Mais Loanne pleurerait, si elle la laissait à Rozenn, dont le visage écarlate l'impressionnait encore.

— Qui est là ? fredonna Lara. Un voisin de papi Odilon, ou des touristes en promenade ?

Parvenue près du cabanon, elle aperçut une femme derrière le portail. L'inconnue, coiffée d'un chignon roux sous un béret gris, était vêtue d'un tailleur beige démodé. Elle tenait par la main un tout petit enfant qui hurlait de peur, car le gros chien montrait les dents et aboyait de plus belle.

— Sage, Nérée ! ordonna Lara. Sauve-toi vite ! Madame, vous cherchez votre chemin ?

Tenant à être aimable, elle s'approcha de la grille. Loanne pointa l'index sur l'enfant qui reniflait :

— Un grand bébé, maman, claironna-t-elle.

Une étrange sensation fit ralentir les battements de cœur de Lara. Oppressée, elle observa attentivement la visiteuse qui arborait une mine austère.

— Je suis Aniela Galinsky. Je conduis chez vous mon neveu, Pierre, le fils de Louis Fleury, articula celle-ci dans un français laborieux. Zofia, ma sœur, est remariée.

Il faut rembourser mon voyage, madame, et me donner l'argent du retour.

Lara en eut le souffle coupé. Elle regarda mieux le garçonnet aux cheveux bruns, aux yeux noirs. Il lui ressemblait, autant qu'elle-même ressemblait à son père, le défunt Louis Fleury.

13

L'enfant du destin

Villa des Bart, mercredi 4 juillet 1951
même jour, même heure

Saisie de stupeur, Lara dut déposer Loanne au sol, car elle gigotait dans ses bras, pleine de curiosité pour le petit garçon. Il ne pleurait plus, lui aussi intéressé par la fillette qui lui souriait.

— Excusez-moi, madame, je vous ouvre, dit la jeune femme. Nous fermons à clef, c'est plus prudent.

— Méchant, le chien ? demanda Aniela Galinsky.

— Non, il n'a jamais mordu personne, je crois, encore moins des enfants. J'attendais une lettre de votre sœur, je suis un peu sous le choc, madame. J'ai besoin de vos explications.

Rozenn, intriguée par l'écho d'une discussion, avait quitté le jardin et se tenait postée à l'ombre de son cabanon. La visiteuse l'aperçut et se signa avec un regard apeuré. Lara se retourna, pour adresser un signe de détresse à son amie.

— Je t'en prie, Rozenn, va chercher maman, lui dit-elle. Cette dame vient de Pologne.

— J'y vais, répliqua celle-ci en reculant aussitôt, ayant compris qu'un drame imprévu et inopportun allait se jouer.

Aniela Galinsky semblait approcher de la quarantaine. Son visage carré, parsemé de taches de rousseur, était marqué de légères rides au coin des lèvres et entre les sourcils.

— Pourquoi vous êtes-vous signée ? interrogea Lara, qui se doutait de la réponse.

— La femme, là-bas, on dit une sorcière chez nous. La face rouge, une malédiction. Les yeux verts aussi.

— Vous vous trompez, cette dame est la bonté même, et elle est très pieuse. De plus, nous sommes chez elle et son frère, ici. Entrez.

Lara constata alors la maigreur du petit bonhomme que le destin avait décidé de ballotter de la Pologne au Morbihan. Il était vêtu d'une culotte courte, d'une chemisette raccommodée au niveau des boutonnières, chaussé de sandales en toile poussiéreuses. Tout de suite, elle s'apitoya, attendrie.

— Je vous conduis dans le jardin, il y fait bon à l'ombre. Vous devez être assoiffés si vous êtes venus à pied depuis l'arrêt du bus, sur le port, déplora-t-elle.

— Oui, mademoiselle, confirma l'étrangère.

— Je me présente, Lara, la fille aînée de Louis Fleury.

— C'est vous qui avez écrit à ma sœur ?

— En effet. Je lui ai demandé une photographie de Pierre.

Armeline descendait le perron au même moment, suivie par Odilon, qui était de retour. Alerté par sa sœur, le retraité lui avait confié son panier rempli de palourdes.

— Qu'est-ce que ça veut dire ? s'égosilla Armeline. Pourquoi as-tu laissé entrer cette femme et ce gamin, Lara ? Rozenn prétend qu'ils viennent de Pologne ! Dans ce cas, ils n'ont rien à faire là.

— Maman, enfin, calme-toi ! Je ne pouvais pas les renvoyer ni les laisser en plein soleil au bord de la route.

Malgré cet appel à la raison, Lara vit sa mère se changer en furie, les yeux exorbités, les traits crispés par la rage.

— Il ne manquait plus que ça ! hurla-t-elle. D'abord, comment sont-ils arrivés jusqu'à Locmariaquer ? C'est à cause de ta lettre ! Tu avais bien besoin d'écrire là-bas, pour annoncer la mort de Louis.

Terrifié par les cris, le petit Pierre se remit à sangloter.

— Je t'en prie, calme-toi, Armeline, conseilla à son tour Odilon en effleurant son bras.

Lara nota le tutoiement, qui ne l'étonna guère. Désemparée, elle présenta vite des excuses à leur visiteuse.

— Je suis désolée, madame. Ma mère a été très affectée par la trahison de mon père et par son décès. Il s'est montré brutal avec elle, il l'insultait, c'était un enfer.

Aniela Galinsky hocha la tête d'un air indifférent, tandis qu'Odilon chuchotait à l'oreille d'Armeline.

— Je vous confie l'enfant et je repars, répondit la Polonaise en s'appliquant. J'ai Pierre chez moi depuis que son père a quitté ma sœur. Zofia s'est remariée tout de suite avec Jerzy, son voisin. Il voulait épouser ma sœur avant l'arrivée de Louis. Maintenant, Jerzy ne veut pas du petit. Il est jaloux.

— Jaloux d'un garçonnet de deux ans ? se récria Lara.

Pendant que les adultes réglaient leurs problèmes, Loanne avait réussi à rassurer Pierre, en courant lui chercher un ballon en caoutchouc. Maintenant elle lui décrivait le cheval à bascule, son jouet favori. Lara s'aperçut du gentil manège de sa fille.

— Est-ce que Pierre connaît quelques mots de français ? s'enquit-elle auprès d'Aniela.

— Des mots simples, répliqua-t-elle en fouillant dans son sac à main en tapisserie. J'ai fait un travail dans le train. J'ai écrit des phrases en polonais et les mêmes dans votre langue. Pour aider.

Armeline était livide. Odilon avait pu la raisonner, du moins la supplier de ne pas faire de scandale. Cependant son indignation et sa colère restaient intactes.

— Qu'est-ce que vous croyez, madame je ne sais quoi ? On ne prendra pas ce gamin ! Qui êtes-vous, d'abord ? La maîtresse de mon mari ? Par votre faute, il s'est suicidé, vous entendez ?

— Pas ma faute ! trancha Aniela. Je suis une honnête femme, j'ai quatre enfants. L'argent, on n'en a pas beaucoup. Je ne peux pas garder mon neveu. Zofia ne peut pas elle aussi. Son mari a payé mon voyage. Il faut me rembourser.

Ce dernier terme lui faisait un peu rouler les « r ». Armeline éclata d'un rire strident, qui vrilla les nerfs de chacun. Elle décréta d'un ton dur :

— Vous rembourser, et puis quoi encore ? Fichez le camp, et au passage, déposez ce petit bâtard à l'Assistance publique.

— Maman, tu parles de mon frère ! s'insurgea Lara. Tu lui fais peur, en plus, à gesticuler, à clamer des horreurs.

— C'est quoi, un bâtard ? susurra alors Loanne.

Rozenn avait assisté à la pénible scène, depuis la fenêtre du bureau de son frère. Révoltée par les propos d'Armeline, elle se fit violence et sortit d'un pas rapide.

« Tant pis, je dois montrer ma sale figure, ce cirque déplorable ne peut pas durer plus longtemps », songea-t-elle.

Son apparition eut le don de changer Aniela Galinsky en statue. Elle recula lorsque Rozenn s'approcha de Loanne et de Pierre.

— J'ai des bonbons dans la maison, dit-elle doucement, d'une voix câline. Loanne, tu veux bien venir avec moi, en prenant la main de ce pauvre petit garçon ? Tu lui prêteras ton cheval à bascule. Les bonbons sont tout roses, à la fraise, Pierre.

Pendant que Loanne tergiversait, tentée néanmoins par la promesse des sucreries, il se passa une chose surprenante. Pierre fit oui d'un signe de tête, en tendant ses bras menus vers Rozenn. Il lui souriait à travers ses larmes.

— Tu veux que je te porte, mon mignon ? murmura-t-elle, ébahie de ne pas effrayer l'enfant.

Ses mains en tremblaient, quand elle le souleva pour le serrer contre sa poitrine. Lara capta le regard émerveillé de son amie.

— Tu devrais aller avec Rozenn, proposa-t-elle à Loanne.

— Oui, maman, je n'veux pas qu'il pleure, le grand bébé !

Armeline trépignait d'impuissance et d'humiliation, sous les yeux soucieux d'Odilon.

— Rozenn n'aurait pas dû s'en mêler, lui reprocha-t-elle. Enfin, c'est une histoire de fous, nous n'avons pas à accueillir cette femme et cet enfant.

— Je ne reste pas, madame, annonça Aniela.

La visiteuse comprenait mieux la langue française qu'elle ne la parlait. D'un geste explicite, elle se délesta d'un baluchon en toile grise et le donna à Lara.

— J'ai pris une chambre à l'hôtel, près du port, précisa-t-elle. Je repars en autocar demain matin très tôt. Là, je m'en vais, avec du chagrin au cœur.

— Mais je suppose qu'il faut vous rembourser aussi la nuit d'hôtel, ironisa sèchement Odilon.

— Non, pas la chambre, monsieur. Je suis… triste pour Pierre. Bon petit, lui, pas coupable.

Elle paraissait épuisée, autant par son long voyage que par ses efforts pour communiquer correctement.

— Reposez-vous un peu, madame, lui dit Lara. Je vous apporte de l'eau fraîche.

Aniela Galinsky scruta le beau visage de la jeune femme d'un air rêveur. Soudain elle eut un faible sourire.

— Vous ressemblez à votre père. Louis était gentil.

— Surtout très gentil avec votre sœur, persifla Armeline. Lara, comment peux-tu être aimable avec elle ? Tu te moques de mon chagrin, de ma fierté ?

— C'est la moindre des choses, maman. Cette dame n'est pas responsable des agissements de papa. Elle s'est déplacée pour nous amener mon petit frère, celui de Fantou.

— Débrouille-toi, dans ce cas, mais si ce gosse reste ici, moi je fais ma valise et je disparais !

— Armeline, voyons, ne dis pas ça ! s'affola Odilon. Nous devons trouver une solution.

Elle fondit en larmes en grimpant les marches du perron. Le retraité leva les bras au ciel, puis il se précipita sur ses traces.

— Que s'est-il vraiment passé, en Pologne, madame ? s'enquit Lara. Vous essaierez de me le raconter, quand vous aurez pu boire de l'eau. Attendez-moi sur le banc en pierre, près des lilas. Je reviens vite, je vous rapporte aussi de l'argent.

— Merci, mademoiselle, soupira Aniela.

Lara, une fois à l'intérieur de la villa, se rendit compte que deux camps s'étaient formés. Les voix de sa mère et d'Odilon résonnaient dans la cuisine, dont la porte était fermée tandis que Rozenn occupait le salon en compagnie des deux enfants. Elle tenait Pierre sur ses genoux. Il admirait Loanne, en train de se balancer en riant sur le cheval à bascule.

— Rozenn, je monte chercher de l'argent. Je prendrai la carafe de ma chambre et de l'eau dans la salle de bains. Je n'ai pas envie d'affronter maman.

— Fais au mieux, ma pauvre petite ! Regarde donc, ce petit gars si joli m'a adoptée. J'étais sûre de lui faire peur, mais non.

— Je vous remercie d'être intervenue, Rozenn, Pierre avait besoin d'être tenu à l'écart. Il n'y a pas de doutes, n'est-ce pas, c'est le fils de papa.

— Aucun doute ! Je suis bouleversée, je te dirai pourquoi un peu plus tard. J'y pense, Lara, va aussi dans ma chambre, il y a une part de flan sur ma table de nuit, sur une assiette couverte d'un bol à l'envers. Je n'y ai pas touché, c'est une de mes manies, savourer mon dessert en solitaire. Tu l'offriras à notre visiteuse. Elle a dû se priver pendant le trajet.

— Encore merci d'être aussi charitable et compréhensive, Rozenn, déclara Lara.

Armeline avait entendu, de la cuisine où elle s'était réfugiée, ivre d'un excès de fureur et de vexation. Odilon, tout proche d'elle, lui caressa l'épaule. Il fut repoussé d'une main brusque.

— Ma fille va se liguer contre moi à cause de ta sœur, dit-elle à voix basse. Si Rozenn était restée cloîtrée, j'aurais eu vite fait de nous débarrasser de ces gens !

— Ces gens, tu exagères, il y a un gosse de deux ans qui a été séparé de sa mère, plaida-t-il.

— Le rejeton d'un couple adultère, oui ! Louis a séduit une jeune veuve, il l'a mise enceinte. Ensuite il rentre au pays, il me maltraite, tu sais à quel point, avant de se supprimer. Maintenant la Polonaise nous envoie le petit. Quelle sorte de mère ferait ça, Odilon ?

— Elle avait forcément ses raisons. Tu aurais dû garder ton calme et écouter sa sœur qui me semble une femme sérieuse.

Le retraité, très amoureux, maudissait l'incident. Cependant, animé des mêmes bons sentiments que Rozenn, il éprouvait une profonde compassion pour l'enfant que le destin avait exilé.

— Nous n'avons pas de chance, déplora-t-il. Nous étions bien contents cette nuit, dans mon lit…

— Tais-toi, je n'aurais pas dû te céder. Fantou en a profité pour fuguer. Peut-être qu'elle m'a vue, quand je suis allée te rejoindre. En plus, tu m'as tutoyée devant Lara, tout à l'heure. Elle va se douter de quelque chose.

— Mais non, j'aurais pu commencer à te dire « tu » bien avant, pendant les trois ans où vous habitiez ici, Fantou et toi. Même Rozenn nous le faisait remarquer. Sèche tes larmes, Armeline.

— Non, je n'ai pas fini de pleurer ! Telle que je connais Lara, elle va exiger qu'on se charge de ce gamin.

Pardi, elle s'en va au bout du monde, c'est facile pour elle.

Songeur, Odilon lui caressa de nouveau l'épaule, la joue. Il pensait à Rozenn. Sa sœur, privée des joies de la maternité, serait sûrement contente, même comblée, de veiller sur Pierre Fleury.

« Si c'était le cas, Armeline serait bien capable de mettre sa menace à exécution et de s'en aller, se dit-il. On ne peut pas lui imposer la présence du fils d'un époux qui l'a bafouée, qui en aimait une autre. »

— C'est un sacré casse-tête, marmonna-t-il.

Ils entendirent Lara descendre l'escalier, ainsi qu'un rire cristallin, en provenance du salon. Ce n'était pas celui de Loanne.

— Ta sœur va amadouer ce petit, ensuite il sera malheureux en repartant, ce n'est pas malin, hasarda Armeline. Odilon, je ne sortirai pas de la cuisine tant que la Polonaise et son neveu seront là. Si tu m'aimes comme tu le dis, mets-les dehors.

— Ne me demande pas ça, par pitié, gémit-il, effaré. Lara a raison, c'est son frère et celui de Fantou. Nous trouverons une solution. Monte discrètement dans ta chambre. Personne ne te dérangera. Je vais discuter avec cette dame en même temps que Lara, je saurai ce qu'il en est vraiment. Mais autant te le dire, ma chère petite Armeline, si ma sœur accepte d'élever ce garçon, je ne peux pas m'y opposer. Rozenn a tellement souffert d'être défigurée, sans espoir de mariage, de maternité, je ne la priverai pas du bonheur de choyer un tout-petit.

— Donc tu ne m'aimes pas, tu préfères ta sœur.

— Ne sois pas sotte, tu es la seule femme que j'ai aimée, à mon âge. Si Pierre grandit sous mon toit, tu n'en souffriras pas, je te le promets.

Armeline lui décocha un coup d'œil hostile. Certaine que Lara était déjà dans le jardin, elle entrouvrit la porte afin de courir jusqu'à l'étage. Mais sa fille l'attendait, une assiette à la main, sur lequel était posé un bol bleu, à l'envers.

— Maman, dit-elle immédiatement, je conçois ce que tu ressens, ton aversion pour l'enfant de papa. Ne fais pas payer à un petit innocent la faute de son père, ne le traite plus de bâtard, au nom des règles religieuses ou civiles. Dans ce cas, Loanne pourrait être désignée ainsi, papa ne s'est pas gêné pour le faire. De plus, tu n'es pas un exemple de vertu, pour te laisser cajoler et embrasser par un homme au milieu du vestibule, quelques semaines après l'enterrement de ton légitime époux. Réfléchis bien.

Lara se tut, un fin sourire sur les lèvres. Elle se dirigea vers le perron ensoleillé. Armeline et Odilon, mortifiés, demeurèrent muets de confusion.

Aniela Galinsky accepta la part de flan et un grand verre d'eau fraîche, additionnée de jus de citron et de sucre. Elle semblait soulagée d'être seule avec Lara, mais elle lançait des coups d'œil inquiets en direction de la villa.

— Votre mère est très fâchée, dit-elle.

— Oui, elle a espéré des années le retour de papa. Il n'était plus lui-même quand il est rentré. Pourtant il s'est confié à moi, il m'a avoué combien il aimait votre sœur et qu'ils avaient eu un enfant. Il avait l'intention de repartir pour la Pologne, mais elle l'en a découragé en lui annonçant qu'elle se remariait. Papa était désespéré. Après son décès, j'ai tenu à écrire à votre sœur.

— J'ai lu la lettre à Zofia. Elle a eu beaucoup de chagrin.

— Pourquoi abandonne-t-elle son enfant ? Et pourquoi le second mari de votre sœur rejette-t-il Pierre ?

— Il ne le veut pas chez lui, parce que c'est le fils d'un autre homme. Jerzy est veuf, il a deux garçons. Il a battu Pierre souvent. Ses fils sont méchants aussi avec le petit. Zofia pensait que Pierre serait mieux chez vous.

— Hélas, je ne suis pas chez moi ici et nous repartons dans deux jours à l'étranger, avec mon époux, ma fille et ma sœur.

Lara préférait présenter Olivier comme son mari légitime, afin de ne pas choquer la visiteuse.

— Alors, vous emmenez Pierre, répliqua celle-ci.

Prise au dépourvu, Lara ne sut que lui répondre. Elle murmura, gênée :

— Madame, il faudrait que j'en discute avec mon époux.

— Je dois m'en aller. C'est dur pour moi de laisser mon neveu. J'ai une lettre de Zofia pour vous, j'ai traduit en français, c'était difficile d'écrire.

Odilon apparut à ce moment précis, la mine sévère. Il toisa Aniela Galinsky d'un regard réprobateur. Lara commença vite à lire tout haut la missive :

> *Lara,*
>
> *Je vous supplie, au nom de la charité chrétienne, de prendre soin de mon petit Pierre, votre frère par le sang, sinon il lui arrivera malheur. Je me suis remariée après le départ de Louis. Mon mari frappe le petit, il dit qu'il ne le nourrira pas. Nous sommes très pauvres. Je vous en prie, veillez sur Pierre. Dieu vous le rendra,*
>
> *Zofia*

— Vous disiez que vous gardiez Pierre depuis le départ de mon père. Pourquoi l'abandonner vous aussi, cet innocent ? demanda Lara, très émue par ces quelques lignes.

— J'ai mes enfants, la vie est dure, là-bas. Louis devait envoyer de l'argent pour Zofia. Elle n'a rien reçu.

— Au fond, ces deux femmes veulent surtout de l'argent, intervint le retraité. Ne cède pas à la pitié, Lara. Tu as fait de la peine à ta mère, elle s'est enfermée dans sa chambre et pleure à fendre l'âme.

— Odilon, je ne vous reconnais plus ! s'indigna Lara. Vous si bon, si généreux !

— Armeline n'a pas à tolérer la présence de ce petit, ajouta-t-il en haussant le ton. Si tu ne veux pas le placer à l'Assistance publique, tu n'as qu'à l'emmener au Venezuela, quand tu auras l'accord d'Olivier.

— Eh bien, oui, nous l'emmènerons, il sera un compagnon de jeu pour Loanne ! rétorqua-t-elle en le défiant. Fantou sera tout à fait d'accord avec moi. Pierre est notre frère, il n'est pas coupable des fautes de ses parents.

Aniela Galinsky avait très bien compris. Elle se leva du banc, reprit son sac.

— Je pars, annonça-t-elle. Mon adresse en Pologne est marquée derrière la lettre de ma sœur. Vous pouvez m'écrire, me donner des nouvelles de mon neveu. Merci pour lui.

— Voulez-vous que je vous conduise à l'hôtel en fourgonnette ? proposa Lara, complètement dépassée par la situation.

— Non, non, je veux marcher, c'est bon pour le chagrin.

Lara n'insista pas, cependant elle escorta poliment Aniela jusqu'au portail.

— Je vous souhaite un bon retour, madame. Je m'occuperai bien de Pierre, soyez sans crainte et dites-le à votre sœur. Tenez.

Elle lui tendit une enveloppe où, affolée, elle avait mis une liasse de billets de banque, une somme lui semblant suffisante pour rembourser l'aller de la voyageuse et payer son retour.

— Il faudra peut-être changer l'argent à Paris, dans une banque, suggéra-t-elle.

— Je sais, merci beaucoup. Dieu vous le rendra.

— Tant pis si ce n'est pas le cas, soupira Lara.

Peu après, la silhouette d'Aniela Galinsky s'amenuisa sur la route. Lara retourna sans hâte dans la villa, consciente d'avoir agi dans un état d'exaltation, d'ahurissement. Elle appréhendait déjà la réaction d'Olivier, et surtout d'inévitables complications.

« Fantou me désapprouvera peut-être, elle n'avait pas l'air très intéressé par notre demi-frère, à la mort de papa, se dit-elle. Et maman ne me le pardonnera jamais. Pourquoi est-ce arrivé aujourd'hui, alors qu'Olivier et ma sœur ne sont pas là ? »

Elle longea le vestibule, attirée par les rires de sa fille dans la cuisine, auxquels un rire plus léger faisait écho. Rozenn avait assis Pierre et Loanne à table, sur des chaises dont le siège paillé était rehaussé d'un coussin. Les enfants avaient chacun devant eux une assiette garnie de sablés au beurre.

— Je me dépêche, Lara, je dois préparer une bonne soupe pour le petit, dit son amie d'un ton fébrile. Pierre n'a que la peau sur les os, et des vilains bleus dans le dos, sur les bras.

La jeune femme s'enhardit à examiner l'enfant. Elle vit les hématomes sur le haut du bras gauche, et en soulevant un peu sa chemisette, d'autres traces de coups.

— Quelle horreur ! chuchota-t-elle. Comment peut-on frapper un tout-petit de deux ans ?

— Je lui ai déjà passé de la pommade d'arnica. Je vais lui donner un bain avant le dîner. On le maltraitait, c'est ça ?

— Oui, son beau-père. Je vous expliquerai tout plus tard. Sa tante est repartie, puisque j'ai accepté de veiller sur lui. J'ignore ce qu'en penseront Olivier et Fantou !

— J'avais foi en toi, en ton grand cœur, Lara.

— Rozenn, pourquoi riaient-ils autant, à l'instant, ces deux petits anges ? Maintenant ils grignotent en silence !

— Je les amusais à ma façon, en faisant des pitreries, avoua Rozenn. C'est la première fois qu'un enfant me tend les bras, me sourit. Lara, il m'a embrassée sur la joue, quand je l'ai porté. Qu'on me prenne pour une folle, je m'en moque, mais c'est un miracle à mes yeux, un cadeau du Ciel !

Lara contourna la table. Loanne babillait, la bouche pleine de biscuit, et Pierre l'écoutait, comme fasciné.

— Odilon était furieux à cause de maman, souffla-t-elle à l'oreille de Rozenn. Il m'a dit que Pierre pouvait rester là ce soir, uniquement si Olivier et moi nous l'emmenions à Coro.

— Alors je viendrai moi aussi, déclara tout bas Rozenn. Je n'ai pas pu être maman, Lara. J'aime déjà ce tout petit, rejeté par sa mère, orphelin de père. Le destin me l'a envoyé, j'en ai l'intime conviction. Mais Odilon fera en sorte de ne pas contrarier ta mère, surtout maintenant.

Rozenn entraîna Lara dans le débarras tout proche. Ses yeux verts étincelaient de détermination.

— Pardonne-moi de t'apprendre ça sans précaution, mon frère a obtenu ce qu'il voulait. Ils sont devenus amants, ta mère et lui.

— Je suis au courant, ma chère Rozenn. Vraiment, vous seriez prête à tout quitter pour élever Pierre ?

— Oui, sans hésiter. Odilon épousera Armeline dans un an, après son deuil. Ils pourront roucouler en paix. N'aie pas peur, j'ai encore des économies, je participerai aux frais du voyage, et là-bas, je ferai le ménage, la cuisine.

— Pour ma part, je serai heureuse de vous avoir à mes côtés, Fantou aussi. C'est une option que nous devons envisager, s'étonna Lara. Chaque chose en son temps. Il faut prévoir un couchage pour Pierre. Oh, j'ai laissé son baluchon dehors, je vais aller le récupérer. Rozenn, c'est bizarre qu'il ne réclame pas sa maman, ou sa tante qui l'aurait hébergé presque deux mois ?

— Ce petit est hébété par le long trajet, il n'a plus aucun repère, mais il a désespérément besoin d'affection, de tendresse et de bons soins, Lara. Il a été privé de tout ceci, je l'ai senti en le cajolant.

Elles sortirent de leur cachette, car Loanne appelait à tue-tête. Néanmoins les deux enfants n'étaient pas seuls. Odilon se tenait derrière eux, image vivante de la consternation.

— Je suis monté voir Armeline, dit-il d'une voix lasse. Elle a décidé de ne plus quitter sa chambre tant qu'il y aura un intrus sous mon toit. Lara, vous vous en irez sûrement samedi et non demain comme c'était prévu. D'ici là, si ta sœur et toi vous souhaitez voir votre mère, elle exige que vous lui rendiez visite là-haut, sans chercher à lui amener le petit pour l'apitoyer. Te rends-tu compte de la peine qu'elle éprouve, de son humiliation ?

— Oui, je peux concevoir sa déconvenue, sa tristesse, mais pour moi, Odilon, un enfant innocent aura toujours la priorité.

— Je pense comme Lara, renchérit Rozenn.

— Ma pauvre sœur, ne t'attache pas à ce bambin, d'une manière ou d'une autre, il doit s'en aller, par respect pour Armeline, trancha Odilon.

— Ne t'inquiète pas, elle sera vite débarrassée de lui et de moi. Dieu, dans son infinie bonté, m'a donné une mission, décréta sa sœur. J'aurai la joie de chérir et de choyer un enfant, malgré la tare dont je souffre depuis des années. Je suivrai Pierre, même en Amérique du Sud.

Médusé, son frère fut incapable de proférer un son. Le coup était rude pour lui. Il secoua la tête, en sortant de la cuisine. Lara l'entendit monter l'escalier pesamment.

— Quelle journée ! déplora-t-elle. Loanne, mon cœur, vous avez goûté, allons sur la plage. Pierre doit faire connaissance avec la mer, les vagues, les galets, que son papa aimait tant.

— C'est qui, son p'pa ? demanda la petite.

— Je te le dirai bientôt, promit Lara.

Sur l'île de Molène, même jour, le soir

Fantou était allongée sur le lit où, depuis environ un an, elle avait si souvent imaginé de rejoindre Daniel, dont la chambre était située en face de la sienne.

« Ce n'était qu'un rêve éveillé, je n'aurais jamais osé, à cause de Katell, qui couche au même étage, se souvenait-elle. Ce soir, c'est différent, nous nous sommes embrassés, sur la lande, et il m'a caressée, partout… »

Lorsqu'ils étaient revenus et qu'ils avaient bu le thé, Fantou avait toujours l'idée de s'offrir à son amour la nuit même. Mais par la suite, Daniel avait joué du piano, avec maîtrise et passion, comme s'il voulait lui transmettre un message sans équivoque. La gouvernante les dérangeait souvent, la mine curieuse. Elle tenait à savoir le menu du dîner, si « Monsieur » n'avait besoin de rien.

« Katell nous surveillait, j'en suis sûre, en déduisit Fantou. Mais je dois tenter le tout pour le tout, d'autant plus que Daniel est installé dans la pièce donnant sur la cour, celle où logeaient Lara et Olivier pendant leur séjour ici. »

Le bel aveugle s'en était expliqué, pendant le repas, de sa voix mélodieuse.

— J'ai toujours apprécié cette pièce pendant l'été, il fait frais, on peut laisser la porte entrouverte, et on sent le parfum des fleurs, on entend les vagues.

Profitant d'un tête-à-tête, sa gouvernante étant à la cuisine, Daniel avait précisé à mi-voix :

— J'ai surtout fui l'étage, Katell s'est enrhumée le mois dernier, et elle ronfle affreusement.

Il souriait avec malice, un sourire très jeune qui avait donné envie à Fantou de se jeter à son cou, de l'embrasser sur ses lèvres bien dessinées.

« Après le dîner, nous avons bavardé longtemps dans la cour, comme des amis, hélas ! Le ciel avait des couleurs magnifiques, je les ai dépeintes à Daniel. Il n'a plus été question de ce qui s'est passé durant l'après-midi. Si ce vieux pêcheur n'était pas arrivé, je ne serais peut-être plus vierge. Non, ça ne se fait pas, en plein jour, sur la lande. »

Très agitée, Fantou se remémora ce qu'elle avait éprouvé alors, entre plaisir et crainte, entre désir et malaise.

— Je dois savoir, je veux être près de lui, qu'il me caresse encore. Nos baisers sont si merveilleux, chuchota-t-elle. Je n'aurai pas d'autre occasion.

Survoltée, le cœur cognant fort, elle se leva et ôta sa chemise de nuit. Une fois nue, en proie à une exquise angoisse, elle se drapa dans un grand foulard qu'elle avait emporté. Rassurée par les ronflements de Katell, de l'autre côté de la cloison, elle sortit sur la pointe des pieds et descendit l'escalier, qui était plongé dans l'obscurité. Elle ferma les yeux, afin de s'identifier à Daniel.

« Il se repère à tâtons, une main sur la rampe, et sa canne l'aide à estimer la distance entre chaque marche. Ce doit être terrible. »

La compassion l'affaiblissait, doublée du besoin de consoler, d'offrir du bonheur à son amour. Elle longea l'étroit couloir du rez-de-chaussée, troublée par l'air frais sur sa peau dénudée. La porte cintrée, en granit, ouvrant sur la cour, était entrebâillée. Tout de suite, Fantou aperçut une faible clarté à la petite fenêtre de la pièce, bâtie à l'extérieur.

Elle se faufila dehors, le souffle court et approcha de la porte vitrée. Daniel dormait, étendu sur la courtepointe d'un lit aux montants de bois sculptés. Grâce à une lanterne dont la flamme tremblotait, elle put l'observer un instant. L'aveugle avait un bandage sur les yeux, mais ses boucles blondes captaient les reflets ténus de la veilleuse. Il était en gilet de corps noir et en pantalon de pyjama.

« J'entre, du courage, il ne pourra pas me repousser ! »

Sur cette pensée téméraire, Fantou abaissa la poignée en cuivre, poussa le battant et s'aventura dans la chambre. Elle jeta un regard distrait sur les tableaux représentant l'île de Molène et des paysages bretons, qui égayaient les murs blancs.

— Daniel, appela-t-elle tout bas. Je t'aime ! Plus de « vous » entre nous, mais le « tu » des amants. Je veux être ta femme, cette nuit.

— Fantou ! Que fais-tu ? Je ne dormais pas, j'ai entendu du bruit sur le carrelage, je croyais que c'était le chat du voisin. Sors immédiatement.

Il s'était redressé sur un coude, haletant. Fantou dénoua le foulard. Ses seins menus pointaient, sa poitrine se soulevait au rythme de sa respiration saccadée.

— Ne me chasse pas, Daniel, implora-t-elle. J'ai peur, sais-tu, mais j'ai lu un jour que le vrai courage, c'est de dompter sa peur, de ne pas se laisser arrêter par elle. Très bientôt, je serai à des milliers de kilomètres de toi, pendant un an ou plus.

Comme il demeurait silencieux, elle s'allongea. Le lit n'était pas large, il sentit son bras, sa hanche.

— J'ignore si je suis belle, mon amour, et je voudrais tant que tu puisses me voir, me le dire. Peut-être que tes mains le sauront.

— Fantou, là, tu ne joues plus avec le feu, tu te conduis en écervelée. Quelque part, tu me manques de respect !

— Pourquoi ?

— Si je cède à mon désir, je serai infiniment coupable et je m'en voudrais longtemps. En me provoquant ainsi, tu estimes que je n'aurai pas la force ni la volonté de te repousser.

— C'est faux, je te respecte, je t'admire, je t'aime, gémit-elle.

Fantou se pencha sur lui. Elle posa sa bouche sur la sienne. Ses longs cheveux lisses effleuraient le torse et les épaules de l'infirme. Il l'enlaça soudain d'un geste possessif. Son baiser se fit impérieux, d'une ardeur toute virile, tandis qu'il parcourait à pleines mains le corps de la jeune fille.

Il cessa de l'embrasser pour murmurer d'une voix tendue :

— Tu es toute fine, si douce. Tu dois ressembler à une statue en marbre blanc, d'une adolescente, d'une fée. Tu me rends fou. J'espérais que tu viendrais.

— Alors tu es content ?

— Oui, effrayé, déjà coupable, mais content.

— Je ferai mieux d'éteindre la lanterne, si jamais Katell se relevait, proposa Fantou, subjuguée par le désir qui la faisait vibrer.

— C'est plus prudent, et ça ne changera rien pour moi.

Vite, elle sauta du lit et alla baisser la mèche. Elle se coucha de nouveau contre Daniel. Il recommença à la caresser, du bout de son nez à ses mamelons, de ses genoux à l'intérieur de ses cuisses. Enfin il plongea ses doigts dans la courte toison frisée de son pubis, avant d'explorer délicatement la corolle de sa chair intime, moite et chaude.

— Viens tout de suite, supplia-t-elle. Tant pis si j'ai mal, si tu attends, je crains de m'enfuir, et je le regretterai trop.

Daniel renonça brusquement. Il marmonna un « chut » d'un ton anxieux.

— J'ai entendu un bruit, dit-il à son oreille. Quelqu'un a sauté du muret dans le jardinet, j'en suis sûr. La manière d'Olivier de rentrer chez moi quand la porte sur le quai est fermée à clef. Il a dû s'arranger pour venir.

Fantou succomba à une immense panique. Son cœur battait à une vitesse affolante. Malgré tout, elle fit preuve de sang-froid.

— Lève-toi, Daniel, sors et demande qui est là, si c'est Olivier, emmène-le dans le salon, occupe-le, que je puisse remonter dans ma chambre. Vite, c'est le seul moyen d'éviter un drame.

— D'accord ! Cherche mes lunettes noires, sur la table de nuit, au cas où mon bandage se dénouerait. Autant que tu le saches, ce qu'il y a sous ce bout de tissu est particulièrement horrible.

Elle lui donna la paire de lunettes sans faire de commentaire. Deux minutes plus tard, après s'être guidé en s'appuyant au mur, Daniel sortait dans la cour. Il appela Olivier. Aussitôt celui-ci répondit et surgit du bosquet de troènes. Les deux hommes discutèrent un court moment, puis ils disparurent à l'intérieur de la maison.

— Mon Dieu, protégez-moi, marmonna Fantou en se drapant du foulard.

Une telle prière lui parut déplacée, au vu des circonstances, mais elle continua à solliciter la divine providence. Lorsqu'elle s'engagea dans l'escalier en toute hâte, elle perçut des éclats de voix. La jeune fille put enfin se réfugier dans sa chambre, dont elle poussa la targette.

Olivier aurait sans nul doute été plus véhément encore, s'il avait perçu les pas discrets de sa future belle-sœur sur le carrelage séculaire du couloir.

— Vraiment, tu as sermonné Fantou d'avoir fugué, ou bien tu en as profité ? interrogeait-il sèchement. Tu aurais dû avoir la décence de la loger à l'hôtel. Si tu en es amoureux fou, comme tu le disais le mois dernier, c'était risqué de la garder cette nuit.

— Tu aurais préféré que je la laisse repartir sur le ferry du soir ? Elle était tellement vexée par mon accueil moralisateur qu'elle allait le faire. Où aurait-elle dormi ensuite ? Tu l'imagines seule dans le port de Brest ? Alors baisse d'un ton, elle était plus en sécurité chez moi. Je te signale, Olivier, qu'il y avait ce médecin de Locmariaquer, Bacquier, sur l'*Enez Eussa*, ce matin. Il lui a débité des allusions douteuses. Par chance, le type se rendait à Ouessant.

Daniel avait appris la chose à l'heure du thé, Fantou lui ayant raconté l'incident.

— Quoi ? Le docteur Bacquier était dans les parages, s'alarma Olivier. C'est une singulière coïncidence. Le commissaire Renan enquête sur lui, et même sur toi, Daniel, je tenais à te le dire. Je m'en veux, si tu savais, d'avoir perdu les pédales, au point de te soupçonner toi aussi.

L'aveugle eut une expression de profonde surprise. Un rictus d'amertume crispa son visage harmonieux.

— Tu m'as soupçonné ? répéta-t-il. Toi, Olivier ? Dans ce cas, pourquoi me l'avouer, tu es illogique.

— Parce que c'était stupide, ridicule. Je m'en voulais tant. Et je n'avais pas à te reprocher tes sentiments pour Fantou. L'amour ne se commande pas, j'en ai fait l'expérience. Crois-moi, j'étais pressé de fouler le sol de Molène pour te demander pardon. Tu es mon ami, mon seul ami. Quand je te retrouvais ici, je me sentais en sécurité, nous étions tous les deux, cernés par la mer. Plus rien ne pouvait m'atteindre, grâce à l'asile que tu m'offrais. Je te dois la vie, Daniel, et j'ai osé m'en prendre à toi.

— C'est oublié, affirma celui-ci.

Ils se donnèrent l'accolade, très émus. Olivier tremblait de nervosité dans les bras de l'infirme.

— Je comprends pourquoi tu as pu me ranger parmi tes éventuels ennemis, murmura Daniel. J'aurais eu à l'esprit de me venger, à cause des tortures que j'ai subies et qui m'ont privé d'un bien inestimable, la vue.

— Il y avait de ça, oui.

— N'en parlons plus, Olivier. Si on fêtait ça avec un verre de calvados ?

— D'abord, je mangerai bien un morceau, je n'ai rien avalé depuis midi, et il est plus de minuit.

— Comment as-tu fait pour débarquer à Molène ? Tu as envoyé le télégramme vers 11 heures du matin !

— J'ai loué une bonne voiture à un jeune garagiste qui vient de s'installer à Locmariaquer. Une fois au Conquet, j'ai traîné sur le port. Un plaisancier m'a prêté son voilier, moyennant finance, car il ne l'utiliserait pas avant samedi. La joie que j'ai éprouvée, en naviguant ! Je renouais avec l'océan, les embruns, la danse des vagues sous la coque. Si c'était possible, j'aimerais aller jusqu'à Caracas en bateau. Mais je suis fauché comme les blés. Daniel, il faut que je réveille Fantou.

— Pourquoi ? Tu veux lui faire la morale ?

— Non, pas du tout, ce n'est pas ça. Tu le sauras vite. Pendant ce temps, si tu réussissais à me trouver un bout de pain, enfin n'importe quoi de comestible. Tu te passais souvent de l'aide de ta gouvernante, quand on veillait tard.

— Je me débrouillais, en effet, et j'en suis encore capable. Je connais cette maison par cœur, chaque détail du sol, des murs. Si tu pouvais éviter de réveiller Katell…

— Je vais essayer, hasarda Olivier en ouvrant la porte donnant sur le couloir.

Tout de suite, il distingua une silhouette claire, sur la dernière marche de l'escalier. Fantou, en pantalon et gilet de laine, vint vers lui.

— Ah, c'est toi, chuchota-t-elle. J'avais du mal à m'endormir, et j'ai entendu des voix, en bas. J'étais inquiète, alors je suis descendue. Pardonne-moi, Olivier, j'ai eu tort de m'enfuir. C'était idiot de ma part.

— On ne réfléchit pas toujours bien, à ton âge. Je laisse à Lara le soin de te tirer les oreilles. Au fond, grâce à ton escapade, j'ai eu le bonheur de venir ici en bateau. Allons dans le salon, j'ai quelque chose à t'annoncer.

Rassérénée par l'indulgence d'Olivier, Fantou le suivit sans crainte. En passant devant la porte de la cuisine, restée béante, elle vit Daniel qui fouillait le garde-manger, dans la pénombre dispensée par le réverbère du quai.

— Je suis affamé, avoua le visiteur nocturne.

— Attends, je m'en occupe, dit-elle en allumant le plafonnier.

Au son de sa voix, l'aveugle tourna la tête. Il tenait le beurrier d'une main, un pot de confiture dans l'autre.

— Je vous aide, Daniel, ajouta-t-elle en prenant du pain et du fromage.

L'ambiance se fit chaleureuse dans le salon, où une belle lampe en opaline diffusait une clarté dorée. Daniel s'assit au creux de son vieux fauteuil en cuir, Olivier prit place sur une chaise, près du guéridon où Fantou avait déposé la nourriture, sur un plateau en fer.

— Que dois-tu m'annoncer ? lui demanda-t-elle. J'espère que ce n'est pas grave.

Le jeune homme s'accorda une bouchée de pain beurré avant de répondre de façon énigmatique.

— En fait, c'est grave et ça ne l'est pas vraiment, tout dépend de toi. Par où commencer ?

Soucieuse de se montrer conciliante, Fantou patienta. Olivier but une gorgée d'alcool avant de dévorer une tartine luisante de confiture.

— Voilà, dit-il enfin. Quand je suis arrivé au Conquet, j'ai pu téléphoner à la villa, d'un bistrot. Je tenais à rassurer Lara. Et là, elle m'a raconté brièvement ce qui s'était produit. Une Polonaise, la sœur de la fameuse Zofia Filipek, s'est présentée. Elle amenait Pierre, votre demi-frère. Le bambin de deux ans est maigre à faire peur et sa mère s'étant remariée, il était battu par son beau-père. Je résume, Lara l'a pris sous son aile, car sa tante comptait le confier à l'Assistance publique, si sa famille française le rejetait. La villa est sens dessus dessous. Votre mère s'est enfermée dans sa chambre, furieuse, Odilon la soutient, et Rozenn parle de nous suivre au Venezuela, pour élever le petit qui n'a pas eu peur d'elle.

— Mon Dieu, et je n'étais pas là ! se désola Fantou, totalement sidérée par ce court récit.

— Ce devait être digne d'un mélodrame, soupira Olivier. Mais il y a un détail important, cette dame exigeait qu'on lui rembourse le voyage et qu'on lui paie son retour. Lara lui a remis une forte somme. De mon côté, j'ai dépensé pas mal d'argent pour atteindre Molène rapidement. Si mon père ne peut plus m'aider, ce sera difficile de rentrer au Venezuela en avion.

— La mère de Pierre n'a pas de cœur, pour l'abandonner ainsi, comme un objet encombrant ! s'indigna Fantou. Pauvre bout de chou, il doit être bien malheureux.

— Si j'en crois Lara, il souffrait davantage dans son pays.

— Ma sœur a eu raison de le garder, Olivier. Et maman ne devrait pas s'en offusquer. Qu'en pensez-vous, Daniel ?

— Je ne suis guère concerné, cependant j'approuve l'attitude de Lara. Les enfants sont innocents, c'est notre rôle de les protéger, affirma l'aveugle.

Fantou déambula de la fenêtre au piano, l'air songeur. Elle était tellement soulagée de ne pas avoir été découverte nue dans le lit de Daniel que tout le reste lui importait peu. Dotée à l'instar de sa sœur aînée d'un tempérament charitable, affectueux, elle était prête à accueillir son demi-frère et à l'aimer.

— Si j'ai bien compris, insinua-t-elle, Pierre viendrait vivre avec nous à Coro. Et Rozenn se dirait disposée à quitter son frère pour affronter le vaste monde ! Que de chambardements !

— Pour ma part, déclara Olivier, ni Rozenn ni Pierre ne me dérangeront. La propriété est vaste, le travail ne manque pas. J'ai l'intention d'exploiter des terres encore en friche. Je veux gagner de quoi nourrir moi-même ma famille. Mes parents en ont assez fait pour moi, jusqu'à se ruiner.

— Tu en es certain, Olivier ? s'enquit Daniel. Je croyais leur fortune inépuisable.

— Papa s'est plaint de mauvais placements, de grosses pertes en bourse, sans doute. Je lui ai coûté cher ces dernières années. Il a cédé ses parts du Grand Hôtel de Dinard à son associé, il a dû vendre le yacht, et le bel immeuble de l'avenue de la Vicomté est en passe d'être racheté.

— Et votre maison sur le Mont-Saint-Michel, ou celle de ta mère, à la campagne ? insista son ami.

— Je suppose que notre cher refuge du Mont-Saint-Michel a été vendu aussi, peut-être pour acquérir le domaine de Coro. Quant à la jolie ferme de maman, ils comptaient y habiter. Changeons de sujet, Daniel, c'est pénible d'évoquer ce désastre, dont je suis en majeure partie responsable.

Olivier termina son repas improvisé, puis son verre de calvados. Un bâillement lui échappa.

— On devrait se coucher, à présent, conseilla-t-il. On lève l'ancre très tôt demain matin, Fantou. J'ai promis au propriétaire du voilier de lui restituer avant midi. Est-ce que je peux dormir dans la chambre de la cour ?

— Non, prends la mienne à l'étage, trancha Daniel. Je te l'ai dit tout à l'heure, lorsque tu es arrivé, je suis plus à mon aise loin des ronflements de Katell. N'est-ce pas, Fantou, ma gouvernante a dû vous empêcher de trouver le sommeil ?

— Oui, je suis obligée de l'avouer, répliqua-t-elle à mi-voix. Je vous dis bonne nuit, à tous les deux.

Fantou, une fois dans sa chambre, fut partagée entre regret et exaltation. Elle pourrait difficilement faire ses adieux à Daniel sans témoin, au moment de partir avec Olivier.

« Pourtant je ne le reverrai pas avant longtemps, peut-être jamais, déplorait-elle. On ignore ce que nous réserve l'avenir. J'étais si bien dans ses bras, sous ses baisers. Je l'aime tant, je l'aime de tout mon être, j'en ai la conviction, désormais. »

Elle eut l'idée grisante de retourner le voir, dès qu'Olivier serait couché, mais la fatigue la terrassait.

« Non, je ne peux pas prendre le risque, je serai anxieuse, et lui aussi. Il refusera de me laisser entrer. »

Seule la perspective de faire connaissance du petit Pierre le lendemain la consola. Elle s'allongea sur le lit, tout habillée, et s'endormit très vite.

14

Un avant-goût d'exil

Sur la route de Lorient à Locmariaquer,
jeudi 5 juillet 1951

Fantou feignait de somnoler, afin de rêver tranquillement d'un avenir où elle ne serait plus jamais séparée de Daniel. Elle revivait aussi les dix minutes en tête à tête qu'Olivier leur avait accordées, à 6 heures du matin. En bon marin, il avait décidé du meilleur moment pour prendre la mer.

« Nous nous sommes embrassés plusieurs fois, j'avais les larmes aux yeux. Daniel me serrait très fort contre lui, il me murmurait des petits mots d'amour, se remémorait-elle. Et il m'a offert une bague, pas une bague de fiançailles, non, un modeste bijou qui appartenait à sa maman. »

Olivier avait dû rouler sur une pierre ou dans un nid-de-poule, car la voiture tressauta. Il empruntait une route départementale peu fréquentée, au milieu d'une vaste étendue de lande fouettée par le vent. Le temps changeait. Des nuages bas, d'un gris bleuâtre, voilaient le ciel.

« Mon beau-frère est meilleur marin que conducteur, songea la jeune fille. Mais la traversée jusqu'au port du Conquet était épouvantable. J'ai cru que nous allions couler, après avoir été balayés par une vague. Elles étaient énormes. »

Elle avait souffert du mal de mer, au point d'en avoir une forte migraine et de violentes nausées. Il lui tardait à présent d'être à la villa, où elle se doucherait et pourrait prendre de l'aspirine.

— Tu dors vraiment, Fantou ? interrogea Olivier. Nous sommes à une cinquantaine de kilomètres de Locmariaquer. Je voudrais te poser une question qui me tracasse.

— Laquelle ?

— Jusqu'où es-tu allée, avec Daniel ? Tu me comprends ?

— Tu es indiscret, Olivier, mais je te répondrai volontiers. Nous n'avons pas dépassé le stade très sage des baisers. Quand ma sœur me le demandera, je lui dirai la même chose.

— Très bien, je te fais confiance. Excuse-moi, j'avais besoin de le savoir. Daniel est fragile, sensible. Il t'aime sincèrement et tu vas partir avec nous. Ce serait encore plus douloureux pour lui, si vous étiez devenus amants.

— C'est ça qui te tourmente ? s'étonna-t-elle. Je croyais que tu voulais t'assurer de ma virginité, et me faire la morale si je l'avais perdue.

— Fantou, modère tes paroles ! Tu as des manières gênantes, tu es trop directe.

— Pas toujours, marmonna-t-elle d'un ton énigmatique. Je suis désolée si je t'ai choqué.

— Je ferais mieux de m'accoutumer à ton caractère, nous allons cohabiter pendant un an. Changeons de sujet. Nous approchons des alignements de Carnac. Tu les as déjà visités ?

— Bien sûr, lorsque j'étais à l'école primaire. Nous avions emporté de quoi pique-niquer. Mon institutrice nous a donné un cours d'archéologie, je m'en souviens bien. Olivier, sois gentil, parle-moi un peu de Daniel. Tu es son meilleur ami. Quand l'as-tu rencontré, comment ? Pourquoi est-ce qu'il y a un lien aussi fort entre vous deux ?

— Lara a dû te raconter l'essentiel, rétorqua-t-il, tout de suite sur la défensive. Nous étions dans le même réseau de résistance, nous avons sympathisé. Tu connais la suite.

— Oui, pardonne-moi. Tu n'as pas envie d'évoquer ce qui s'est passé. Mais tu peux me dire une chose, de quelle couleur étaient les yeux de Daniel ?

— Ils avaient de beaux yeux, d'un brun clair. Au soleil, ils paraissaient dorés, marmonna-t-il d'une voix rauque. Son regard était joyeux, chaleureux et…

Olivier dirigea soudainement la voiture vers le bas-côté où il se gara, sans couper le moteur. Fantou le vit appuyer son front contre le volant.

— Je m'en voudrais ma vie durant, dit-il, sans relever la tête.

— Excuse-moi, je ne voulais pas te faire de peine, Olivier.

— Tu n'as pas osé interroger Daniel, bien sûr ! Sais-tu que je le revois souvent en rêve, tel qu'il était ! Un beau gars de vingt-cinq ans à l'époque où nous sommes devenus amis. Il était déjà résistant, lui, depuis l'arrestation de sa femme, Rébecca. Il luttait dans l'ombre, avec l'espoir de la retrouver un jour, si nous gagnions la guerre. Il m'a pris sous son aile, j'étais très jeune. Nous étions inséparables, intrépides, toujours les premiers pour les missions difficiles. C'était une période dont j'aurais pu garder de bons souvenirs… Les nuits dans la forêt, au fond des grottes, les cigarettes partagées avant de passer à l'action. Des frères d'armes, Daniel nous désignait ainsi, lui et moi.

Il se redressa enfin, des larmes sur les joues. Fantou eut envie de pleurer aussi, touchée par ces confidences.

— Je me souviens d'une matinée, en plein été. Nos compagnons du réseau préparaient de la chicorée, en guise de café, sur un feu de bois. Daniel ne tenait pas en place. Il m'a tendu la main en me proposant de faire une démonstration de « gouren », notre lutte bretonne.

— Oui, je connais. Des garçons la pratiquent parfois, sur la pelouse du lycée.

— Nous avons gardé nos vestes, debout l'un en face de l'autre. Daniel m'a saisi à une vitesse sidérante par le col de ma veste, comme il se doit. Il était plus athlétique que moi, j'ai touché terre en deux minutes. Nous nous sommes serré la main, avant de recommencer. Je n'ai pas réussi une seule fois à lui faire toucher le sol. Il riait, et je riais encore plus, fier de lui, de sa force. Six mois plus tard, la Gestapo l'arrêtait et le torturait pour obtenir des noms de résistants. Je me demande encore comment il a survécu.

Passionnée par ce récit, Fantou imaginait Daniel avant la guerre. Elle déplora de ne pas avoir vu de photographies de lui, avant le conflit.

— Je le croyais mort, reprit Olivier. J'étais à Londres, quand je l'ai retrouvé, aveugle, dans un état de mélancolie alarmant. Il embarquait pour l'île de Molène, où sa famille possédait une maison. J'ai promis de lui rendre visite le plus souvent possible, et j'ai tenu parole.

— As-tu déjà vu Daniel sans lunettes ou sans bandage ? osa-t-elle demander. Est-ce vraiment affreux ?

— Je l'ignore. J'ai toujours respecté sa volonté. Tu as dû le remarquer, il porte des lunettes fermées par du cuir sur les tempes, comme celles des conducteurs automobiles. Katell m'a expliqué pourquoi, lors de ma première visite sur Molène. On a brûlé ses yeux, ses orbites, ses paupières. Elle m'a confié qu'il allait parfois jusqu'à dissimuler son état par des pansements, sous ses lunettes. C'est la croix que je porte. Daniel s'est sacrifié pour me sauver, pour que je puisse m'échapper, car j'étais trop jeune à son avis. Encore un prétexte, il craignait peut-être autre chose, que je ne résiste pas à la torture, que je livre nos compagnons.

Un sanglot sec fit taire Olivier. Il reprit la route, sans plus desserrer les lèvres. Fantou demeura silencieuse également, le cœur endolori. Cependant son amour pour Daniel était encore plus fort, plus tendre.

« Je serai sa femme, celle qui le consolera ! Je lui offrirai mon corps, mon âme, *ad vitam aeternam*, j'en fais le serment. »

Fantou ne prêta aucune attention aux centaines de menhirs[1] dressés sur la lande de Carnac, son regard bleu ciel tourné vers la mer. Elle aurait aimé se changer en une vague rapide, qui irait s'échouer sur la grève de l'île de Molène.

Locmariaquer, chez les Bart, même jour

Une pluie fine ruisselait sur la villa. Il faisait moins chaud que la veille, si bien que Rozenn et Lara avaient décidé de faire des crêpes pour le goûter. Toutes deux cantonnées dans la cuisine, elles surveillaient Loanne et Pierre, qui jouaient aux cubes sur la table. Le petit garçon, lavé, les cheveux brillants, portait une chemise et un pantalon neufs.

— Regarde-le, comme il sourit, ce mignon, murmura Rozenn. Il était ébloui, ce matin, au Bazar du Port. J'ai le cœur léger, Lara, ça ne m'était pas arrivé depuis ma propre enfance, ou alors, de temps en temps, cloîtrée dans mon cabanon avec Nérée, le nez sur mes plantes officinales.

Lara considéra son frère avec tendresse. Elle lui avait offert un petit ours en peluche, qu'il avait posé près des cubes. Loanne s'était contentée d'un minuscule poupon en celluloïd.

— Ma p'tite bouille est moins capricieuse, aujourd'hui, signifia-t-elle à Rozenn. La présence de Pierre lui fait du bien.

---

1. Au nombre exact de 2 934.

— Ils grandiront ensemble, sur une terre étrangère, soupira celle-ci. Odilon est tellement malheureux, à l'idée de mon départ. Il ne m'a fait aucun reproche, pourtant il en aurait le droit. J'ai vécu à sa charge pendant des années.

— D'où viennent les économies dont vous parliez, alors ?

— Mon frère m'a versé ma part quand nous avons vendu la grande maison de Quiberon. Je n'y ai pas souvent touché, même si j'ai payé la location du piano pour Fantou de ma poche.

— Hélas, je ne peux plus vous rembourser, déplora Lara.

— J'aurais refusé, ma chère enfant.

Lara s'approcha de la fenêtre. Elle guettait le retour de Fantou et d'Olivier, après avoir calculé approximativement l'heure où ils arriveraient.

— Si seulement maman se montrait moins entêtée, dit-elle tout bas. Elle n'a pas quitté sa chambre depuis hier, sauf pour aller dans la salle de bains et aux commodités.

— Armeline sait que vous partez samedi, elle ne se privera pas de ses filles, quand même ? hasarda Rozenn.

Le chien, couché sous la table, bondit brusquement sur ses pattes et courut dans le vestibule, où il se mit à aboyer, puis à pousser des plaintes modulées.

— Les voilà ! s'exclama Lara. Nérée ne peut pas se tromper, il ne gémirait pas ainsi si ce n'étaient pas eux. Mais je ne les ai pas vus sur la route !

Elle se rua hors de la cuisine. Olivier venait d'entrer, ses cheveux bruns perlés par la pluie. Il lui tendit les bras, avec un grand sourire heureux. Elle se jeta à son cou. Ils échangèrent un long baiser, comme s'ils avaient été séparés plusieurs jours.

— Ma chérie, murmura-t-il en l'étreignant. Tant que tu courras vers moi, que je pourrais te serrer très fort et savourer tes lèvres, j'aurai foi en la vie !

— Olivier, tu m'as manqué, dit-elle en l'embrassant encore.

— J'ai ramené Fantou, ma chérie. Elle discute avec Odilon, en bas du perron. Tout va bien. Si tu me présentais ton petit frère.

Olivier fut frappé par la ressemblance évidente de Pierre avec sa sœur aînée et avec Louis Fleury. Mais l'enfant trembla de peur, lorsqu'il lui caressa la joue. Loanne, elle, lança un cri de joie.

— Papa, mon papa, au cou !

Le jeune père obtempéra immédiatement, trop content de sentir le petit corps dodu de sa fille contre sa poitrine. Rozenn, pleine d'entrain, commença à faire cuire les crêpes. Une bonne odeur de beurre chaud, de pâte laiteuse en train de griller, se répandit dans la maison.

— Je n'ai pas pu tout te dire au téléphone, dit Lara à Olivier, dès qu'il reposa Loanne sur sa chaise. Viens.

Elle l'entraîna vers le vestibule, à l'instant précis où Fantou franchissait le seuil de la villa, suivie par Odilon.

— Lara, pardonne-moi ! s'écria-t-elle. Je vous ai causé du souci, j'en suis navrée.

— Nous en parlerons ce soir, Fantou, trancha sa sœur. Reste là, tu dois savoir toi aussi ce qu'endurait Pierre, notre frère, en Pologne. Vous pouvez écouter, Odilon.

— Non, Rozenn m'a tout raconté, je monte voir votre maman, mais je redescendrai vite préparer un plateau pour son goûter.

Le retraité, l'air morose, s'engagea dans l'escalier. Lara lui jeta un coup d'œil affligé, puis elle se lança dans des explications à voix basse.

— Zofia Filipek a agi pour le bien de Pierre, peut-être pour le sauver. Elle devait fréquenter un veuf, avant de se mettre en ménage avec notre père. Après son départ, elle s'est vite remariée avec cet homme, Jerzy, une sale brute. Il a deux garçons à lui, mais il ne veut pas du fils de son épouse. Il le frappait, l'affamait. Vous le constaterez sans peine.

— Le pauvre gosse, commenta Olivier.

— Oui, tu as remarqué, il a eu peur quand tu as voulu le caresser sur la joue, insista Lara, fébrile. Je n'ai pas eu le choix, j'ai décidé de garder Pierre, de le rendre heureux. Maman est furieuse, elle refuse de venir au rez-de-chaussée.

Lara les dévisagea tour à tour. Elle quémandait leur accord, à défaut d'espérer leur enthousiasme. Ils ne lui répondaient pas, bouleversés par sa beauté sans artifice, son teint doré, ses prunelles noires, sa chevelure dénouée, et les vibrations de sa voix douce.

— Si j'avais été là, ma chérie, je t'aurais soutenue, dit Olivier.

— Tu ne pouvais pas faire autrement, affirma Fantou. Est-ce que je peux voir Pierre ?

Ils entrèrent dans la cuisine. Une pile de crêpes garnissait une assiette en porcelaine blanche. Rozenn avait disposé à côté un pot de confiture, le beurrier et le sucrier.

— Ma petite Fantou, Olivier, ça fait plaisir d'être en bonne compagnie. Lara, débouche donc une bouteille de cidre.

Pierre accepta sans s'effrayer les légères bises que lui donna Fantou, qui s'était accroupie près de sa chaise.

— Tu es adorable, Pierre, je suis ta sœur, moi aussi. Veux-tu une crêpe ?

Le petit esquissa un fragile sourire, en lui désignant de l'index l'ours en peluche qu'il avait assis sur trois cubes.

— C'est ton joujou ? s'enquit la jeune fille. Il est aussi mignon que toi ! Est-ce qu'il sait un peu le français ?

— On dirait que certains termes lui sont familiers, mais sa tante a noté des phrases simples en polonais dans ce carnet, indiqua Rozenn en lui tendant un calepin noir. Il suffit de lire, Pierre comprend même si on prononce mal les mots.

— Une excellente initiative, concéda Olivier, qui débouchait le cidre. Alors, chère Rozenn, prête pour découvrir l'Amérique du Sud, la mer des Caraïbes, d'un bleu turquoise, et notre jardin enchanté ?

— Je mentirais si je prétendais ne pas avoir peur de l'exil et du dépaysement, Olivier. Mais l'aventure me plaît et puis je refuse de quitter Pierre. Il me câline, il me suit partout, en tenant ma jupe. Dieu a eu pitié de moi.

Armeline écoutait, près de la porte, adossée à la cloison du vestibule. Odilon l'encouragea d'un baiser sur le front. Elle respira profondément, et très pâle, la gorge nouée, elle entra à son tour dans la cuisine.

— Maman ?

Fantou l'avait vue la première, pendant qu'elle tentait de parler en polonais au petit Pierre.

— Maman, ne sois pas fâchée, ajouta-t-elle en se relevant. J'ai eu tort de fuguer.

Lara s'approcha de leur mère qui observait d'un air perplexe l'enfant conçu par son mari et Zofia Filipek, au cours d'étreintes nocturnes qu'elle imaginait passionnées.

— Maman, je suis soulagée que tu sois là. Nous avons bien peu de temps à passer tous ensemble, plaida la jeune femme. Je t'en prie, pardonne-moi de t'avoir causé du chagrin. Mais je ne pouvais pas abandonner Pierre moi aussi. Il n'a que deux ans, maman. Il a été battu, privé de tout. C'est un peu comme si on me rendait quelque chose du père que j'ai adoré.

— Oui, je ressens ça moi aussi, renchérit Fantou.

— Ne vous fatiguez pas à défendre cet enfant, rétorqua leur mère. Quand même, mes filles, vous me connaissez ? Je suis capable de charité, et je ne suis pas assez sotte pour en vouloir à un gamin de cet âge. Odilon a su me raisonner, mieux que quiconque. Pendant vos derniers jours ici, à la villa, il est inutile de se déchirer, de se quereller. J'ai envie de profiter de vous, de toi, ma grande, qui te bats contre l'injustice, de toi, ma petite Fantou. Tu es revenue, c'est le principal.

— Merci, maman, murmura celle-ci.

— Oh oui, merci, maman, dit Lara.

Leur mère vacilla sur ses jambes lorsqu'elles l'enlacèrent et l'embrassèrent. Odilon avait retrouvé le sourire.

— Oh, vous m'étouffez, gémit Armeline. J'ai encore quelque chose à dire. Ne me demandez pas de m'intéresser à votre demi-frère. J'éviterai de lui parler, de le regarder de près.

— Fais comme tu veux, maman, répliqua Lara. J'étais si triste de te savoir là-haut, seule, alors que nous allons être séparées pendant un an ou plus longtemps encore.

Comme par enchantement, le climat de discorde s'étiola, afin de céder la place à une ambiance agréable. Sans se concerter, chacun remit à plus tard les reproches, les regrets et les sermons. On but du cidre en se régalant des crêpes. Olivier fit le récit de son périple en mer d'Iroise, Odilon évoqua son projet d'acheter un terrain proche de la villa.

Rozenn se montra aimable, toute son attention concentrée sur Pierre. Une demi-heure s'était écoulée quand le petit garçon, gavé de lait chaud, se glissa en bas de son siège et trottina vers la femme au visage écarlate, dont il n'avait aucunement peur.

— Genoux à toi, balbutia-t-il en français, à la surprise générale.

Ravie, Rozenn le souleva pour le nicher au creux de ses bras, aussi sur ses genoux. Pierre ferma les yeux, comme s'il avait atteint le plus merveilleux des refuges.

Locmariaquer, vendredi 6 juillet 1951

Lara, Fantou, Loanne et Olivier foulaient le sable tiède, en bas des marches en ciment qui reliaient le jardin à la plage. La marée était basse, le beau temps persistait, si bien que les jeunes gens avaient décidé d'aller à la pêche aux crevettes. Nérée était de la balade.

— Moi, j'tiens le seau, annonça la fillette, en brandissant l'ustensile en fer, de taille modeste.

Un foulard en cotonnade bleue nouée sur ses boucles brunes, Loanne trottinait déjà vers la mer, en short et chemisette, suivie de près par le chien. Un sourire coquin sur son minois adorable, elle faisait l'admiration de sa jeune tante.

— Que tu es mignonne, toi, lui dit Fantou. Allez, en avant, on va rapporter plein de crevettes à Rozenn.

— Oui, tata.

Fantou, comme Lara, avait choisi une tenue pratique. Elles s'étaient toutes deux habillées d'un pantalon corsaire, laissant à l'air leurs mollets, et d'un boléro blanc sans manches. Olivier, lui, s'était contenté de retrousser le bas de la salopette en toile qu'il avait empruntée à Odilon.

— Nous trouverons peut-être quelques coquillages, dit-il d'un ton enjoué. Enfin une vraie journée de détente, en famille !

Le vent ébouriffait ses mèches noires, la lumière faisait briller ses yeux d'un bleu profond. Le collier de barbe qu'il arborait pour être moins facilement reconnaissable le faisait paraître encore plus viril. Lara lui dédia un sourire extasié, en songeant que pour elle, il était vraiment le plus séduisant des hommes.

« Et le plus conciliant, se dit-elle encore. Il a accepté sans récriminer que nous emmenions Pierre au Venezuela. Bientôt nous serons très loin, hors de danger. J'espère que Rozenn nous suivra, elle semblait hésiter ce matin. »

Olivier, qui avait calé deux épuisettes sur son épaule, la prit par la taille de son bras libre. Il respira avidement l'air marin.

— J'ai hâte d'être au bord de la mer des Caraïbes, lui confia-t-il. Je pars l'esprit en paix, grâce à la fugue de Fantou, qui m'a donné l'occasion de me réconcilier avec Daniel.

— Mon korrigan a dû le faire exprès, plaisanta Lara.

Ils échangèrent un baiser, avant d'observer leur fille. Loanne pataugeait dans une flaque, penchée en avant pour observer l'eau transparente où flottaient de fines algues d'un vert vif. Fantou lui désigna quelque chose de l'index.

— Maman, papa ! cria l'enfant. Y a un crabe, tata va l'attraper.

Fantou s'exécuta, mais elle courut remettre la bestiole dans une autre flaque, plus large, plus profonde.

— Il aurait pu te pincer un orteil, Loanne, expliqua-t-elle.

Lara éclata de rire devant la mine inquiète de sa fille. Olivier se mit à siffler, puis à fredonner « Tri martolod[1] », une ancienne chanson bretonne, à la grande joie de sa compagne.

Tri martolod yaouank… la la la…
Tri martolod yaouank i vonet da veajiñ

— Je n'comprends rien, papa, se plaignit Loanne. Mais c'est joli quand même.

— C'est du breton, la langue de notre pays, ma p'tite bouille, répliqua-t-il. Je te l'apprendrai, quand tu auras un peu grandi.

Ils continuèrent à avancer au milieu des rochers, sur lesquels des sternes à tête noire semblaient les guetter. Nérée bondit vers les oiseaux qui s'envolèrent aussitôt.

---

1. « Trois matelots », chant traditionnel breton créé au XIXe siècle, rendu célèbre par des arrangements modernes dans les années 1970 et récemment.

Fantou pensait à Daniel, à leur avenir et son cœur se serra.

« Aurai-je vraiment le courage nécessaire pour vivre auprès de lui ? s'interrogeait-elle. Il ne pourra jamais se promener sur les rochers à marée basse, et si nous avons un enfant, il ne verra pas ses sourires, ni ses regards émerveillés. Est-ce que nous serons assez forts ? »

Une sourde angoisse s'empara de la jeune fille, suffisamment lucide pour considérer tous les problèmes qu'ils affronteraient, Daniel et elle, s'ils se mariaient.

« Je me donne un an, décida-t-elle. Un an au Venezuela, pour être sûre de moi, de lui, de notre amour. »

Elle fut soulagée par ce délai. L'expédition reprit, de flaques en flaques, avec en bruit de fond, la douce rumeur de la mer dont les vagues paisibles venaient caresser le sable et les galets. Une heure plus tard, Lara estima qu'ils avaient des palourdes et des crevettes en quantité honorable.

— Nous les mangerons ce soir, annonça-t-elle.

— Moi, j'suis fatiguée, soupira Loanne. Le seau est lourd.

— Maman va le porter, proposa Olivier en la soulevant pour la jucher sur ses épaules. Regarde, Odilon nous fait signe, de la plage. Il est temps de rentrer.

Un instant, en apercevant elle aussi le retraité, Lara redouta un nouvel incident, ou bien une possible querelle à cause du petit Pierre. Pourtant, depuis leur arrivée en France, ils n'avaient pas encore connu des moments aussi charmants que cette partie de pêche. Elle eut un sourire un peu rêveur, qui poussa Fantou à lui donner un baiser sur la joue.

— Tu es tellement belle, Lara, chuchota-t-elle. Surtout quand tu as cet air-là, si doux.

— Merci, mon korrigan ! Odilon paraît de meilleure humeur. J'étais inquiète de le voir en bas des marches.

— J'ai également ressenti une certaine appréhension, admit Fantou. Mais je crois que mon papi d'adoption était juste pressé de nous retrouver. Il doit être bien malheureux, à la perspective du départ de Rozenn.

— Alors, la pêche aux crevettes a été bonne ? leur cria Odilon au même moment.

— On en a plein, répondit Loanne en éclatant de rire. Je veux les montrer au grand bébé.

— Pierre n'est plus un bébé, rectifia Lara. S'il fait encore la sieste, il ne faudra pas le réveiller. Mais sois gentille, ne l'appelle pas comme ça, mon petit cœur.

— Formidable ! s'esclaffa Odilon en affectant une gaîté un peu forcée. Je suis allé acheter du vin blanc, on va se régaler. Rentrez vite à la maison, nous avons des invités pour le goûter. C'est une surprise.

Olivier esquissa immédiatement une mimique de contrariété, à l'instar de Lara.

— Ne vous en faites pas, ce sont des amis à vous, affirma Odilon.

Armeline assistait à la scène, depuis la terrasse de la villa. La colère et la tristesse se partageaient son cœur convalescent. Colère bien cachée de devoir tolérer le fils adultérin de son défunt mari, sous ce toit devenu son nouveau foyer, tristesse à la perspective du départ de ses deux filles et de sa petite-fille. Mais elle se sentait capable d'affronter la séparation et l'absence, débarrassée de Pierre et de Rozenn, avec qui elle ne s'était jamais vraiment entendue.

« Mon cher Odilon, sans toi je serais perdue et désespérée, pensa-t-elle. Dans un an, je deviendrai ton épouse. Et au mois d'août, tu me l'as promis, nous irons passer une semaine en Provence, sur la côte d'Azur, un de mes rêves. »

Une jeune femme la rejoignit, d'une démarche affectée. Très blonde, perchée sur des talons hauts, elle portait des lunettes de soleil extravagantes et une robe blanche au décolleté audacieux.

— J'espère que Lara ne m'en voudra pas trop d'être venue à l'improviste, hasarda Tiphaine Russel, tout en allumant une cigarette de marque américaine.

Sainte-Anne-d'Auray, chez les Jouannic,
même jour, même heure

Paule était assise sur un pliant, près de la chaise longue où Luc somnolait. Un grand parasol les protégeait du soleil, qui ne tarderait pas à disparaître derrière le toit d'ardoises à pignons de la vieille demeure familiale. Le jardin exposé à l'est serait à l'ombre, mais l'astre flamboyant poursuivrait sa course, jusqu'à l'heure encore lointaine où il se coucherait, pour iriser la mer de sublimes reflets d'or pourpre.

— Loïza devrait être là depuis un moment, marmonna-t-elle, penchée sur la paire de chaussettes en laine qu'elle reprisait. Mon Dieu, quelle idée ma belle-sœur a eue de t'avoir ramené chez nous, mon pauvre garçon.

Le sourd-muet avait entrouvert les yeux, mais Paule ne s'en était pas aperçue. Elle continua ses jérémiades, concentrée sur son ouvrage.

— De toute façon, il faudra t'hospitaliser bientôt, c'est plus prudent pour nous tous. Je n'ai pas une bonne santé, si j'attrape ta maladie, c'en est fait de moi. Je suis sûre que Tiphaine s'est dépêchée de récupérer son petit Killian, de peur qu'il devienne phtisique, lui aussi.

Luc observait sa cousine, son aînée d'une trentaine d'années. Malgré leur lien de parenté, jamais Paule ne lui avait témoigné la moindre affection. Elle s'était estimée honnête et charitable en le recueillant au décès de ses parents, ce qui lui avait notamment permis de toucher une part d'héritage.

Le regard brun de l'adolescent s'illumina soudain, en dépit des larmes qu'il versait. L'unique personne qui comptait vraiment pour lui venait d'apparaître au portillon. Paule, en levant le nez, vit le changement d'expression du garçon. Elle se tourna un peu.

— Tiens, déjà là, Loïza ? ironisa-t-elle de sa voix aigre. Tant que tu y étais, il fallait passer la soirée avec ton flic !

— Je t'avais dit que je rentrerais tôt, j'ai tenu parole. Luc a-t-il eu son goûter ?

— Non, il dormait.

Ulcérée, Loïza déposa un baiser sur le front de son protégé. Elle ne put ignorer ses joues humides, le pli amer de sa bouche.

— Tu pleurais, mon Luc ? s'affola-t-elle. Qu'est-ce que tu lui as raconté, Paule ? Tes méchancetés habituelles ?

— Bah, il n'entend rien.

— Il sait parfaitement lire sur les lèvres, maintenant. On lui a appris au moins ça, pendant deux ans dans cet institut. Tu es au courant et tu t'en moques, Paule. Comment peux-tu être aussi cruelle ?

— Je ne suis ni méchante ni cruelle, j'y vois clair. Tu pars de plus en plus souvent, roucouler avec môssieur le commissaire. Tu entretiens une liaison coupable, et tu oses aller prier devant l'autel de sainte Anne. Le curé devrait te l'interdire.

— Jésus nous enseigne la miséricorde et le pardon des offenses, Paule. Je me confesse régulièrement.

— Tu ferais mieux de te marier et de débarrasser le plancher ! rétorqua Paule, hors d'elle.

— C'est ce qui risque d'arriver un jour ou l'autre ! Aujourd'hui, Nicolas m'a fait une proposition à laquelle j'ai promis de réfléchir. Si je l'épouse, il voudrait adopter un enfant.

Paule étudia d'un œil rageur les formes sensuelles de sa belle-sœur, son visage ravissant, auréolé de sa chevelure cuivrée. La jalousie la rongeait depuis des années, mais ce sentiment s'était intensifié depuis que Loïza avait un amant.

— Tout le monde t'adore, on se demande bien pourquoi ! cracha-t-elle en se levant. Tu n'es qu'une catin !

Loïza dut se contenir pour ne pas la gifler. Mais Luc, apeuré par leur querelle, émit une courte plainte étouffée.

— Ne crains rien, mon chéri ! s'écria-t-elle. Reste tranquille, je vais t'apporter du lait et des tartines de beurre. Je ne te quitterai jamais, et je ne suis pas encore décidée à me marier. Qui veillerait sur toi ?

Luc s'agita, en multipliant des signes de la main pour lui répondre. Paule, qui hésitait à s'éloigner, entendit Loïza répéter :

— Tu dis que tu seras bientôt mort, monté au Ciel, et que je serai libre d'épouser Nicolas ! Oh, Luc, ne pense pas ça, tu peux guérir.

La toux sèche qui secoua l'adolescent sembla la contredire. Elle lui caressa les joues, le front.

— Je prie matin et soir pour toi, confia-t-elle tout bas. Les miracles existent, il s'en est produit à la basilique Sainte-Anne, au cours des siècles. Dimanche, Goulven nous y emmènera en voiture, car tu es trop faible pour marcher. Tu seras sauvé, Luc, il le faut.

Il approuva d'un sourire résigné, en serrant fort la main de Loïza qui le contemplait de ses grands yeux gris-vert. Fébrile, il s'exprima de nouveau, par signes et par gestes. « Je t'aime, disait-il à sa manière. Ne sois pas triste, je veillerai sur toi quand je serai au paradis. »

Paule n'avait pas atteint la cuisine lorsque Loïza la rattrapa.

— Qu'est-ce que tu me reproches, à la fin ? s'exclama-t-elle en obligeant sa belle-sœur à lui faire face. Pendant toutes ces années, j'ai tenu cette maison, je me suis occupée de tes enfants quand tu n'en avais pas la force. J'ose prendre un peu de liberté, aimer et être aimée ! As-tu le droit de me traiter de catin ? Qui es-tu pour me juger ?

— Je suis une épouse vertueuse et une catholique sincère ! rétorqua Paule, sa maigre figure parcourue de tressaillements nerveux. Si ton frère tolère ta conduite scandaleuse, ce n'est pas mon cas. Et lâche-moi, tu me fais mal !

Loïza haussa les épaules et ôta sa main du bras menu, à la chair flasque. Elle parvint à se calmer en se souvenant du dernier baiser de Nicolas, dans la Rosengart, au coin de la rue. Jamais son amant n'avait été aussi tendre, aussi délicat.

— Sais-tu ce que j'ai répondu à Nicolas, quand il m'a offert une fois de plus le mariage et la possibilité d'adopter un bébé ? ajouta-t-elle, la gorge nouée. J'ai dit que nous étions trop vieux pour ça et que je préférais rester ici, avec Goulven et toi, car je m'y suis engagée il y a longtemps. Alors fais un effort, Paule, ne me rends pas la vie impossible. Surtout, montre un peu de compassion à Luc, qui est de ton sang. Ce garçon n'a jamais rien fait de mal, on dirait un ange aux ailes brisées venu sur terre.

— Tais-toi, garde ton bla-bla pour le curé et ton amant ! hurla Paule, les traits crispés.

Tout à coup, elle tituba, la main gauche sur sa poitrine. Les yeux exorbités, bouche bée, elle poussa un cri de douleur. Loïza la saisit à bras-le-corps pour l'empêcher de s'effondrer sur le carrelage de la cuisine.

— Paule ! Mon Dieu, Paule ! Qu'est-ce que tu as ?

Sa belle-sœur semblait à l'agonie. Loïza la transporta jusqu'à l'étroit divan installé au fond de la grande pièce, puis elle sortit en courant, afin d'aller chez leur voisine, d'où elle téléphona à un médecin.

Locmariaquer, villa des Bart, même jour, même heure

Passé le premier moment de surprise, Lara et Olivier avaient accueilli Tiphaine et John Russel avec sympathie, vite conquis par Killian et sa frimousse angélique. Loanne s'était élancée vers le petit garçon blond, pour lui montrer les crevettes qu'ils avaient pêchées, en désignant le seau.

— Regarde, on va les manger, s'était-elle vantée, radieuse. Le grand bébé ne les a pas vues, lui. Il dort avec Rozenn.

Loanne, au Venezuela, s'amusait avec les enfants du jardinier. Ses compagnons de jeu lui manquaient et elle adressa un sourire conquérant au nouveau venu. Quant à Killian, il côtoyait surtout des adultes.

— Où il est ton grand bébé ? demanda-t-il, en dominant sa timidité.

— Dans la villa, là-bas, minauda-t-elle. Tu veux faire d'mon cheval à bascule ?

— Non, pas tout de suite, Loanne. Ton jouet est dans la maison, protesta Armeline. J'irai le chercher plus tard. Jouez plutôt au ballon ou à chat perché.

Les deux petits se mirent à trottiner le long de l'allée.

— Regardez comme ils sont mignons ! s'extasia Tiphaine. Ne m'en veux pas, Lara, d'être venue à l'improviste. John et moi, on se disait que vous étiez fâchés à cause de Paulo, ce voyou. Alors, on a décidé de fermer le bar et de vous rendre visite chez Mme et M. Bart.

— Oui, j'étais vraiment désolé, ajouta l'Américain en fixant Olivier. La police m'a dit, pour l'automobile de votre père. J'étais furieux, d'avoir engagé ce sale type. Un gendarme m'a expliqué qu'il ne s'appelait pas Paulo, qu'il m'avait montré de faux papiers.

— Vous ne pouviez pas savoir, répondit Olivier. Ne parlons pas de choses pénibles, par cette belle journée. Ces dernières semaines ont été très éprouvantes. J'essaie de ne plus y penser.

— Quand même, Lara, murmura Tiphaine, tu aurais pu me dire que tu avais enterré ton papa. C'est ta mère qui me l'a appris.

— C'était douloureux et nous venions de nous retrouver. Je n'ai guère eu le temps de t'en parler. Si je vous présentais ma sœur ! Fantou s'est empressée d'aller se changer. La voilà !

La jeune fille fit une apparition remarquée, en robe de soie bleue, ses longs cheveux brossés et noués sur la nuque.

— Bonjour, mademoiselle, dit John en lui serrant la main. Vous ne ressemblez pas à Lara, mais vous êtes aussi belle.

— Merci, monsieur !

Odilon se rengorgea, comme s'il était le véritable grand-père de Fantou. Armeline, très à l'aise dans son rôle de maîtresse de maison, invita leurs visiteurs à s'asseoir autour de la table, ombragée par les bosquets de lilas. Elle y avait déjà disposé des verres, des assiettes à dessert et une carafe d'eau.

— Nous avons apporté un kouign-amann et deux bouteilles de cidre, précisa Tiphaine.

— Et aussi des biscuits pour les enfants, précisa son mari dont la beauté virile et l'accent américain impressionnaient Fantou.

— Rozenn pourrait se joindre à nous, proposa Olivier, qui regretta aussitôt sa maladresse.

— Ma sœur souffre d'une migraine, tu sais qu'elle supporte mal la chaleur, répliqua Odilon en lui adressant un regard explicite.

— La pauvre, je monte la voir, annonça Lara. Commencez à goûter, je reviens tout de suite. J'en profiterai pour mettre notre pêche au frais.

Lara se rendit en hâte à l'étage. Elle gratta à la porte d'une des chambres. On lui répondit tout bas d'entrer.

Son amie était étendue sur le lit, occupée à contempler le petit Pierre endormi, un plaid sur ses jambes menues, son ours en peluche niché sous son bras droit.

— Avez-vous réellement la migraine ? Ce n'est pas la peine de faire semblant avec moi, Rozenn, s'enquit-elle.

— Tu te doutes que je n'ai pas envie de voir du monde, ni de déranger ta mère, qui fait tant d'efforts. Dieu merci, j'ai vu arriver ces gens au portail, alors je suis vite montée veiller sur le sommeil de mon Pierrot.

Je l'appelle comme ça, quand je suis seule avec lui. Et puis ces gens avaient un petit garçon avec eux, je ne voulais pas lui faire peur.

— Ne vous inquiétez pas, Tiphaine et son mari vont s'en aller après le goûter. C'est un peu ma faute s'ils sont là, je leur avais promis de dîner chez eux, à Erdeven. Rozenn, je suis montée car je voulais savoir si vous n'aviez pas changé d'avis.

— Non, je me réjouis de vous accompagner. Je souffrais tant d'être séparée de Fantou, mon rayon de soleil, de toi. Odilon le prend mal, même s'il le dissimule. Mais au moins, à Coro, ta sœur et toi vous serez en sécurité.

— Oui, ça me rassure d'éloigner Fantou de Daniel. Ma petite sœur est une tête brûlée, elle nous en a fourni la preuve avec son escapade. Elle est très jeune, peut-être que là-bas, elle oubliera son amour insensé pour un homme infirme et plus âgé. Tant pis si sa soif d'indépendance nous cause des soucis. Je veillerai sur ses fréquentations. Pour être franche, je crains qu'elle se trompe sur ses sentiments. Jadis, elle souhaitait consacrer son existence à Jésus, au couvent, à présent elle désire tout sacrifier à Daniel, comme un devoir sacré.

Rozenn se redressa avec précaution pour s'asseoir au bord du lit. Elle adressa un regard inspiré à Lara.

— Je pressens des choses, Lara, tu le sais. J'ai acquis la certitude que Fantou et Daniel sont des âmes sœurs enfin réunies. Toi et Olivier aussi, vous étiez faits l'un pour l'autre. Je crois par ailleurs que si je tenais tant à aider ton père, avant son suicide, c'était parce que j'étais déjà en relation avec son fils, Pierre. Je ne peux pas l'expliquer, j'en ai la certitude.

Désorientée, Lara garda le silence un court instant avant de dire tout bas :

— Avez-vous souvent de tels pressentiments, Rozenn ?

— C'est de plus en plus fréquent, ma chère enfant. Je prévoyais un malheur, au sujet de ton papa, et je me reproche encore de ne pas avoir forcé le destin, en me rendant à son chevet. Qui m'a retenue de le faire ? La peur, toujours la peur d'être repoussée, par la faute de cette tare qui a gâché ma vie. Mais tu sais tout ça. Tu devrais rejoindre tes invités, Lara. Si tu pouvais répondre au téléphone, je crois qu'il sonne depuis un moment.

— Oui, j'avais entendu.

Lara dévala l'escalier. Elle se rua dans le bureau d'Odilon et décrocha le combiné en bakélite dont le timbre métallique vrillait ses nerfs.

— Allô, vous êtes bien chez M. Bart, dit-elle. Qui est à l'appareil ?

— Loïza Jouannic, fit une voix basse, très douce. Excusez-moi de vous déranger. Je cherche à joindre ma nièce. J'ai appelé le bar, à Erdeven, la bonne m'a affirmé que Tiphaine et son mari étaient à Locmariaquer, chez M. et Mme Bart. J'ai pu obtenir le numéro.

— En effet, Tiphaine est ici, répliqua Lara. Si vous pouvez patienter, madame, je cours la prévenir.

— Je vous remercie, mademoiselle. Je téléphone de l'hôpital Saint-Julien d'Auray. Sa mère a fait une syncope, c'est peut-être un problème cardiaque.

— Seigneur ! Je suis désolée, ne quittez pas, je vous prie.

Tiphaine lança un cri déchirant en apprenant la mauvaise nouvelle. Fantou l'accompagna afin de la guider jusqu'au petit bureau.

— *Damned*, bougonna John Russel. J'espère que ce n'est pas grave. Nous allons devoir partir.

— D'ici, vous serez vite à Auray, prôna Odilon. Je suis navré, monsieur. Il faudra nous tenir au courant.

— Ma belle-mère n'a pas une bonne santé, soupira l'Américain. C'est sûrement pour cette raison que la tante de ma femme tient la maison. Elle a élevé Killian aussi. J'ai un grand respect pour Loïza. Autant se dire au revoir tout de suite. Je vous remercie encore pour votre accueil à tous.

Armeline, compatissante, serra longuement la main de John, qui semblait plus ennuyé que soucieux. Il prit son fils dans ses bras, malgré les protestations du petit garçon.

— Je veux rester avec Loanne, gémissait-il.

— Non, on doit s'en aller. Dis-lui au revoir, et pas de caprice, Killian.

Tiphaine revenait au pas de course, perchée sur ses talons. Elle pleurait, un mouchoir sur le nez.

— John, il n'y a pas une minute à perdre ! cria-t-elle à son mari. Ma pauvre maman !

Le départ eut lieu dans une précipitation affolée. Une pensée incongrue traversa Lara, qui avait raccompagné les visiteurs à leur voiture, garée au bord de la route.

« J'ai eu en ligne la maîtresse de Nicolas Renan. Nous le voyons demain, je lui dirai que Loïza Jouannic possède une voix exquise. »

En traversant la cour, elle se reprocha aussitôt sa légèreté. Olivier marchait à sa rencontre. Il l'enlaça d'un élan passionné et l'embrassa sur la bouche.

— Pourquoi faisais-tu cette petite mine fautive ? chuchota-t-il à son oreille. Tu es inquiète pour la mère de Tiphaine ?

— C'est tout le contraire, j'avais des idées stupides.

Lara se confessa dans un murmure. Olivier esquissa un sourire en la cajolant.

— Souhaitons que cette dame se rétablisse rapidement, elle est entre de bonnes mains, à l'hôpital. Quant au commissaire, tu m'avais parlé de sa liaison avec la tante de ton amie, mais j'avais oublié ce détail. Ne te blâme pas, ma chérie, et je te permets de taquiner Renan quand nous passerons lui faire nos adieux, demain.

Il était minuit. Un profond silence régnait dans la villa. Fantou dormait, Loanne blottie contre elle. La petite avait fait un cauchemar et ses parents s'étant attardés dans le jardin, la jeune fille s'était fait une joie de la consoler.

Rozenn, réconfortée par la douce soirée qu'ils avaient passée, s'était assoupie sans trop de peine, le petit Pierre lové contre son flanc. Quant à Odilon, il avait eu du mal à trouver le sommeil, malgré le baiser que lui avait accordé Armeline, dans le clair-obscur du palier. Il la désirait, obsédé par le souvenir de l'avant-dernière nuit où elle s'était offerte, tendre et sensuelle.

Lara et Olivier, allongés sur l'herbe drue parsemée de fleurettes odorantes, savouraient leur isolement, encore tremblants du plaisir qu'ils avaient partagé, dans l'ombre des lilas, au cours d'une brève et délicieuse étreinte.

— Chaque fois, je crois n'avoir jamais été aussi heureuse, mon amour, avoua-t-elle.

— Je ressens la même chose, ma chérie, dit-il. Nous ne faisons plus qu'un, dans ces moments-là. C'est banal, mais je ne trouve pas d'autres mots.

— La journée s'est bien terminée, nota Lara. Je n'aurais pas été tranquille si Tiphaine ne nous avait pas téléphoné pour nous dire que sa mère n'avait rien au cœur et pouvait rentrer chez elle.

— L'incident m'a empêché de faire plus ample connaissance avec John Russel, commenta Olivier. Il m'inspire confiance, c'est un honnête homme.

— Tiphaine t'agace en revanche, je l'ai constaté, mais je l'aime beaucoup.

— Je l'apprécierais davantage habillée simplement et moins fardée. Admets qu'elle se déguise en vedette de cinéma, sans en avoir la classe.

— Moi ça m'amuse. Pourtant je ne pourrais pas faire comme elle. Je ne serais pas à mon aise, décolletée et maquillée !

— Tant mieux, répliqua Olivier. Je m'en félicite.

Ils s'embrassèrent, en se serrant plus près l'un de l'autre. Déjà, ils renouaient avec une douce habitude qu'ils avaient prise dans leur domaine de Coro. Le soir, sous les palmiers, ils se lovaient au creux d'un large hamac en toile et bavardaient ainsi.

— As-tu remarqué la façon dont Fantou regardait John Russel ? insinua-t-il. Elle était fascinée.

— Tu exagères, Olivier.

— Pas du tout, tu n'as rien vu, puisque tu nous as laissés en plan un bon moment. Ta sœur jouait un peu les coquettes. D'où mon inquiétude à propos de son idylle avec Daniel. Au Venezuela, Fantou rencontrera de séduisants personnages au teint doré, qui pourront l'admirer, eux...

— Peut-être que Daniel voit à sa manière la beauté de ma sœur, par le toucher, notamment. Ils ont franchi un cap... des caresses, des baisers. J'en sais plus long que toi.

Du coup, Olivier se redressa sur un coude et la dévisagea malgré la pénombre.

— Je m'en doutais ! s'indigna-t-il avant d'en rire tout bas. Fantou m'a menti, elle a oublié de m'avouer les caresses. Dans ce cas, advienne que pourra ! S'ils s'aiment vraiment, leur passion résistera à une séparation d'un an.

Lara se mit à genoux, prête à se lever. Un détail d'importance lui revint en mémoire.

— As-tu pu joindre ton père ? Est-ce qu'il pourra nous aider à payer les billets d'avion ?

— Oui, mais j'ai promis de le rembourser. Son associé a racheté l'immeuble bourgeois de Dinard, papa est tranquillisé sur ce point. Finalement, nous partirons dimanche.

— Bon, je suis rassurée. Si nous allions au lit ? Loanne pourrait se réveiller et pleurer. Demain, il faut boucler nos bagages.

— Ce sera rapide, nous avions voyagé « léger » comme disait ta mère pendant le dîner, déclara Olivier.

— Maman que j'abandonne, déplora Lara.

— Dans un an, Odilon demandera la jolie Armeline en mariage. Notre vieil ami est amoureux, ça saute aux yeux. À table, il osait à peine lui révéler son second prénom, Kénan, typiquement breton, celui-ci.

— Oui, ils étaient touchants, se souvint Lara.

Elle lui avait caché, afin de ménager la pudeur de sa mère, qu'Odilon était devenu son amant. Olivier l'aida à se relever. Ils rirent encore, en se prenant par la main. Le clair de lune baignait le jardin de ses reflets argentés, tandis que la marée montante jetait des vagues à l'assaut de la grève.

« Adieu, mon pays adoré, songea la jeune femme. Adieu ! »

15

Trahisons

Sainte-Anne-d'Auray, chez les Jouannic,
samedi 7 juillet 1951, le lendemain matin

Au retour de l'hôpital, Paule avait souhaité être alitée sur le divan de la cuisine, la pièce où se déroulait leur quotidien. Loïza, repentante, s'était dépensée sans compter pour la malade. Elle avait poussé le dévouement jusqu'à dormir à son chevet dans un fauteuil. Les deux femmes se réveillèrent quand l'horloge sonna 6 heures.

— Il fait jour, Paule, annonça Loïza en s'étirant. Je suis tout engourdie. Comment te sens-tu ce matin ?

— Fatiguée, j'ai transpiré pendant la nuit, je devais être trop couverte. Je vous en ai causé du tracas. Goulven a quitté son garage en coup de vent, il a roulé si vite qu'il a failli emboutir une autre voiture. Pardi, je n'avais pas besoin d'aller à l'hôpital.

— Notre brave docteur s'est affolé, Paule, il pensait que tu faisais un infarctus. Tout est bien qui finit bien. Je vais préparer un bon petit déjeuner. Tiphaine a couché ici avec notre Killian.

— Dis, Loïza, moi je mangerais bien des crêpes, minauda sa belle-sœur. Goulven se régalera, notre fille aussi.

— Je fais de la pâte, il me reste des œufs et du lait. Tu as entendu le médecin de l'hôpital, tu as eu un malaise car tu manquais de sucre. Tu te nourris mal, Paule.

— Penses-tu, ce sont mes nerfs, ça me serrait la poitrine, je ne pouvais plus respirer. Je suis une pauvre imbécile, de t'insulter, de faire pleurer Luc. C'est plus fort que moi, il y a des jours, je deviens mauvaise, une vraie teigne. Seigneur, Luc était si content de retrouver Killian, mais il m'a fait de la peine, en empêchant le petit de lui faire la bise.

— Ne parle pas autant, tu es toute pâle, s'alarma Loïza. J'ai eu tellement peur. Je n'aurais pas dû perdre patience.

— Tais-toi donc, il y avait de quoi ! Et si j'avais eu un souci au cœur, tu m'aurais sauvé la vie, en appelant le docteur. Que d'émotions ! Quand même, John aurait pu rester.

— Il devait ouvrir le bar ce matin, les recettes sont meilleures le samedi. Nous aurons Tiphaine et Killian jusqu'à ce soir, on ne va pas s'en plaindre.

Paule approuva d'un air complice. Avec un soupir de bien-être, elle se pelotonna sous ses couvertures. La veille, elle avait cru sa dernière heure venue. En ce tiède matin d'été, le spectre de la mort avait disparu et son corps frêle frémissait d'une joie instinctive.

— Ne nous quitte pas, Loïza, murmura-t-elle. J'étais en colère, au fond, parce que tu avais l'air décidé à te marier, pour pouvoir adopter un enfant.

— Rassure-toi, Paule, je ne m'en irai jamais. Plus un mot à ce sujet. Ma famille compte plus que tout pour moi, et vous êtes un peu mes enfants.

Lorsque Goulven Jouannic descendit dans la grande cuisine, une alléchante odeur pâtissière flatta ses narines. Il avait décidé de ne pas se rendre au garage et il le claironna d'un ton jovial.

— *Ma Doué !* Tu m'as flanqué une belle frousse, ma Paulette, dit-il à son épouse en l'embrassant. Désormais, on va s'accorder du bon temps. Dimanche, on ira pique-niquer sur la plage, si tu te sens mieux.

— Ça me ferait plaisir, mon homme !

Tiphaine fit son entrée, ses boucles blond platine en bataille. Elle avait mis son ancien peignoir.

— Bonjour, tout le monde, dit-elle. Alors, ma petite mère, as-tu bien dormi ?

— Je me suis agitée, j'avais un peu de fièvre, fifille.

— Killian dort encore, je vais en profiter pour boire un café, marmonna Tiphaine. Oh, tata, tu nous as fait des crêpes ! J'en rêvais. Hier, chez les Bart, je n'ai même pas goûté le kouign-amann qu'on avait apporté.

Goulven, égayé, distribua des bises sonores à sa sœur et à sa fille. Loïza continuait à faire cuire les fines galettes dorées et parfumées à la fleur d'oranger.

Une cigarette au coin des lèvres, une tasse de café à la main, Tiphaine tourna le bouton du poste de radio. Après quelques grésillements, une voix magnifique retentit dans la pièce.

— Chic, c'est Édith Piaf ! s'exclama-t-elle. *L'Hymne à l'amour*, ma chanson préférée. John m'a offert le disque, pour Noël, je l'écoute souvent.

Aucun d'eux ne vit Loïza se mordiller les lèvres, pour ne pas pleurer de dépit, de regret. Elle réussit à essuyer une larme du bout des doigts, sans attirer l'attention. Nicolas prétendait qu'il aurait pu écrire les mêmes paroles pour elle, tant il l'aimait.

Locmariaquer, villa des Bart, même jour

Chez Rozenn et Odilon, le petit déjeuner se déroulait dans une bonne humeur nuancée de mélancolie. Il pleuvait encore, une pluie fine et drue, qui succédait à plusieurs jours de soleil.

— Nous ne serions pas en Bretagne sans la brume et le crachin, professa le retraité. Vous avez bien fait d'aller à la pêche hier.

— Ce temps gris ne me déplaît pas, avoua Olivier. J'ai souvent pensé qu'il convenait bien à nos paysages.

Fantou, un peu nerveuse, refusa la tranche de brioche que lui proposait Armeline.

— Je n'ai pas faim, je me contenterai de mon bol de lait, maman. Excusez ma franchise, je serais moins anxieuse si je partais pour une semaine seulement. Mais là, je vais découvrir Londres et le Venezuela. Papi Odilon, vraiment, tu me donnes ton appareil photo ?

— Oui, ma petite, tu en auras plus besoin que moi.

Elle avait usé d'un terme de plus en plus en usage, beaucoup de gens raccourcissant ainsi le mot « photographique ». Lara feignit d'être outrée.

— Pour une future bachelière, tu massacres la langue française, mon korrigan, plaisanta-t-elle.

— Je t'en prie, cesse de me surnommer comme ça. Il n'y aura pas d'équivalent en espagnol. Nos voisins, à Coro, croiront que c'est mon prénom.

La boutade fit sourire Odilon, qui s'efforçait de faire bonne figure, en dépit de la main de fer broyant son cœur. Il ne pouvait pas admettre que le lendemain, sa sœur s'en irait pour des mois, peut-être des années.

— Fantou sonnera bizarrement aussi, fit-il remarquer.

— Tu dis vrai, papi Odilon, alors je me présenterai sous mon deuxième prénom, Marie, qui donnera Maria ! N'est-ce pas, papi Kénan ? C'est pratique, d'avoir un autre prénom. Kénan Bart, ça sonne pourtant bien.

— Moque-toi, petiote, ronchonna le retraité. J'aurais mieux fait de me taire, hier soir.

— Pourquoi donc ? Kénan vous va très bien également, affirma Armeline d'une voix enjôleuse.

— Maman, ne te donne pas la peine de vouvoyer notre cher ami, protesta Lara. Personne ne sera choqué si vous semblez plus intimes. Et vous allez vivre tous les deux dans cette grande villa.

— D'accord, après tout, nous nous connaissons bien, après trois ans à cohabiter, admit sa mère.

— Tout à fait, affirma Odilon, un peu gêné par les discrètes insinuations de Lara. Fantou, si tu montais voir ce que fabrique Rozenn !

— Elle prépare sa valise, répondit la jeune fille. Elle a pris son petit déjeuner très tôt, avec Pierre. Il était mal réveillé, je crois qu'elle voulait le recoucher.

— Ce petit gars doit reprendre des forces, c'est évident, dit Olivier qui avait sa fille sur les genoux.

Loanne prêtait à peine attention aux discussions des adultes. On lui avait dit et répété que le lendemain matin, très tôt, ils prendraient un autocar pour une ville, ensuite un train qui les conduirait à Dinard, chez ses grands-parents, Madeleine et Jonathan. Mais la petite appréhendait le voyage.

— Moi, j'veux rester là, avec Killian, déclara-t-elle d'un ton plaintif. On n'a pas fait du cheval à basculette !

— Ma p'tite bouille, on dit à bascule, rectifia Olivier. Je sais que tu aimais bien Killian, mais bientôt tu reverras tes camarades de jeu, à Coro. Et il y a Pierre.

— C'est un bébé, il n'sait pas bien parler, se plaignit Loanne.

— Il va apprendre, toi aussi, à deux ans, on comprenait mal ce que tu nous disais. Et tu vas retrouver Carlota, ajouta Lara. Finis ton chocolat, il doit être froid.

— Quel est le programme de la journée ? demanda Fantou. J'ai écrit à Denis Cadoret, pour lui annoncer mon départ à l'étranger, sans préciser la destination, bien sûr. Il m'a répondu par retour du courrier qu'il essaierait d'obtenir une permission. S'il peut venir, il doit téléphoner ici.

— Ce garçon t'apprécie beaucoup, commenta Odilon. Il doit être triste. Il espérait te fréquenter, à mon avis.

— Je ne l'ai jamais encouragé, répliqua la jeune fille. Mais son amitié m'a aidée, ces dernières années.

Lara termina sa tasse de thé. Elle prit le temps de réfléchir avant de répondre à sa sœur.

— Le programme du jour est tout simple, dit-elle enfin. Il faut en profiter au maximum. Toi, Fantou, prépare une valise, ne t'encombre pas trop de choses lourdes, ni d'affaires chaudes. Olivier et moi, nous avons prévu de faire nos adieux à Nicolas Renan. Nous avons convenu par téléphone d'un déjeuner à Auray, dans le restaurant de son hôtel. Il est soulagé que nous quittions la région.

— Et moi, je ne suis pas invitée ? se récria Fantou. Je voudrais lui dire au revoir.

— Tu peux nous accompagner, bien sûr, affirma Lara. Nicolas sera content, il a beaucoup d'affection pour toi. Mais nous ne nous attarderons pas. Le commissaire est très occupé, tu sais pourquoi. Il a peu de temps à nous consacrer.

On évitait, à la villa, d'évoquer devant Loanne les crimes qui semaient la peur dans tout le Morbihan. Les journaux et la radio ne se privaient pas d'exalter la panique ambiante, surtout depuis l'assassinat d'Hervé David. La question « Qui sera la prochaine victime ? » s'affichait en une de tous les quotidiens.

— Ce matin, je commence par me doucher et me raser la barbe ! leur annonça Olivier. J'en ai assez ! Quand il fait chaud, ce n'est pas agréable.

— Garde-la au moins pour le trajet en train, recommanda Lara. Et tu es très séduisant, en barbu.

— Non, ça me pique, les poils ! s'écria Loanne.

— J'obéirai à ma fille, décréta Olivier en riant.

La sonnette du vestibule tinta au même instant. Nérée, couché sous la table, se mit à aboyer.

— Nous n'attendons personne, déplora Armeline. Au moins, quand le chien était dans la cour, les gens n'osaient pas entrer et monter jusqu'au perron.

— J'y vais, c'est peut-être le facteur, hasarda Odilon.

Ils l'entendirent parler à un homme, dont la voix parut familière à Lara. Elle supposa qu'il s'agissait de Denis Cadoret, pressé de revoir Fantou. Le retraité revint aussitôt.

— Olivier, c'est le lieutenant Auffret, ça me semble sérieux. Il doit te parler.

— Très bien !

Le jeune homme se leva. En passant près de Lara, qui était assise en face de lui, il se pencha pour l'embrasser.

— Et moi, papa ? minauda Loanne.

— Un bisou pour toi aussi, ma p'tite bouille, mais je reviens dans trois minutes, dit-il avec conviction.

Odilon avait repris sa place et sirotait son café, sous le regard attendri d'Armeline. Encore une fois, l'écho d'une conversation leur parvint à tous. Olivier, comme il l'avait promis, fut vite de retour.

— Je suis désolé, je dois m'absenter une heure. Le lieutenant est venu me chercher. Renan a un nouvel élément important, en ce qui concerne mon affaire. Il m'attend à la mairie.

— Quelle mairie ? s'exaspéra Lara, contrariée. Nicolas pouvait nous en parler à midi.

— La mairie de Locmariaquer, ma chérie. Ne fais pas cette mine outragée. Avec un peu de chance, ça nous évitera d'aller à Auray. Je persuaderai le commissaire de déjeuner ici avec nous.

— Excellente idée ! s'enthousiasma Fantou.

— Ce serait plus pratique, oui, concéda Lara. Enfile quand même une veste, il fait frais.

Olivier approuva d'un signe de tête, car il était en chemise et en pantalon de toile.

— Eh bien, à tout à l'heure, leur dit-il en souriant.

Sainte-Anne-d'Auray, chez les Jouannic,
même jour, deux heures plus tard

L'harmonie qui avait présidé à cette matinée pluvieuse, sous le toit séculaire des Jouannic, commençait à faiblir. Loïza s'était répandue en attentions gentilles auprès de sa belle-sœur et de Tiphaine, d'assez mauvaise humeur. Goulven, plein de bonne volonté lui aussi, faisait une partie de jeu de l'Oie avec Killian, afin de distraire l'enfant. L'odeur des légumes qui mijotaient dans du bouillon flottait dans la pièce.

— John ne va pas s'en sortir sans moi à la caisse, affirma soudain Tiphaine. Il n'était pas très aimable quand je l'ai eu au téléphone, tout à l'heure, chez la voisine. Nous avons tellement de monde en cette saison.

— Ton mari vient te chercher ce soir, demain tout rentrera dans l'ordre, lui dit Loïza pour la réconforter. Ta mère était bien contente que tu dormes ici avec Killian, n'est-ce pas, Paule ?

— Oui, c'est sûr. On ne se voit pas souvent, fifille. Si seulement vous aviez ouvert un commerce ici, à Sainte-Anne. Vous auriez eu du monde aussi, à l'époque des pèlerinages.

— C'est mieux d'être au bord d'une plage, maman, rétorqua Tiphaine.

Une violente quinte de toux retentit à l'étage. Luc avait refusé de descendre dans la cuisine, par crainte de contaminer Killian. L'adolescent se savait perdu ; il avait seulement hâte de ne plus souffrir.

— Luc a beaucoup toussé ce matin, déplora Loïza. Je vais lui monter du lait chaud, sucré au miel.

— Tata, fais-le hospitaliser, conseilla Tiphaine. John s'inquiète pour Killian. La tuberculose se transmet facilement.

— Sois tranquille, Luc restera dans sa chambre jusqu'à ton départ. Je ferai venir le docteur ce soir. Il pourra examiner Paule, du même coup.

Le ton de Loïza s'était durci involontairement. Elle prenait toutes les précautions indiquées par les médecins afin d'éviter une possible contagion, si bien que les craintes de sa belle-sœur et de sa nièce l'agaçaient.

— J'étais ravie de vous avoir à la maison, comme avant, ajouta-t-elle néanmoins, radoucie. Tiphaine, on pourrait se promener, cet après-midi, pendant la sieste de Luc. Juste un petit tour.

— Pourquoi pas, mais Killian aimera autant jouer dans le jardin, soupira la jeune femme, qui ne prisait guère la marche. Au fait, papa, tu devrais faire installer le téléphone. La voisine doit se déranger quand on cherche à vous joindre. Si tu avais vu sa mine quand je lui ai demandé d'appeler le bar.

— Je ne changerai pas d'avis, Tiphaine. Je n'ai pas de sous à mettre dans ce fichu appareil, il y en a un au garage, ça me suffit.

— Ce serait pourtant pratique, Goulven, approuva Loïza. Il faut suivre le progrès. Je m'en occuperai et je paierai les frais.

— Si tu as de l'argent en trop, ne te gêne pas, répliqua son frère. Ma foi, ça dépannerait, de temps en temps.

Il pensait au malaise de sa femme et au climat d'insécurité qui agitait le pays. Tiphaine se jeta au cou de Loïza et l'embrassa sur les deux joues.

— Merci, tata ! Comme ça, on s'appellera souvent. Mais tu vas écorner tes économies.

— Ne t'inquiète pas, je ne suis guère dépensière.

— Et tu es nourrie logée, insinua Paule de son divan. Sinon, ta part d'héritage aurait fondu depuis un moment.

— Ne recommence pas à te montrer désagréable, soupira Loïza. Certes, je suis nourrie et logée, mais sous le toit de mes ancêtres. Je suis bien la seule à cultiver des légumes, à récolter les pommes, et à élever des volailles, sur une terre qui m'appartient.

— La paix, les femmes ! tonna Goulven. Si vous jacassez encore, je fiche le camp au garage. Au moins, je ne vous entendrai plus.

Le petit Killian était prêt à pleurer. Il aimait son grand-père tout en redoutant ses colères.

— Viens avec maman, mon chou, minauda Tiphaine. Tu auras le droit de me poudrer le nez.

L'enfant, tout content, sauta de sa chaise et saisit la main de sa mère. Loïza les suivit des yeux, attendrie.

Villa des Bart, même jour, une heure plus tard

Après le départ d'Olivier, Lara et Fantou avaient terminé leur petit déjeuner, puis elles étaient montées préparer leurs bagages. Armeline, soucieuse de les aider, s'était chargée de repasser les robes de Loanne. Elle évitait ainsi de croiser Rozenn et son protégé.

Fantou se prétendant incapable de choisir les vêtements qu'elle emporterait, sa mère et sa sœur l'avaient suivie dans sa chambre, où un fouillis de toilettes encombrait le lit.

— Nous ne serons pas de sitôt toutes les trois à blaguer comme ce matin, avait déploré Armeline. Mais on dit que les oisillons doivent quitter le nid un jour ou l'autre. Je passe l'éponge sur ta fugue, Fantou, uniquement parce que tu t'en vas. J'espère que tu as été sérieuse.

— Oui, maman, avait menti celle-ci d'un air sage. Et Daniel m'a sermonnée, il désapprouvait mon initiative. Nous nous accordons un an de réflexion, avant de songer aux fiançailles.

— Tu as le temps, en effet, réfléchis bien, avait recommandé Armeline, les larmes aux yeux.

Ses filles l'avaient cajolée avec de bonnes paroles, entre rires et pleurs étouffés. Il s'était ensuivi d'interminables discussions, rendues possibles grâce à Odilon, qui avait emmené Loanne sur la plage, en quête de coquillages.

Lara était restée toute la matinée en peignoir, certaine que le repas à l'Hôtel des Halles était annulé et qu'Olivier allait ramener le commissaire Renan à la villa. Lorsqu'elle décida de s'habiller, enfin seule dans sa chambre, elle fut très surprise d'entendre le clocher de Locmariaquer sonner douze coups.

— Il est déjà midi, murmura-t-elle.

Elle termina de boutonner son corsage. Une alléchante odeur de viande rôtie lui parvint, du rez-de-chaussée.

— Olivier et Nicolas ont dû oublier l'heure, comme moi, ou bien ils sont partis je ne sais où, à cause de cet élément nouveau, se dit-elle à mi-voix. Pourvu que ce soit vraiment intéressant, cette fois.

Sa sœur entra sans même avoir frappé. Lara lui lança un regard réprobateur.

— J'aurais pu être toute nue, Fantou. Tu ne pourras plus te comporter ainsi, à Coro.

— Excuse-moi. Je ferai attention, là-bas. Rozenn m'envoie, car Loanne est affamée. Elle te fait demander s'il faut lui donner une part de hachis parmentier ou si elle doit t'attendre. Pierre a déjà mangé. On s'aperçoit à peine qu'il est là, ce bout de chou ! Il nous observe en silence, de son regard noir, ton regard, Lara. Figure-toi que maman lui a souri, c'est inouï !

— Tant mieux. Elle fait des efforts, puisque c'est la veille de notre grand départ. Je descends, je ferai manger Loanne. J'espère qu'Olivier ne va pas tarder, avec ou sans le commissaire. Je n'ai plus qu'une hâte, être sur l'île de Molène, puis voler vers le Venezuela.

— Moi aussi, maintenant je suis pressée de découvrir un autre pays, surtout avec Rozenn et toi, avoua Fantou. Dépêche-toi, ta petite bouille s'impatiente.

— Je suis prête, va vite, je te suis.

Lara lissa les plis de sa jupe. Sans être coquette, elle tenait à présenter une plaisante image d'elle-même. Elle étudia son reflet dans le grand miroir de l'armoire. Une mèche s'échappait de son chignon, qu'elle arrangea, néanmoins satisfaite de son apparence.

Mais un phénomène étrange se produisit. Lara vit nettement un autre reflet, celui de la femme voilée de rouge, debout à ses côtés. L'apparition la fixait avec une expression de pur désespoir.

— Qui êtes-vous, madame ? demanda Lara pour la première fois. Je vous en prie, dites-moi qui vous êtes ?

La vision avait duré à peine deux secondes. C'était si bref que de nouveau, Lara songea être victime d'une hallucination.

« Non, c'est impossible, aucune hallucination ne m'avertirait d'un danger menaçant Fantou, au moment précis où ma sœur luttait pour ne pas se noyer, se raisonna-t-elle. Mon Dieu, j'ai peur. Il y avait un tel chagrin dans son regard. »

Le cœur serré, elle consulta sa montre-bracelet. Il était déjà midi vingt, et Olivier n'était toujours pas rentré.

« Il est parti escorté d'un gendarme, Nicolas l'attendait. Je me fais du souci pour rien, songea-t-elle. Pourtant il s'est toujours passé quelque chose, après la visite de cette femme. »

La douce ambiance qui régnait dans la cuisine de la villa apaisa les inquiétudes de la jeune femme. Le poste de radio diffusait du jazz. Odilon essorait de la salade, tandis qu'Armeline et Fantou mettaient le couvert.

— Tu n'venais pas, maman, lui reprocha Loanne, attablée devant une assiette fumante. T'es belle habillée comme ça !

— C'est pour être belle que je ne suis pas venue tout de suite, mon cœur, lui dit Lara, intriguée par l'attitude de Rozenn.

Son amie était penchée sur l'évier, en train de récurer une casserole. Elle leur tournait ainsi le dos, et ses gestes saccadés trahissaient sa nervosité. Pierre, son ours en peluche serré contre son cœur, se cramponnait à sa jupe.

— Laisse ça, Rozenn, protesta son frère, qui avait suivi le regard de Lara. Je ferai la vaisselle aujourd'hui. Occupe-toi donc de cet enfant, qui est toujours dans tes jambes.

— Pierrot se sent en sécurité près de moi, répondit Rozenn. Je n'ai pas faim, je vais remonter avec lui. J'ai de la couture à faire.

— Quand même, asseyez-vous un peu avec nous, renchérit Lara. Loanne apprécie votre hachis parmentier. Vous donnerez la recette à Carlota. Vous verrez, Rozenn, c'est une charmante femme.

Le plat en question trônait sur la table, doré à point. Fantou alla jusqu'à la fenêtre entrouverte pour observer la cour et la route.

— Personne en vue, nota-t-elle, désappointée. Olivier pourrait téléphoner au moins, s'ils sont en retard, Nicolas et lui.

— Justement, je crois entendre la sonnerie, dans mon bureau, fit remarquer Odilon. L'appareil est mal placé, j'aurais dû le faire installer dans le vestibule.

— Je vais répondre, s'écria Lara.

Elle éprouvait un immense soulagement, persuadée d'avoir une explication dans la minute.

— Allô, dit-elle d'une voix douce.

— Commissaire Renan ! C'est vous, Lara ?

— Oui et je…

— Très bien, je constate que vous êtes encore à la villa, coupa-t-il. Nous avions pourtant rendez-vous à 11 h 30. Je poireaute au bar de mon hôtel depuis plus de quarante minutes. Qu'est-ce qui vous a retardés ? La vénérable fourgonnette de M. Bart a refusé de démarrer ? Dans ce cas, la moindre des politesses était de me prévenir.

— Mais je ne comprends pas ! s'étonna-t-elle. Le lieutenant Auffret est passé chercher Olivier ce matin, à 9 heures, car vous l'attendiez à la mairie de Locmariaquer. Il était question d'un élément nouveau dans l'enquête le concernant. Je vous assure, je croyais qu'Olivier était avec vous.

Renan, à l'autre bout du fil, était médusé. Il demeura muet un court instant, en réfléchissant.

— Qu'est-ce que vous racontez, Lara ? Auffret n'était pas de service, il avait pris sa journée.

— Je vous dis la vérité. Odilon a parlé au lieutenant, et ensuite Olivier est parti avec lui. Nicolas, dites-moi ce qui se passe, par pitié ! Il s'agit d'un malentendu, n'est-ce pas ?

Elle respirait mal, terrassée par un affreux pressentiment.

— Ne bougez pas de la villa, Lara, j'arrive, déclara le policier.

La jeune femme était très pâle, lorsqu'elle regagna la cuisine. Elle considéra d'un air anxieux ceux qui la dévisageaient.

— Qu'est-ce que tu as, Lara ? Qui a téléphoné ? demanda Fantou, alarmée par l'expression pathétique de sa sœur.

— C'était Nicolas Renan, répondit-elle d'une voix altérée par l'émotion. Odilon, c'était bien le lieutenant Auffret que vous avez vu ce matin ? Vous ne vous êtes pas trompé ?

— Quand même, je le connais ! se récria celui-ci. Le lieutenant était en uniforme. Nous avons échangé une poignée de main.

— Ce gendarme n'était pas en service aujourd'hui, précisa Lara. Il y a autre chose, Nicolas nous attendait à son hôtel d'Auray pour le déjeuner, comme convenu. Il n'a pas vu Olivier.

— Mais où est-il passé, dans ce cas ? s'étonna Armeline. Il devrait être rentré, s'il s'agissait d'une erreur.

— Justement, je me pose la question, maman. Le commissaire va arriver dans peu de temps. Il n'y comprend rien, lui non plus.

— C'est forcément un malentendu, la rassura sa mère. Assieds-toi, mange un peu, tu es toute blanche.

— Je ne pourrai rien avaler.

— De quoi as-tu peur, au fond ? Olivier a pu croiser quelqu'un sur le port. Peut-être qu'il est sorti en mer, insinua Odilon. Le bateau est amarré là-bas, depuis qu'il a été réparé.

Rozenn demeura silencieuse, debout près de la fenêtre, le petit Pierre dans les bras. Loanne, sensible à la tension générale, repoussa son assiette avec une moue boudeuse.

— Je veux voir mon papa, murmura-t-elle d'une voix fluette.

— Il va revenir, affirma le retraité. Si tu prenais ton dessert, ma mignonne ? Il y a de la crème à la vanille.

— Non, j'veux papa d'abord, gémit la petite fille.

— Viens sur mes genoux, mon cœur, lui dit Lara. J'ai besoin d'un câlin.

L'enfant se fit une joie d'obéir. Elle se nicha entre les bras maternels en suçant son pouce. Fantou refusait de s'affoler.

— C'est inutile de céder à la panique, décréta-t-elle en caressant les cheveux de sa sœur. Le lieutenant a pu faire erreur sur son emploi du temps. Peut-être qu'ils ont communiqué par personne interposée, Nicolas et lui. Et je suis d'accord avec papi Odilon, si le rendez-vous était annulé, Olivier a pu être tenté par une escapade en mer, la dernière avant de partir. Je vais vérifier tout de suite, en appelant la capitainerie du port.

— Si tu veux, Fantou, approuva Lara. Mais dans la chambre, avant de descendre, j'ai vu la femme au voile rouge. Si elle s'est manifestée, ça n'annonce rien de bon.

— Elle est triste, la dame rouge, renchérit Loanne.

— De qui parles-tu, ma chérie ? De Rozenn ? Il ne faut pas l'appeler ainsi, je te l'ai déjà dit.

— Pas Rozenn, l'autre dame, précisa la petite. Je l'ai vue, moi aussi. Dans le couloir, là.

L'enfant désigna le vestibule de l'index. Bouleversée, Lara serra un peu plus sa fille contre elle.

— Seigneur ! soupira Rozenn. Qu'est-ce que ça signifie, tout ceci ? Excusez-moi, je monte coucher Pierrot. Il a du sommeil en retard, cet oisillon.

Armeline eut un geste d'impuissance. Elle ne mettait pas en doute le singulier phénomène, mais elle préférait éviter le sujet, par superstition. Fantou, d'abord stupéfaite, courut jusqu'au bureau du retraité. Elle revint rapidement.

— Le bateau est à quai, annonça-t-elle tout bas. La capitainerie me l'a confirmé.

Le cœur de Lara cognait à grands coups sourds. Le silence se fit dans la pièce, pesant, oppressant. Odilon le rompit d'une voix ferme :

— Allons, soyons optimistes, ça va s'arranger. Autant déjeuner, puisque c'est chaud.

— Tu as raison, mon ami, concéda Armeline. Et nous garderons la part d'Olivier.

Dix minutes plus tard, Nicolas Renan se garait devant le portail de la villa. Il traversa la cour tête baissée, perdu dans ses pensées.

« Olivier a disparu. Les choses s'accélèrent, se disait-il. Si je tenais Auffret ! Quel saligaud, il m'a berné en beauté ! »

Fantou l'avait vu de la fenêtre de la cuisine. Elle lui ouvrit la porte à l'instant où il atteignait le haut du perron.

— Bonjour, Nicolas, merci d'être venu si vite. Entrez. Lara est malade d'inquiétude.

— Bonjour, répliqua-t-il en évitant de la regarder, et incapable de prononcer la moindre parole rassurante.

— C'est si grave que ça ? hasarda-t-elle tout bas.

— Je suis pessimiste, Fantou, avoua le policier.

Lara accourait déjà, les traits tirés, toujours d'une pâleur de craie. Ils allèrent tous les trois dans le salon, où Odilon disposait le service à café.

— Armeline est montée avec Loanne, précisa-t-il. Elle va lui lire des histoires. Excusez-moi, commissaire, je ne vous ai pas salué. Bonjour !

— Bonjour, monsieur Bart, marmonna Renan.

— Nicolas, je vous en prie, avez-vous une explication sensée au sujet de ce matin ? interrogea Lara immédiatement. Pourquoi le lieutenant Auffret a-t-il emmené Olivier ? Où sont-ils allés ?

— Je suis navré, je n'ai pas de réponse. Je serais moins soucieux si votre compagnon était parti seul en balade, ou en mer. Mais je me suis rendu à l'évidence, Auffret a joué un rôle qui me répugne, et ça ne doit pas dater de ce matin. Il a trahi son serment de gendarme, ses collègues, et nous tous.

— Vous en êtes certain, Nicolas ? s'indigna Fantou.

— Il n'y a aucun doute. Auffret était en congé aujourd'hui, or il s'est présenté à la villa en uniforme, sous un faux prétexte. La conclusion est simple. Il suivait un plan établi.

— Quand même, c'est inadmissible ! protesta Odilon, rouge de colère. Le lieutenant était très poli et souriant. Vous pensez qu'il a tendu un piège à Olivier ?

Nicolas Renan prit la tasse de café que lui tendait Fantou. Il fixa le ciel gris, par la baie vitrée.

— J'ai beaucoup réfléchi en roulant jusqu'ici, dit-il. Auffret a souvent été mêlé à l'enquête sur votre compagnon, Lara. Il était déjà à mes côtés en décembre 1946, le soir où Olivier devait être caché là, à l'étage, après avoir été agressé par Martin Le Dru. Je me suis même souvenu d'une remarque déplaisante qu'il avait faite, parce que vous étiez apparue jambes nues, en bas de l'escalier. On me l'avait dépeint comme un honnête père de famille, et du coup, je l'avais repris assez sèchement. Et pendant votre absence, il m'a assisté dans mes recherches. En conclusion, il est très bien renseigné.

Odilon serra les poings. Il avait du mal à concevoir la duplicité d'un homme qui était en service dans la gendarmerie depuis plusieurs années.

— Autre chose, reprit Renan. Lorsque nous avons découvert la crypte du manoir de Tromeur, où se planquaient Malherbe et Barry, Auffret n'a pas été touché, alors que Malo Guégan a reçu deux balles de revolver. De surcroît, Barry a pu s'échapper sans peine. Je comprends mieux pourquoi. Auffret n'a pas tenté de l'arrêter. C'était l'un des leurs.

— Nicolas, vous êtes en train de me dire que ce gendarme faisait partie de ceux qui en veulent à Olivier ? s'écria Lara. Mon Dieu, ce n'est pas possible ! Et moi je l'ai laissé partir, sans l'accompagner à la porte, sans l'embrasser. Ils vont le tuer.

Elle ne pleurait pas, très digne, mais sa respiration saccadée témoignait de la panique qui l'envahissait. Fantou, assise près d'elle, lui entoura les épaules d'un bras protecteur.

— Peut-être pas, répondit Renan. Nous manquons d'éléments pour l'affirmer, Lara. Malherbe disait que Martin le Dru avait été exécuté, parce qu'il avait failli causer la mort d'Olivier. En toute logique, il peut s'agir d'autre chose. Je vous l'accorde, cette affaire ressemble de plus en plus à une histoire de fous, des fous très bien organisés.

— Commissaire, nous devons garder espoir, déclara Odilon. Olivier était dans la Résistance, il peut se sortir d'un mauvais pas.

— Comment garder espoir ? s'exclama Lara en se levant brusquement. Tout est ma faute. Nous aurions dû rester au Venezuela !

— Ton père était vivant, tu avais besoin de le revoir, c'est bien normal, plaida le retraité. Ne t'en veux pas, ma pauvre petite.

— Mais Olivier avait hâte de quitter la France, il était tourmenté, nerveux, et moi je ne cessais pas de repousser notre départ. Pourquoi ? Mais pourquoi ?

Elle avait hurlé, livide, suffoquée par des sanglots secs.

— Lara, ça ne sert à rien d'avoir des regrets, dit simplement le policier d'un ton amer. Vous devez avertir les parents d'Olivier, ils sont peut-être les seuls à pouvoir sauver leur fils. Je reviendrai en fin d'après-midi. Avant de venir ici, j'ai téléphoné à mon adjoint, pour qu'il commence à enquêter sur le lieutenant Auffret, c'est indispensable. Je vais ordonner une perquisition à son domicile.

Sur ces mots, Renan se leva à son tour en remettant son chapeau. La jeune femme l'empêcha d'avancer vers la porte du salon.

— Non, vous ne vous en tirerez pas comme ça, Nicolas. J'en ai assez de vos allusions, de vos silences ! Vous savez des choses que j'ignore sur les parents d'Olivier, avouez-le !

— Nous ferons le point ce soir, Lara, rétorqua-t-il. Par pitié, calmez-vous. Pensez à votre petite fille, ne la réveillez pas.

— Je vous déteste ! gémit-elle en le frappant de ses poings au hasard, aveuglée par un flot de larmes.

Fantou la saisit par la taille. Elle réussit à l'éloigner de Renan, dont le regard brun exprimait une sincère compassion.

— Prenez soin d'elle, recommanda-t-il à voix basse.

Lara entendit décroître le bruit de ses pas dans le vestibule. Elle se jeta sur le sofa, ivre de chagrin. Elle tremblait de tout son corps. Odilon lui fit boire un petit verre d'eau-de-vie.

— Tu dois être courageuse, Lara, murmura-t-il gentiment. Ces gens ont franchi un cap, en enlevant Olivier, mais ton compagnon a de la ressource. Il luttera pour rester vivant, car il vous aime de toute son âme, Loanne et toi.

— Qu'est-ce qu'il leur a fait, à ces gens ? balbutia-t-elle, effarée.

— Nous finirons par le savoir, Olivier nous le dira, car il te reviendra, aie confiance, petite, insista le brave homme.

Fantou écoutait, figée, le cœur lourd. C'était son tour de se sentir fautive. Elle osait à peine consoler sa sœur.

Armeline était descendue sur la pointe des pieds, alarmée par les cris de Lara.

— Loanne s'est endormie tout de suite, chuchota-t-elle. Que se passe-t-il ? C'est Olivier ? Il a eu un accident ?

Elle était persuadée que le commissaire avait annoncé à sa fille la mort de son compagnon. Fantou lui fit signe que non, avant de l'entraîner hors de la pièce. Lara saisit la main d'Odilon, dès que sa mère disparut de son champ de vision.

— Je vous en supplie, pouvez-vous appeler à ma place Mme et M. Kervella ? Je ne parviendrai pas à leur parler. Odilon, répétez-leur ce que m'a dit Nicolas.

— Bien sûr, je ferai n'importe quoi pour t'aider, Lara, affirma-t-il en effleurant sa joue d'une légère caresse. Nous sommes là, avec toi.

— Merci, je vous promets d'être forte, de faire bonne figure, tout à l'heure, quand Loanne se réveillera. Notre p'tite bouille à tous les deux…

Lara se remit à sangloter, le visage à moitié enfoui au creux d'un coussin.

Gendarmerie d'Auray, même jour, un peu plus tard

L'inspecteur Ligier et le brigadier-chef se précipitèrent vers le commissaire Renan, dès que celui-ci entra dans la gendarmerie, la mine renfrognée. La façon dont il claqua la porte acheva de leur indiquer son état d'esprit et son humeur.

— Patron, j'ai vérifié le tableau de service, Auffret était bien en congé jusqu'à demain matin. Le lieutenant a menti sur plusieurs points. J'ai pu joindre sa sœur, qui habite Valenciennes, dans le Nord. Elle n'a plus aucun contact avec son frère, mais elle correspond toujours avec sa belle-sœur.

— Et cette Mme Auffret a quitté la Bretagne il y a une dizaine d'années, commissaire ! clama le brigadier. Si j'avais pu imaginer ça. Le lieutenant me parlait souvent de son épouse, de ses enfants. Nous savons à présent que Mme Auffret a exigé le divorce et la garde exclusive de leurs deux fils il y a plus de huit ans. Il la trompait et la battait, ce qui a poussé cette femme à déménager à l'autre bout de la France, où elle vit maritalement avec un autre homme. Ce type, protégé par son uniforme, était un pourri, comme on dit dans la police. Il nous a menés en bateau depuis des années.

— J'appelle le procureur, déclara Renan. Auffret s'est rendu coupable d'abus de confiance et d'enlèvement. Il faut aller perquisitionner de toute urgence son appartement. Inspecteur Ligier, je vous charge de contacter nos collègues de Vannes, afin de leur signaler la disparition d'Olivier Kervella, ce matin à 9 heures. Demandez-leur aussi de fouiller le passé d'Auffret.

— Je tiens à participer à l'enquête ! s'emporta le brigadier, le teint cramoisi. Le lieutenant était sous ma responsabilité.

— Volontiers, répondit le commissaire. Nous n'avons pas de temps à perdre.

— Je ne peux pas le croire, déplora alors l'inspecteur Ligier à haute voix. Je prenais Auffret pour un homme de valeur. Nous avons même sympathisé, ces dernières semaines.

Renan ferma les yeux un court instant, les lèvres pincées.

— Vous n'avez pas à vous sentir coupable, Ligier. Auffret nous a tous menés en bateau, moi le premier ! Il avait toute notre confiance, et il en a profité pour s'intégrer à l'enquête sur l'affaire Kervella et récolter toutes les informations nécessaires à l'élaboration de son piège. La situation est critique et je ne donne pas cher de la vie d'Olivier Kervella. Ceux qui tentent de lui nuire depuis la Libération risquent de parvenir à leurs fins.

— On fera le maximum, patron, affirma Ligier.

Dinard, avenue de la Vicomté, chez les Kervella,
même jour, même heure

Madeleine Kervella pleurait en hoquetant, pareille à une enfant punie. Secondée par sa femme de chambre, elle remplissait une malle de vêtements, en priorité des toilettes estivales.

— Emportez-vous vos bijoux, Madame ? s'enquit Odette, qui était à son service depuis dix ans.

— Mes bijoux ! Odette, vous êtes une perle ! J'avais oublié que je possédais encore la parure en diamants de ma grand-mère, et des bagues de prix. Prévenez mon époux, qu'il vienne tout de suite. Et laissez-nous seuls, quand il sera là.

— Bien, Madame. Mais Monsieur fait ses bagages, lui aussi.

— Je vous en prie, allez le chercher, Odette. C'est important.

Jonathan Kervella fit irruption dans la chambre de sa femme au bout de cinq minutes. D'un élan désespéré, Madeleine le saisit par les pans de sa veste.

— Va vite vendre mes bijoux, mon chéri, implora-t-elle. Je suis sotte, je n'y pensais plus.

— C'est trop tard, Madeleine. Essaie de comprendre, nous n'en sommes plus à monnayer la tranquillité d'Olivier. Ils l'ont pris parce qu'il est revenu en Bretagne. J'ai fait tout ce que j'ai pu, et même au-delà, pour le protéger. Le destin s'en est mêlé. Si le père de Lara n'était pas réapparu, notre fils serait en sécurité au Venezuela.

— Non, c'est impossible, ce n'est pas trop tard, on ne peut pas l'abandonner. Jonathan, tu dois tenter de négocier encore une fois.

— Avec qui ? Et comment ?

— Trouve une solution ! s'égosilla son épouse. Vends mes bijoux et débarrassons-nous de la maison de campagne, celle que m'ont léguée mes parents.

Son mari la repoussa. Elle le dévisagea d'un air tragique, en joignant les mains sur son cœur.

— Ne te mets pas dans cet état, Madeleine. J'aime Olivier autant que toi, mais là, je suis impuissant. Depuis trois ans et demi, je n'ai plus aucun contact avec eux.

Il avait appuyé sur ce dernier terme d'un ton aigre, plein d'un douloureux mépris.

— Eux, toujours eux ! déclara-t-elle dans un sanglot. C'est ta faute, tu aurais dû sentir qu'on nous piégeait. Tu m'as bercée de belles paroles, à l'époque, et moi stupide comme je suis, je t'ai cru aveuglément. Ce sont des fous, des salauds, même si tu as toujours prétendu le contraire.

— Ne sois pas grossière, Madeleine. Si l'un de nous deux perd sa dignité, ils auront gagné.

— Mais ils ont déjà gagné ! Tant pis, puisque tu refuses de t'en occuper, je sors avec Odette. Nous irons chez le meilleur bijoutier de Dinard, je me chargerai de la transaction.

— Je te l'interdis, Madeleine ! tonna-t-il. Nous partons ce soir pour le Morbihan. Boucle ta malle, tes valises. La vente du mobilier et des objets d'art m'a rapporté de quoi tenir encore un moment. La somme devait servir à payer notre voyage pour Caracas, nous l'utiliserons autrement.

Prise d'un vertige, Madeleine vacilla sur ses jambes. Elle s'était remémoré les journées éprouvantes durant lesquelles leur luxueuse demeure avait été peu à peu vidée de tous ses meubles, le plus souvent des pièces de collection, de ses statues, de ses toiles de maître. Le couple avait seulement conservé le mobilier de leur chambre.

Jonathan la serra contre lui. Malgré la déroute de son existence, il venait de songer combien elle était ravissante, en déshabillé rose, ses cheveux noirs en désordre.

— Je suis désolé, murmura-t-il.

— Moi aussi, gémit-elle. Et j'ai peur, tellement peur, si tu savais. J'en mourrai de chagrin, si je ne revois jamais Olivier.

Son mari n'eut pas le courage de répondre. Il la câlina encore un peu, puis il l'embrassa sur les lèvres, un baiser discret.

— Repose-toi, ma chérie. Je vais vendre tes bijoux, tu risquerais d'être lésée, même en t'adressant à un bijoutier renommé. Je t'envoie Odette.

Jonathan quitta la chambre de son allure altière. Restée seule, Madeleine crut entendre à nouveau une sonnerie au timbre métallique. Elle se boucha les oreilles, affolée. Une heure plus tôt, Odilon Bart avait téléphoné pour annoncer la disparition d'Olivier, dans des circonstances qu'il qualifiait d'alarmantes.

— Maintenant on va m'apprendre la mort de mon fils, dit-elle d'une voix ténue.

Odette se glissa par la porte entrouverte. Elle fut effrayée par l'expression hallucinée de sa patronne.

— Madame, comment allez-vous ? Monsieur m'a dit de vous apporter un verre de gin.

— Qui appelait, Odette ? Le téléphone sonnait, qui était-ce ?

— Mais je vous assure qu'il n'y a eu aucune sonnerie, Madame. Ce sont vos nerfs. Un remontant vous fera du bien. Allongez-vous un peu, pendant que je m'occupe de vos bagages.

Madeleine remercia son employée d'un sourire tremblant. Elle avala l'alcool d'un trait et s'étendit avec un soupir sur le grand lit recouvert de velours rouge.

16

Mme et M. Kervella

Locmariaquer, villa des Bart, samedi 7 juillet 1951, même jour, 18 heures

Lara et Fantou surveillaient Loanne. La petite, assise sur le tapis du salon, jouait avec le baigneur en celluloïd qu'Odilon lui avait donné. Malgré le mauvais état du poupon, elle s'en séparait rarement. Rozenn apparut sur le seuil de la pièce. Pierre lâcha sa main pour courir vers la fillette, qui l'avait appelé en souriant.

— Lara, le commissaire est de retour, dit-elle. Il discute avec mon frère, dans la cour.

— Enfin ! Je croyais qu'il ne reviendrait pas ! s'écria Lara.

Elle se leva précipitamment, pour se ruer vers le vestibule, mais Rozenn la retint par le coude.

— Ma chère petite, je suis très inquiète, murmura-t-elle. Je l'ai déjà dit à Fantou, des forces mauvaises rôdent autour de nous. J'ignore de quoi il s'agit exactement, mais je dois te mettre en garde, sois prudente.

— Est-ce que j'ai vraiment le choix ? Je dois protéger notre fille. Rassurez-vous, Rozenn, je n'ai pas l'intention d'errer dans toute la Bretagne à la recherche d'Olivier.

— Lara, n'oublie pas. Sur le seuil de la mort, cette femme voilée de rouge t'a ordonné de vivre pour faire triompher la justice. Tu es peut-être la seule à pouvoir mettre fin à ce qui se passe.

Fantou avait tenté de saisir quelques mots, malgré les éclats de rire de Loanne qui secouait son baigneur en le tenant par les pieds.

Odilon et Nicolas Renan entrèrent dans la pièce, précédés par Nérée. Le gros chien alla vite se coucher aux pieds de Fantou.

— Je voudrais m'entretenir avec Lara, déclara le policier. Je préfère être en tête à tête avec elle.

— Pourtant nous sommes au courant de toute l'affaire depuis le début ! s'insurgea le retraité. Qu'est-ce que ça signifie ? Vous nous soupçonnez de quoi, commissaire ?

— Ne tire pas de conclusions hâtives, Odilon, dit Rozenn d'un ton ferme. Dînerez-vous ici, monsieur Renan ?

— Si vous m'invitez, ça m'arrangera, répliqua-t-il. Je n'ai presque rien avalé de la journée. Mais qui est ce bambin ?

— Notre demi-frère, expliqua Fantou. Sa tante a fait le voyage depuis la Pologne pour nous le confier. Nous l'emmenons au Venezuela, si nous partons. Et moi, Nicolas, je suis de trop ?

Le policier haussa les épaules, sans quitter des yeux le petit garçon.

— Ne me compliquez pas les choses, je vous prie, Fantou. Lara jugera ensuite si elle souhaite ou non vous communiquer ce que j'ai à lui dire. Il en sera de même pour vos amis ici présents.

Sidérée, Lara regarda autour d'elle. Le petit bureau, encombré de cartons et équipé du téléphone, était l'endroit qui lui semblait le plus adéquat pour s'isoler.

— Je suis désolée, Odilon, ne soyez pas vexé, dit-elle au brave homme. Je vois bien que vous êtes contrarié.

— J'ai passé l'âge de bouder, plaisanta-t-il sans joie. Prenez votre temps, je vais aider Armeline à préparer le repas.

Nicolas Renan, en apparence impassible, suivit Lara dans le bureau. Elle ferma la porte et s'y adossa, soudain secouée de longs frissons.

— Mes nerfs lâchent, excusez-moi, se justifia-t-elle. J'ai tenu bon cet après-midi, devant Loanne. Mais je n'en peux plus de faire semblant. S'il n'y avait pas notre enfant innocente, je m'en irais sur les chemins, les routes, en appelant Olivier.

— Je comprends, Lara.

Il débarrassa un tabouret de la pile de journaux qui l'occupait, puis il fit signe à la jeune femme de s'asseoir.

— Et vous ?

Sans un mot, il dégagea un coin de la table où était posé le combiné téléphonique et se jucha au bord.

— Lara, ce matin, vous m'avez sommé de vous dire ce que je savais. Je l'avoue, je vous ai dissimulé certaines informations.

— J'en étais sûre ! Pourquoi ?

— Simplement parce qu'elles étaient aberrantes à mon sens et ne fournissaient aucune piste précise, aucune solution. Elles figuraient dans le dossier que mon agresseur a récupéré, après m'avoir poignardé. Je vous ai menti, j'avais eu le temps de le lire.

— Quand je pense qu'Olivier vous faisait confiance ! Vous osez tenir à l'écart Rozenn et Odilon, nos plus fidèles amis, alors que vous nous mentez sans scrupule depuis notre retour !

— Parlez moins fort, Lara. J'ai beaucoup cogité aujourd'hui, et des détails troublants me sont apparus. Éric Malherbe a vendu le bateau de votre père à M. Bart, en vous conseillant de faire la connaissance de ces gens. Gildas Sauvignon, qui avait mission de vous séduire, était en relation avec eux. Il est arrivé à Locmariaquer et a été tout de suite hébergé ici, où vous veniez régulièrement. Vrai ou faux ?

— Vrai, murmura Lara, ébranlée.

— Et qui a payé les trajets de Fantou pour l'île de Molène, où Masson était censé communiquer avec vous, au Venezuela ?

— Non, je refuse d'en écouter davantage. Rozenn et Odilon ont accueilli maman et ma sœur. Ils sont généreux, honnêtes. Fantou les adore, ils sont devenus des grands-parents pour elle. Je peux démonter vos arguments en quelques mots. Le bateau, Malherbe l'a vendu, car il n'en avait pas l'usage. Il essayait de faire ma conquête, à l'époque, et il m'a juste suggéré de rencontrer les Bart. J'aurais très bien pu ne jamais venir à la villa.

— Malherbe savait que vous le feriez. Votre passion de la navigation était de notoriété publique dans le pays.

Lara, exaspérée, haussa les épaules. Elle reprit tout bas :

— Quant à Gildas Sauvignon, il avait abusé de la bonté de mes amis, en leur écrivant qu'il était envoyé par le compagnon de leur cousine Élodie. Nicolas, vous vous trompez. J'ai passé beaucoup de temps avec Rozenn et Odilon, avant de partir à l'étranger et ces dernières semaines. Je les connais bien, ce qui n'est pas votre cas. Vous les accusez sans avoir de preuve formelle.

— Je ne les accuse pas, je me méfie de tout le monde, rectifia-t-il à voix basse. Si le lieutenant Auffret a pu duper ses collègues et moi-même durant des années, je dois suspecter tous ceux liés de près ou de loin à l'affaire concernant votre compagnon, son ami Daniel Masson également. Olivier l'a soupçonné avant moi.

Le cœur serré, malade d'angoisse, Lara perdit pied. Elle se souvint alors d'un détail : c'était Odilon qui avait ouvert au gendarme, ce matin.

— Les événements se précipitent, ajouta Renan. J'ai de l'instinct, Lara. Nous sommes confrontés à des individus difficiles à cerner. Le terme de perversité conviendrait à leur façon de procéder. J'ignore le nombre de leurs complices et ça m'effraie.

— Au point de soupçonner des innocents, déplora-t-elle. S'il vous plaît, Nicolas, dites-moi à présent ce que vous avez lu dans le dossier. Je commence à étouffer, dans ce réduit, et ma fille va bientôt me réclamer.

Il eut un geste de lassitude, en contournant la table afin d'entrouvrir une étroite fenêtre qui donnait sur le jardin. Lara perçut aussitôt la rumeur grondeuse de la mer, tandis qu'une rafale de vent lui apportait un peu de fraîcheur.

— Je voudrais tant qu'Olivier revienne, dit-elle. Nicolas, soyez franc, est-il en danger de mort ?

— Je n'en sais rien. Avez-vous averti ses parents ?

— Odilon s'en est chargé. Mme et M. Kervella doivent déjà être sur la route.

— Comment ont-ils réagi ? Semblaient-ils surpris, affolés, ou désespérés ? interrogea Renan.

— Je ne les ai pas eus en ligne. Selon Odilon, ils auraient juste dit : « D'accord. Nous arrivons ce soir, très tard. »

Le commissaire ne pouvait plus reculer. Il reprit sa place, à moitié assis au bord de la table.

— Le dossier contenait des pages dactylographiées, Lara. Sur la première, vous êtes au courant, figuraient le nom et l'adresse des Kervella, avec la mention de « personnes intouchables ». Ensuite, il y avait des rapports sur Olivier. Beaucoup de pages avaient trait à ses actions dans la Résistance. Son statut de milicien épisodique était lui aussi consigné, ainsi que le compte rendu de son procès à Rennes.

— Mais pourquoi ?

— Je me suis posé la même question. Il y avait également des feuillets où on avait noté des sommes d'argent très élevées, dont le total constituait une véritable fortune. On aurait pu les confondre avec des reçus administratifs en bonne et due forme. En tous les cas, les versements d'argent étaient effectués par cinq personnes, désignées par les initiales de leur patronyme, à mon avis. Il y avait un J et K majuscules dans la liste.

— Jonathan Kervella, soupira-t-elle. Alors, c'est pour cette raison qu'il est ruiné.

— Probablement, si on a continué à lui soutirer tout son argent, pendant votre absence, approuva le policier. Lara, comprenez-vous à présent pourquoi je n'ai pas révélé la teneur du dossier à Olivier ? Je le répète, j'avais reçu un sérieux avertissement, le soir de mon agression. Je vous savais loin, en sécurité. Par la suite, j'ai renoncé à en discuter avec Jonathan Kervella, car j'avais beau tourner dans mon esprit ce que j'avais lu, je n'y trouvais rien de vraiment intéressant. Ces transactions financières pouvaient être fausses, ou frauduleuses.

Lara se leva du tabouret, à bout de résistance nerveuse. Elle lança un regard noir à Nicolas Renan.

— Vous me décevez, commissaire, déclara-t-elle avec froideur. Les parents d'Olivier ont dû céder aux exigences d'un maître chanteur, ça me paraît évident. Pourquoi n'avez-vous pas alerté le procureur, à cette époque ? Il fallait lui raconter ce que je viens d'apprendre.

— On m'avait volé le dossier, Lara, protesta Renan. Je n'avais pas de preuves tangibles. Le procureur ne m'aurait pas écouté, il tenait surtout à ce que j'arrête le tueur de ces malheureuses jeunes filles. Ne m'en veuillez pas, je pensais trouver la solution sans vous impliquer, Olivier et vous. Maintenant, c'est différent, je vais pouvoir agir, car il y a eu enlèvement, avec la complicité d'un gendarme, de surcroît.

Quelqu'un frappa à la porte du bureau. La voix de Fantou leur parvint, mêlée à des sanglots enfantins.

— Loanne veut te voir, Lara, le vent souffle fort, il y a des coups de tonnerre, ça l'effraie.

— Allez-y, bougonna le policier. Je vais appeler la gendarmerie d'Auray. Ligier et Guégan devaient perquisitionner chez Auffret, ils ont peut-être trouvé des indices intéressants.

Sans même lui répondre, Lara sortit du bureau. Sa fille se cramponna à sa jupe, en tendant vers elle son minois barbouillé de larmes.

— J'ai fait de mon mieux, déplora Fantou, mais Loanne n'en pouvait plus de t'attendre. Elle réclame aussi Olivier.

— Papa est parti en balade sur la mer, ma p'tite bouille, mentit Lara en soulevant l'enfant pour la câliner. Il va revenir, ne pleure plus, mon trésor.

L'orage se déchaînait. Le ciel couleur de plomb roulait des nuages striés d'éclairs éblouissants, tandis qu'une pluie drue s'abattait sur Locmariaquer. Effrayé, Nérée s'était réfugié sous la table basse de la cuisine. Le chien geignait et grognait en alternance, malgré les caresses que lui prodiguait Odilon.

— Pourvu qu'il ne hurle pas à la mort, ça inquiéterait davantage Lara, soupira-t-il. La pauvre petite, elle fait peine à voir.

Armeline, qui mettait le couvert, acquiesça d'un signe de tête. La mine soucieuse, elle surveillait les ampoules électriques dont les clignotements présageaient une coupure de courant.

Un craquement d'une violence inouïe ébranla les fenêtres de la villa quelques secondes plus tard, au moment où Nicolas Renan sortait du petit bureau. Il se trouva nez à nez avec Lara qui l'attendait.

— Alors ? demanda-t-elle, les yeux embués de larmes. Avez-vous appris quelque chose ? Vous pouvez parler sans gêne, Rozenn et Fantou ont emmené les enfants à l'étage pour les mettre en pyjama.

— J'ai eu mon adjoint en ligne. La perquisition, chez Auffret, a fourni des éléments concluants.

— Lesquels ? Est-ce que ça peut vous aider à retrouver Olivier ?

— Peut-être. L'inspecteur et le brigadier ont découvert une grosse somme d'argent sous une latte de plancher, ainsi que des clichés d'un genre spécial. Il y avait aussi une enveloppe contenant des négatifs que nous ferons développer demain.

— Rien d'autre ? Nicolas, je pense sans arrêt à Olivier. Je me demande s'il est encore vivant. Je ne veux pas le perdre, et puis je me sens responsable de ce désastre.

— Tenez bon, répondit-il d'une voix chaleureuse. Je compte sur les Kervella pour en savoir davantage. Ils devront s'expliquer cette fois-ci, notamment à propos des transactions financières que j'ai eues sous les yeux. Je ne vous cache plus rien, Lara ! C'est inutile de me jeter des regards incendiaires. Mais à mon humble avis, seuls ces gens peuvent me fournir une piste pour retrouver leur fils.

— Ces gens, comme vous dites, devaient devenir mes beaux-parents et Loanne est leur petite-fille. Ils adorent Olivier, je les imagine mal ayant agi contre son intérêt.

— On a pu les duper eux aussi et les menacer. Lara, je ferai l'impossible pour sauver votre compagnon, je vous le promets.

Elle approuva avec un soupir de lassitude, en lui accordant un faible sourire. En dépit de tout ce qui l'avait indignée et irritée, la présence du commissaire la rassurait, comme si par lui elle demeurait en contact avec Olivier.

— Je suis très angoissée, confia-t-elle. C'est même pire que ça, j'ai l'impression d'être au bord d'un gouffre obscur, qui va m'engloutir. Je ressens un vide atroce, comme après l'arrestation de mon père. L'incertitude du sort d'un être aimé devient très vite une affreuse torture.

— Je le conçois sans peine, même si je ne l'ai pas vécu, Lara.

Fantou les appela du seuil de la pièce. Elle portait Loanne sur son dos.

— Avez-vous remarqué ? dit-elle. L'orage s'éloigne. Il pleut encore à torrents, mais le dîner est servi.

— Allons à table, en compagnie de vos suspects, chuchota Lara à Renan. Je ne leur ai rien dit, sinon vous n'auriez pas eu droit à la soupe de poissons de ma mère, Nicolas.

Il esquissa une grimace de perplexité, soulagé cependant de l'entendre plaisanter, même tristement. Lara respira à fond, afin d'avoir le courage de rire en prenant sa fille dans ses bras.

— Nous avons un invité, ce soir, mon cœur, dit-elle d'une voix nette, presque joyeuse. Et demain matin, quand tu te réveilleras, tes grands-parents seront là.

— Et papa aussi ? interrogea Loanne, boudeuse.

— Peut-être, mon cœur, peut-être, répondit Lara.

Dinard, avenue de la Vicomté,
même jour, même heure

Jonathan Kervella se hâtait de rentrer chez lui. Quelques mois auparavant, il aurait pris un taxi afin de gagner du temps, mais il avait besoin de marcher et il tenait à économiser le moindre sou, une nouveauté pour cet homme né fortuné et ayant vécu dans le luxe. La somme qu'il avait obtenue de la vente des bijoux de Madeleine leur permettrait de louer une petite maison à Locmariaquer et de rester auprès de Lara et Loanne. Il ralentit à hauteur de la Panhard, la seule automobile qu'il possédait désormais. Quelques secondes, il évoqua la magnifique automobile de marque Delage, aux chromes étincelants, à la carrosserie lustrée, devenue une épave au fond d'une casse de Vannes.

— Olivier voyait juste, ces voyous n'agissaient pas au hasard, ils travaillaient pour eux, toujours eux, se dit-il tout bas, en franchissant la porte cochère du bel immeuble bourgeois qui avait été racheté par son associé.

Leur personnel était congédié depuis un mois, à l'exception d'Odette. Le majordome, le jardinier, la cuisinière et son aide, les femmes de ménage, tout ce petit monde domestique avait reçu ses gages avant de quitter définitivement les Kervella.

Avant de monter rejoindre son épouse, il s'aventura dans le grand salon où subsistait, dérisoire, un meuble en laque noire de petite dimension. Ses portes vitrées, ornées d'arabesques en verre dépoli, abritaient trois bouteilles d'alcool presque vides.

— Du gin, du cognac et du calvados, énuméra-t-il, un pli amer au coin des lèvres.

Il se servit un verre de cognac et alluma un cigarillo, tout en s'étonnant du profond silence qui l'entourait, au sein duquel le bruit le plus ténu s'amplifiait, comme sa propre respiration ou le déclic de son briquet.

— Odette aurait dû descendre les valises, nota-t-il dans un murmure.

Aucun pas ne résonnait au premier étage, ni l'écho d'une discussion entre Madeleine et leur plus fidèle employée. Jonathan éteignit son cigarillo au creux d'un cendrier très ordinaire, qu'il avait trouvé la veille dans la cuisine.

— Odette ? appela-t-il en s'engageant dans l'escalier.

Intrigué par le silence, il longea le couloir d'un pas rapide. Les appliques en opaline, de style Art nouveau, avaient été laissées en place, à la demande de Guilbert, son associé.

— Odette ! Madeleine !

Parvenu devant la chambre de sa femme, il poussa un des battants peints en ivoire, rehaussés de liserés dorés. D'abord, la pièce lui sembla vide de toute présence humaine.

— Où sont-elles ? se demanda-t-il.

Accoutumé aux fantaisies de Madeleine, il pensa qu'elle avait dû entraîner Odette au second étage, ou bien dans le grenier, à la recherche d'une babiole oubliée. Il s'apprêtait à regagner le palier, lorsqu'un bref gémissement l'alerta.

Circonspect, il pénétra dans la pièce. La malle était au même endroit, à moitié remplie. En contournant le lit, il découvrit son épouse, gisant sur le parquet. Elle avait les yeux bandés d'un tissu noir, un bâillon sur la bouche, les poignets liés dans le dos.

— Seigneur, Madeleine !

Il vit du sang sous sa tête, qui souillait d'un filet rouge la carpette en laine beige.

— Tu es blessée ! Madeleine, ma chérie.

La rage et l'indignation le terrassèrent. Il tomba à genoux près d'elle. Le souffle court, il commença par dénouer les cordelettes qui avaient meurtri la chair délicate de ses avant-bras. Puis il la débarrassa du bâillon, avant de la redresser et de l'étreindre avec passion.

— Je suis là, ma chérie, je vais t'aider. Tu saignes, dis-moi où tu es blessée, je ne voudrais pas te faire mal.

Madeleine s'écarta un peu. Elle respirait vite, en tremblant de tout son corps.

— Mon oreille, fais attention… Ils l'ont coupée.

— Quoi ? Tu dois souffrir le martyre, s'affola-t-il.

Précautionneusement, il ôta la bande de tissu dont une partie était maculée de sang. Sa femme, assise contre lui, se tourna un peu et l'observa d'un regard terrifié.

— Je souffre beaucoup, se plaignit-elle.

Jonathan l'examina, vite submergé par la haine. On lui avait tranché le lobe de l'oreille droite. Il se souvenait très bien du pendant en argent et saphir qui l'ornait, deux heures plus tôt, un bijou fixé par un système de vis minuscule, Madeleine ayant les oreilles percées depuis l'enfance.

— J'appelle notre docteur, ma chérie. Il faut te désinfecter et panser la plaie, marmonna-t-il, écœuré. Qui a fait ça ? Où est Odette ?

— Odette ? Je ne sais pas. Elle a hurlé quand un homme a surgi dans la chambre. Son cri m'a réveillée, je m'étais assoupie. J'ai eu tellement peur que je me suis jetée en bas du lit. Tout de suite, l'homme m'a plaquée au sol, il m'a ligoté les mains, bandé les yeux. J'ai essayé d'appeler au secours, mais il m'a bâillonnée. Et là, il m'a coupé l'oreille.

Elle éclata en sanglots affreux, bouche bée, hagarde. Son mari l'attira contre lui.

— Ce type devait être caché au second étage, supposa-t-il. Odette était peut-être de mèche avec lui. Elle l'aura suivi.

— Non, je l'ai entendue pleurer et supplier, après plus rien, le silence. Il l'a emmenée, Jonathan. Mon Dieu, j'ai cru qu'il voulait me tuer.

— Ma pauvre chérie ! Je n'aurais pas dû t'empêcher de sortir. Il ne vous serait rien arrivé, à Odette et toi.

— L'homme t'aurait attaqué, et même si tu étais de taille à te défendre, tu serais peut-être mort, puisqu'il avait un couteau. Sans toi, j'étais perdue, à leur merci. Je t'en prie, n'appelle pas notre vieux docteur, il poserait trop de questions. Tu peux me soigner, Jonathan, il y a le nécessaire dans la pharmacie de la salle de bains. J'avalerai un cachet d'aspirine, pour la douleur.

— Est-ce bien raisonnable, Madeleine ?

— Nous n'avons pas le choix, j'ai hâte de partir d'ici, répliqua-t-elle d'une voix raffermie.

Son mari capitula, impressionné par le courage dont elle faisait preuve. Il se pencha pour l'embrasser tendrement sur les lèvres.

— Mais… et Odette ? murmura-t-il. On doit signaler sa disparition à la police. Madeleine, dès que je t'aurai soignée, je fouillerai la maison. Elle est peut-être assommée et enfermée quelque part.

— J'irai avec toi, je refuse de rester seule.

Jonathan Kervella crispa les poings. Il éprouvait des envies de meurtre, à un détail près, il fallait pouvoir se trouver face aux coupables, or depuis des années il avait affaire à des ombres insaisissables.

« Et si mon associé était un des leurs ? songea-t-il soudain, effaré. Non, c'est impossible, pas Guilbert. Sa fille a été renversée par un chauffard, en Belgique. Selon le commissaire Renan, ce n'était pas un accident. Bénédicte aurait été exécutée par Barry, le complice d'Éric Malherbe. »

Madeleine émit une plainte sourde, en lui prenant la main. Il la dévisagea, plein de compassion.

— Désormais je ne te quitterai plus une seconde, affirma-t-il gravement. Sauf si tu es entourée de gens de confiance.

— Des gens de confiance ? répéta-t-elle. Est-ce qu'il en existe encore ?

Gendarmerie d'Auray, même soir, plus tard

L'inspecteur Ligier et Malo Guégan avaient placé sur une des tables de la salle principale les pièces à conviction qu'ils avaient trouvées chez le lieutenant Auffret. Accablé, le brigadier-chef les désigna au commissaire Renan, dès qu'il arriva.

— C'est vraiment un coup dur pour moi et mes hommes, commissaire, affirma-t-il d'un ton sec. J'ai du mal à l'encaisser. Et si Auffret avait agi sous la menace ?

— Plutôt par appât du gain, intervint Ligier, en tapotant de l'index une grande enveloppe qu'il savait remplie de billets de banque.

— Je devine ce qui vous tracasse, brigadier, déclara Renan. La conduite scandaleuse d'un gendarme va entacher l'honneur de votre brigade, de la police municipale en général. Selon moi, Fernand Auffret, car je me refuse à lui donner encore le grade de lieutenant, s'est laissé corrompre par des gens bien plus retors et dangereux que lui. Si une fois devenu militaire, marié et père de famille, il dominait certains de ses mauvais instincts, la rupture avec son épouse, qu'il frappait, a dû le perturber. Comment est-il tombé sous la coupe de malfaiteurs, nous l'ignorons.

— Il faudrait empêcher les journaux d'étaler ce scandale, grogna le brigadier-chef.

— Ce sera difficile, nota Renan. J'ai l'intention de faire publier un portrait d'Olivier Kervella dans la presse. Il faut aussi vérifier certaines investigations que j'avais confiées à Auffret.

— Lesquelles, patron ? s'enquit son adjoint.

— En premier lieu, vous contacterez l'Ordre des médecins au plus vite. J'avais confié la démarche à Auffret, qui prétendait que le docteur Bacquier était hors de tout soupçon. J'avais quand même vérifié le document qu'il m'avait fourni. Mais c'était peut-être un faux.

— D'accord, je m'en occupe demain matin.

— Si vous voulez regarder les photographies, commissaire, suggéra alors Malo Guégan. Peut-être que des gens fichés y figurent.

— Vous avez raison, je vais les étudier. Et il faudra faire développer les négatifs au plus tôt. Messieurs, préparez-vous à passer une nuit blanche ! Nous devons éplucher toutes les pièces à conviction trouvées chez Auffret en quête du moindre indice qui pourrait nous mener à Olivier. Chaque minute compte !

Le ton de Nicolas Renan était déterminé, mais au fond de lui, il aurait tout donné pour prendre la route pour Sainte-Anne-d'Auray et oublier l'espace de quelques heures, dans les bras de son amante, les morts et les drames qui émaillaient son quotidien depuis plus de trois ans.

Villa des Bart, même soir, plus tard

Lara jeta un regard sur sa montre. Fantou, assise près d'elle dans le canapé, lui caressa la joue. Le chien était couché à leurs pieds. Odilon veillait également, au creux de son fauteuil en cuir. Parfois il somnolait, puis s'éveillait en sursaut. Afin de leur tenir compagnie, il venait de boire un café.

— Il est presque minuit, mes petites, nota-t-il. M. et Mme Kervella ont pu s'arrêter dans un hôtel, en route. Nous ferions mieux d'aller au lit.

— Non, ils vont venir ici, affirma Lara. Leur fils a disparu, ils ont sûrement envie d'être près de moi et de Loanne.

— Veux-tu que je remonte vérifier si elle dort bien ? proposa sa sœur.

— Tu y es allée tout à l'heure, reste avec moi. On l'aurait entendue, si elle pleurait. Et puis nous sommes barricadés, personne ne pourrait s'introduire à l'étage.

— Je te le garantis, Lara, renchérit le retraité. Et mon fusil est chargé. Qu'on vienne essayer de vous faire du mal !

L'arme de qualité, dont Odilon Bart avait menacé Olivier en décembre 1946, était posée dans un coin du salon.

— Papi Odilon, tu oserais tirer sur quelqu'un ? demanda Fantou. Est-ce que tu t'es servi de ce fusil pour te défendre ?

— Non, mais j'ai chassé, de mon adolescence jusqu'au début de la guerre. Il a fallu remettre les armes à feu aux autorités, dès que le pays a été occupé. Moi, j'ai bien enveloppé mon fusil et je l'ai enterré dans la dune. Je l'ai récupéré à la Libération.

Fantou se contenta de la réponse, tout en scrutant l'expression rêveuse de son grand-père d'adoption. Lara, très pâle, but un peu d'eau. Elle guettait le moindre bruit.

— Toi, tu es pressée de voir les Kervella, lui dit Odilon. Je n'ai pas voulu t'ennuyer, pourtant je voudrais bien savoir une chose. Nous n'en avons pas parlé de toute la soirée. Le commissaire prétend que seuls les parents d'Olivier peuvent le sauver. Pourquoi ? Allons, explique-moi, ça nous occupera. Je lis dans tes jolis yeux que tu es au courant. Renan tenait à t'en informer sans témoins. C'est tellement confidentiel que ça ?

Lara considéra attentivement la face ronde du retraité, ses cheveux et sa barbiche de neige, son bon sourire, son regard limpide. Madeleine Kervella l'avait comparé au Père Noël.

« Je ne suis plus du tout lucide, songea-t-elle. Nicolas a semé le doute en moi. Comment se méfier d'Odilon ? Nous n'avons pas d'ami plus loyal. »

Pourtant l'insistance du retraité la gênait. Elle fut tentée de tout lui révéler, puis elle décida de se taire.

— Je suis navrée, mais je vous dirai ce que je sais en présence des parents d'Olivier. Ils ne devraient plus tarder.

— Ce n'est rien, j'ai compris, bougonna celui-ci. Le commissaire nous suspecte, ma sœur et moi. Rozenn n'a pas été dupe, intuitive comme elle est ! Garde tes secrets, Lara.

— Je vous demande pardon, Odilon, gémit celle-ci, au bord des larmes. J'ai perdu la tête aujourd'hui, et Nicolas ne valait guère mieux. Il était bouleversé par l'enlèvement d'Olivier et par la trahison du lieutenant Auffret. Il en est venu à soupçonner tout le monde.

Lara évita de citer Daniel Masson. Elle avait eu soin de cacher à sa sœur l'allusion du commissaire à propos de cet ami de longue date d'Olivier.

— Mais oui, c'est compréhensible, papi Odilon, insista Fantou. Nicolas réfléchit et réagit en policier.

— Quand même ! se récria-t-il. Si je jouais un rôle depuis cinq ans dans cette affaire, ça se saurait. Regarde-moi bien en face, Lara. Je déteste revendiquer après coup ce que je fais de grand cœur, mais je crois avoir prouvé ma bonne foi, ma volonté de vous aider, ta mère, ta sœur et toi. C'était par affection, par amour, non pas dans des buts inavouables. Nom d'un chien, ce fichu flic ne mettra plus les pieds chez moi. En plus, il a eu le culot de dîner à notre table.

Il en tremblait d'indignation et de chagrin. Fantou se leva et, perchée sur l'accoudoir du fauteuil, elle le prit par le cou, pour le câliner. Lara se mit à pleurer, honteuse.

— Je ne peux qu'implorer votre pardon, monsieur Odilon, balbutia-t-elle entre deux sanglots.

— Si tu me redonnes du « monsieur », je ne suis pas près de passer l'éponge, ronchonna-t-il, apitoyé par ses larmes.

Fantou entreprit alors de lui expliquer pour quelles raisons Nicolas Renan s'était montré prudent. Brillante lycéenne, éprise de rhétorique, elle réussit à le troubler.

— Vu sous cet angle, évidemment, admit-il. Je n'y aurais pas pensé tout seul. Malherbe qui m'envoie Lara, après m'avoir vendu le bateau une bouchée de pain, l'intrusion du fameux Gildas Sauvignon… Tu dis vrai, Fantou, en raisonnant comme un policier, nous pouvions paraître suspects, Rozenn et moi, mais Renan n'avait qu'à nous interroger tout de suite, dans ce cas, au lieu de te mettre l'esprit à l'envers, Lara.

— Je vous ai défendus farouchement, je vous assure ! s'écria-t-elle. Je l'aurais giflé, d'avoir osé vous traiter ainsi.

Radouci, le retraité étreignit la main de Fantou, posée sur son bras. Sa bonté naturelle reprit le dessus. Il ne supportait pas de voir Lara sangloter, les traits défaits par la souffrance morale qu'elle endurait.

— On oublie ça, ma pauvre petite, décréta-t-il. Renan ne peut pas comprendre le bonheur que vous nous avez offert. Mon testament le prouvera. Votre mère, Fantou et toi, vous hériterez de la villa, du terrain sur la dune et de mes économies. On est devenus une famille, on doit se serrer les coudes.

— Oh, vous n'avez pas fait ça, Odilon ? s'insurgea Lara.

— Pourquoi donc ? Nous n'avons pas d'enfants, et notre cousine Élodie, que nous aimions tant, est décédée.

— Il ne fallait pas, papi, se désola Fantou.

— Chut, plus un mot là-dessus, c'est compris ? ordonna-t-il d'un ton faussement bourru. J'ai entendu une voiture.

Ils se levèrent tous les trois d'un même élan. Lara se précipita dans la cuisine pour entrebâiller les volets. Elle revint aussi vite.

— Ce sont eux, j'ai reconnu la Panhard de M. Kervella. Je vais leur ouvrir le portail.

— Je t'accompagne, dit sa sœur. Je porterai leurs bagages.

— Je viens avec vous, mes petites, s'enflamma Odilon.

Jonathan Kervella vit s'allumer la lampe extérieure. Peu après, Lara, Fantou et le retraité accouraient. Madeleine, qui s'était endormie à la fin du trajet, cligna des paupières.

— Tu vas pouvoir te reposer dans un bon lit, ma chérie, dit-il en entrant au ralenti dans la cour.

Fantou fut la première à voir, derrière la vitre de la portière, le pansement maculé de sang, fixé par du sparadrap sur l'oreille droite de Madeleine. Jonathan coupa le moteur.

— On a mutilé mon épouse, annonça-t-il d'une voix rauque.

Lara ne sentait plus ses jambes. Elle s'appuya au capot brûlant, désormais certaine qu'Olivier était condamné.

Quelque part dans le Morbihan,
même soir, même heure

L'homme s'impatientait, assis à sa place habituelle, près de la cheminée monumentale. Son regard très clair, incisif, errait dans la grande pièce envahie par la nuit. Seul le feu mourant dispersait l'obscurité, autour de lui. Une porte s'ouvrit enfin, étroite, dissimulée parmi les panneaux de lambris en chêne.

— Monsieur, on vient de me remettre ce que vous attendiez, dit Jonas, son majordome, en s'inclinant avec ostentation.

Il approcha à pas mesurés, un plateau entre les mains, sur lequel était posé un bocal en verre.

— Venez plus près, Jonas, ordonna-t-il. Je n'y toucherai pas, mais je veux m'assurer du contenu.

— Bien, Monsieur.

Jonas se plaça près du fauteuil dont les accoudoirs en bois sculpté représentaient des pattes de félin. L'homme observa avec un léger sourire ce qui flottait dans un liquide jaune, un morceau de chair blême bizarrement orné d'un bijou argenté, serti de saphirs. Il détourna les yeux, satisfait.

— Joli pendant d'oreilles, murmura-t-il. Quand les clichés seront développés, j'aurai de quoi me divertir. Merci, Jonas, disparaissez à présent, et rangez cet affreux bocal où vous savez. Envoyez-moi Magnus Barry.

Le majordome recula avec maintes courbettes ridicules. Dès qu'il se retrouva seul, l'homme rejeta la tête en arrière, pour rire en silence, une expression extatique sur le visage.

Magnus Barry apparut quelques minutes plus tard, tout vêtu de noir. Le teint blafard, le regard fixe, il se contenta d'incliner un peu le buste.

— Il n'y a eu aucune anicroche, monsieur, déclara-t-il de sa voix monocorde, assortie à sa physionomie austère.

— J'ai pu le constater, Magnus. Il était temps de passer à l'acte, n'est-ce pas ? Mon affaire stagnait un peu.

— Et vous ne pouviez pas perdre la partie, monsieur.

— Je ne la perdrai jamais. Que me proposez-vous d'intéressant cette nuit ?

— Suivez-moi, monsieur, vous ne serez pas déçu.

L'homme se leva, déployant sa haute silhouette athlétique. Il se sentait d'excellente humeur et en grande forme.

17

Désespérances

Locmariaquer, villa des Bart, même nuit

Lara se tenait sur le seuil de la chambre où Rozenn aidait Madeleine Kervella à se déshabiller. La jeune femme ne pouvait pas quitter des yeux le pansement taché de sang qui dissimulait l'oreille droite de la mère d'Olivier.

« On l'a mutilée, se dit-elle, obsédée par ce mot. Pourquoi ? »

Elle ne parvenait pas à calmer les battements désordonnés de son cœur, ni les frissons nerveux qui l'ébranlaient. Avant de leur donner la moindre explication, Jonathan avait conduit son épouse à l'étage, mais il ne s'était pas attardé, se contentant de lui adresser un vague sourire.

Dès qu'elle avait entendu la voiture dans la cour, Rozenn s'était levée pour veiller à l'installation du couple. Pleine de compassion pour Madeleine, elle lui parlait d'une voix douce et rassurante.

— Votre chambre était prête, madame, vous allez pouvoir vous reposer. D'abord, je dois changer votre pansement. Est-ce que vous souffrez beaucoup ?

— J'ai l'impression de m'être brûlée, expliqua-t-elle. Je tombe de sommeil, surtout. Je voudrais dormir. Auriez-vous des sédatifs ?

— J'ai gardé ceux que le docteur avait prescrits à mon père, lui dit Lara. Je vous en apporte un, Madeleine. Vous le prendrez avec la tisane que ma sœur vous prépare.

Fantou était restée au rez-de-chaussée. Elle réchauffait du potage, tout en surveillant l'eau mise à bouillir. Armeline s'était levée également, au cas où elle pourrait se rendre utile.

— C'est un vrai branle-bas de combat, hasarda-t-elle à mi-voix.

Odilon, lui, observait le père d'Olivier. Ce dernier, les yeux cernés, les traits tirés, avait bu d'un trait un verre d'alcool. Il ne se décidait pas à raconter ce qui s'était passé, et personne n'osait l'interroger.

— Un branle-bas de combat, vous avez raison, madame Fleury, concéda-t-il cependant. J'en suis navré. Nous aurions dû arriver beaucoup plus tôt.

— Monsieur Kervella, pouvez-vous nous dire ce qui s'est passé ? demanda le retraité. Mutiler une femme, quelle barbarie ! Est-ce en rapport avec l'enlèvement de votre fils ?

Lara entra dans la pièce à ce moment précis. Elle lança à Jonathan un long regard suspicieux.

— Je me pose la même question, monsieur, dit-elle, ayant entendu les propos d'Odilon.

— Je peux vous affirmer qu'il n'y a aucun rapport avec la disparition d'Olivier. En fait, notre maison de l'avenue de la Vicomté est pratiquement vide. Nous n'avons plus de personnel, à part Odette. Cet après-midi, j'ai eu le malheur de sortir une heure pour faire le plein d'essence. Pendant mon absence, des cambrioleurs se sont introduits chez nous, par le jardin. Des sales brutes ! Ils ont assommé Odette et ensuite ils ont menacé Madeleine d'un revolver. Elle était terrifiée, aussi elle leur a donné tous ses bijoux. Comme si ce n'était pas suffisant, ils ont coupé le lobe de son oreille, pour s'emparer d'un pendant en argent, serti de trois saphirs.

— Seigneur, quelle horreur ! gémit Armeline.

— Dieu soit loué, j'ai surpris ces ignobles types avant qu'ils puissent trancher l'autre lobe. Je n'étais pas seul, un ami m'avait accompagné, sinon je n'aurais pas pu mettre ces bandits en fuite.

— Je plains votre épouse de tout cœur, s'indigna Odilon. Mais ces malfaiteurs me semblaient bien renseignés.

— Il suffisait d'épier nos allées et venues, monsieur Bart, énonça Kervella d'un ton las. Quant à être renseignés, ils ne l'étaient pas sur un point précis. En effet, peu de gens à Dinard sont au courant de mes soucis financiers, on nous considère toujours comme des personnes fortunées. Je préciserai que ce n'est pas la première fois que nous sommes victimes de cambrioleurs.

— Avez-vous alerté la police ? s'enquit Lara d'un ton dur.

— Bien sûr, d'où notre retard. Madeleine a été très choquée. Elle pensait qu'ils allaient la tuer.

— Pauvre dame, murmura Armeline. Elle a dû avoir très peur.

— C'est terrible, juste avant votre départ ! s'écria Fantou. Un peu plus, et votre épouse aurait été épargnée.

— Vous avez raison, Fantou. Nous étions déjà si inquiets, à cause de la disparition soudaine d'Olivier. De surcroît, j'ignore si l'assurance couvrira la perte des bijoux. Ils avaient beaucoup de valeur. Je comptais les vendre.

— Mais êtes-vous vraiment sûr que cela n'a pas de rapport avec Olivier ? insista Lara, toujours sur ses gardes. Pourquoi auriez-vous été cambriolé, et votre épouse victime d'un acte aussi cruel, le jour où votre fils est enlevé ?

Jonathan n'en était plus à un mensonge près. Il lui adressa un sourire apitoyé.

— Je comprends votre détresse et vos doutes, ma chère Lara, répondit-il. Vous n'avez jamais habité Dinard. Avant la guerre, c'était une station balnéaire très réputée. Si nous avons connu une période difficile à la Libération, la ville est à nouveau envahie chaque été par des touristes très riches. Mon associé s'en félicite, le Grand Hôtel bénéficie d'une fréquentation en hausse. Mais il y a également une faune peu reluisante, des malfrats qui rôdent à l'affût d'un mauvais coup. Le hasard s'en est mêlé, peut-être étions-nous moins vigilants, plus exposés, une fois privés de notre personnel. Sur ce, ne m'en veuillez pas, je suis épuisé, je voudrais monter me reposer.

— Votre épouse attend sa tisane pour prendre un somnifère, monsieur, expliqua Armeline. Le tube est dans le tiroir de la table de nuit, si vous en voulez. Je vous accompagne à l'étage.

— Je peux y aller, maman, proposa Fantou, qui tenait la tasse fumante à la main.

— Non, je ne suis pas d'accord, nous ne pouvons pas en rester là, faire semblant, protesta Lara. Et Olivier, votre fils, monsieur, pas un mot sur lui ? Vous ne paraissez même pas inquiet !

— Je le suis, bien sûr, mais en discuter maintenant ne changerait rien à la situation, Lara ! trancha-t-il. Je sais l'essentiel, grâce au coup de fil de M. Bart. Le lieutenant de gendarmerie, Auffret, est venu ce matin et mon fils est parti avec lui. J'ai téléphoné en cours de route, depuis un bar, au commissaire Renan. Il sera là dans quelques heures. J'aimerais être d'attaque pour le recevoir.

— Je suis de l'avis de M. Kervella, ma petite Lara, dit le retraité d'une voix lasse. Nous ferions mieux de dormir un peu.

Armeline et Fantou patientaient, prêtes à sortir de la cuisine. Lara eut la pénible impression d'évoluer dans un cauchemar, où elle était seule à souffrir de l'absence d'Olivier.

— Ne vous tracassez pas trop, lui assena Jonathan en se levant de sa chaise.

— Pourquoi ? Vous allez trouver assez d'argent pour le tirer des griffes de ceux qui l'ont enlevé, ceux qui vous font chanter depuis des années ? Mais avouez donc, monsieur, Nicolas Renan a eu les preuves sous les yeux, dans ce dossier où l'on vous désignait comme des personnes intouchables. De toute évidence, ce n'est plus le cas, votre épouse en a fait les frais !

Hors d'elle, Lara défiait le père d'Olivier, désarçonné par sa virulence.

— Enfin, ma chère enfant, vous vous égarez ! s'insurgea-t-il. Ces documents étaient sûrement des faux, établis par l'ancien maire, Malherbe. J'en avais parlé à Olivier, il était d'accord sur ce point. Je suis surpris que le commissaire y attache de l'importance.

— On a failli le tuer pour lui voler le dossier, je suppose à juste titre qu'il ne s'agissait pas de faux documents, ajouta Lara. De quoi avez-vous peur ? Dites-moi la vérité une bonne fois pour toutes, que je puisse espérer, ou pleurer l'homme que j'adore.

Elle retint un sanglot effrayé. Jonathan Kervella lui caressa les cheveux du bout des doigts, en la dévisageant.

— Gardez la foi, chère Lara. Vous m'avez donné une ravissante petite-fille, et je ferai le nécessaire pour lui rendre son papa. Il me faut du repos, dans ce but. Je ne vous en veux pas, je sais que vous traversez une épreuve épouvantable.

— Oui, encore une épreuve affreuse, après le suicide de mon père. J'ai peur, une peur atroce, rétorqua-t-elle. Et je n'ai plus confiance en vous.

Exaspérée, Lara quitta la cuisine. Fantou la suivit, après avoir confié à leur mère la tasse de tisane destinée à Madeleine. Les deux sœurs se retrouvèrent près du petit lit de Loanne, dont le sommeil était agité. L'enfant avait rejeté drap et couverture. Ses jambes remuaient comme si elle trottinait, tandis que sa bouche se tordait, dans une grimace annonçant des larmes.

— Ma petite bouille chérie, chuchota Lara. Qu'est-ce que nous deviendrons, si Olivier meurt…

— Tais-toi, ne pense pas à ça, supplia Fantou en la prenant dans ses bras. Tu dois être courageuse, avoir foi en lui et en Dieu.

— C'est trop me demander, je suis à bout. J'ai eu du courage durant toutes ces années, pendant et après la guerre, tu en as été témoin. Mais là, je voudrais seulement revenir en arrière, être encore à Coro, avec Olivier. Fantou, sois franche ! Que penses-tu du récit que nous a débité M. Kervella ?

— Il disait peut-être la vérité !

— Rozenn n'était pas là, elle aurait senti s'il mentait ou non. Mais comment ose-t-il me rassurer, prétendre tout arranger ?

— Lara, il est très tard, Nicolas sera là de bonne heure. On ferait mieux de se coucher. On pourra discuter encore, comme avant, chez nous.

La disposition des chambres avait été changée, afin de laisser disponible pour leurs invités la chambre dévolue à Fantou en temps ordinaire. Lara partageait la sienne avec sa sœur, Armeline s'était installée chez Odilon, pour ne pas se retrouver dans celle de Rozenn et de Pierre. Quant au retraité, il avait dressé un lit pliant sur le palier.

— Je serai incapable de dormir, se plaignit Lara. Olivier est peut-être déjà mort, comprends-tu, Fantou ? Et s'il est vivant, j'imagine qu'on lui fait du mal. Mon Dieu, ça me rend folle. Je l'aime tant. Tu te souviens, il y a cinq ans, il voulait me quitter, pour me protéger.

— Oui, je me souviens très bien.

— Il n'a pas pu se séparer de moi, alors que déjà, à l'époque, il devait partir vivre à l'étranger. Au fond, j'ai causé sa perte.

— Arrête de t'accuser ainsi, de te croire responsable. Le destin tire les ficelles bien souvent, Lara. Tu me fais tellement de peine. Tu n'as rien mangé de la journée, tu as beaucoup pleuré. Si tu prenais un somnifère ?

— Non, je dois rester éveillée, au cas où le téléphone sonnerait, ou bien si par miracle Olivier revenait.

Fantou l'obligea à s'allonger, puis elle s'étendit à ses côtés, en lui caressant le front.

— Calme-toi, Lara. Je suis là.

— Merci, mon korrigan, je ne supporterais personne d'autre près de moi.

— Il faudra envoyer un télégramme à Daniel, demain. J'irai à la poste à vélo.

— Non, je t'en prie, tu ne sortiras pas seule de la villa. Tu demanderas à Odilon de t'y conduire. Fantou, autant te le dire, Nicolas suspecte également Daniel depuis qu'Olivier lui a fait part de ses soupçons, il y a quelques jours.

— Quoi ? Mais c'est stupide !

— Olivier regrettait d'en avoir parlé. Il était à bout de nerfs, après avoir vu un de ses agresseurs à Erdeven.

Un pleur aigu s'éleva soudain du lit de Loanne. L'enfant cria ensuite, d'une voix entrecoupée de sanglots.

— Papa ! Mon papa !

D'abord tétanisée, Lara se précipita pour la consoler. Elle souleva sa fille, la cajola.

— Tu as fait un cauchemar, mon trésor ?

— Papa y voulait pas m'attendre, bredouilla la petite. Et moi, j'courais, et j'suis tombée. Papa, il était méchant, il n'venait pas m'voir.

— N'aie pas peur, ma chérie, c'était un vilain rêve. Papa t'aime très fort et il est très gentil.

Lara se recoucha, après avoir déposé Loanne entre Fantou et elle. Réconfortée par les câlins de sa mère et le sourire de sa tante, la fillette replongea dans le sommeil, son pouce dans la bouche.

Une heure s'était écoulée. Un profond silence régnait dans la villa. Toute la maisonnée semblait endormie, pourtant un homme veillait, toujours en costume et chaussé, comme prêt à partir. Assis au bord du lit, il contemplait Madeleine. Elle n'avait pas pris de cachet, parce qu'il refusait obstinément de se dévêtir et de la rejoindre entre les draps.

— Tu ne vas pas passer la nuit à mon chevet, soupira-t-elle. Nous sommes en sécurité, ici. Viens, chéri.

— Je suis beaucoup trop nerveux. Dès que tu seras assoupie, j'irai dans le jardin fumer un cigare. La tisane est froide, mais tu devrais la boire quand même, avec un somnifère.

— Tu es le meilleur somnifère du monde, pour moi. As-tu besoin d'aller dehors pour fumer ? Je suis bien, les mains de Rozenn ont fait merveille, je n'ai plus aucune douleur. Jonathan, si nous devons attendre l'aube, parle-moi. Dans la voiture, tu me disais qu'Olivier n'était pas en danger, donc tu sais une chose que tu refuses de me dire.

— Je n'en sais pas plus que toi, Madeleine.

Son épouse luttait contre une délicieuse somnolence. Elle le regarda encore une fois d'un air soucieux. Il se pencha et l'embrassa sur les lèvres, un baiser tendre.

— Dors, ma petite femme chérie. Tu es très belle et je t'aime de tout mon être, je t'ai toujours aimée.

— Tu me l'as prouvé, Jonathan. Bon, je t'obéis, donne-moi ce comprimé et la tasse.

— Enfin, tu es raisonnable.

Il continua à la dévisager avec une ferveur passionnée, mais elle en eut à peine conscience, terrassée par la fatigue. Il la vit sombrer, se détendre, avec un sourire apaisé.

— Dors bien, mon amour, murmura-t-il avant d'effleurer sa joue du bout des doigts.

Côtes d'Armor, dimanche 8 juillet 1951,
5 heures du matin

D'énormes vagues grises se brisaient avec fracas sur le chaos des rochers, en projetant des gerbes d'eau argentée. La marée était haute et battait la côte dans un concert grondeur, où se mêlaient les sifflements du vent. Le soleil n'était encore qu'une boule de feu sur la ligne d'horizon, mais son apparition irradiait tout le paysage de reflets sanglants.

Jonathan Kervella, debout à l'extrémité d'un promontoire tapissé d'une herbe rase, fixait le château édifié au sommet d'une île. Dans la clarté timide de l'aube, le monument avait des allures de ruine grandiose, cernée par la mer, abandonnée aux goélands, aux cormorans et aux corneilles. Il n'y avait à cette heure pas un signe de vie. Les tours à moitié démantelées se dressaient sous le ciel encore pâle, comme les fidèles témoins d'une longue histoire qui remontait au Moyen Âge.

— Olivier ! appela Jonathan. Olivier !

Sa voix ne portait pas, dispersée par les rafales du noroît. Il mesura la vanité de ses cris. Il était déjà venu sur ce pan de falaise, en face de l'île couronnée d'un château.

— En quinze ans, il a pu trouver un autre repaire, ce maudit, décréta-t-il, les mâchoires crispées.

Cependant il restait là, immobile, les poings noués, fasciné par la danse folle des déferlantes. Il avait roulé vite, dans sa hâte de se retrouver confronté à cette vision, que certains auraient dite romantique.

— Si seulement c'était marée basse, dit-il encore. J'aurais peut-être pu traverser à pied, ou bien en nageant. J'attendrai. Je dois savoir.

Il chuchota plusieurs fois le prénom de son fils, de façon pathétique, en évoquant des images de l'enfance d'Olivier, qui avait été un petit garçon sage, affectueux, joyeux. Submergé par la fureur, Jonathan hurla de nouveau. Il se tut brusquement, au contact d'un objet dur appuyé dans son dos. Il devina qu'on pointait le canon d'un revolver ou d'un fusil entre ses épaules.

— Vous êtes très bruyant, monsieur, lui dit-on.

C'était un timbre masculin, froid, impersonnel. Malgré la menace de l'arme, il se retourna pour affronter le danger. Il découvrit un inconnu de grande taille, au crâne chauve, qui eut l'ironie de le saluer d'un signe de tête.

Jonathan, quelques secondes, pensa qu'il pouvait s'agir d'un résident du voisinage, même s'il n'apercevait pas d'habitations à proximité.

— Je cherche mon fils, déclara-t-il.

— Vous êtes trop curieux, monsieur Kervella, débita Magnus Barry d'un ton neutre. Et très imprudent. Je vous somme de faire demi-tour, de ne plus venir dans ces parages et de respecter les termes du contrat, à l'avenir. Sinon j'ai ordre de tirer.

Gendarmerie d'Auray, même jour,
9 heures du matin

Nicolas Renan était d'une humeur exécrable après la courte nuit qu'il avait passée. Malo Guégan s'approcha prudemment du bureau où le policier s'était enfermé, dès son arrivée à la gendarmerie, et frappa à la porte.

— Oui, entrez !

— Commissaire, Lara Fleury a téléphoné deux fois déjà, à 7 heures et à 8 heures. Elle voudrait que vous la rappeliez, à la villa des Bart.

— Ouais, je suppose que les Kervella sont là, maugréa-t-il en réponse.

— Mais je croyais qu'elle n'était pas encore mariée avec Olivier Kervella, hasarda le jeune gendarme.

— Bon sang, Guégan, ne jouez pas sur les mots ! Ils sont concubins, ils ont une gamine, autant dire qu'ils sont mariés à mon sens. Rien d'autre ?

— L'inspecteur Ligier est chez le photographe de la rue de l'église, il doit rapporter les clichés développés. Le commerçant n'était pas content, quand j'ai téléphoné à son domicile. Pardi, on l'oblige à travailler un dimanche matin. Avez-vous tiré quelque chose des photographies, commissaire ?

— Certainement, et ça ne m'a pas aidé à fermer l'œil. Et vous, Guégan, qu'en pensez-vous ?

— J'étais outré, ça en dit long sur les mœurs honteuses du lieutenant Auffret.

— Ce serait préférable de ne plus lui donner son grade, trancha Renan. Je suppose que votre brigadier les avait regardées également, hier, après la perquisition ?

— En effet, commissaire.

— J'imagine sa déconvenue, en découvrant un de ses hommes en pleine orgie, car je ne trouve pas d'autre mot pour qualifier ce que représentent ces photographies.

— Je suis d'accord avec vous, commissaire.

Une sonnerie métallique retentissait dans la salle voisine. Peu après, le téléphone du bureau grésilla et fit entendre un bruit de grelot.

— Ce doit être encore Mlle Fleury, supposa tout bas Malo.

Renan décrocha et aboya un « allô » vindicatif. Lara, à l'autre bout du fil, murmura un faible « Nicolas ».

— Je vous écoute, ajouta le policier. Mais autant vous prévenir, je ne peux pas vous rendre visite avant le début d'après-midi.

— Mais est-ce que M. Kervella est avec vous ?

— Non, je ne l'ai pas vu.

— Nicolas, vous aviez bien prévu de venir très tôt à la villa ce matin. Vous en auriez convenu avec Jonathan Kervella quand il vous a téléphoné hier. Je l'ai su par Odilon.

— Votre beau-père ne m'a pas appelé, ni hier, ni ce matin.

Nicolas Renan fronça les sourcils, alarmé par ce nouveau malentendu qui prêtait à suspicion. Guégan sortit sans bruit du petit bureau.

— Je crains de ne pas pouvoir me marier avec Olivier, ajouta Lara. Alors évitez d'employer ce terme de beau-père, il me brise le cœur.

— Peu importe, si j'ai bien compris, Kervella n'est pas à la villa. Il a pu décider de se déplacer, mais dans ce cas, il serait déjà ici.

— Pourriez-vous m'avertir s'il vous rend visite ? Son épouse est très inquiète, demanda Lara. Je dois raccrocher, ma fille pleure, elle réclame son papa. Je ne sais plus quoi lui dire.

Le commissaire perçut un soupir, puis un déclic significatif. Il reposa le combiné, en le fixant avec perplexité.

— Où est allé M. Kervella ? murmura-t-il entre ses dents. Je l'aurais volontiers pris en filature, car il n'est pas pressé de répondre à mes questions. Ce type ment comme il respire.

Pensif, il alluma une cigarette et contempla les volutes de fumée qui montaient vers le plafond. Son adjoint, qui selon son habitude entrait sans frapper, le découvrit ainsi.

— Patron, j'ai les développements. Rien d'intéressant, mais il fallait vérifier.

— Faites voir !

D'un geste brusque, Renan s'empara de la pochette cartonnée que lui tendait l'inspecteur. Il en sortit une douzaine de clichés où figuraient une femme et deux enfants.

— L'épouse et les gosses d'Auffret, patron, précisa son adjoint. Le photographe et sa femme les ont formellement reconnus, ils avaient déjà développé des portraits de cette dame et de ses fils.

— Il y a combien de temps ?

— Nous avons consulté le registre des ventes, ça date de huit ans environ. Ces photographies-là sont plus récentes. Peut-être que Mme Auffret a envoyé ces négatifs après le divorce, pour que le lieutenant puisse voir grandir ses gamins.

— Non, ça ne colle pas, elle a exigé la garde exclusive et l'a obtenue, ce qui m'intrigue. Un juge aurait dû tenir compte du statut de gendarme du mari et se montrer plus clément envers lui. Ligier, partez immédiatement pour Vannes. Nous aurons plus rapidement des renseignements de nos collègues, au sujet du passé d'Auffret. Moi, je vais à Locmariaquer.

Sainte-Anne-d'Auray, même jour, même heure

Tiphaine et John Russel terminaient leur petit déjeuner. Ayant avalé un bol de lait et une part de brioche, Killian jouait avec une miniature de voiture en fer coloré, que lui avait offerte son grand-père. Goulven était parti tôt à Auray, où l'attendait du travail en retard.

— Maman, veux-tu une autre tasse de café ? demanda Tiphaine à sa mère.

— Non, merci, fifille, c'est mauvais pour les nerfs.

Paule Jouannic avait couché dans la chambre conjugale, au premier étage, mais elle s'était de nouveau allongée sur le divan, pelotonnée dans une couverture en laine.

— J'ai toujours froid, se plaignit-elle. Je suis désolée d'être aussi fatiguée, je ne suis pas en état de rester debout !

John Russel songea en son for intérieur que cela ne changeait guère. Malade ou non, sa belle-mère laissait la majeure partie des tâches ménagères à Loïza. Il avait hâte de retourner à Erdeven, chez lui. L'ambiance de cette vieille maison, sombre et fraîche même en été, lui pesait.

— Es-tu prête ? dit-il à Tiphaine en lui caressant la cuisse sous la table. On doit rentrer chez nous, *darling*.

Il l'embrassa au coin des lèvres, comme pour la remercier de leur avoir aménagé un appartement équipé de tout le confort moderne, lumineux et propre.

— Je n'ai plus qu'à enfiler mes chaussures, répliqua-t-elle en lui souriant. Killian, mon chou, tu vas ranger la jolie voiture que ton grand-père t'a achetée.

— Non, maman, j'veux l'emporter !

— Si tu l'emportes, tu n'auras plus de joujoux ici, quand nous venons. Sois sage, galopin.

— Maman, on peut aller voir la petite fille ? Je n'ai pas pu faire d'son cheval à bascule !

— Hé, *boy*, ton papa perd de l'argent, chaque fois qu'il laisse le bar fermé. On rentre directement à Erdeven. Il y aura des clients, cet après-midi.

Paule les écoutait, anxieuse à l'idée de leur départ. Loïza ne quittait guère le chevet de Luc. La vaisselle sale s'entassait, le carrelage n'avait pas été balayé. Elle tenta d'y remédier.

— Tiphaine, geignit-elle, quand tu monteras dire au revoir à ta tante, essaie de la convaincre de descendre une heure ou deux, préparer le repas de midi et faire un peu de ménage.

— D'accord, maman ! J'y vais tout de suite.

Russel retint un soupir agacé. Il commença à débarrasser la table, afin d'aider Loïza, dont la situation au sein du foyer des Jouannic le désemparait. Il pensa notamment à la patience du commissaire de police, qui espérait l'épouser et se heurtait à des refus, sans se décourager.

— Un homme qui touche à la vaisselle ! s'étonna alors Paule. Si on m'avait dit une chose pareille, je n'y aurais pas cru !

— Vous savez, je fais souvent la plonge, au bar, rétorqua-t-il. Et dans l'armée, on devait retrousser nos manches, pour les besoins du quotidien.

Paule hocha la tête, amusée, puis elle se pelotonna dans sa couverture. Le petit Killian, lui, continuait à faire rouler sa voiture sur le sol, en imitant le bruit d'un moteur.

Quant à Tiphaine, perchée sur ses talons hauts, elle venait d'entrer dans la chambre de Luc. Par prudence, elle demeura à bonne distance du lit. Loïza était assise sur une chaise, un livre entre les mains.

— Tata, on s'en va !

— Je m'en doute, dit sa tante d'une voix lasse. Luc dort enfin, il a tellement toussé cette nuit.

Sachant que sa nièce n'approcherait pas, elle se leva. Son visage aux traits harmonieux trahissait le chagrin qui la rongeait.

— On s'embrasse, Tiphaine ? marmonna-t-elle. Si tu n'as pas peur d'attraper la maladie !

— Je suis bien obligée d'être vigilante, à cause de Killian, tata. Si Luc dort, tu devrais descendre, maman ne peut pas cuisiner, ni balayer, la pauvre.

Loïza se crispa tout entière, sous le coup de l'indignation. Malgré sa bonne volonté constante, elle se révolta.

— Tiphaine, il est 10 heures ! Si tu avais moins traîné ce matin, pour prendre le petit déjeuner et t'habiller, tu aurais eu le temps de faire la vaisselle et de balayer. Je ne suis pas une domestique, et personne ne semble comprendre que Luc est mourant. Je veux l'assister, prier pour lui, être là dès qu'il ouvre les yeux. Ta mère trouvera bien la force de se faire cuire un œuf, à midi ! Au revoir, ne te retarde pas.

— Mais tata, pourquoi tu te fâches ? Il fallait me demander de l'aide, je ne suis pas manchote, quand même. Maintenant, John est pressé.

Les larmes aux yeux, Loïza reçut un baiser sur la joue. Elle repensa à ce que lui avait dit plusieurs fois Nicolas, il déplorait les sacrifices qu'elle s'imposait pour sa famille. C'était tristement vrai, et elle piétinait aussi l'amour que lui vouait cet homme.

— Au revoir, Tiphaine, dit-elle. Tu feras une bise de ma part à Killian.

Villa des Bart, même jour, même heure

Madeleine Kervella avait décidé de garder la chambre, selon ses propres termes. Adossée à deux oreillers que soutenait le montant en bois sculpté, elle souriait faiblement à Lara, assise au bout de son lit.

— Jonathan n'en fait qu'à sa tête, lui affirma-t-elle. Je suis sûre qu'il n'a pas dormi de la nuit. Il refusait de se coucher. Lara, si vous rappeliez le commissaire, qu'on sache si mon mari se trouve à la gendarmerie. Jonathan a pris la voiture, il a forcément dû se rendre à Auray.

— Le commissaire nous aurait averties, s'il avait vu votre époux. M. Kervella avait peut-être des achats à faire. Ne vous inquiétez pas, Madeleine, ou bien inquiétez-vous davantage pour votre fils, déclara Lara d'un ton sec. Je suis navrée, mais vous avez à peine fait allusion à l'enlèvement d'Olivier, votre époux et vous. J'en viens à penser, ce matin, que vous savez où il est.

— Hélas ! Non, on ne sait rien, ma chère petite. Jonathan vous dira la même chose à son retour.

— S'il n'a pas disparu lui aussi.

— Allons, Lara, Mme Kervella a été agressée, sois gentille, recommanda Armeline qui venait d'entrer, la porte étant restée entrebâillée.

Sur ces mots, elle caressa l'épaule de sa fille, qui était prête à laisser libre cours à sa rage impuissante.

— Jonathan n'a pas pu être enlevé, lui aussi, puisqu'il est parti en Panhard, répondit Madeleine de sa voix un peu enfantine. Lara, vous êtes anxieuse, c'est normal. Mais Olivier était dans la Résistance, il est courageux. Il faut avoir confiance en lui.

Ces propos parurent ineptes à Lara. Elle préféra ne pas les commenter.

— Où est ma petite-fille ? Je ne l'entends pas babiller. Et j'ai un cadeau pour elle. Regardez !

Madeleine leur présenta sa paume gauche, où scintillaient les saphirs du pendant d'oreille désormais orphelin.

— Je ne pourrai plus le porter, dit-elle sans émotion apparente. Il faudra faire sertir les pierres sur une bague en argent, pour Loanne, lorsqu'elle sera grande. Je paierai les frais, bien sûr. Mais vous n'avez pas de bague de fiançailles, Lara. J'aurais pu vous en offrir une, parmi les miennes. Vous auriez choisi celle qui vous plaisait le plus.

Cette fois, Lara bondit du lit, en lançant une œillade désespérée à Madeleine.

— J'aurais refusé d'avoir un de vos bijoux. Vous mentez encore, comme votre mari ! Je veux Olivier, mon amour, le reste je m'en fiche !

Elle sortit et claqua la porte, au moment où Nicolas Renan atteignait le palier. Le commissaire avait renoncé à son élégance habituelle. Il était en chemise rayée, sous un gilet beige et il avait desserré son nœud de cravate.

— Bonjour, Lara, dit-il simplement.

— On ne réfléchit pas assez au sens de certaines expressions d'usage. Bonjour ! Ce dimanche n'en sera pas un. Je crois que Jonathan Kervella s'est éclipsé, nous abandonnant son épouse qui a été mutilée, hier à Dinard. Il lui manque le lobe de l'oreille droite. Ils prétendent avoir été cambriolés par des ignobles malfaiteurs.

— Quoi ? Qu'est-ce que vous me racontez ?

— La vérité selon les parents d'Olivier. Interrogez Mme Kervella, vous jugerez par vous-même. Excusez-moi, je vais prendre l'air. Vous avez dû croiser Fantou et ma fille, dans le jardin ?

— Oui, sous la surveillance de M. Bart et du chien. Lara, restez lucide, je vous en prie. Si vous perdez le contrôle de vos nerfs, nous ne serons pas plus avancés.

— Désolée, Nicolas, je ne peux plus me raisonner, ni jouer la vaillance. Aujourd'hui, nous devrions être à Dinard, et mardi, prendre l'avion pour Caracas. Rozenn nous aurait suivis, pour ne pas être séparée de Pierre, mon petit frère.

— Il faudra m'expliquer, plus tard, comment cet enfant est arrivé ici.

— Plus tard, oui !

Elle dévala l'escalier, sa longue chevelure brune répandue sur ses épaules et dans son dos. Il fut ému par son allure svelte, la grâce de sa silhouette, où s'exprimait néanmoins la tempête intérieure qui la dévastait, comme une aura maléfique.

Il hésita un instant, planté au milieu du palier, enfin il frappa à la porte que lui avait indiquée Fantou. Armeline cria « entrez ». Madeleine afficha sa déception en faisant la moue lorsqu'il se présenta.

— Je me disais que c'était mon mari, se désola-t-elle. Bonjour, commissaire.

— Madame, mes hommages, répliqua-t-il. Madame Fleury, pouvez-vous nous laisser ?

— Bien sûr, mais Mme Kervella est un peu souffrante, ne la brusquez pas.

— Soyez sans crainte, je n'ai pas coutume de brutaliser les dames.

Dès qu'ils furent en tête à tête, Madeleine commença à pleurer sans bruit.

— Avez-vous vu mon mari, commissaire ? gémit-elle.

— Non, il ne s'est pas présenté à la gendarmerie. Madame, je viens d'apprendre par Lara que vous avez été cambriolés, hier, à Dinard. J'aimerais entendre votre témoignage, dans les moindres détails. Vous avez été blessée, je suppose que vous avez porté plainte et fait une déposition, votre époux et vous.

— Jonathan s'en est occupé, je suis restée à la maison, avec Odette, notre femme de chambre. Elle m'a soignée.

— Je comprends, mais vous pouvez quand même me raconter ce qui s'est passé.

Le récit de Madeleine fut bref et précis. Elle avait appris sa leçon, la veille, pendant le voyage.

— Je vous remercie, concéda poliment Renan. Je vais contacter le commissariat de Dinard, pour me renseigner. Je connais un des inspecteurs. Il me transmettra la déposition de votre époux.

— Ce n'est pas la peine, vous devez avoir beaucoup de travail, répondit-elle d'une voix moins affectée. Lara m'a expliqué pour ce gendarme qui a emmené Olivier. Qu'en pensez-vous ?

Nicolas Renan différa sa réponse. Il étudiait les mimiques de Madeleine Kervella, sensible à ses intonations. Il eut la certitude qu'elle mentait et même, qu'elle dissimulait sa véritable nature.

— Je ne vous dévoilerai pas mes déductions, madame, répondit-il, sidéré par sa manière légère d'aborder un point qui aurait dû la tourmenter. Au moins, le sort de votre fils unique ne vous préoccupe pas outre mesure.

— Jonathan m'a dit de ne pas m'inquiéter, alors je lui obéis. Pendant la guerre, nous avons été sans nouvelles d'Olivier durant plus d'un an. Mais il est revenu sain et sauf. Ce sera pareil cette fois, il reviendra.

— Si vous en êtes persuadée, dépêchez-vous de faire profiter Lara de votre optimisme. Elle m'a paru désespérée. Au revoir, madame.

Renan quitta la chambre, l'esprit en ébullition. Il n'eut pas le temps de poser un pied dans l'escalier que Fantou surgit de la salle de bains, en pantalon de toile et chemisier, coiffée d'un chignon. Elle le fixa attentivement.

— Nicolas, Odilon m'emmène à la poste, j'ai la ferme intention d'envoyer un télégramme à Daniel Masson. Il doit être mis au courant, pour Olivier.

— Et alors ?

— D'après Lara, vous rangeriez Daniel, mon futur fiancé, parmi les éventuels suspects. C'est insensé à mon avis, mais je respecte votre autorité de policier. Est-ce que je peux, oui ou non, expédier un télégramme ?

Elle dardait sur lui le feu bleu de son regard. Il se souvint avec émotion de la fillette si frêle qui l'accueillait dans la modeste maison des Fleury, cinq ans auparavant.

— Faites à votre idée, Fantou. Que Daniel Masson soit impliqué ou innocent, vous avez raison, il faut l'avertir.

— Je l'aime, Nicolas, pourquoi le soupçonner ? C'est le meilleur ami d'Olivier. Vous l'imaginez en train de comploter contre lui ?

Embarrassé, Renan haussa les épaules. Il eut un vague sourire.

— J'ai seulement dit à Lara que je me méfiais de tout le monde, même de Daniel Masson. Rassurez-vous, je n'ai pas l'ombre d'une preuve contre votre futur fiancé.

— Merci, Nicolas ! s'écria la jeune fille, ravie. Lara vous attend dans le salon. Vous serez peut-être encore là quand nous reviendrons, papi Odilon et moi.

— Je ne peux rien vous promettre, cela dépendra de M. Kervella. Je dois absolument lui parler. Je compte l'attendre.

— D'accord, alors à plus tard !

Le policier connaissait bien la villa, désormais. Il descendit sans hâte jusqu'au rez-de-chaussée. Il vit Fantou et Odilon sur le perron ensoleillé. Il salua Rozenn qu'il n'avait pas encore croisée, et qui faisait la cuisine, un tablier noué sur une robe en tissu fleuri. Le petit Pierre était assis à la table, en train de grignoter une tranche de pain.

Puis le chien vint à sa rencontre dans le vestibule en remuant la queue en signe d'amitié. Loanne accourut à son tour en appelant :

— Nérée, n'te sauve pas, ici, gros chien !

On aurait pu croire à une paisible matinée, dans une famille unie et sans sérieux soucis. Rien ne manquait, ni une musique en sourdine, échappée du poste de radio, ni l'odeur du café. Mais Lara fit son apparition, sans doute afin de rattraper sa fille.

— Alors, Nicolas, chuchota-t-elle. Madeleine vous a-t-elle convaincu de sa sincérité ?

Il la considéra, le cœur lourd. Lara était très pâle, les yeux cernés, la bouche amère. Il l'aurait volontiers consolée, avec les gestes d'un père ou d'un grand frère. Ce genre de démonstration d'affection abolirait une barrière déjà bien fragilisée, entre lui, un commissaire chargé d'une enquête, et elle, une jeune femme désespérée, séparée de l'homme qu'elle adorait.

— Mme Kervella est mauvaise comédienne, elle ment, et son mari nous ment également, murmura-t-il. J'en aurai la preuve d'ici quelques minutes si je téléphone à mes collègues de Dinard.

— Je vous en prie, allez-y, Nicolas, répondit Lara. Je suis de plus en plus perdue sans Olivier. Il y a autre chose, Rozenn protège Madeleine avec une ferveur bizarre. C'est mon amie, pourtant j'ai l'impression qu'elle m'abandonne.

— Du cran, Lara, je ne vous lâcherai pas, moi. Je vous le répète, les Kervella ont la clef de l'énigme, ils devront la donner, coûte que coûte. Et je suis prêt à employer les grands moyens pour ça.

Chaos granitique du Huelgoat, dans les Monts d'Arrée, même jour, en début d'après-midi

Le couple se promenait sous le couvert de la forêt, après un bon déjeuner dans un restaurant au bord du lac de Huelgoat. Le patron de l'établissement leur avait conseillé, comme balade digestive, d'aller admirer le chaos granitique du Huelgoat.

Cécile et Paul Maurain, des Parisiens en vacances, appréciaient à sa juste valeur le paysage au charme sauvage qui les entourait. Main dans la main, ils approchaient maintenant d'une curiosité locale, la Roche tremblante, qui pesait cent trente-sept tonnes, et avait la particularité de pouvoir être ébranlée, si on la touchait au bon endroit[1].

— Nous y sommes, Cécile, regarde ça !

Son épouse lui saisit brusquement l'avant-bras, en guise de réponse. Il se retourna vers elle, un peu surpris.

— Là-bas, Paul, il y a un homme tout nu ! soufflat-elle, effaré.

---

1. Véridique.

Elle lui indiqua la direction d'un mouvement de la tête. Il aperçut alors un corps étendu à plat ventre, à une dizaine de mètres sur leur gauche.

— Le type n'est pas gêné, il prend un bain de soleil ou quoi ? marmonna-t-il. On dirait qu'il dort.

— Ou bien il est mort, Paul, avança tout bas Cécile. Appelle, on verra s'il bouge.

— Hep, monsieur ? cria aussitôt son mari. Monsieur ?

L'individu n'eut aucune réaction. Le couple échangea un coup d'œil affolé. Le lieu était désert, le vent sifflait dans les feuillages, et des nuages venaient de cacher le soleil. Cécile avait envie de pleurer, apeurée.

— Reste là, je vais voir, déclara Paul. Ça ne me dit rien qui vaille.

Il marcha vers l'inconnu, toujours inerte. Une fois près de lui, il put étudier les trois-quarts du visage de l'homme, qui avait les yeux fermés. La pâleur de sa peau, sa bouche entrouverte, le renseigna, autant que les fourmis déambulant sur sa joue.

— Il est mort ! hurla-t-il. Cécile, il est mort !

Sa femme recula d'un pas, une main à hauteur de son cœur. Elle aurait voulu s'enfuir, ne plus voir ce grand corps livide, nu des pieds à la tête. Déjà Paul revenait en courant.

— Il faut retourner à Huelgoat, avertir les gendarmes, dit-il. Viens vite.

— De quoi est-il mort ? balbutia-t-elle.

— Je n'en sais rien, je n'allais pas le toucher. Quelle poisse, pour notre deuxième jour en Bretagne !

Lorsqu'ils partirent vers leur voiture, garée au bord d'une petite route, un merle siffla, avant de voler vers la Roche tremblante et de s'y poser. L'énorme pierre eut un frémissement imperceptible, puis l'oiseau s'envola à nouveau. Le silence revint dans la forêt, où gisait un cadavre, parmi l'indifférence de la nature.

Villa des Bart, même jour, une heure plus tard

Nicolas Renan avait décidé d'attendre Jonathan Kervella, quitte à passer la journée chez les Bart. Il s'était installé dans le petit bureau d'Odilon, avec l'accord de ce dernier.

— Le téléphone est à votre disposition, commissaire, ça me rassure de vous savoir ici, avait affirmé le retraité. Ce n'est pas très poli de la part de M. Kervella de nous laisser sans nouvelles, surtout après l'enlèvement d'Olivier.

— Oui, ça commence à être inquiétant, d'abord le fils, ensuite le père, avait répliqué le policier. Si je pars, vous serez seul pour veiller sur ces dames.

Il avait livré ainsi ce qui le tourmentait. Si la situation empirait, les quatre femmes de la villa, une fillette et un petit garçon pourraient être menacés. Odilon, âgé de soixante-quatre ans, ne serait pas de taille à les défendre, malgré son fusil de chasse.

Fantou, soulagée de savoir le commissaire à demeure, mettait un peu d'ordre dans la pièce, très encombrée.

— Nicolas, voulez-vous un café ? proposa-t-elle, une pile de journaux entre les bras.

— Non, je suis assez nerveux comme ça, répondit-il en lui souriant. Ne vous ennuyez pas à ranger. J'ai accès au téléphone, la table est dégagée, c'est suffisant.

— Je vous ai entendu parler avec papi Odilon. Est-ce que nous sommes en danger ?

— Franchement, je l'ignore, mais je prendrai les mesures nécessaires si je dois m'absenter. J'enverrai mon adjoint et un gendarme surveiller la villa. Comment va Lara ?

— Elle s'est couchée à côté de Loanne, qui fait la sieste. Je l'ai empêchée d'entrer dans la chambre de Mme Kervella. Ma sœur peut se montrer vindicative, si elle cède à la colère.

Ils discutèrent encore quelques minutes. Fantou finit par sortir du bureau, intriguée par les aboiements frénétiques de Nérée. Nicolas Renan se leva pour regarder par la fenêtre, donnant sur le bas du perron et sur une partie du jardin.

— Tiens, tiens, Denis Cadoret, marmonna-t-il.

18

Denis Cadoret

Villa des Bart, dimanche 8 juillet 1951, même jour

Armeline, qui étendait du linge au fond de la cour, avait ouvert le portail à Denis Cadoret et l'avait accueilli aimablement. Elle appréciait le jeune homme, qui de plus ne ressemblait pas à son père Yohann, mais à sa mère, Jeanne.

Fantou rejoignit le jeune homme en bas du perron, où il l'attendait.

— Dieu merci, tu n'es pas encore partie, se réjouit-il.

— Je devrais être loin, admit-elle, mais tu as de la chance, il y a eu un contretemps.

— Tant mieux, concéda Denis, tout heureux de la revoir. Je ne regrette pas d'avoir fait le mur. En ce moment, c'est difficile d'obtenir une permission sans raison valable.

— Denis, tu vas encore écoper d'un blâme ! le sermonna-t-elle. Mais je suis contente de te voir. Allons dans le jardin, nous serons plus tranquilles.

Il la suivit docilement, sans oublier de la contempler. Il aimait ses cheveux blonds, très lisses, sa silhouette mince, ses traits délicats.

— Tu es de plus en plus jolie, Fantou.

— Mais bientôt fiancée, répliqua-t-elle immédiatement, afin de le décourager. J'ai reçu tes lettres, où tu me parles d'amour, et je t'ai répondu. N'espère plus rien, Denis.

— Bon sang, j'ai le droit de te dire que tu es jolie ! riposta-t-il.

— Oui, bien sûr.

Ils s'assirent sur le banc en fer forgé, ombragé par un bosquet de lilas. Denis Cadoret alluma une cigarette, la mine soucieuse.

— Je suis triste que tu te fiances, avoua-t-il, mais au fond, je préfère te savoir ailleurs que dans le pays. Au moins, tu seras en sécurité. J'ai beaucoup pensé à Léa Bertho, la fiancée d'Erwan, à la mort de Livia Menti. Enfin, ils sont réunis au paradis, mon frère et elle.

La phrase, toute simple et pleine d'une foi naïve, toucha la jeune fille. Fantou eut soin de ne pas la commenter, elle dont la ferveur religieuse battait gravement de l'aile, depuis des mois.

— Tu viens de me donner une touchante preuve d'amour, Denis, en acceptant de supporter la séparation pour que je ne risque plus d'être victime de ce monstre, car c'en est un.

Il osa lui prendre la main. Elle lui adressa un sourire amical.

— Fantou, même quand tu étais gamine, tu me plaisais, dit-il. Erwan me tenait à l'écart de Lara, et donc de toi, et ça me rendait triste. J'imaginais les fées de la forêt de Brocéliande exactement comme toi, aussi blondes, aussi gracieuses. Je t'aimerai toujours d'une façon particulière, même quand je serai marié.

— Tu as rencontré quelqu'un ? s'intéressa-t-elle.

— Pas encore, mais ça arrivera un jour ou l'autre, je suis rationnel. Je veux fonder un foyer, avoir des enfants. Et une fille me plaît bien, quand même.

— Je la connais ? demanda Fantou, amusée.

— Toi, je ne sais pas, mais Lara sûrement. Maïwenn travaillait avec ta sœur chez Tardivel, au triage des huîtres.

— Maïwenn, en effet, je m'en souviens. Lara la trouvait très gentille et ravissante. Je suis heureuse pour toi, Denis.

— Oh, rien n'est fait ! se récria-t-il en riant. Maïwenn a pris un emploi à Vannes, alors elle prend le même train que moi, parfois. On a pu bavarder. Je crois que je lui plais.

Soudain songeuse, Fantou observa le ciel. Elle se posait tant de questions, sur l'amour, le mariage, le destin de chacun.

— Ainsi nous resterons amis toute notre vie, dit-elle d'un ton grave. Je vais peut-être partir à l'étranger pendant un an, mais je reviendrai en Bretagne, c'est ma terre natale. Tu dois le savoir, Denis, je serai toujours contente de te revoir, même si je suis devenue madame Masson.

Le jeune homme la scruta de ses yeux bruns. Il avait eu un pincement au cœur, mais il plaisanta :

— Ton fiancé s'appelle donc Masson ! *Ma Doué*, tu devrais garder Fleury, comme nom, affirma-t-il en imitant les intonations d'un vieillard.

— Je m'en fiche, répliqua-t-elle gaiement. J'aime Daniel, il est instruit, séduisant et musicien.

— La perle rare, la taquina Denis. Il faudra me le présenter. Où habite-t-il ?

— Sur l'île de Molène, murmura Fantou.

Elle n'osait jamais s'épandre sur son histoire d'amour, de peur d'être jugée ou critiquée.

— On est amis depuis longtemps, Denis, dit-elle tout bas, je peux te faire confiance. Maman et Lara désapprouvent un peu mes projets de mariage, sans doute parce que Daniel a quinze ans de plus que moi.

— Ce n'est pas très important, s'il t'aime et que tu l'aimes. Mais de quoi vit-il, sur Molène ? Attends une seconde, je sais, monsieur est instituteur ou maire de l'île !

— Ni l'un ni l'autre, sa famille était fortunée, il ne travaille pas. En fait, c'est un peu plus compliqué. Je n'aurais pas dû aborder le sujet. Denis, je ne peux pas te consacrer trop de temps, nous avons des invités à la villa. Tu ferais mieux de t'en aller.

— Oui, je ne voudrais pas déranger, je suis déjà très content de t'avoir revue. Il faudra m'écrire, quand tu seras à l'étranger. Et tiens bon, si ta mère s'oppose à tes fiançailles. Tu aurais pu m'en dire plus, même si ça te paraît compliqué, comme tu dis.

— Maman et Lara s'inquiétaient, lorsque je leur ai annoncé mon amour pour Daniel, parce qu'il est aveugle, voilà, c'est dit.

Gênée et soulagée à la fois, Fantou fixa le sol. Elle craignait la réaction de Denis.

— Ah, je comprends leur réaction, marmonna-t-il. Bon sang, lier ton sort à un infirme, toi qui es si jeune... Tu te prépares un avenir difficile.

— C'est mon problème, trancha-t-elle. J'ai eu tort de t'en parler. Personne n'accepte vraiment mon choix, à part Rozenn. Mais j'épouserai Daniel envers et contre tout.

Pensif, Denis luttait pour ne pas la décourager. Il se souvint soudain de quelque chose.

— Fantou, je ne veux pas me brouiller avec toi. Fais à ton idée. Je n'ai croisé un aveugle qu'une fois, et c'était ici, sur la lande. Un type blond, élégant, avec des lunettes noires. Il avait une canne blanche. Mais après ma mère m'a dit...

— Quand était-ce ? s'enflamma-t-elle en lui coupant la parole. Au début du mois de juin ?

— Oui, après le décès de ton père. J'ai eu une permission.

— C'est vrai, tu m'as emmenée au cimetière en cyclomoteur. Alors tu as dû croiser Daniel, c'était forcément lui. Il est venu pour me soutenir, avec Katell, sa gouvernante. La description correspond. Sur la lande, dis-tu, vers où ? Il y avait une dame avec lui, imposante, les cheveux blancs ?

— Je crois, mais elle marchait derrière lui, je ne pouvais pas deviner qu'ils étaient ensemble, et puis… Fantou, je suis désolée, ça ne peut pas être ton amoureux.

— Pourquoi, Denis ? s'exaspéra-t-elle. Il t'a paru trop vieux pour moi, trop snob, trop handicapé ?

— Hé ! Ne monte pas sur tes grands chevaux ! Tu m'as interrompu à l'instant, quand je faisais allusion à ma mère, mais j'ai des raisons de croire qu'il devait s'agir d'un escroc en maraude.

Un frisson parcourut le dos de Fantou. Elle eut peur, tout à coup, de ce qu'allait lui dire Denis. Son cœur s'emballa, elle eut envie de courir vers la villa, ou de se boucher les oreilles.

— Je t'écoute, lâcha-t-elle d'un trait, malade d'angoisse.

— Le soir même, pendant le repas, ma mère m'a raconté qu'elle avait vu un homme au comportement louche. Depuis que papa n'habite plus chez nous, elle se méfie de tout le monde, elle a fait poser des verrous.

— Je ne vois pas le rapport entre Daniel Masson et ton histoire d'escroc en maraude, dit la jeune fille, qui se reprochait déjà sa crise de panique, sachant combien Jeanne Cadoret exagérait le moindre incident.

— Il y en a un, très simple. Ma mère m'a mis en garde, ce soir-là, car elle avait vu un type se faisant passer pour un aveugle. Elle me l'a décrit et c'était celui que j'avais croisé, ou alors son sosie. Figure-toi que maman m'a juré d'avoir observé cet homme avec les jumelles d'Erwan, et qu'à un moment, il a descendu le sentier menant à la plage, depuis la falaise, sans sa canne, en ayant ôté ses lunettes.

— Cette pauvre Jeanne raconte des sottises ! s'insurgea Fantou.

— Respecte ma mère, je te prie ! se rebiffa Denis. C'est dur pour elle, sans papa.

— Tu aurais peut-être préféré qu'elle continue à partager sa vie avec un homme qui gagnait son argent en complotant et en dénonçant un innocent ?

Rouge d'embarras et d'une sourde colère, Denis se leva. Il jeta un regard navré à Fantou.

— Je n'aurais pas dû faire le mur, en fait je regrette d'être venu. Pour la première fois, tu me lances à la figure la faute de mon père, qui m'a rendu très malheureux. Je croyais qu'on était amis, toi et moi, je me suis trompé. Mais sois prudente, Fantou, je suis sûr que c'était le même type, ce jour-là, sur la lande. J'insiste, parce que j'ai des sentiments pour toi. Tu peux me détester, je m'en fous, je t'aurai mise en garde.

Denis s'en alla sans se retourner, laissant Fantou totalement désemparée. Elle avait l'impression de faire un cauchemar.

— Ce sont des inepties, des ragots, des âneries, articula-t-elle à voix basse. Mme Cadoret a tout inventé, ou Denis vient de débiter ces fadaises par jalousie, pour se venger.

Une rafale de vent la glaça, malgré la chaleur ambiante. Vite, elle courut jusqu'à la cour, dans le but de rattraper le jeune homme et de lui faire ravaler ses mensonges, mais il s'éloignait déjà sur son cyclomoteur.

— Denis ne m'a même pas dit au revoir, commenta Armeline, son panier à linge calé contre sa hanche.

— Où est Rozenn, maman ? demanda Fantou.

— Dans son cabanon. Elle profite de la sieste de son protégé pour mettre au point un mélange de plantes pour Mme Kervella, qui souffre de palpitations. Seigneur, son mari ne revient pas, et son fils a disparu, il y a de quoi avoir mal au cœur. Et moi, je suis prise au piège. L'enfant de ton père devait partir aujourd'hui avec vous tous, mais c'est fort compromis. Je ne vais pas récriminer, Lara est si malheureuse.

Fantou ne daigna pas répondre. Elle entra dans le cabanon en planches délavées, où Rozenn l'accueillit d'un faible sourire.

— Oh, toi, ça ne va pas fort, ma petite !

— Rozenn, je t'en prie, sois honnête avec moi, commença la jeune fille. Même si je dois en souffrir, dis la vérité. Durant la nuit où tu m'as veillée, quand j'ai failli me noyer, je t'ai avoué que Daniel et moi, nous nous étions embrassés.

— Oui, je m'en souviens très bien.

— Tu m'as confié alors ce que tu ressentais, en tenant mes mains dans les tiennes. Tu disais que Daniel et moi, nous étions des âmes sœurs qui s'étaient enfin retrouvées.

— J'étais sincère, Fantou, et je l'ai dit aussi à Lara. Cet homme t'aime de tout son être et si tu l'as aimé dès que tu l'as rencontré, ça ne fait aucun doute, vous deviez être réunis. Es-tu satisfaite ? Je te dis la vérité.

Rozenn continua à trier des herbes sèches, sur un établi en bois lustré.

— Aurais-tu des doutes sur tes sentiments, mon ange ? ajouta-t-elle. Ce sont des heures pénibles, où les esprits s'agitent, égarés par l'anxiété, l'incertitude. Je prie pour vous tous.

— Comment fais-tu, Rozenn, pour implorer Dieu, alors qu'il laisse des jeunes femmes se faire égorger, qu'un criminel agit sans jamais être puni ? interrogea Fantou. Tu répètes que des forces mauvaises sont à l'œuvre dans le pays, sont-elles plus puissantes que Dieu ? Je ne peux plus prier, moi.

Fantou se rapprocha de Rozenn, dont le visage écarlate trahissait un immense désarroi.

— Ne perds pas la foi en notre Seigneur, ma petite chérie, sinon tu ouvres la porte au Mal, avec une majuscule, ce Mal niché dans l'âme de certains humains. Jadis, l'église terrifiait le peuple en brandissant des images du diable. Il n'existe pas, ni l'enfer, mais le Mal règne souvent, comme une entité redoutable qui sème la désolation, le vice. La dernière guerre et ses atrocités en sont une preuve affligeante.

Après un long soupir, Rozenn attira Fantou dans ses bras. Elle la cajola timidement.

— J'ai peur, confessa la jeune fille. Nicolas range Daniel parmi les éventuels suspects. Ce matin, je lui ai envoyé un télégramme pour lui annoncer qu'Olivier avait disparu. Nous étions si troublés, papi Odilon et moi, nous avions oublié que c'était dimanche. La poste était fermée, mais la préposée habite à côté, elle a bien voulu nous rendre service et ouvrir dix minutes. Je n'aurais peut-être pas dû le prévenir…

— Il était en droit de savoir, Fantou.

— Rozenn, tu l'aurais senti, toi, grâce à tes dons, si Daniel n'était pas aveugle, s'il faisait semblant ?

— Mes dons, c'est un bien grand mot ! Je sais apaiser les douleurs du corps, soigner les plaies, et je perçois des choses de temps en temps, mais cela s'arrête là. Qu'est-ce que tu vas imaginer, à propos de Daniel ? Pourquoi ferait-il semblant d'être aveugle ?

Fantou n'hésita plus. Elle confia à Rozenn ce que lui avait raconté Denis, après l'avoir suppliée de n'en parler à personne.

Confiné dans le bureau, Nicolas Renan s'était plongé dans l'étude d'une carte détaillée du Morbihan. Odilon demeurait dans le salon voisin. Il feignait de somnoler, mais il était en réalité attentif à chaque appel que recevait Renan. La voix du commissaire lui parvenait alors, assourdie par la cloison et la porte fermée.

Comme Lara et Fantou, le retraité éprouvait un sentiment de sécurité tant que le policier était là. Certes, il n'était pas bavard, ni de bonne humeur, mais c'était un représentant de la loi, prêt à user de son arme de service.

Il était 15 h 30 à la pendule quand la sonnerie retentit de nouveau.

La discussion fut brève. Renan raccrocha en lançant un juron sonore. Il sortit en trombe de la petite pièce.

— De mauvaises nouvelles, commissaire ?

— Je ne sais pas encore, monsieur Bart. Puisque nous sommes seuls, autant vous dire ce que je viens d'apprendre. L'inspecteur Ligier a reçu un appel de la gendarmerie de Huelgoat, dans le Finistère. Des promeneurs viennent de trouver le corps d'un homme dans la forêt. Un type entièrement nu, tué par balles. Le brigadier de Huelgoat a tout de suite appelé Auray, car nous avions transmis le signalement d'Auffret, mais aussi celui d'Olivier. On n'a aucun détail pour le moment, pour identifier le cadavre. Il faut attendre que les gendarmes soient sur place, donc nous ne saurons rien de plus avant une heure ou deux.

— Mon Dieu, pourvu que ce ne soit pas Olivier, bégaya Odilon.

— Ni son père, marmonna Renan. Monsieur Bart, ça reste entre nous tant que je n'ai pas eu de précisions.

— Bien sûr, commissaire. Il vaut mieux que Lara et Mme Kervella n'en sachent rien, pour l'instant.

Une profonde détresse se lisait dans les yeux bleus du retraité. Il en tremblait. Nicolas s'en voulut d'avoir soupçonné ce brave sexagénaire, aux allures de Père Noël.

— Je vous présente mes excuses, monsieur Bart, lui dit-il. Vous devinez pourquoi ?

— Oui. Je les accepte, commissaire, et je vous remercie d'être à mes côtés. C'est une des pires journées de ma vie, avec celle où j'ai cru notre petite cousine Élodie abattue par les miliciens.

Un léger bruit dans le vestibule alerta le policier. Il fit signe à Odilon qui approuva d'un signe complice. Bientôt Lara apparut, d'une pâleur mortelle, son regard noir embué de larmes.

— J'ai tout entendu, déclara-t-elle. Dans une heure ou deux, je saurai si Olivier est mort ou non, c'est bien ça ?

— Quelle sale manie d'écouter aux portes ! s'emporta Renan, dépité.

— La porte du salon est toujours grande ouverte, il fallait choisir une autre pièce si vous vouliez de la discrétion, répliqua-t-elle, des sanglots dans la voix. Je vais attendre ici, tant que Loanne dort. Il ne faut plus me ménager, Nicolas. Je vous l'ai dit, l'incertitude est la pire des tortures. Si on nous ramène le corps d'Olivier, je pourrai lui dire adieu, l'embrasser une dernière fois.

— Allons, ma petite, on ne sait encore rien, voulut la rassurer Odilon.

Lara marcha jusqu'au sofa où elle prit place, éperdue de chagrin. Elle posa ses mains sur son ventre, l'air rêveur.

— Je n'aurais pas tout perdu, murmura-t-elle en contemplant la mer par la baie vitrée. Je suis enceinte. Je voulais l'annoncer à Olivier quand nous serions à Coro, chez nous. Peut-être qu'il ne le saura jamais.

Consternés, Odilon et Nicolas baissèrent la tête, afin de ne plus voir l'expression de pure désespérance qui parait d'une aura tragique l'émouvante beauté de Lara. Armeline, qui venait d'entrer dans la pièce, alertée par les pleurs de sa fille, s'immobilisa, bouleversée par cette annonce.

Fantou était entrée discrètement dans le vestibule, après avoir révélé à Rozenn ses doutes et ses craintes, au sujet de Daniel. Elle surprit sans le vouloir les exclamations plaintives de sa mère, faisant écho aux sanglots de Lara, en provenance du salon.

La voix de Nicolas Renan, comme assourdie, se mêlait à celle d'Odilon. Les deux hommes semblaient murmurer des paroles de réconfort.

— Qu'est-ce qu'il y a, une mauvaise nouvelle ? s'écria-t-elle en se ruant dans la pièce. Olivier ?

— Ta sœur vient de m'annoncer qu'elle est enceinte, Fantou, geignit Armeline. Décidément, tout va de pire en pire ! Avec toutes ces histoires, Lara aura deux enfants à élever, sans leur père.

— Maman, tais-toi ! implora Lara. Tu devrais être contente pour moi, au lieu de me reprocher ma grossesse.

Stupéfaite, Fantou courut s'asseoir à côté de sa sœur, qu'elle étreignit passionnément.

— Ne pleure plus, Lara, si par malheur Olivier ne revenait pas, tes enfants auront la meilleure tante de la terre. Je vivrai avec toi, je ne te quitterai jamais.

— Nous n'en sommes pas encore là ! protesta Renan. Lara, vous devez garder espoir, à tout prix.

La jeune femme tendit vers lui son visage ravagé, aux joues humides.

— Comment faire, alors que d'ici une heure ou deux, on vous dira qui est cet homme tué par balles, à Huelgoat ?

— De quoi parles-tu Lara ? Que s'est-il passé ? demanda Fantou.

Odilon se chargea de lui expliquer, en quelques mots lourds d'une atroce menace. Il se tut en entendant des pas dans l'escalier. Ce fut au tour de Madeleine Kervella d'apparaître sur le seuil du salon. Elle s'était habillée d'une jolie robe bleu ciel, et coiffée soigneusement, de manière à dissimuler le pansement de son oreille.

— Je n'en pouvais plus d'être seule là-haut, dit-elle, comme si elle s'excusait. Lara, j'ai vérifié si Loanne dormait bien. Qu'elle est mignonne, toute petite au milieu du grand lit. Jonathan n'est pas encore de retour ?

Un court silence gêné précéda le « non » marmonné par Odilon. Madeleine considéra le policier d'un air perplexe.

— Vous êtes toujours là, commissaire ? s'étonna-t-elle.

— J'attends votre mari, madame.

Armeline avait appris, en même temps que Fantou, la triste découverte faite par des promeneurs dans une forêt du Finistère. Elle préféra se réfugier dans la cuisine, ayant compris que le corps pouvait être celui d'Olivier ou de son père.

— Jonathan ne devrait pas tarder, débita Madeleine. Il tenait tellement à veiller sur vous, Lara, et sur notre Loanne.

Fantou remarqua le regard froid que Nicolas Renan adressa à la mère d'Olivier.

— Madame Kervella, cessez de jouer la comédie ! lui lança-t-il d'un ton dur. J'ai contacté le commissariat de Dinard. Votre époux n'a fait aucune déposition quant au cambriolage dont vous auriez été victimes. De surcroît, mes collègues, alertés par mes soins, sont allés interroger les parents d'Odette, votre femme de chambre. Elle aurait dû rentrer chez eux hier soir, après votre départ, puisqu'elle quittait votre service définitivement. Ces gens sont très inquiets, leur fille ne s'est pas manifestée, comme si elle avait disparu, elle aussi.

— Ah ! Pourtant Odette nous a dit qu'elle rentrait chez ses parents, je ne comprends pas, commissaire.

— Mais arrêtez ! hurla Renan, hors de lui. Vous allez me dire la vérité, cette fois, je ne tolérerai plus vos mensonges ni vos minauderies puériles. Je pense qu'au fond vous avez un caractère bien trempé, et que vous tentez juste de m'apitoyer, ou de me duper.

— Vous m'accusez à tort, lui répondit Madeleine. Je ne dirai rien tant que Jonathan ne sera pas là.

Excédé, Nicolas Renan alluma une cigarette. Lara n'y tint plus, envahie par une violente colère.

— Votre mari est peut-être mort, Madeleine, ou bien votre fils que vous prétendez adorer ! décréta-t-elle d'une voix rauque. Nous attendons de connaître l'identité d'un homme, abattu par balles durant la nuit et découvert entièrement nu, en guise de suprême humiliation.

Soudain blême, Madeleine respira plus vite. Elle s'était assise sur une chaise, près de la table ronde, dont ses doigts nerveux tapotaient le bois.

— Il peut s'agir de n'importe qui, dit-elle. Mais ce n'est pas Jonathan, ça non.

— Je vous trouve bien catégorique pour quelqu'un qui joue l'ignorance. Qui pensez-vous tromper ? Nous sommes au courant pour votre statut d'intouchables ! clama Lara. Je ne supporte plus de vous voir, madame, ni de vous écouter !

Elle bondit du sofa, renversant les tasses et la cafetière laissées sur un guéridon. Nul n'osa freiner ou stopper sa course folle.

— Je te confie Loanne, Fantou ! cria-t-elle encore, du perron. Ne laisse pas cette femme l'approcher !

— Nicolas, faites quelque chose, supplia la jeune fille. Lara est capable de tout !

— Peut-être même d'en finir, s'affola Odilon, prêt à s'élancer dehors.

Le policier l'arrêta d'un geste impérieux. Il posa une main apaisante sur l'épaule du retraité.

— Le grand air et un peu de solitude feront du bien à Lara, répondit-il. Jamais elle n'oserait se supprimer, surtout sans avoir une preuve de la mort d'Olivier. Et puis elle ne mettrait pas en danger l'enfant qu'elle porte.

— Quel enfant ? s'offusqua Madeleine. Mon Dieu, Lara est enceinte et on me le cache ?

— Je viens de l'apprendre également, précisa Fantou. Madame Kervella, il serait temps d'avouer ce que vous savez !

— Seriez-vous une apprentie policière, ma chère petite, ironisa celle-ci. Seigneur, à quoi bon me harceler ? Je ne sais rien.

Un pleur strident, à l'étage, mit fin à la scène. Fantou courut consoler sa nièce, terrifiée par un nouveau mauvais rêve.

Renan en profita pour s'asseoir en face de Madeleine, sur un tabouret. Odilon voulut sortir à son tour, mais il le pria de rester et de lui rendre un service.

— Monsieur Bart, je préfère que vous soyez là, en tant que témoin. Ainsi, Mme Kervella ne pourra pas prétendre avoir été malmenée, ou brutalisée.

Lara marchait sur la plage, face au vent qui rejetait en arrière sa chevelure brune. Elle avait obéi à son instinct, comme elle le faisait souvent. La mer était son amie, depuis ses premiers pas sur le sable. La marée montait, elle serait haute environ à l'heure où les gendarmes de Huelgoat devaient rappeler le commissaire Renan.

— Olivier, où es-tu ? gémissait-elle, tout en respirant avidement les embruns à la senteur iodée. Pardonne-moi, mon amour ! Je suis coupable, oui, coupable.

La lumière du jour alternait entre la grisaille et de rares éclaircies. Lara longeait les vagues, étourdie par le grondement du ressac.

— Si tu ne reviens pas, Olivier, je devrai continuer à vivre, pour notre Loanne et le bébé que nous avons conçu, j'ignore quand et où.

Un énorme rouleau bouillonnant d'écume blanche s'abattit tout près d'elle. L'eau mousseuse rampa à vive allure et lui entoura les chevilles. Lara eut la sensation étrange d'être appelée par la mer. Des souvenirs la traversèrent.

« Le bateau de papa, notre bateau ! Mon Dieu, je voudrais être à son bord et voguer vers l'îlot où nous avons fait l'amour pour la première fois, Olivier et moi. J'irai demain, seule. »

Cette perspective lui insuffla un soudain courage. Comme une autre lame déferlait sur la grève, Lara lui fit face, laissant l'eau monter jusqu'à ses genoux, puisant de la force dans les rouleaux. La voix de Rozenn la tira de ses pensées.

— Lara ! Lara !

Elle se retourna, les cheveux en désordre, et essora le bas de sa jupe. Elle lut une angoisse réelle dans les yeux verts de Rozenn.

— Je t'ai suivie parce que je devais te parler sans témoin, déclara celle-ci. Rentrons à la villa, je t'en prie. Si Pierrot se réveille, il ne me verra pas et il aura peur. Seigneur, nous vivons des heures vraiment difficiles, notamment toi, ma chère petite. Je crains que la situation se dégrade davantage, pour ta sœur aussi.

— Dites-moi, Rozenn !

— Jeanne Cadoret a tenu des propos vraiment bizarres à son fils. Denis était là, tout à l'heure. Il voulait revoir Fantou, qui a fini par évoquer son futur fiancé, Daniel.

— Et Denis l'a mal pris, c'est ça ?

— Non, au début il semblait content pour elle, d'autant plus qu'il fréquente Maïwenn, ton ancienne collègue chez Tardivel.

— Quel est le souci, alors ? s'enquit Lara, dont le cœur battait de nouveau trop fort, trop vite, reprise par l'angoisse du compte à rebours qu'elle avait fui.

Rozenn ôta son gilet en flanelle pour lui mettre sur les épaules, ayant constaté qu'elle frissonnait, les lèvres mauves. Enfin elle raconta d'une voix tendue ce que Fantou lui avait confié.

— Daniel ne serait pas aveugle ? Comment cette femme a-t-elle osé proférer une telle bêtise ? s'indigna Lara. Vraiment, ça ne tient pas debout, cette histoire. Et même s'il a posé sa canne, ôté ses lunettes, qu'est-ce que ça prouve ? Il a pu tenter de descendre le sentier par bravade, il souffre tant de son infirmité. Il venait de retrouver Fantou, dont il est amoureux, il a pu se lancer un défi.

— Tu as sans doute raison, Lara, se rassura Rozenn. Ce jeune homme m'a inspiré confiance immédiatement. Je n'ai pas pu me tromper sur lui. Je l'ai senti destiné à ta sœur.

— Savez-vous ce que je vais faire, Rozenn ? J'ai le temps d'aller chez Jeanne Cadoret. Je ne tiens pas en place, ça me fera du bien de marcher. Je n'ai qu'à longer la plage. Je ne supporte pas d'attendre à la villa. Êtes-vous au courant ?

— Oui, Odilon m'a parlé de cet homme, à Huelgoat.

— Si c'est Olivier, je dois me préparer à affronter le deuil, le plus cruel des deuils. Avez-vous un pressentiment, Rozenn ?

— Non, je ferme mon esprit, ma pauvre petite, car je refuse de te donner de faux espoirs ou de te causer du chagrin par erreur. Il y a quelque chose que je peux te dire, après avoir beaucoup réfléchi. Ces mystérieux personnages qui se sont acharnés sur Olivier, ils auraient pu le tuer plusieurs fois ! Si on excepte la dénonciation à la Libération, et la tentative de te séduire, menée par Gildas Sauvignon, ils n'ont rien tenté de fatal !

— Olivier aurait été fusillé, si le procès avait établi qu'il était un vrai milicien, Rozenn. Sans l'intervention d'un grand nom de la Résistance, c'en était fait de lui. Quant à Sauvignon, j'ai parfois envisagé une vie paisible à ses côtés. J'aurais ainsi brisé le cœur de l'homme que j'aime passionnément.

— Ce qui arrive à bien des gens, admets-le, Lara. Vous êtes si jeunes, Olivier n'en serait pas mort de douleur. Je te dis tout ceci afin de t'exhorter au courage, à la lucidité. Peut-être que rien n'est perdu.

Lara approuva en silence. Elle embrassa Rozenn sur la joue et s'éloigna d'un pas rapide vers l'ouest, ses yeux noirs rivés sur la ligne d'horizon.

Madeleine Kervella, pendant ce temps, affrontait d'un air soumis la hargne du commissaire Renan. Il enrageait devant l'entêtement de cette femme d'une élégance naturelle, dont le regard limpide semblait le narguer.

— Savez-vous ce qu'est devenue Odette, votre domestique ? Ce matin, vous prétendiez qu'elle avait été assommée par un des cambrioleurs. Et ensuite, je suppose que votre mari et vous l'avez ranimée, réconfortée ?

— Je ne me souviens plus, vous poserez la question à Jonathan quand il reviendra, commissaire !

— S'il revient ! Les minutes s'écoulent, madame. Nous saurons bientôt qui a été tué au pied de la Roche tremblante, lui assena le policier, conscient d'être cruel.

— Ce n'est ni mon mari, ni notre fils, affirma encore une fois Madeleine. Depuis la fin de la guerre, beaucoup de gens n'ont pas d'argent. Ils tournent mal et s'en prennent à des plus aisés qu'eux. Ce pauvre homme a été dépouillé, voilà !

— Voilà, l'imita Renan, excédé. Pourquoi êtes-vous aussi sûre de revoir vivants votre époux et votre fils Olivier ?

Prise au dépourvu, elle leva les yeux au ciel un instant, avant de regarder Odilon, cantonné dans son rôle de témoin.

— Je le sens dans mon cœur, répondit-elle en souriant.

— De mieux en mieux, persifla le commissaire. Nom d'un chien, crachez le morceau ! Je ne peux pas vous gifler, mais j'en ai envie ! Vous êtes certaine de les revoir, car à mon avis, vous savez pertinemment ce qui se trame.

— Ne soyez pas grossier, monsieur, lui dit Madeleine. Vous abusez de ma faiblesse. Et je vous préviens, si Fantou redescend avec Loanne, cessez votre manège. Il ne faut pas effrayer ma petite-fille.

— J'essaie de sauver son père, madame ! trancha Nicolas Renan. Très bien, gardez vos secrets. Mais si votre mari est mort ou ne se présente pas, je vous place en garde à vue pour obstruction à la justice. Je suppose que vous n'avez jamais séjourné en cellule ?

— Je n'en ai pas le souvenir, se moqua-t-elle. Sinon, tant que je suis libre, puis-je boire un thé, monsieur Bart ?

Sidéré, Odilon se leva pour aller dans la cuisine. Armeline se précipita sur lui, en le prenant par les épaules. Elle avait écouté tout l'interrogatoire, cachée derrière la porte entrebâillée.

— Je n'aimerais pas être à la place de Mme Kervella, dit-elle dans un souffle. Odilon, j'ai peur pour Lara. J'avais de la peine, à l'idée de son départ, de celui de Fantou, maintenant je voudrais que mes filles soient déjà en Amérique, avec Olivier. S'il revient, et je l'espère de tout mon cœur de mère, je suis prête à accepter la présence de Pierre aussi longtemps qu'il le faudra. Ainsi tu ne perdras pas ta sœur, que tu aimes tant.

Le retraité, très ému, lui caressa la joue. Armeline se réfugia au creux de son épaule. Il la dépassait seulement d'une demi-tête, mais l'abandon de la femme qu'il adorait lui donna l'impression d'être de nouveau jeune et fort.

Locmariaquer, chez Jeanne Cadoret, même jour

Le dimanche était le jour que Jeanne Cadoret préférait. Elle s'installait dans un fauteuil pour écouter la radio, tout en tricotant. Chacun de ses ouvrages était destiné à Denis, son fils. Il venait d'arriver, l'air maussade, et il ne l'avait même pas embrassée. Elle le regarda des pieds à la tête, comme si elle cherchait sur lui la cause de sa mauvaise humeur.

— Tu ne devrais pas quitter ton uniforme, quand tu as une permission, fiston, dit-elle. J'aime bien te voir en soldat, ça rattrape les méfaits de ton père. Sais-tu qu'il m'a écrit ? Yohann voudrait reprendre sa place ici, mais je vais lui répondre que moi vivante, il ne passera plus le seuil de la maison. Qu'il reste chez sa sœur, à Ploemel !

— C'est pourtant sa maison, maman, maugréa Denis. Il y aurait des réparations à faire, moi je n'ai pas le temps. Et puis, j'ai mes raisons de ne pas me balader en uniforme. J'en ai assez de te mentir, j'ai fait le mur, des camarades m'ont aidé. Je dois rentrer ce soir à Vannes, par le dernier autocar. J'ai même intérêt à me dépêcher.

— Depuis quand l'autocar roule un dimanche ? s'écria-t-elle. Et pourquoi tu me fais de la peine, en inventant cette histoire, là. Je ne te crois pas. Pourquoi ferais-tu le mur ?

— Je trouve le temps long, à la caserne, maman. En plus, je voulais dire au revoir à Fantou, je sentais dans mon cœur qu'elle n'était pas encore partie. J'aurais mieux fait de traîner sur le port, j'aurais peut-être croisé Maïwenn.

— Oublie donc Fantou Fleury et fréquente cette jeune fille. Si tu l'épouses, vous habiterez avec moi, ce sera plus gai. Elle est bien jolie, Maïwenn.

Denis marmonna un « oui » presque inaudible. Grand, mince, il avait hérité des cheveux châtain de sa mère, de ses yeux bruns.

— Tu devrais peut-être pardonner à papa, hasarda-t-il. Tu serais moins seule. Il reprendrait son métier de marin-pêcheur.

Des coups frappés à la porte empêchèrent Jeanne de lui répondre. Denis alla ouvrir. Lara le salua d'un signe de tête.

— Je voudrais vous parler, à ta mère et toi, dit-elle d'une voix lasse.

Stupéfaite, Jeanne rangea tricot et aiguilles et se leva. Denis se rendait souvent chez les Fleury, depuis le suicide de son frère Erwan et l'incarcération de son père, mais ni Armeline, ni ses deux filles, n'avaient renoué de relations avec elle.

— Qu'est-ce qu'il y a de si grave, Lara, pour te décider à venir ici ? Ta mère me traite en pestiférée, toi je ne t'ai pas vue ces dernières années. Fantou, ce n'est guère mieux, elle fréquentait mon fils, sans daigner m'adresser la parole, si on se croisait.

— Maman, je n'ai jamais fréquenté Fantou dans le sens où tu l'entends ! protesta Denis. Nous sommes amis, rien d'autre.

— Peu importe, s'impatienta Lara. Je voudrais des explications sur les sottises que vous avez racontées à votre fils, Jeanne, et qu'il a répétées à ma sœur. Au mois de juin, après le décès de mon père, vous auriez observé avec des jumelles un homme se faisant passer pour un aveugle !

— Ben oui, *ma Doué* ! J'en étais estomaquée, parce que ce n'est pas très catholique de tromper le monde !

— Comme l'a fait votre mari, rétorqua Lara.

— Oh, ne remets pas ça sur le feu ! s'insurgea Jeanne Cadoret, rouge de honte. Est-ce ma faute à moi, si Yohann a dénoncé ton père ? Tout ça pour Armeline, son béguin de jeunesse.

Tremblante de nervosité et d'angoisse, Lara eut un geste de la main pour écarter le sujet.

— Jeanne, avez-vous vraiment vu un homme, assez jeune, une trentaine d'années, élégant, blond, jeter sa canne blanche et ôter ses lunettes afin de descendre le sentier menant à la plage ? Dites-moi oui ou non, je suis pressée.

— Oui, j'te dis !

— Est-ce qu'une femme plus âgée, aux cheveux blancs coupés court, l'accompagnait ?

— Non, non, il était seul ce monsieur. Si tu m'expliquais, Lara, au lieu de trépigner sur place, en nous regardant de travers, se rebiffa Jeanne.

— Votre description correspond à celle d'un de mes amis, qui a séjourné dans le pays à la même date. Il est aveugle depuis la guerre, et je l'imagine mal dévaler le sentier dont nous parlons, sans sa canne blanche et sans lunettes. C'était forcément quelqu'un d'autre. Un touriste sans doute.

— Si tu en es tellement sûre, Lara, pourquoi tu es là, à nous interroger ? s'exaspéra Denis. Reconnais plutôt que ça t'inquiète, puisque ton grand ami va se fiancer avec Fantou.

— Tu te trompes, Denis, mais j'ai horreur des calomnies et des ragots.

— Je t'ai répondu, Lara, trancha Jeanne. Sors de chez nous avant de me traiter de menteuse !

Son ancienne voisine semblait sincère. Excédée, Lara essayait de réfléchir sans y parvenir. Cette conversation, loin de la rassurer, l'avait déstabilisée. Cependant elle refusait de croire que Daniel ait pu tous les duper, et elle décida de garder ses doutes pour elle.

Ses yeux se posèrent alors sur la pendulette installée sur la cheminée. Il lui restait environ vingt minutes, selon Nicolas Renan, avant de savoir si Olivier était mort, tué par balles dans le chaos rocheux du Huelgoat.

— Excusez-moi, jeta-t-elle d'un ton vif. Ne m'en veuillez pas, Jeanne. Ni toi, Denis.

Sidérés, ils assistèrent à son départ, aux allures de fuite affolée. Lara ne prit même pas la peine de refermer leur porte.

— *Ma Doué*, ces filles Fleury, elles ne valent pas mieux que leur mère, bougonna Jeanne. Finalement, je vais peut-être écrire à Yohann, une lettre pas trop méchante… Denis, ça te ferait plaisir ?

— Que papa revienne à la maison ? Je m'en fiche, maman, moi, j'ai dans l'idée de m'engager dans la marine. Comme ça, je verrai du pays et je serai en mer.

Denis esquissa une grimace de contrariété. Il avait beau faire du charme à la sage Maïwenn, il aimait Fantou et elle seule.

Villa des Bart, même jour, un quart d'heure plus tard

Lara avait couru à travers la lande, sur la dune. Essoufflée, le cœur en folie, elle observait à présent le toit pointu de la villa. Il pleuvait de nouveau, toujours cette pluie fine, fraîche, caractéristique de la région. La mer grondait, grise et écumeuse.

— Olivier, par pitié, reviens ! hurla-t-elle, debout en plein vent. Je ne peux pas te perdre. J'attends un bébé, un frère ou une sœur pour Loanne, ta petite bouille d'amour !

Ses jambes la trahissaient. Elle marcha encore, pourtant, d'un pas lent, pesant, jusqu'à la plage, puis vers l'escalier qui menait à la terrasse.

Elle s'arrêta en bas du perron, les oreilles bourdonnantes, le front moite et glacé. Nicolas Renan sortit de la villa.

— Venez, Lara ! Mais dans quel état êtes-vous ?

— Nicolas, les gendarmes ont-ils téléphoné ?

— Oui, à l'instant, répliqua-t-il. Rassurez-vous, le corps est celui du lieutenant Auffret. Montez, enfin !

Le soulagement de la jeune femme était proportionné à la terrible angoisse qu'elle avait éprouvée. Le policier, craignant de la voir perdre connaissance, dévala les marches. Il la prit par la taille pour l'aider.

— Courage, Lara, dites-vous qu'Olivier est vivant, suggéra-t-il. L'attitude de Madeleine Kervella tendrait à le prouver.

— Vous êtes certain, pour le lieutenant ? balbutia-t-elle.

— Tout à fait. Auffret ne profitera pas de l'argent sale qu'il a amassé, en jouant les espions et les traîtres. Il ne leur était plus utile, sans doute. Franchement, on risque gros en servant ceux qui tirent les ficelles de cette maudite affaire. Je parie que le dénommé Paulo pourrit quelque part, exécuté lui aussi.

— Alors, ils sont dangereux, Olivier sera le prochain, gémit Lara, en atteignant le seuil de la villa.

— Ne pensez pas ainsi, protesta Renan. Le plus urgent, c'est de vous sécher, de boire un café bien chaud, et un peu d'alcool.

Fantou les accueillit dès qu'ils furent dans le vestibule. Elle portait Loanne sur son dos.

— Maman, t'étais où ? J'pleurais, moi, lui reprocha sa fille.

— Je me promenais sur la plage, mon trésor, une grosse vague m'a aspergée. Je dois me changer.

Rozenn apparut, Pierre niché dans ses bras. Elle interrogea Lara d'un regard perspicace.

— Tout va bien, déclara-t-elle. J'ai eu si peur, je suis rassurée. Mon korrigan, peux-tu m'accompagner ? Loanne, tu vas nous attendre sagement dans le salon. Tu es plus grande que Pierre, alors tu pourrais lui apprendre à dessiner sur l'ardoise que je t'ai achetée, hier matin. Avec tes craies.

— Oui, maman. D'accord, consentit Loanne.

Rozenn approuva d'un sourire. Elle posait le petit garçon au sol lorsque le commissaire s'accroupit, se trouvant ainsi presque à la hauteur de l'enfant.

— Alors, Pierrot ? Veux-tu un bonbon ? Et toi, Loanne ? J'ai apporté un sachet de caramels, pour vous deux.

Loanne, que Fantou avait fait glisser de son dos, remercia Nicolas tout bas. Ensuite elle suivit Lara à l'étage, tandis que la voix pointue de Madeleine Kervella résonnait dans le salon.

Les deux sœurs s'enfermèrent dans leur chambre. Les volets étaient crochetés, mais de rudes rafales les secouaient.

— Lara, la mère d'Olivier se comporte de façon étrange, annonça Fantou. Odilon m'a confié que Nicolas avait failli la gifler. Elle refuse de dire quoi que ce soit tant que son mari n'est pas de retour. Je suis désolée, tu as l'air si triste.

— Ne t'inquiète pas. Désormais, je vais garder espoir. Rozenn m'a parlé, sur la plage. Je suis au courant pour Jeanne Cadoret et ce qu'elle a débité sur ce faux aveugle. Je reviens de chez eux, Fantou. C'était peut-être Daniel qu'ils ont vu, mais au fond, un aveugle peut prendre des risques, s'il souffre trop, privé de la joie immense d'admirer la merveilleuse jeune fille qu'il aime.

Réconfortée, Fantou joignit les mains devant son délicat visage. L'hypothèse de sa sœur balayait les soupçons contre lesquels elle luttait.

— Tu penses qu'il était malheureux, qu'il se mettait en danger, car il aurait voulu me voir, connaître mon visage, Lara ?

— J'en suis persuadée, mon korrigan.

19

Un secret bien gardé

Locmariaquer, villa des Bart, dimanche 8 juillet 1951, une heure plus tard

Le commissaire Renan se tenait face à la baie vitrée du salon. Il regardait les vagues de la marée haute s'abattre sur l'étroite bande de sable et de galets, en contrebas de la terrasse. La rumeur du ressac lui parvenait, malgré les rires et les grands discours que faisait Loanne au petit Pierre.

« L'innocence des enfants, se disait-il. Nous avons tous été comme ces deux-là, en train de s'amuser sous la protection des adultes. Enfin, il y a des gosses qui n'ont jamais cette chance. »

— Nicolas, désirez-vous une bière ? lui proposa Fantou. Papi Odilon en avait acheté une caisse, avant-hier.

— Non, je vous remercie.

— Il est plus de 18 heures, nota-t-elle gentiment, et vous n'avez rien pris au goûter.

— Ne vous inquiétez pas pour ça. Je n'ai ni faim ni soif quand je brasse des idées noires. Je voudrais bien savoir où est passé M. Kervella. J'ai décidé de l'attendre, alors j'attends. Où est votre sœur ?

— Lara se repose un peu. Elle a défait sa valise, la mienne et celle de ma nièce. Le départ est sérieusement compromis.

Nicolas Renan se retourna pour sourire à Fantou. Il vit ainsi Rozenn, assise sur le sofa, qui surveillait Loanne et Pierre, mais Armeline et Odilon avaient quitté la pièce.

— Pouvez-vous aller vérifier que Madeleine Kervella est bien dans sa chambre ? murmura-t-il à la jeune fille. Il ne faudrait pas qu'elle nous fausse compagnie !

— D'accord, mais où voulez-vous qu'elle aille, Nicolas ?

— Je l'ignore. Ils ont peut-être établi un plan cette nuit. Je n'ai plus aucune confiance en cette grande bourgeoise qui joue les écervelées.

La sonnerie du téléphone retentit à cet instant précis, dans le petit bureau. Fantou interrogea le policier d'un signe de tête.

— Ce doit être pour moi, hasarda-t-il. Je réponds.

— Et moi, je monte sans bruit, écouter à la porte de Madeleine, chuchota-t-elle.

En dépit des circonstances alarmantes, Fantou avait le cœur léger. L'homme trouvé mort à Huelgoat n'était pas Olivier, et Lara avait su dissiper ses doutes en ce qui concernait Daniel. En arrivant sur le palier, elle entendit une discussion à voix basse, dans la chambre d'Odilon. Elle reconnut avec surprise la voix de sa mère mais ne s'attarda pas, concentrée sur la mission que lui avait confiée Nicolas Renan. Elle tendit l'oreille, contre le battant de la porte derrière laquelle Madeleine Kervella était censée se trouver. Elle perçut distinctement des sanglots convulsifs, des hoquets de chagrin, entrecoupés de mots étouffés. Lara la surprit en pleine séance d'espionnage.

— Que fais-tu, Fantou ? Ce n'est guère correct !

— J'obéis à Nicolas, chuchota-t-elle. Il voulait être sûr que ta belle-mère était bien là.

Si le terme de « belle-mère » agaça Lara, elle n'en montra rien. Ayant constaté à son tour que Madeleine pleurait à en suffoquer, elle entra sans frapper dans la chambre.

— Qu'avez-vous, madame, des remords ? s'enquit-elle d'un ton dur, lourd de mépris.

— Oh, Lara, vous m'avez fait peur ! Excusez-moi, mes nerfs ont lâché. Le commissaire m'a manqué de considération et de respect. Quel dimanche ! Mon mari ne revient pas, j'apprends que vous êtes enceinte, et vous me traitez en ennemie, presque en criminelle, alors que je suis mutilée.

— Vous avez encore omis de citer votre fils, Olivier, madame, l'homme que j'aime, le père de ma fille, de votre petite-fille.

— Je n'oublie pas Olivier, je l'aime de tout mon cœur, Lara. Mais je pense, comme Jonathan, qu'il reviendra vite, sain et sauf. Il ne peut pas en être autrement.

Sur ces derniers mots énigmatiques, Madeleine tamponna ses joues et ses yeux, du coin d'un mouchoir brodé.

— Si c'était la vérité, au moins, déplora Lara en reculant. Gardez vos secrets, madame.

— Viens, conseilla Fantou. Je crois que Rozenn nous appelle. Nicolas a dû recevoir un appel téléphonique, il y a peut-être du nouveau.

Lara sortit avec un certain soulagement. Sa sœur lui désigna de la main la porte de la chambre d'Odilon.

— Maman est là, confessa-t-elle d'un ton réprobateur. Que peut-elle faire, seule avec lui ?

— Ils sont amoureux, mon korrigan, et même davantage depuis peu de temps. Je retardais le moment de te l'annoncer.

— Vraiment ? Mais Odilon n'est plus tout jeune, je savais qu'il cachait ses sentiments pour maman, de là à les imaginer amants, ça me choque un peu.

— Tu es mal placée pour t'indigner, Fantou, toi qui es partie sur l'île de Molène avec des intentions répréhensibles.

— Ce n'est pas pareil, Lara.

— L'amour n'a pas d'âge, rétorqua celle-ci.

Rozenn se trouvait bien en bas de l'escalier, entourée par les deux enfants.

— Le commissaire doit vous dire une chose, murmura-t-elle. J'emmène les petits à la cuisine. Il faut préparer le dîner. Lara, je suis tout émue. Loanne m'a embrassée, c'est la première fois. Elle a vu mon Pierrot me faire une grosse bise, alors elle l'a imité. J'en aurais pleuré.

— Moi aussi, j'aime Rozenn, y a pas que Pierre, fit savoir Loanne en roulant les « r ».

— Tu es un ange, ma petite bouille, dit Lara en lui caressant le front. Continue à être sage, mon cœur.

Nicolas Renan s'était appuyé au chambranle de la porte du bureau. Il mâchonnait un crayon.

— Lara, Fantou, approchez, bougonna-t-il entre ses dents. La situation se complique. Les gendarmes de Quimper ont fouillé méticuleusement la zone où on a découvert Auffret. Ils ont retrouvé son arme de service, qui aurait servi à le tuer. L'étude de la balistique le confirmera, mais le légiste en est déjà presque certain. Voilà le souci : ils ont pu relever des empreintes digitales sur la crosse du revolver. Il n'y en a qu'une sorte, ce sont celles d'Olivier.

— C'est impossible ! gémit Lara, affolée. Il y a forcément une erreur. Et expliquez-moi comment les gendarmes de Quimper pouvaient être aussi vite en possession des empreintes digitales d'Olivier ?

— Je le saurai plus tard. De toute évidence, ils avaient déjà un dossier le concernant. La théorie la plus logique serait qu'Olivier ait tiré sur Auffret lors d'une lutte pour lui échapper. Dans ce cas, ce serait de la légitime défense.

— Mais pourquoi l'aurait-il laissé entièrement nu ? fit remarquer Fantou.

— Oui, ça ne ressemble pas à Olivier, ma sœur voit juste, renchérit Lara, livide.

— Ce point ne concorde effectivement pas avec la légitime défense. Sauf si votre compagnon n'a pas eu le choix, supposa Renan. Il a pu endosser son uniforme et à l'heure actuelle, il se planque on ne sait où. Les cachettes sont nombreuses, dans le Finistère, et ailleurs.

— Pourquoi Olivier se cacherait-il ? S'il était libre de ses faits et gestes, il m'aurait déjà contactée ! s'enflamma Lara. Je vais devenir folle !

Les aboiements frénétiques de Nérée les interrompirent. Rozenn accourut :

— C'est M. Kervella, j'ai vu sa voiture de la fenêtre de la cuisine !

— Quand même, il réapparaît, je n'y croyais plus, maugréa le policier.

Sainte-Anne-d'Auray, chez les Jouannic,
même jour, même heure

Loïza serrait de toutes ses forces la main de Luc entre les siennes. Le médecin de la famille, en âge de prendre sa retraite, lui tapota l'épaule.

— C'est terminé, ce gentil garçon ne souffre plus, prêcha-t-il.

— Mais il n'a pas reçu l'extrême-onction, docteur, dit-elle en scrutant les traits apaisés de l'adolescent.

— Le curé fera ce qu'il faut, Loïza.

— Je n'aurais pas dû le quitter, je suis descendue une heure à peine, après son déjeuner. Il n'avalait rien, juste du bouillon. Et quand je suis remontée, il était déjà trop tard. Pourquoi si vite, docteur, je n'ai pas pu lui dire adieu.

— Je te le répète, d'après mon examen, Luc a succombé à une embolie pulmonaire, ma pauvre enfant. Tu ne pouvais pas le sauver.

— Et si je l'avais laissé à l'hôpital, est-ce qu'ils auraient pu le soigner, docteur ? Dites-moi, je vous en prie.

— Non, j'en doute. Luc déclinait, il était dénutri, il perdait beaucoup de sang quand il crachait. L'hémoptysie affaiblit. Le fait d'être alité a dû favoriser la formation d'un caillot dans ses poumons.

En larmes, Loïza posa son front sur la main décharnée du jeune défunt. Elle éprouvait une intolérable sensation de perte et d'injustice.

— Dieu m'a repris Luc, murmura-t-elle. J'espère qu'il deviendra un ange du paradis.

— J'ai établi le certificat d'inhumer, déclara le médecin, apitoyé par le chagrin de Loïza. Tu devrais en profiter, maintenant que tu n'as plus à veiller sur Luc. Fais un voyage, va rendre visite à Gaël, avec ta belle-sœur. Paule se plaint d'être loin de son fils.

— Si je m'autorisais un voyage, docteur, j'irais seule. Paule n'aura jamais accordé beaucoup d'intérêt, ni d'affection à Luc, parce qu'il était sourd-muet.

— Je te connais depuis des années, Loïza, ajouta-t-il. Je me souviens bien de tes parents, de la première fois où je t'ai auscultée, quand tu avais la rougeole. Tu t'es dévouée sans compter à ta famille, toi qui aurais pu faire un beau mariage. Tu es une jolie femme, instruite de surcroît.

— C'était servir les miens ou entrer au couvent, répliqua-t-elle. J'aurais dû choisir la vie religieuse. J'ai encore le choix.

— Je n'ai pas à te juger, tu feras le mieux pour toi. Au revoir, Loïza. Bien sûr, je viendrai aux obsèques de Luc.

— Je vous remercie, docteur. Je voudrais prier, en attendant le curé.

Le vieil homme approuva. Il reprit sa mallette et sortit. Restée seule, Loïza sanglota sans gêne, après s'être agenouillée au pied du lit. Son frère la trouva ainsi. Il s'approcha un peu, étudia le visage cireux de Luc, aux paupières closes.

— *Ma Doué, ar paourkaezh bihan*[1] !

Goulven se signa, puis il effleura les cheveux cuivrés de sa sœur du bout des doigts.

---

1. En breton : « Mon Dieu, le pauvre petit ! »

Locmariaquer, villa des Bart, même jour, même heure

Jonathan Kervella toisait froidement le commissaire Renan, qu'il dépassait d'une bonne demi-tête. Lara et Fantou, immobiles derrière le policier, guettaient la suite des événements. Elles avaient reçu la consigne de se taire.

— Surtout, ne dites rien à Kervella de ce que nous savons, leur avait recommandé Renan d'un ton pressant. Il était peut-être avec Olivier, qu'il aura aidé à se réfugier quelque part.

De toute son âme, Lara refusait de croire à cette version. Elle était incapable de concevoir Olivier en assassin, même dans un cas extrême de légitime défense.

— Où est mon épouse, commissaire ? interrogea Jonathan.

— En lieu sûr, à l'étage, rétorqua Renan. Je suis content que vous vous décidiez à rentrer, votre femme attendait votre retour pour répondre à mes questions. Où étiez-vous, monsieur ? Vous auriez quitté la villa vers 1 heure du matin, selon Mme Kervella.

— Je suis retourné à Dinard, régler une affaire urgente.

— Intéressant ! Soyez aimable de vous asseoir, monsieur, nous avons à discuter. Fantou, pouvez-vous aller chercher l'épouse de monsieur ?

— Oui, j'y vais.

Nicolas Renan observa attentivement les chaussures et les vêtements du père d'Olivier.

— Votre veston est froissé, vos mocassins ont des traces de boue, insinua-t-il. Qu'avez-vous fait à Dinard pour revenir dans une tenue aussi négligée ?

— Je souhaitais avoir des nouvelles d'Odette, notre employée de maison, après l'agression dont elle a été victime, comme Madeleine. J'ai donc rendu visite à ses parents. Je suis rassuré, Odette va mieux.

— Kervella, me prenez-vous pour le dernier des crétins ? tonna le policier. Odette a disparu. J'ai contacté le commissariat de Dinard, vous n'avez pas fait de déposition, après ce prétendu cambriolage. Vous mentez sans scrupule, votre épouse aussi.

Le père d'Olivier perdit de son arrogance. Il répondit d'un ton las :

— Si je vous disais la vérité, vous ne me croiriez pas. Certes, je ne suis pas allé à Dinard et j'ignorais tout de la disparition d'Odette. Je cherchais mon fils, car j'étais affreusement inquiet. J'ai roulé pendant des heures et des heures. Ce matin, à l'aube, je me suis endormi dans ma voiture, à la pointe du Raz. En me réveillant, j'ai repris la route, et me voilà.

— Vous n'étiez pas à Huelgoat, par le plus grand des hasards, là où votre fiston a laissé ses empreintes digitales sur l'arme ayant servi à abattre le lieutenant Auffret, le gendarme complice de son enlèvement ? aboya le commissaire.

La stupeur effarée de Jonathan ne semblait pas feinte. Il avait pâli, les yeux écarquillés sous le coup de l'incrédulité. Cependant Renan décela un infime éclat de soulagement dans son regard.

— Bon sang, arrêtez de me mener en bateau, Kervella, dit-il plus bas, avec moins de hargne.

Madeleine fit son apparition, escortée par Fantou. Elle se jeta dans les bras de son époux, qui l'étreignit.

— Bien, maintenant que vous êtes réunis, vous allez m'écouter ! ordonna Nicolas Renan. J'ai enquêté sur votre situation financière, depuis le mois de janvier 1947. D'abord vous avez vendu un bon prix la maison du Mont-Saint-Michel, ensuite votre yacht. Je l'admets, c'était votre droit le plus strict, malgré votre fortune assez considérable. Plus récemment, vous ne vous en cachez pas, vous cédez votre immeuble de l'avenue de la Vicomté à votre associé. Pour mémoire, vous gérez avec ce monsieur un palace situé sur le front de mer, à Dinard, le réputé Grand Hôtel. En octobre 1950, vous avez bradé vos parts de l'établissement. Pourquoi se débarrasser de tous vos biens, quitte à perdre de l'argent ?

— Vous connaissez la réponse, commissaire, décréta Jonathan. Certaines ventes ont couvert les frais de voyage de Lara et de mon fils, ainsi que l'acquisition de leur propriété de Coro.

— Faux, trancha Renan. Si je ne vous ai pas rendu visite après l'agression dont j'ai été victime, ni après ma guérison, je n'en avais pas moins lu le dossier récupéré dans la crypte du manoir. J'ai donc lancé des investigations afin de tenter d'y voir clair et j'avoue que c'était une entreprise ardue.

Le policier se tourna vers Lara, qui dominait tant bien que mal sa nervosité et son angoisse.

— Votre domaine de Coro appartenait au père de M. Kervella ici présent. Il ne lui a donc rien coûté, hormis peut-être quelques travaux de rafraîchissement, lui assena-t-il.

— Olivier le savait-il, monsieur ? s'écria Lara, bouleversée par cette révélation.

— Non, notre fils ignorait ce détail, répliqua Jonathan.

— Un détail considérable, renchérit Renan. Quant à Guilbert Thomas, votre associé, il aurait été un collaborateur notoire, pendant la guerre, mais sans être inquiété pendant l'épuration.

— Vous avez été mal informé, commissaire ! protesta Madeleine. Guilbert est un fidèle patriote. Ce sont d'ignobles ragots. N'oubliez pas que sa fille Bénédicte aurait été renversée volontairement par une voiture, en Belgique, et que le coupable court encore. Guilbert et sa femme, eux, pleurent toujours leur enfant.

Cette fois, Renan le perçut, Madeleine ne jouait plus la comédie. Elle s'exprimait sans minauder, d'un air farouche. D'un geste involontaire, elle effleura le pansement de son oreille.

— Madame Kervella, reprit-il, qu'en est-il de ces cambrioleurs ? Pourquoi Odette, votre domestique, a-t-elle disparu ? Allons, répondez, votre mari est là.

— Je vous ai raconté les choses telles que je les ai vécues, dit-elle. J'ignore où est Odette. Nous l'avons cherchée dans toute la maison, Jonathan et moi, elle n'y était pas. Nous avons pensé que, terrorisée, elle s'était enfuie. N'est-ce pas, chéri ?

— Tout à fait, approuva ce dernier.

— Mes collègues de Dinard, avec lesquels j'ai communiqué par téléphone, m'ont précisé qu'Odette travaille pour vous depuis de nombreuses années.

— En effet, elle est entrée à notre service il y a dix ans, elle fait quasiment partie de la famille. Quel est le rapport, commissaire ? questionna Madeleine.

— Ne bougez pas d'un pouce, je reviens, rétorqua Renan.

Il regagna le petit bureau d'où il rapporta des photographies. Il les tendit au couple.

— Seigneur, quelle horreur ! s'exclama Madeleine après avoir regardé les clichés.

— Déplorables images, marmonna Jonathan. Pourquoi imposer ces ignominies à mon épouse ?

— Un des hommes qui participe à cette orgie, car il n'y a pas d'autre terme, n'est autre que le lieutenant Auffret, indiqua Renan en tapotant une des photographies à un endroit précis. Suivez mon raisonnement : Auffret étant un des sbires de ceux qui s'acharnent sur votre fils, il est aisé de supposer qu'eux aussi sont des adeptes de ce genre de divertissement. Observez mieux le visage des jeunes filles. Elles ne semblent pas enchantées de leur sort. On les a contraintes à participer, par la menace ou avec de l'argent. Je crains le pire pour Odette Prigent. Alors, vous tenez quand même à couvrir ces saligauds ?

Fantou essayait de calmer Lara, en lui serrant fort la main, une main tremblante, crispée, dont les doigts étaient noués, comme si elle avait envie de frapper quelqu'un. Pourtant, malgré ses efforts, sa sœur se libéra et courut se planter devant Jonathan Kervella.

— Monsieur, ce serait si simple de tout dire au commissaire, pour sauver Olivier et cette jeune femme. Vous gardez un secret, je le sens ! Si vous êtes responsable de tout ce qui se passe depuis six ou sept ans, endossez vos torts, ne les faites pas payer à Olivier, à Loanne et moi. Alors parlez, par pitié !

— J'ai dit ce que j'avais à dire, Lara, je suis désolé.

— Kervella, explosa le policier, à présent votre fils va être accusé de meurtre sur la personne d'Auffret, retrouvé entièrement nu dans le chaos rocheux, à Huelgoat, près de la célèbre Roche tremblante. De quelle façon le protéger ? Il va être recherché par plusieurs brigades, ordre du procureur, et les indices l'accablent. Je ne pourrai rien faire si votre fils est de nouveau victime d'une manipulation, si on lui a tendu un piège, ce que je pense, au fond de moi.

Ces paroles réconfortèrent un peu Lara. Fantou entendit au même moment un bruit de moteur sur la route. Une voiture s'arrêtait, des portières claquèrent.

— J'ai demandé du renfort, annonça Renan. Au cas où vous reviendriez ici, Kervella. Réfléchissez, vous avez une poignée de secondes. C'est votre ultime chance de m'aider à secourir Olivier.

Nérée lançait des jappements furieux depuis la cuisine. On toqua à la porte du perron. Fantou vit passer Odilon dans le vestibule. L'inspecteur Ligier et un gendarme apparurent. Lara reconnut le jeune Malo Guégan. Il la salua en souriant tristement.

— Monsieur Kervella, vous n'avez toujours rien à déclarer ? insista le policier.

— Non !

— Bien ! Je vous place en garde à vue pour obstruction à la justice et faux témoignage. Votre épouse peut rester ici, mais sous surveillance.

Jonathan Kervella recula vers un angle de la pièce. Renan le rattrapa et le saisit par le poignet.

— Commissaire, je ne peux pas parler, ce serait signer l'arrêt de mort d'Olivier et mettre Lara en danger, chuchota-t-il. Je vous la confie.

Puis il reprit à voix haute :

— Je suis à votre disposition.

— Ligier, mettez les menottes à ce monsieur ! ordonna Renan, désorienté. Guégan, vous surveillerez Mme Kervella et les alentours de la villa.

— Attendez ! supplia Lara en se précipitant sur le père d'Olivier. Monsieur, votre femme n'a pas eu le temps de vous l'annoncer, ni moi, mais vous devez le savoir, je suis enceinte. J'espérais faire une merveilleuse surprise à votre fils, à l'homme que j'aime de toute mon âme, mais il ne le saura peut-être jamais. Je vous en prie, parlez ! Rendez-moi Olivier, si vous le pouvez. Je refuse d'élever seule nos deux enfants !

Les traits de Jonathan se détendirent. Il eut soudain un large sourire ébloui, assorti d'un bref soupir.

— Vous attendez un bébé ! dit-il. Quelle bonne nouvelle, Lara ! Prenez soin de vous et de Loanne.

Tous les témoins de la scène remarquèrent le soulagement qui transfigurait Jonathan Kervella. Nicolas Renan l'observa d'un œil intrigué, pendant que son adjoint le menottait. Madeleine, sans se soucier des policiers, donna un baiser passionné à son mari.

— Allons-y, proposa ensuite Jonathan Kervella. Ayez confiance, Lara.

Elle se contenta de hausser les épaules, en guise de réponse.

Gendarmerie d'Auray, même jour, un peu plus tard

Le commissaire Renan avait conduit le prévenu Kervella dans son bureau provisoire. Auparavant, il avait exigé du brigadier-chef, en service ce dimanche, de réquisitionner deux de ses hommes afin de monter la garde toute la nuit dans le local.

— Vous allez être placé en cellule, monsieur Kervella, dit-il à mi-voix. J'aimerais comprendre certaines choses, pour ne pas me torturer l'esprit pendant des heures. Chez les Bart, vous m'avez chuchoté que me parler signerait l'arrêt de mort de votre fils. Par conséquent j'en déduis que vous savez où il se trouve.

— Non, commissaire, je sais seulement que je dois me taire.

— Ce qui protégerait également Lara Fleury ?

— Sans doute, hasarda Jonathan en évitant le regard incisif du policier.

— Et que voulait dire votre euphorie soudaine, à l'annonce de la grossesse ?

— Je suis heureux à l'idée d'être grand-père pour la deuxième fois, est-ce anormal ?

— Monsieur Kervella, personne ne peut nous entendre. J'ai la conviction que vous êtes mêlé à tout ceci, mais du côté des victimes, comme votre épouse et Olivier. Je peux me montrer tolérant si vous gardez le silence parce que vous êtes menacé. Tout à l'heure, devant Lara et sa sœur, je ne me suis pas étendu sur ces documents où figuraient des sommes astronomiques, versées à j'ignore qui, mais pour une partie au moins, par vous, ce qu'attestent vos initiales.

— Le procureur exigera davantage que des initiales comme preuve, commissaire. Un J et un K, notamment en Bretagne, peuvent correspondre à pas mal de gens.

Excédé, Renan tapa sur la table, ce qui fit tressauter un coupe-papier et le combiné du téléphone.

— Bon sang, vous me fatiguez ! Inspecteur Ligier !

Son adjoint entra en trombe. Sur un geste de son supérieur, il fit lever Jonathan Kervella et l'emmena en cellule. Resté seul, Nicolas Renan alluma une cigarette.

« Que cache l'attitude des parents d'Olivier ? Il faut que je réfléchisse au calme, car il existe peu de problèmes qui n'ont pas de solution. »

Il décida de s'accorder une heure à son hôtel, le temps de se doucher et d'étudier la situation sans être dérangé par les uns et les autres. Il remit sa veste et son chapeau, puis il passa dans la salle voisine, où il donna encore des consignes.

— Soyez vigilants s'il se présente des inconnus, ou si le suspect demande à sortir, quelle qu'en soit la raison, précisa-t-il au brigadier.

— Je ne tenterai pas de m'enfuir, lui cria Jonathan de sa cellule. Commissaire, encore un mot, je vous prie.

Renan s'appuya au solide grillage fixé entre les barreaux.

— Que voulez-vous ? Me parler ?

— Non, vous donner un conseil avisé, murmura Kervella. Vous devriez contacter *Ouest-France* ce soir même, qu'ils publient un article sur Olivier. Le mieux serait de laisser planer un doute sur sa culpabilité dans le meurtre d'Auffret, d'ajouter que sa compagne le supplie de se rendre à la police, et de faire comprendre que Lara est enceinte.

— Décidément, vous ne finirez pas en prison, mais à l'asile ! s'emporta le policier. J'en ai assez, du moins pour aujourd'hui. Bonne nuit. J'espère que vous serez plus coopérant demain.

— Suivez mon conseil, réitéra tout bas le père d'Olivier.

— Sûrement pas, trancha Renan.

Une fois dans la rue, il étouffa un juron entre ses dents. Le crépuscule baignait la ville d'une clarté mauve et rose. De fugaces parfums de fleur s'élevaient des jardins.

« Ce doit être agréable, un soir d'été aussi doux, quand on mène une vie ordinaire, se disait-il en marchant. Bah, je finirais par m'ennuyer, sans doute, sans enquête en cours, sans criminel à traquer. »

Cependant il s'imagina dans une maison, marié à Loïza. Ils auraient adopté un petit garçon, qui ressemblait un peu à Pierre Fleury.

— Nicolas ? Nicolas !

On l'appelait, une voix basse, aux accents suaves, où vibrait néanmoins une note douloureuse. Il regarda derrière lui. Loïza était immobile sur le trottoir d'en face, toute vêtue de noir. Renan traversa au pas de course. Elle s'accrocha à son bras, très pâle, les paupières rougies par les larmes.

— Luc est mort, soupira-t-elle. Au début de l'après-midi. Mon frère m'a conduite à Auray, j'avais besoin de te voir. Je suis si malheureuse, Nicolas. Le pauvre garçon. Le docteur affirme qu'il a succombé à une embolie pulmonaire. C'est ma faute, il était alité depuis plusieurs jours, ça ne favorise pas la circulation du sang.

Elle débitait ses explications par saccades. Il l'embrassa sur le front, plein de compassion.

— Je suis sincèrement désolé, Loïza.

— Est-ce que tu pourras me reconduire à Sainte-Anne, dans une heure ? Goulven voulait m'attendre, mais je l'ai renvoyé à la maison. Je l'ai bien installé, Luc, sais-tu ? Je le veillerai toute la nuit. Il y a des bougies partout dans la chambre. Je l'ai coiffé, lavé, je lui ai mis son costume du dimanche.

— Personne ne t'a aidée ? s'indigna-t-il.

— Paule n'est même pas montée le voir. Mon frère m'a dit de solliciter les sœurs de l'abbaye, j'ai refusé. Je voulais être la seule à m'occuper de lui.

Comme hébétée, Loïza reprit sa respiration. Un sourire rêveur lui vint, qui bouleversa le policier.

— Voudrais-tu dîner avec moi ? demanda-t-il tendrement. On peut se promener aussi, en discutant. Tu trembles…

— Je préfère aller à l'hôtel, dans ta chambre, avoua-t-elle. C'est tout ce que j'espérais, me blottir contre toi, que tu me cajoles. Je n'ai pas assez pleuré.

— Viens, ma douce, je suis là, chuchota-t-il, ivre d'une timide joie.

Sur l'île de Molène, même soir, même heure

Daniel Masson retournait entre ses doigts le télégramme qu'il avait reçu le matin même, à sa grande surprise. Il se souvenait des coups frappés à la porte, du pas rapide de Katell allant ouvrir.

Une femme parlait dehors, mais sa voix était couverte par le cri des mouettes. Il avait rejoint sa gouvernante dans le couloir, en se guidant d'une main le long du mur.

— C'est de Fantou Fleury, disait la préposée de la poste. Vous avez de la chance, le dimanche matin, je fais le ménage de l'agence. J'ai entendu le bruit.

Il avait prié Katell de lui lire le message. Chaque mot était pareil à un coup d'aiguille dans sa chair, son cœur.

> *Olivier a été enlevé. Lara désespérée. Je vous donne vite des nouvelles. Fantou*

Il connaissait le texte par cœur tant il se l'était répété. Maintenant, assis au piano, il caressait les touches, jouait un court morceau, en maudissant son impuissance.

— Votre dîner est servi, Monsieur, claironna Katell qui sortait de la salle à manger, une pièce sombre communiquant avec le salon où il se trouvait.

— Je n'ai pas faim, rétorqua-t-il.

— Monsieur est contrarié ?

— Infiniment contrarié ! Pourrais-je au moins être seul ? La musique est mon unique distraction.

— Si vous avez besoin de moi, Monsieur, je suis dans la cuisine, répondit la gouvernante.

— J'aurais surtout besoin de prendre le ferry demain matin pour rejoindre Fantou et Lara. Katell, en quoi est-ce impossible ?

— Vous ne pouvez pas, Monsieur, soyez raisonnable. C'était déjà imprudent de répondre à l'invitation d'Olivier, au mois de juin. Vous vous êtes blessé, je me demande encore de quelle façon…

L'aveugle répliqua d'une brève mélodie de sa composition, d'une virulence évidente.

— Vous devriez manger un peu, Monsieur, déplora Katell.

Il l'entendit marcher jusqu'à la cuisine, où elle brassa de la vaisselle. Le cœur lourd, Daniel se lança dans l'interprétation d'un nocturne de Chopin.

— Fantou, si tu étais encore là, près de moi ! Ma toute belle, pareille à un rayon de soleil venu égayer ma prison, murmura-t-il lorsqu'il referma l'instrument.

La pendule sonna neuf coups cristallins. De l'autre côté des vieux murs la nuit s'appesantissait sur l'île de Molène. Un homme sortit de l'hôtel, son chapeau de cuir rabattu sur son front, le col de son veston remonté. Il arpenta le quai, pour s'assurer qu'une vedette à moteur attendait au bout de la jetée, puis il revint vers les maisons regroupées autour du port, pour se faufiler dans une des ruelles. Là, il enjamba un muret édifié en gros blocs de pierre. D'un bond, il sauta dans la cour de la famille Masson, brisant au passage une branche de rhododendrons.

Silencieux, les traits presque inexpressifs, il pénétra dans la maison, par la porte donnant sur le couloir, qui n'était pas fermée à clef. Katell sortit de la cuisine, la mine navrée, les mains jointes devant sa bouche, comme prête à crier. Pourtant elle indiqua la direction du salon au visiteur, d'un mouvement du menton.

L'homme approuva, ensuite il entra d'un pas glissant. Peu après, Daniel poussa une exclamation de surprise. Ensuite ce fut le silence.

Auray, Hôtel des Halles, même soir

Loïza avait souhaité se retrouver dans le noir total. Nicolas, soucieux de la satisfaire, avait fermé les contrevents et éteint la lampe de chevet.

— Viens, appela-t-elle d'une voix plaintive.

Il se dirigea à tâtons, échoua sur le lit où elle s'était allongée quelques minutes plus tôt. Tout de suite, elle l'enlaça, avec un gros sanglot.

— Pleure à ton aise, ma douce, tu n'en peux plus, dit-il en lui caressant les cheveux.

— Serre-moi fort, très fort, implora-t-elle, entre deux hoquets convulsifs.

— Tu as fait tout ce que tu pouvais pour Luc, affirma-t-il. Grâce à toi, il a reçu de l'amour, de la tendresse.

— Mais je n'étais pas de taille face à la mort, répliqua-t-elle. La mort, toujours la mort, partout. Et du sang, encore du sang. Luc saignait, si tu savais, je suis hantée par ces linges souillés que je devais laver. J'en ai assez de la mort, Nicolas. J'avais peur chaque jour, pendant la guerre. Lorsque les journaux et la radio ont évoqué les camps de concentration, j'ai eu envie de mourir moi aussi. Et ici, sur ma terre natale, il y a ces pauvres jeunes filles sacrifiées. Toi, tu les as vues, n'est-ce pas ? Mon Dieu, quelle atrocité ! Comment peux-tu faire ce métier ?

— Il faut bien des policiers, ma toute belle, concéda-t-il. Au fond de moi, même gosse, j'avais déjà envie de lutter contre les brutes, les assassins, les salauds en tout genre.

La respiration irrégulière de Loïza s'apaisait. Nicolas lui donnait de légers baisers sur le front, les joues. Il n'éprouvait pas de désir, trop ému par sa profonde détresse et ses larmes.

— Tu mènes un combat perdu d'avance, déclara-t-elle tout bas. La justice n'est pas de ce monde, sinon

Luc serait né sans aucun handicap, et il n'aurait pas été atteint de la tuberculose.

— Parle-moi de lui, si ça te soulage, proposa-t-il. Je connais si peu de choses de ta vie, Loïza.

— Sûrement parce qu'il n'y a rien d'intéressant. Les parents de Luc sont morts quand il avait cinq ans. Paule l'a recueilli, car elle était sa cousine et on lui avait promis qu'elle toucherait une petite indemnité. Il n'avait plus personne. Ma belle-sœur aurait sans doute été plus gentille, s'il avait pu nous entendre et parler. Je l'ai aimé de tout mon cœur, j'ai veillé sur lui.

— Tu lui as servi de mère, déduisit Renan.

— Oui, j'aime tant m'occuper des enfants. Ils sont innocents, pleins de foi et de joie, le plus souvent.

Il continuait à l'embrasser, troublé peu à peu par l'obscurité, par la chaleur qui irradiait de son beau corps de femme.

— Je sais que c'est prématuré de revenir sur le sujet, mais un mot de toi, et tu changes d'existence, ma douce. Nous nous marions et nous adoptons un enfant. Paule et Goulven peuvent se débrouiller sans toi, Loïza.

— Et mes animaux ? Mes chèvres, mes lapins, les poules, les canards… Luc m'aidait à les nourrir, à nettoyer les clapiers. Nous étions joyeux, dans ces moments-là. Il fallait traverser le pré, où je faisais du foin, l'été. J'ai hérité de deux grandes parcelles.

— Je pourrais acheter une petite maison à la campagne, avec une grange et du terrain, hasarda-t-il, prêt à tout lui promettre dans l'espoir de la convaincre.

Il sentit alors ses lèvres sur les siennes, tandis qu'une main se glissait sous sa chemise, en quête de sa chair d'homme.

— Peut-être, murmura-t-elle, d'un timbre altéré, celui que lui conférait l'assaut du désir. Prends-moi, je t'en prie. Je voudrais oublier, tout oublier.

— Loïza, on n'est pas obligés, protesta-t-il. Tu es bouleversée, j'aurais honte d'en profiter.

— Chut, fit-elle. Ne dis plus rien.

Il devina qu'elle déboutonnait son corsage. Fébrile, il dégrafa le haut de sa jupe, avant de se déshabiller lui aussi. Enfin ils furent nus l'un près de l'autre, liés par la danse fervente de leurs bouches. Très vite, Nicolas savoura l'acuité de ses propres sensations, exacerbées par le noir de la pièce. Jamais la peau de sa maîtresse ne lui avait semblé aussi satinée, jamais ses seins ne lui avaient paru d'un galbe aussi parfait.

— Je t'aime, souffla-t-il, égaré par un plaisir nouveau.

Leurs jambes s'entrelaçaient, ils s'étreignaient, s'éloignaient un peu pour mieux se rejoindre. Nicolas commença à effleurer du bout de la langue ses mamelons, son ventre, irrésistiblement attiré par le parfum musqué de sa toison intime.

— La porte des délices, marmonna-t-il avant de dévorer de baisers insistants le calice moite de son sexe.

Elle haleta, délivrée de toute pudeur. Des petits cris étouffés scandaient la montée de sa jouissance.

— Nicolas, viens, vite, dit-elle en lui griffant les épaules.

Il obtempéra, les reins en feu, sa virilité tendue. Elle eut un long gémissement comblé quand il l'investit d'un élan impérieux, pour immédiatement aller et venir en elle sur un rythme forcené. Ce n'était pas de l'égoïsme, il savait comment la mener à l'extase, lui faire oublier tout ce qui n'était pas eux deux, étroitement unis, jusqu'à l'instant presque magique où ils évoluaient au sein d'un univers lumineux tissé d'une fugace harmonie.

Nicolas capitula le premier, submergé par un paroxysme d'excitation. Il demeura en elle, en appui sur ses coudes, afin de ne pas peser sur sa poitrine.

— Loïza, ma douce, soupira-t-il. Moi qui craignais de t'avoir perdue.

— Tant que nous sommes vivants, il reste une chance de se revoir, de se retrouver, répliqua-t-elle. La mort sépare à jamais ceux qui s'aiment.

Il s'étonna, car elle était croyante et très pieuse. Cependant il évita d'en débattre.

— Est-ce que je peux allumer la lampe ? demanda-t-il en la couvrant de légers baisers. Le noir absolu m'oppresse.

— Moi, il me libère, Nicolas. J'ai la merveilleuse impression d'être une autre femme, de ne plus être Loïza, celle qui doit veiller Luc cette nuit, celle qui est incapable de quitter son frère, sa maison.

— Ma toute belle, je crois comprendre, mais peu importe, je t'aime encore davantage, et j'en deviens peut-être idiot.

Elle lui échappa et actionna le cordon du plafonnier. Une clarté crue tomba sur eux. Nicolas fut saisi par le teint livide de sa maîtresse, son regard effaré. Sans lui accorder un sourire, elle se leva et alla s'enfermer dans le cabinet de toilette.

Le policier se rhabilla, soudain infiniment triste. Il avait dû se mordre les lèvres, au cours de leurs ébats, car il sentit dans sa bouche le goût amer du sang.

Locmariaquer, villa des Bart, même soir,
deux heures plus tard

Lara marchait sur la plage. La mer descendait, en dégageant une large bande de sable dur, scintillant sous la faible lumière d'un quartier de lune. Les nuages s'en étaient allés, le ciel piqueté d'étoiles paraissait immense.

— Olivier, où es-tu, mon amour ? déplora-t-elle à mi-voix. Tu as disparu depuis deux jours à peine, mais j'ai tellement peur de ne pas te revoir.

La rumeur du ressac berçait son angoisse. La jeune femme était sortie, avide de solitude, d'espace et d'air frais. Fantou lui avait promis de veiller sur Loanne.

— Je dois être courageuse, rien n'est perdu encore, se dit-elle. Les parents d'Olivier ne sont pas aussi inquiets que moi, ils ont forcément une raison valable pour ne pas s'affoler.

D'un geste instinctif, Lara plaqua ses paumes sur son ventre. Elle songea au minuscule être en formation qui se nichait là, conçu lors d'une délicieuse étreinte, sans nul doute à Coro, avant leur départ précipité pour la France.

« Je n'étais sûre de rien, le mois dernier, je pensais à un retard dû au voyage, à un surplus d'émotions. Je voudrais un garçon, cette fois. Si Olivier meurt, j'aurai son fils à chérir, à élever dans le souvenir de son papa. »

Le cœur lourd, elle essuya d'un doigt les larmes qui coulaient sur ses joues. Soudain elle revit Jonathan Kervella parlant en aparté au commissaire, avant d'être emmené en détention provisoire.

— Que lui a-t-il dit ? Mon Dieu ! J'en ai assez des secrets, des mensonges !

Elle rebroussa chemin. Là-bas, sur la dune, la baie vitrée illuminée de la villa brillait dans la pénombre bleue. Il lui sembla distinguer une silhouette masculine, en bas de l'escalier en béton.

— Si c'était Olivier ?

Lara agita un bras, persuadée que son amour avait réussi à s'enfuir du lieu où on le retenait. L'homme avança, se détachant de l'ombre de la terrasse. Il était plus grand et moins mince qu'Olivier, vêtu d'un ciré et d'une casquette. Soudain il se mit à courir, une matraque au poing.

— Non, non, marmonna-t-elle.

La conscience aiguë d'être en danger la submergea. Il était vain de hurler, le vent emporterait ses appels. Vite, elle s'élança dans la direction opposée, foulant ses propres empreintes. Il fallait courir, plus vite que l'homme, pour atteindre le port.

Svelte, sportive, Lara distançait l'inconnu. Elle sautait au-dessus des amas d'algues, se méfiait des gros galets qui auraient pu la faire trébucher. Elle accélérait encore l'allure, terrorisée, quand un creux dans le sable mouillé lui fit perdre l'équilibre.

— Non ! hurla-t-elle de toutes ses forces, couchée sur le côté, une cheville endolorie.

L'homme arrivait au pas de course, en soufflant fort. Déterminée à lui échapper coûte que coûte, Lara ramassa une grosse poignée de sable pour lui jeter dans les yeux. Elle se redressa et l'aperçut, tout proche, prêt à la frapper. Mais ils n'étaient plus seuls. Malo Guégan accourait lui aussi, précédé par Nérée qui aboyait.

— Stop ! Arrêtez ! clama le gendarme, son arme à bout de bras.

L'inconnu lança quand même la matraque sur la jeune femme. Malo tira deux fois. Il avait visé juste, car l'homme s'écroula à une trentaine de centimètres de Lara.

— Il m'aurait tuée, balbutia-t-elle, hagarde.

Guégan la rejoignit, défiguré par l'anxiété. Il se pencha et l'aida à se relever.

— Vous n'êtes pas blessée ? demanda-t-il.

— J'ai réussi à esquiver la matraque, avoua-t-elle. Merci, je vous remercie du fond du cœur.

Elle tremblait de tout son corps. Nérée se frotta à ses jambes, le poil encore hérissé.

— Le type est mort, hélas, constata Malo. Le commissaire sera furieux, il conseille de tirer dans les jambes.

Odilon trottinait vers eux, son fusil à la main. Lara, éperdue de soulagement, se rua sur lui pour se blottir contre son épaule.

— Ma chère petite, c'est fini, tu es sauvée, bougonna le retraité. Je ne pouvais pas dormir, je suis descendu dans le salon et je t'ai observée, sur la plage. Je trouvais que tu t'éloignais trop. Tout à coup j'ai vu un homme courir derrière toi.

— Moi, je faisais une ronde dans le jardin, expliqua Malo Guégan. Nérée était sur la terrasse, il grognait en humant le vent. Ensuite il a dévalé l'escalier, je l'ai suivi, et là, j'ai aperçu ce type avec sa matraque. Regardez, c'est du plomb, Mlle Fleury aurait été tuée net, s'il l'avait frappée à la tête.

— Comment vous remercier, Malo ? murmura Lara. Je suis vivante, et c'est grâce à vous !

— J'ai fait mon travail, répondit-il sobrement. Rentrez avec M. Bart. Il faut prévenir la gendarmerie et le commissaire. Je monte la garde près du corps. On ne sait jamais, cet homme a peut-être un complice caché dans les environs.

— Alors soyez prudent, Malo, lui dit-elle gravement. Rozenn avait raison, le Mal rôde, mais nous devons le combattre, je l'ai enfin compris.

20

Disparitions

Locmariaquer, villa des Bart, lundi 9 juillet 1951,
1 heure du matin

Dès qu'il entra dans le salon de la villa, Nicolas Renan fut frappé par la métamorphose de Lara. Il s'était préparé à la trouver en larmes, tremblante, encore effrayée par l'agression dont elle avait été victime. Il n'en était rien.

La jeune femme, vêtue d'une robe en laine verte à col roulé, se tenait debout près de la baie vitrée. Elle avait une expression déterminée. Son beau regard noir étincelait.

— J'ai fait au plus vite, précisa-t-il. Lara, quelle imprudence d'être sortie seule !

— Au fond, c'était un mal pour un bien, commissaire, dit-elle d'un ton net.

Elle ne l'avait pas appelé par son prénom, car il était escorté par l'inspecteur Ligier et un gendarme d'une quarantaine d'années.

— Vous m'expliquerez pourquoi un peu plus tard, trancha Renan. Nous allons examiner le cadavre de votre agresseur. Une autre équipe arrive, pour transporter le corps à la morgue.

— Je vous accompagne, commissaire, proposa Odilon, qui était survolté par ce nouveau drame.

— On a voulu tuer ma fille, se lamenta Armeline, en peignoir et chaussons. Faites quelque chose, monsieur Renan, que ça cesse enfin !

Rozenn et Fantou étaient descendues en entendant Lara et le retraité discuter dans le vestibule à leur retour de la plage. Assises sur le sofa, elles se tenaient par la main, terrassées à l'idée de la tragédie qui avait failli se jouer, à leur insu. Seule Madeleine Kervella manquait au tableau.

— Mesdames, gardez votre calme, surtout, prêcha Ligier d'un ton ferme. L'adjudant Nieul, dépêché en renfort depuis Vannes, est chargé d'assurer votre sécurité.

Il désigna le gendarme à la moustache poivre et sel qui les salua d'un bref mouvement de tête.

— Allons-y, ordonna Nicolas Renan. Venez, monsieur Bart, votre témoignage compte beaucoup.

Les trois hommes sortirent. Fantou en profita pour courir vers sa sœur qu'elle étreignit presque convulsivement.

— Lara, je n'aurais pas supporté de te perdre, lui dit-elle en l'embrassant. Tu as dû avoir tellement peur.

— Et moi qui n'ai rien pressenti, se désola Rozenn. Pourquoi as-tu tenté le diable, ma chère enfant ? Il s'en est fallu de peu.

— Tenter le diable ? répéta Lara. Ces mots sont lourds de sens, Rozenn, même si nous nions tous l'existence de Satan.

— Ne prononce pas ce nom, s'effraya Armeline qui se signa.

— Maman, c'était un homme, sur la plage, et non un démon. Et cette expérience m'a changée. Comme je l'ai dit à Odilon, je me sens différente. J'aurais pu mourir, mais on m'a sauvée *in extremis*. Si vous saviez à quel point c'était exaltant ! Tout m'était redonné, les sourires de Loanne, l'espérance de revoir Olivier et de mettre mon enfant au monde, sans compter vous tous, que j'aime tant.

Rozenn écoutait en souriant. Elle percevait chez Lara une force nouvelle qui la fascinait.

— Olivier sera fier de toi, affirma-t-elle. Où qu'il soit !

— Oui, et dorénavant, Rozenn, je vais garder la certitude de le retrouver, bien vivant.

— Tu as raison, renchérit Fantou. Si je faisais du café et du thé ? Je gage que nous ne sommes pas couchées !

— C'est une bonne idée, mon korrigan.

L'adjudant Nieul, originaire de Vendée, faisait les cent pas devant la porte de la pièce. Il laissa passer la jeune fille, puis il reprit son va-et-vient.

Odilon, le commissaire et Malo Guégan revinrent au bout d'une quarantaine de minutes. Ils avaient les chaussures nappées de sable humide. Lara fut soulagée de revoir le jeune gendarme, qui lui adressa un timide sourire.

— Le corps de votre agresseur est en route pour la morgue de Vannes, déclara Renan. Il se pourrait que la sinistre carrière du tueur des dolmens soit terminée, grâce à l'agent Guégan. Mais les mesures de sécurité diffusées par la presse étaient valables pour vous aussi, Lara, et pour votre sœur. M. Bart m'a informé de votre escapade jusqu'à l'île de Molène, Fantou, c'était de la plus haute imprudence.

— Je le sais, Nicolas, plaida la jeune fille. D'autant plus que j'ai croisé le docteur Bacquier sur le ferry. Il m'a affirmé qu'il se rendait à Ouessant.

— De mieux en mieux ! déplora le policier. Mais revenons-en à l'homme qui vous a poursuivie, Lara. Nous avons trouvé sur lui des éléments accablants.

Malo Guégan sortit des poches de sa veste des objets emballés dans des carrés de papier qu'il déroula.

— Que personne n'y touche, recommanda-t-il. Nous avons pris soin de ne pas effacer les empreintes de l'individu.

Armeline et Rozenn échangèrent un regard étonné. Madeleine Kervella, qui était descendue entre-temps, resserra son châle sur ses épaules, comme si elle avait froid.

— L'homme avait sur lui un rasoir de type « coupe-chou », précisa Nicolas Renan, de quoi égorger n'importe qui aisément. Dans la poche intérieure de son ciré, il y avait un linge et un flacon de chloroforme. Nous avons aussi découvert une tunique blanche, pliée dans un sac à dos qu'il cachait sous son vêtement de pluie.

Submergée par une terreur rétrospective, Lara fixa d'un air révulsé les objets posés sur la table basse.

— J'aurais pu être une autre victime du tueur, énonça-t-elle d'une voix mal assurée. Mais il était seul, comment m'aurait-il transportée sous un dolmen, ou au pied d'un menhir ?

— Il était bien assez robuste pour vous emmener où il voulait, Lara, affirma Renan. De plus, les mégalithes ne manquent pas, à Locmariaquer, il avait le choix sans avoir à parcourir une grande distance.

— Mon Dieu, c'est épouvantable ! gémit Armeline. Lara, ma petite fille !

Elle se leva pour venir s'asseoir près de Lara qu'elle prit dans ses bras. Fantou était livide.

— Ce monstrueux criminel est vraiment mort ! s'exclama-t-elle. Agent Guégan, je vous félicite ! Vous avez sauvé la vie de ma sœur, et vous avez mis fin à cette série de meurtres atroces !

— Je n'ai fait que mon devoir, mademoiselle, répondit-il, les joues en feu.

Malo songea que le sourire ébloui de Fantou, celui plein de gratitude de Lara, compensaient le rude sermon du commissaire. Selon ses prévisions, il lui avait reproché d'avoir trop bien visé, car s'il s'était contenté de tirer dans les jambes, la police aurait eu un coupable apte à parler et à avouer ses actes.

Rozenn scrutait les traits tirés de Nicolas Renan. Elle attendait d'autres détails, osant à peine croire que le cauchemar était fini, du moins en ce qui concernait les crimes de ces dernières années.

— Néanmoins, ajouta-t-il, une chose me dérange. C'est l'utilisation de la matraque en plomb, une arme redoutable. Lara m'a raconté qu'elle avait pu l'esquiver, mais de justesse. L'homme l'a tout de suite menacée de cette arme, que le légiste a emportée. Ceci signifierait qu'il comptait la tuer ainsi.

— Seigneur, pesez vos mots, commissaire ! se plaignit alors Madeleine. Je me représente la scène, la panique que devait ressentir Lara, et j'en suis malade.

— Je dis ce que j'ai à dire, madame Kervella, ne m'interrompez plus ! trancha Renan. Je reprends ! Nous savons qu'aucune des précédentes victimes n'a été frappée à la tête par ce genre d'arme. Les autopsies en attestent. Pourquoi changer de méthode, et pourquoi réserver ce traitement à Lara ?

— J'ai une question moi aussi, déclara la jeune femme. Comment cet homme pouvait-il savoir que j'allais sortir de la villa et marcher sur la plage à cette heure tardive ?

— Il vous guettait sans doute depuis quelques jours, Fantou et toi, soupira Odilon. Il devait procéder de la même manière avec toutes ces malheureuses qu'il a assassinées en pleine jeunesse. Nous avons eu beaucoup de chance, vraiment beaucoup.

Le retraité faisait peine à voir, le teint empourpré, ses bons yeux bleus larmoyants. Des pleurs affolés résonnèrent soudain à l'étage.

— C'est Loanne, dit Lara. Maman, peux-tu monter et essayer de la rendormir ? Je dois parler au commissaire.

— Bien sûr, je resterai près d'elle, car je suis épuisée, avoua Armeline en embrassant ses filles tour à tour.

Elle les regardait avec une ferveur nouvelle, à l'instar d'un bien précieux dont on n'avait pas estimé l'importance.

— Je vous accompagne, Armeline, proposa Rozenn. Pierre va se réveiller lui aussi, en entendant Loanne pleurer.

L'adjudant Nieul saisit l'occasion pour féliciter Malo Guégan d'une vigoureuse poignée de mains. Nicolas Renan, quant à lui, adressa un sourire en coin au jeune gendarme.

— Vous nous avez ôté une belle épine du pied, Guégan, si ce type est vraiment le tueur des dolmens, dit-il avec chaleur.

— Mais vous en doutez ? s'inquiéta Lara. Commissaire, je ne suis plus une enfant, parlez-moi franchement.

— Disons que je n'imaginais pas ainsi celui que je traque depuis cinq ans, expliqua-t-il. Avez-vous vu son visage, Lara ?

— Un peu ! Il faisait sombre, sa capuche était rabattue sur son front. Je l'ai trouvé effrayant, à cause de son attitude, pas en raison de sa physionomie.

— J'ai peut-être tort, mais il m'a fait l'effet d'une brute, un individu, à mon humble avis, dépourvu d'une haute intelligence, hasarda Renan. L'auteur des crimes n'a jamais laissé d'indices, n'a jamais commis la moindre erreur, et là, s'il s'agit bien de lui, il vous poursuit en brandissant une matraque, sans chercher à être discret, puis se laisse tirer dessus ! Bon sang, s'il vous épiait, Lara, il aurait dû constater la présence d'un gendarme dans le jardin, ou sur la terrasse.

Fantou servait du café, qu'elle avait gardé au chaud dans une bouteille Thermos.

— Je faisais ma ronde dans un ordre stratégique, précisa Malo, sa tasse à la main. Durant dix minutes je faisais le tour de la cour, ensuite je passais le même temps dans le jardin, et je terminais par la terrasse, avant de recommencer mon parcours.

— Oui, en effet, je vous ai aperçu par la baie vitrée, commenta Odilon. Et j'ai ouvert la porte à Nérée, qui s'agitait.

— Le brave chien, il a dû sentir que j'étais en danger, nota Lara en caressant l'animal, couché à ses pieds.

— Et Dieu soit loué, tu ne l'es plus, ni Fantou, décréta Odilon. Ce fichu égorgeur a eu ce qu'il méritait ! Commissaire, les preuves sont accablantes ! Le rasoir, le chloroforme, la tunique blanche, que voulez-vous de plus ?

Madeleine Kervella, très digne, se leva du sofa. Elle déposa un léger baiser sur le front de Lara.

— Je remonte me coucher, ma chère petite, dit-elle. Vous avez été très courageuse, et je remercie Dieu de vous avoir préservée. Commissaire, j'espère que vous me permettrez de téléphoner à mon mari, demain matin ? Jonathan doit se morfondre, en cellule. J'estime aussi qu'il a le droit de savoir ce qui est arrivé cette nuit.

— Non, madame, tant que vous vous obstinerez à me mentir, je vous interdirai de communiquer, trancha Renan.

— Vous regretterez de traiter mon mari ainsi, insinua-t-elle. Je n'ai plus qu'à avaler un somnifère, car j'aurais du mal à dormir, dans de telles circonstances.

Le policier haussa les épaules. Il bougonna :

— Adjudant Nieul, agent Guégan, vous pouvez rentrer à Auray. Je reste ici. J'ai chargé l'inspecteur Ligier d'escorter le corps à la morgue, mais je lui ai demandé de nous rejoindre ici demain matin.

Cinq minutes plus tard, Lara, Fantou, Odilon et le commissaire se retrouvaient en petit comité dans le salon.

— Même si cet homme est bien le tueur qui endeuille le pays depuis des années, je vous conseille de rester tous vigilants les jours qui viennent, prôna Renan. On peut tenter de vous nuire, afin d'atteindre Olivier, s'il a pu échapper à ses ennemis. Et plus j'y pense, plus j'ai la conviction que tout est lié. Les crimes aux allures rituelles et l'affaire concernant votre compagnon. Ceux qui lui en veulent semblent avoir du goût pour les orgies et autres dérives, de là à sacrifier des jeunes filles… J'en aviserai le procureur, car il n'y a plus qu'une enquête à mener, j'en suis sûr. Soyez d'autant plus prudentes, Fantou et vous. Et malgré mes remontrances, je tiens à saluer votre courage. Mais admettez que cette balade nocturne aurait pu vous coûter la vie.

— J'en ai conscience, Nicolas, mais frôler la mort de si près m'a tirée de mon désespoir, de mon abattement. Quand j'ai compris que j'étais sauvée, plus rien ne m'a paru impossible. C'était un peu comme si Olivier se tenait près de moi, m'exhortait à ne plus trembler, à faire front.

Nicolas Renan approuva d'un air pensif.

— Au fait, monsieur Bart, puis-je encore utiliser votre téléphone ? J'ai coup de fil urgent à passer.

— Bien sûr, commissaire.

— Ce sera peut-être un peu long, mais on m'a donné un conseil, je vais le suivre, en fin de compte.

Gendarmerie d'Auray, lundi 9 juillet 1951

Jonathan Kervella était allongé sur la couchette sommaire de sa cellule. La matinée s'achevait, après une mauvaise nuit qu'il avait passée à brasser de sombres pensées, entre de courtes phases de sommeil. Lorsqu'il reconnut la voix du commissaire, il se redressa et s'assit, plein d'appréhension.

— Bonjour, monsieur, lui lança le policier en s'approchant.

— Bonjour, commissaire, répliqua-t-il sobrement.

— Avez-vous apprécié la chambre et le service ? ironisa Renan.

— Je n'ai pas à me plaindre, mais il y a eu de l'agitation vers minuit. Rien de grave au moins ? J'ai interrogé un gendarme, il n'a pas daigné me répondre.

— C'est désagréable, n'est-ce pas, les gens qui ne veulent rien dire ? Et parfois lourd de conséquence. Tenez, je vous ai apporté de la lecture. L'édition de demain vous intéressera sûrement, elle aussi.

Circonspect, Jonathan Kervella prit le journal que lui tendait le policier à travers les barreaux de la porte. Il vit tout de suite en première page une photographie d'Olivier, avec un gros titre, suivi de deux modestes colonnes. Après avoir parcouru le texte de l'article, il s'adossa au mur, avec une expression d'intense soulagement.

— Merci de m'avoir fait confiance, commissaire, dit-il. C'était un moyen comme un autre de protéger Lara.

— Avec un certain retard, puisqu'on a tenté de la tuer, hier soir.

— Qu'est-ce que vous dites ?

— La vérité. Et vous devriez faire la même chose, au lieu de me poser des énigmes qui ont le don de m'exaspérer. Je suis convaincu que vous savez le fin mot de cette histoire aberrante. Qu'attendez-vous ? L'affaire est devenue sérieuse, un homme a disparu, enlevé assurément, et on veut le rendre coupable d'un crime sur un fonctionnaire de police. Dès demain, le procureur ordonnera une enquête approfondie et me donnera toute latitude pour agir. Si vous me parlez enfin, je pourrai agir, assisté de plusieurs brigades de gendarmerie.

— Je suis désolé, commissaire, je ne peux rien faire de plus. Mais pourquoi dites-vous qu'on a voulu tuer Lara ? Le journal n'en fait pas état !

— J'ai demandé au rédacteur en chef de publier ce que vous m'avez conseillé de publier, à savoir que votre fils devait se rendre, comme l'en suppliait sa jeune compagne enceinte. Pour la suite, je vous imite dans le domaine de la dissimulation, vous n'en saurez pas davantage. Et j'ai donné des ordres, personne ne vous renseignera. Je vous dis à plus tard, monsieur Kervella.

Nicolas Renan lui tourna le dos. Il traversa la grande salle voisine d'un pas rapide et sortit en esquissant un sourire. En fait, il jubilait intérieurement, persuadé de bientôt toucher au but.

« C'est une bonne technique de placer Kervella en cellule. Il sera vite contraint de me faire des révélations, se disait-il. Lara n'appréciera pas l'article paru dans *Ouest-France*, mais j'ai suivi mon instinct. Kervella n'a pas triché, sur ce coup. Il était sincère en me suggérant ça, et son soulagement l'était tout autant quand il a vu que j'avais obtempéré. Donc il commence à baisser sa garde. »

Locmariaquer, villa des Bart,
même jour, même heure

La présence de l'inspecteur Ligier dans le salon créait une sensation de gêne permanente pour les occupants de la villa, même si l'adjoint du commissaire était là pour leur protection. Rozenn se cantonnait dans la cuisine, avec le petit Pierre et Loanne, Odilon s'était trouvé des travaux de bricolage dans le grenier.

Quant à Armeline, elle ne quittait plus guère ses filles, ni sa petite-fille, prise d'un besoin viscéral de les contempler, de les écouter, de les embrasser. Madeleine Kervella se contentait de jouer les témoins passifs, le plus souvent morose, silencieuse.

— Nous n'allons pas rester enfermés toute la journée ! protesta Fantou, après le passage du facteur.

— Ce sont les consignes du patron, rétorqua Ligier. Personne ne sort sans moi, à part M. et Mme Bart.

— Eh bien, vous m'accompagnerez au jardin, répliqua la jeune fille, très sérieuse. Rozenn a besoin de persil pour la salade de tomates.

— Tout à fait, concéda l'inspecteur.

Lara prit le journal que tenait sa sœur. Le retraité était abonné à *Ouest-France* depuis des années et le recevait avec le courrier.

— Pourrais-je le lire, puisque M. Odilon est occupé ? demanda Madeleine. Je m'ennuie tellement.

— Si vous voulez, répondit Fantou. Rozenn et maman ont pris l'habitude de le feuilleter avant lui.

Machinalement, Lara déchira le passant en papier où figurait l'adresse. En dépliant le quotidien, elle vit immédiatement la photographie d'Olivier, à la une.

— Qu'est-ce que ça signifie ? s'indigna-t-elle. Regarde le gros titre, Fantou, ils traitent Olivier comme un assassin : « Le tueur de gendarme est en cavale ! »

Elle lut l'ensemble de l'article et faillit froisser la page, sous l'effet de la colère.

— On parle de ma grossesse ! annonça-t-elle, offusquée. De quel droit publie-t-on des choses pareilles ? C'est honteux. Je vais téléphoner au commissaire.

— Mais qui aurait prévenu la presse que tu étais enceinte ? s'étonna Fantou. Personne n'était au courant, à part nous, ici, et M. Renan.

— C'est vrai, alors c'est Nicolas ! Comment a-t-il osé faire ça ? s'écria Lara.

— Pour ma part, je l'ignorais, affirma Ligier.

— Si le commissaire a révélé votre état, Lara, il avait sans doute de bonnes raisons de le faire, intervint Madeleine.

Lara dévisagea avec insistance la mère d'Olivier, qui la fixait d'un air ambigu.

— De bonnes raisons que vous connaissez peut-être, madame, rétorqua-t-elle. Je n'en peux plus de toute cette mascarade ! Dites-moi ce que vous savez, qu'on en finisse !

Pendant un court instant, Madeleine sembla hésiter, mais elle se raidit, les lèvres pincées.

— Non, je ne peux pas, lâcha-t-elle enfin.

— Dans ce cas, remontez dans votre chambre, car j'ai envie de vous gifler ! s'enflamma la jeune femme. Je me demande si vous aimez vraiment votre fils ! On dirait que son sort vous est bien égal, comme le mien !

— Vous faites erreur, ma chère enfant, je vous assure, se défendit Madeleine en se levant. Mais je ne vous imposerai ma vue plus longtemps.

Fantou, effarée par la violence verbale de sa sœur, lui saisit le bras. Toutes deux suivirent des yeux la mère d'Olivier, pendant qu'elle sortait de la pièce.

— Lara, tu n'aurais pas osé la frapper, quand même ? chuchota-t-elle à son oreille.

— Non, j'ai juste dit que j'en avais envie. Sois sans crainte, si cette situation dure encore longtemps, nous devrons garder la tête froide et le cœur vaillant. Mais j'ai hâte d'avoir Nicolas en face de moi, qu'il m'explique le bien-fondé de cet article dans la presse. Viens, je t'accompagne cueillir du persil, et je couperai quelques roses. Autant ramener un peu du jardin à l'intérieur. Inspecteur Ligier ?

— Allons-y, répondit celui-ci, en vérifiant d'un geste machinal la présence de son arme de service à sa ceinture.

Nicolas Renan arriva dix minutes plus tard. Il découvrit Lara et Fantou occupées à composer un bouquet de roses, sous l'œil morne de son adjoint.

— Prenez ma voiture et allez déjeuner sur le port, Ligier, lui dit-il. Je vous remplace jusqu'à 15 heures.

— D'accord, patron. Au revoir, mesdemoiselles.

Lara attendit le départ de l'inspecteur pour laisser libre cours à sa colère. Elle lui reprocha avec véhémence l'article paru dans le quotidien. La réponse que lui fit Renan la stupéfia.

— Vous avez suivi le conseil de M. Kervella ! s'écria-t-elle. Nicolas, il fallait m'en parler cette nuit, avant de passer ce coup de fil à votre ami journaliste.

— Et essuyer un refus catégorique ? Lara, j'ai tenu à vous protéger, même contre votre gré. Je n'arrête pas d'y réfléchir. En fait, Kervella m'a mis sur une piste, peut-être sciemment.

— Je n'y comprends rien, se désola Fantou.

— Soyons logiques, dans la mesure du possible, argumenta le policier. Si ébruiter votre grossesse vous met hors de danger, cela implique une chose, Lara, on tient au bébé que vous portez.

La jeune femme secoua la tête, exaspérée. Elle ajouta :

— Pour moi, ça demeure obscur, Nicolas. De plus, ce pourrait être une fausse information.

— Vraie ou fausse, je souhaite qu'elle remplisse son rôle, dit-il simplement. Rentrons, nous avons à discuter. Gardez pour vous ce que je viens de vous dire. Je suppose que tout le monde à la villa a pu lire le journal, mais autant ne pas évoquer le conseil que m'a donné M. Kervella.

— Encore un secret, déplora Fantou.

— Un secret que semble partager Madeleine, renchérit Lara. Sa réaction, tout à l'heure, me l'a prouvé. Que se passe-t-il vraiment, Nicolas ? En avez-vous une idée ?

— Pas encore, mais j'espère en avoir une très vite, excellente si possible.

Il n'en dit pas davantage et les précéda jusqu'en bas du perron.

Ils se réunirent dans le salon, à l'exception de Rozenn, qui préférait garder les enfants, et de Madeleine Kervella, enfermée de son plein gré dans sa chambre.

— Le procureur est enchanté, il vit son heure de gloire, commença Renan. Officiellement, le tueur des dolmens a été abattu par un gendarme de la brigade d'Auray, Malo Guégan, qui sera promu lieutenant.

— Avez-vous découvert qui était cet homme ? s'intéressa Odilon.

Le retraité avait abandonné son bricolage dès qu'il avait entendu la voix du commissaire au rez-de-chaussée.

— Ce sera difficile de l'identifier. Je suis allé à Vannes tôt ce matin. Le médecin légiste m'a montré certaines particularités qui posent problème. L'homme a probablement subi une opération de chirurgie esthétique, il y a quelques mois. De surcroît, le bout de ses doigts a été brûlé, sûrement à l'acide. En conséquence, on ne peut pas prendre ses empreintes.

Le renseignement suscita un cri étouffé d'Armeline. Elle prit le bras d'Odilon, assis à ses côtés, qui l'apaisa d'un sourire.

— J'en ai des frissons, confessa Fantou, très pâle. Nicolas, c'est bien lui, n'est-ce pas, vous n'avez plus de doutes, à présent ?

— Même si j'en avais, le procureur en a décidé autrement. Mais j'ai obtenu de prolonger votre protection à tous encore une semaine, sous un prétexte qui va vous déplaire, Lara.

— Lequel ?

— Afin d'appréhender Olivier s'il revenait ici. Tant que la légitime défense ne sera pas établie de son aveu, il est recherché.

— Je serais heureuse de le savoir en cellule à la place de son père, affirma Lara. Au moins, je saurais qu'il est vivant et en sécurité.

— Qui sait ? hasarda Renan. Il se cache peut-être quelque part. Je compte sur votre coopération, suivez mes consignes. Ce sera un peu pénible, mais évitez de sortir seules, mesdames, et veillez bien sur Loanne. Je dois retourner au commissariat de Vannes cet après-midi, et demain matin, j'assiste aux obsèques de Luc, le garçon sourd-muet qui vivait chez les Jouannic. Le pauvre gosse était tuberculeux, une embolie pulmonaire l'a emporté hier matin.

— Luc, oui je me souviens, Tiphaine m'en avait parlé, nota Lara.

— Je me suis lié d'amitié avec la famille, débita tout bas Renan. J'estime normal de faire acte de présence.

« Et vous aimez Loïza, la tante de Tiphaine, songea la jeune femme. Je n'ai même pas eu l'occasion de vous taquiner sur ce point, Nicolas, et je ne le ferai pas. Les circonstances ne s'y prêtent plus… »

— Je voudrais en revenir à cet article dans *Ouest-France*, déclara alors Odilon. Armeline me l'a fait lire. C'est scandaleux d'étaler l'intimité de Lara en première page. Il paraît que vous en êtes responsable, commissaire !

— En effet, monsieur Bart. Le principe est simple, si Olivier lit ces quelques lignes, il peut se décider à revenir, dans l'hypothèse où il est libre, évidemment. Je ne pourrai l'aider à prouver son innocence et à déjouer la machination dont il est victime que s'il se rend.

— Ah, je comprends mieux, admit le retraité.

La discussion continua, jusqu'au moment où Rozenn et les deux enfants apparurent sur le seuil du salon.

— Le déjeuner est prêt, leur dit-elle gentiment. Vous serez des nôtres, monsieur le commissaire ?

— Volontiers, je vous remercie, Rozenn.

Loanne courut se jeter dans les bras de Lara, qui la câlina, en l'embrassant. Elle puisa au contact de son enfant un regain d'espérance et de courage.

Locmariaquer, villa des Bart, mercredi 11 juillet 1951

Il était 16 heures. Lara était assise au bout du grand lit qu'elle partageait désormais avec Fantou. Une douce pénombre régnait dans la chambre, où la jeune mère veillait sur le sommeil de sa fille.

— Loanne te réclame toujours, mon amour, murmura-t-elle au portrait d'Olivier qu'elle avait mis dans un cadre, sur la table de chevet. Dès son réveil, je l'entends demander où tu es, de sa petite voix d'ange.

Malgré ses résolutions de faire front, de ne pas croire au pire, Lara connaissait des instants de pur chagrin et de peur. Mais plus personne ne la voyait pleurer. Rien n'avait évolué depuis lundi. Jonathan Kervella s'était muré dans le silence et il devait être libéré le soir même. Madeleine, ravie, se préparait à revoir son mari.

— Tout le pays est soulagé, car le tueur des dolmens a été abattu par Malo, mais c'est le cinquième jour sans toi, Olivier, dit-elle encore. Sans ton regard, sans tes sourires, sans ta voix et tes mots tendres. Si tu revenais sain et sauf, si tu me serrais très fort dans tes bras, je serais folle de joie.

Une subite sensation de froid la fit trembler. Le temps était à l'orage, si bien qu'elle pensa à la mystérieuse femme au voile rouge.

— Madame, êtes-vous là ? interrogea-t-elle à mi-voix. Madame, qui êtes-vous ? Pourquoi vous montrer à Loanne et à moi ? Si seulement vous pouviez me parler encore, comme vous l'aviez fait il y a cinq ans, lorsque j'ai failli mourir !

Elle attendit, le cœur battant à se rompre, en scrutant chaque angle de la pièce, mais elle ne vit rien. Pourtant elle avait la certitude qu'il y avait une présence, toute proche.

— Madame ? appela-t-elle de nouveau. Je vous en supplie, aidez-moi, guidez-moi !

Un mouvement dans le miroir de l'armoire attira son regard. Elle devina la silhouette hiératique, vêtue de noir, coiffée du voile rouge. Son superbe visage avait une expression tragique, et ses lèvres articulaient des mots, inaudibles pour Lara. Pourtant, lorsque l'étrange reflet s'effaça, une courte phrase lui vint à l'esprit, qu'elle énonça tout bas : « Il ne doit pas gagner ! »

— Maman ! gémit Loanne. Maman !

Tout de suite, Lara s'allongea près de son enfant, en lui caressant le front et les joues.

— J'veux mon papa, se lamenta Loanne.

— Ne pleure pas, ma petite bouille chérie, papa reviendra. Oh, écoute, Pierre est réveillé, lui aussi. Veux-tu aller jouer avec Rozenn et lui ? Papi Odilon vous a acheté des petits animaux en bois, ce matin. Tu t'en souviens ?

— Moi, j'veux pêcher des crevettes, décréta la fillette en se redressant.

— Nous n'irons pas sur la plage, mon cœur. D'abord la marée est haute, ensuite le vent souffle, et le tonnerre gronde. Ce serait dangereux.

Lara chatouilla Loanne à la taille, ce qui avait le don de la faire rire aux éclats. Peu après, elle l'habillait en chantonnant. Pour l'adorable petite fille conçue quatre ans auparavant sur l'île de Molène, elle était toujours prête à dissimuler sa tristesse et ses angoisses.

Avant de quitter la pièce, Lara procéda à un rituel qu'elle avait instauré. Loanne et elle déposaient un baiser sur la photographie d'Olivier.

— Comme ça, papa est content, dit-elle. Viens, mon trésor, Pierre et toi, vous aurez du gâteau pour le goûter.

Une cavalcade ébranla les marches de l'escalier, puis la porte s'ouvrit en grand. Fantou, essoufflée, entra en trombe.

— Nicolas est en bas, Lara. Je t'en prie, confie Loanne à Rozenn, au moins quelques minutes. C'est grave.

— Quoi, c'est Olivier ?

— Non, Daniel…

Rozenn, alarmée, sortit de sa chambre, Pierre pendu à son cou. Elle avisa l'expression effrayée de Fantou.

— Je m'occupe de Loanne, assura-t-elle. Ma mignonne, veux-tu descendre avec moi et Pierrot ? Tu vas m'aider à faire fondre du chocolat, pour décorer le gâteau.

La promesse décida la petite fille qui tendit la main à Rozenn. Fantou patienta un peu, puis elle entraîna Lara au fond du palier, là où partait un escalier plus étroit, menant au grenier.

— Nicolas a reçu la mauvaise nouvelle à midi, expliqua-t-elle. C'est le gérant de l'hôtel, à Molène, qui a prévenu la gendarmerie du Conquet. Il devait livrer du vin à Katell hier matin, il a frappé plusieurs fois, puis il est entré. La porte sur le quai n'était pas verrouillée. La maison était vide, il n'y avait plus personne, et les gendarmes ont relevé des traces de sang sur le parquet du salon. C'est affreux, Daniel a disparu, avec Katell.

— Daniel aussi, marmonna Lara, sidérée. Descendons, mon korrigan.

— Pitié, ne m'appelle plus jamais ainsi ! s'exaspéra Fantou, qui tremblait de tout son corps.

Le commissaire et son adjoint attendaient dans le vestibule.

— Allons au salon, recommanda Nicolas Renan après avoir serré la main de Lara. M. Bart n'est pas là ?

— Non, maman et papi Odilon sont partis sur le port, acheter du poisson frais, débita Fantou d'un ton monocorde.

— Je les ai autorisés à s'absenter, patron, indiqua Ligier.

— Bien sûr, il n'y a pas de souci, Ligier, maugréa Renan. Lara, comme je l'ai annoncé à votre sœur, Daniel Masson et Katell Rocher, sa gouvernante, ont disparu, enlevés eux aussi, selon les constats effectués dans la maison. Une lampe en porcelaine du salon était brisée, le clavier du piano fracassé. Et quelqu'un a été blessé, au vu des traces de sang. Je suis désolé, Fantou, de répéter tout ceci.

— Pourquoi est-ce qu'on vous a averti, commissaire ? s'enquit Lara, qui luttait pour ne pas s'affoler.

— C'est simple, les gens de Molène connaissent bien Olivier Kervella et savent qu'il est très proche de Daniel. L'enquête sur votre compagnon étant encore en cours, il est normal que les gendarmes du Conquet m'aient contacté.

— C'est ridicule de le traiter en coupable ! s'enflamma Lara. Il faut publier un démenti, Olivier est une victime et vous le savez. Si Daniel a disparu également, ça signifie qu'il est lié à toute cette histoire, d'une façon ou d'une autre.

— Tu ne vas pas le soupçonner ? riposta Fantou, furieuse. Pas toi, Lara ! Si tu avais entendu Olivier me parler de Daniel, de leur amitié, pendant la guerre, tu n'oserais pas l'accuser une seconde.

Les deux sœurs se faisaient face, les traits tendus, chacune à bout de nerfs.

— Inspecteur Ligier, veuillez sortir un instant, ordonna Nicolas Renan. Un peu d'air frais vous fera du bien.

— Si vous voulez patron, mais l'air est étouffant, dehors. Il fait meilleur ici.

— Ne discutez pas, Ligier.

Son adjoint s'exécuta en esquissant une grimace de contrariété. Il n'avait pas vu son épouse et ses deux fils depuis cinq jours et il rêvait de les rejoindre.

— Au diable les manigances de monsieur le commissaire Renan ! bougonna-t-il une fois sur le perron. J'en ai ras-le-bol de ce micmac !

Un long grondement de tonnerre fit écho à ses récriminations. Un éclair parcourut le ciel lourd de nuages. Dans le salon, Lara se défendait à présent d'avoir suspecté Daniel Masson.

— Fantou, je voulais juste dire que tout était lié, toutes ces disparitions. Nicolas, vous avez compris, vous ?

— Oui, Lara. D'autant plus que le docteur Bacquier s'est envolé ! Son cabinet est fermé pour un temps indéterminé.

— Alors, c'est lui le coupable ! s'écria Fantou, livide. Quand je l'ai rencontré sur le ferry, il préparait son coup. Quel sale type, il m'a prise par la taille, en chuchotant des insanités.

— Mes collègues de Vannes ont rétabli la vérité à son sujet, précisa Renan. Le conseil de l'Ordre allait lui interdire d'exercer définitivement, à cause de déplorables affaires de mœurs. Auffret avait fourni un faux document. Ils étaient de mèche et sûrement adeptes des orgies dont nous avons des photographies, pour étayer les faits. Donc, il est envisageable que Bacquier soit un de ceux qui ont enlevé Daniel Masson et Katell Rocher.

La gorge nouée, Lara retenait ses larmes. Elle se revoyait sur l'île de Molène, dans la cuisine où officiait la gouvernante, parmi les casseroles en cuivre, sous les paniers pendus aux poutres du plafond.

— Nicolas, vous avez été reçu là-bas, en décembre 1946. Nous étions si contents, Olivier et moi, de vous accueillir. Daniel vous a joué un morceau de Debussy, Katell nous a servi de bons plats. Appelez-les par leur prénom, comme des amis, et comme je le fais pour vous, quand vous êtes seul.

Le policier soupira, pris au piège de son affection pour Lara et Fantou. Il était conscient de parfois fausser la donne, en leur accordant beaucoup de son temps, en partageant des repas avec elles et le reste de la famille.

— Je ne devrais pas me montrer si familier, répliqua-t-il. Tant pis, je suis un être humain, en dépit de mon statut de commissaire. Reprenons, je vous prie, car en raison de ces deux nouvelles disparitions, j'en suis arrivé à une conclusion. Il était facile d'éliminer sur place Daniel et sa gouvernante, à l'instar de Martin le Dru et du lieutenant Auffret. Lorsqu'on enlève quelqu'un, on ne compte pas le tuer, du moins pas dans l'immédiat. J'en déduis donc que Daniel est sans doute encore en vie, tout comme Olivier.

— J'en suis certaine, Nicolas, affirma Lara. Je le sentirais, s'il était mort.

Fantou s'était assise sur le sofa. D'une pâleur de craie, elle serrait un coussin contre sa poitrine.

— J'ai dressé la liste des personnes disparues, reprit le commissaire. Odette Prigent, vingt-neuf ans, l'employée de maison des Kervella, Katell Rocher, Daniel et Olivier. Quant au docteur Bacquier, en tant que complice éventuel, il a dû rejoindre un lieu où il s'estime en sécurité. Il faut trouver l'endroit où sont ces disparus, mais j'ignore comment. La Bretagne est vaste, même en déployant tous les moyens à notre disposition, la police ne peut pas explorer toutes les maisons, les ruines, les forêts. Et ceux qui agissent dans l'ombre peuvent se déplacer en bateau, en camion, en voiture.

— Alors nous ne retrouverons jamais Daniel et Olivier, gémit Fantou, avant de sangloter sans bruit.

— Il faut garder espoir, Fantou. Jonathan Kervella est libéré dans deux heures. Je tiens à le ramener ici moi-même, escorté par l'adjudant Nieul. Je ne pouvais pas le laisser plus longtemps en garde à vue, mais je vais bluffer, avec l'accord du procureur, expliqua Renan. Je les menacerai, son épouse et lui, d'être incarcérés tous les deux pour les charges qui pèsent déjà sur Kervella, obstruction à la justice, faux témoignage, et je les accuserai de s'être débarrassés du corps d'Odette Prigent, car ils sont les derniers à avoir vu cette jeune femme vivante. Je pense que M. Kervella ne supportera pas l'idée de savoir sa chère Madeleine bouclée dans une prison, parmi d'autres détenues.

— Rien ne prouve que votre plan fonctionne, s'inquiéta Lara. Plus j'y réfléchis, plus je crois que les parents d'Olivier ont peur des conséquences s'ils dénoncent ceux qui sont derrière ces odieuses machinations.

— En effet, Kervella m'a confié, le jour de son arrestation, qu'il signerait l'arrêt de mort de son fils, en parlant. Il était sincère, j'en suis certain, Lara.

— Mon Dieu, dans ce cas, je lui pardonne tout ! s'écria-t-elle.

— Il y a forcément une façon qu'il nous renseigne, sans faire courir de risque à quiconque, trancha Renan. Excusez-moi, mais je dois retourner à Auray. Je laisse l'inspecteur Ligier ici. Je reviendrai en compagnie de Jonathan Kervella. Ce soir sera décisif, n'hésitez pas, toutes les deux, à les apitoyer. On doit les faire fléchir à tout prix, afin d'en apprendre davantage.

Fantou se releva. Elle essuya ses joues humides du dos de la main. Elle avait l'air d'une enfant perdue, ce qui bouleversa le commissaire. Il devait sa faculté de s'émouvoir à Loïza et il en avait amèrement conscience.

— Ne pleurez plus, Fantou, soupira-t-il. Et soyez prudentes, jusqu'à mon retour.

— C'est promis, Nicolas, répondit Lara.

Quelque part dans le Morbihan, même jour, même heure

Magnus Barry s'inclina légèrement, avec un fin sourire de vanité. Il déclara d'un ton cérémonieux :

— Tout est prêt, monsieur ! Nous pouvons embarquer.

L'homme qu'il venait de saluer lui adressa un regard satisfait, avant de se lever du fauteuil à haut dossier où il avait passé tant de nuits à tisser sa toile.

— Très bien, Magnus ! L'orage se déchaîne, le vent souffle du nord, c'est bon signe. J'aime naviguer sur une mer tempétueuse.

— Il ne faudrait pas tarder, monsieur, la marée est propice à notre départ. Je vous assure que tout s'est déroulé au mieux. La police aura une désagréable surprise si Jonathan Kervella ose parler, car vous aviez raison, il est allé jusqu'à la côte de Trégastel observer le château, exactement comme vous l'aviez prévu, mais j'ai su le décourager de fouiner davantage.

— Que veux-tu, Magnus, certains individus se fient à ce qu'ils croient savoir. Tant mieux. Nous ne risquons plus rien. Mais je regretterai cette demeure-ci, ancrée dans le golfe du Morbihan, où j'avais mes habitudes.

L'homme s'étira en contemplant le décor qui les entourait, son acolyte et lui. Son regard clair erra sur les étagères garnies de livres reliés, sur les statues en marbre représentant en majeure partie des faunes, des nymphes aux formes charmantes.

— J'abandonne ce chef-d'œuvre de l'art médiéval, déplora-t-il en allant effleurer d'un doigt les cornes d'un diable en bois vermoulu, de teinte sombre.

— Monsieur, le temps presse. Vos malles sont déjà à bord, fit remarquer Barry.

— J'espère que vous n'avez rien oublié, Magnus ?

— Non, monsieur.

— Allons-y, dans ce cas. La marée n'attend pas, comme on dit.

— Ni les exécutions programmées par vos soins, monsieur.

— Exécution, quel vilain mot, mon cher Magnus ! Appelons cela des divertissements, peut-être même des règlements de compte, ou bien des mises à mort. Oui, c'est plus élégant.

Barry approuva d'un signe de tête. Il se gardait de contrarier un tant soit peu l'homme qu'il servait depuis des années et dont il admirait la folie perverse et l'ingéniosité. En fidèle serviteur, il avait amassé une fortune dont il userait plus tard, il ignorait quand, en fait. Mais il avait une certitude, la moindre erreur, ou la plus banale désobéissance pouvait lui coûter la vie.

Une heure plus tard, un bateau de taille respectable, équipé de puissants moteurs, sillonnait les eaux agitées de la baie de Quiberon, en direction du grand large.

Locmariaquer, villa des Bart, même jour, même heure

Rozenn avait retenu Armeline et Odilon dans la cuisine, dès leur retour. Elle leur désigna d'un geste les deux enfants assis à la table, qui jouaient avec de la pâte à modeler.

— Je vous en prie, surtout vous, Armeline, pouvez-vous les surveiller au moins un quart d'heure ? implora-t-elle. Je voudrais réconforter Lara et Fantou. Elles sont tellement tristes.

— Nous sommes au courant, l'inspecteur Ligier nous a informés de ce qui s'était passé sur Molène, répliqua son frère. C'est à n'y rien comprendre. Que veux-tu faire, Rozenn ?

— Les aider ! Armeline, je vous demande un effort, je sais que c'est pénible pour vous, mais Pierre est tout petit.

— Et innocent, je sais, coupa celle-ci. Je ne suis pas si sotte, Rozenn, je peux m'occuper de lui.

— Pendant ce temps, je nettoierai les merlus que j'ai achetés, renchérit Odilon. Et ta pâte à modeler semble les intéresser.

— Oui, je la gardais de côté, dit sa sœur. Je ne serai pas longue.

Odilon quitta sa veste et mit un tablier en toile bleue. Armeline, quant à elle, s'installa à côté de Loanne. La petite, très appliquée, confectionnait une boule jaune, tandis que Pierre malaxait un ruban vert, aplati sur le bois de la table.

— Ne leur donne pas de faux espoirs, Rozenn, insinua tout bas le retraité, l'air soucieux.

— Mais non, je ferai attention.

Elle sortit précipitamment et rejoignit Lara et Fantou, qui discutaient à mi-voix, nichées sur le sofa, étroitement enlacées, comme pour se protéger d'un danger invisible. Dehors, l'orage n'en finissait pas de tonner, de zébrer le ciel sombre de longs filaments argentés. Il pleuvait à torrents et du salon, on entendait le grondement des vagues.

Madeleine Kervella, maquillée, bien coiffée, feuilletait une revue. Elle s'était approprié le fauteuil en cuir d'Odilon et parfois, elle échangeait quelques mots avec l'inspecteur Ligier, juché sur un tabouret et de fort mauvaise humeur.

— Lara, Fantou, venez mes petites, dit gentiment Rozenn. J'ai quelque chose à vous montrer.

— Mais nous attendons Nicolas, répliqua Lara.

— Nous entendrons la voiture arriver, dépêchons-nous !

Rozenn insistait rarement autant. Son regard vert les suppliait. Elles la suivirent à l'étage, puis dans sa chambre.

— Ne vous moquez pas, je suis sérieuse, leur dit-elle aussitôt, je voudrais interroger mon pendule. Il est ancien, mon grand-père l'utilisait déjà et il me l'a donné sur son lit de mort.

Tout en s'expliquant, Rozenn ouvrit un tiroir de sa commode et prit une petite boîte en fer, d'où elle sortit une boule ronde, accrochée à une ficelle.

— C'est du noisetier, un arbre bénéfique, murmura-t-elle.

— Je n'avais encore jamais vu de pendule, mais je connaissais le principe, admit Lara.

— Souvent, de nos jours, ils sont en métal avec une chaînette, précisa Rozenn. Cependant celui-ci est différent, il s'est rarement trompé. Odilon se doute que j'ai décidé de m'en servir. Il m'a fait les gros yeux, dans la cuisine.

— Pourquoi ? s'étonna Fantou. Je ne sais même pas ce que tu comptes faire, Rozenn.

— Il n'aime pas quand je me sers de mon pendule. C'est une pratique que certains regardent d'un mauvais œil, surtout quand vous êtes comme moi défigurée par une grande tache de naissance et que vous avez les yeux très verts. On m'a souvent traitée de sorcière à cause de cela, et mon frère m'a toujours protégée.

« Comme Aniela Galinsky, songea Lara. Que les gens sont bêtes, parfois. Ils se bornent à l'apparence. Rozenn serait plutôt une fée bienveillante. Pierre l'a su tout de suite, ce bout de chou. »

Mais Rozenn avait pris place à l'étroite table qui lui servait de bureau.

— Voyez, j'ai déplié une carte de la Bretagne, leur dit-elle. Je vais demander au pendule de localiser Olivier et Daniel, vos âmes sœurs, mes petites. Je tiens la ficelle entre le pouce et l'index, sans bouger la main. Le pendule doit tourner dans un sens ou dans l'autre, selon mes indications. Dans le sens des aiguilles d'une montre, si c'est l'endroit où ils sont. Pour obtenir un oui ou un non, je précise aussi le sens dans lequel il doit tourner, en principe, j'ai choisi vers la gauche pour le non.

— C'est compliqué, soupira Fantou, obsédée par la disparition de Daniel. Tu es sûre de toi, Rozenn ?

— Chut, ma chérie, sois un peu plus calme, je t'en prie.

Fascinée, Lara retenait son souffle. Si elle n'avait pas vécu l'expérience si singulière d'être au seuil de la mort, cinq ans plus tôt, elle n'aurait pas accordé d'importance aux mouvements du pendule, qui commençait à tourner.

— Il tourne vite, maintenant ! s'écria Fantou. Regarde, Lara !

La boule en noisetier effectuait des cercles parfaits, mais au-dessus de l'océan. Rozenn fixait son pendule d'un air navré.

— C'est insensé ! déplora-t-elle à mi-voix. Ils seraient au large des côtes bretonnes.

— Mais est-ce qu'ils sont vivants ? lui demanda Lara.

— Non, on a dû jeter leurs corps du pont d'un bateau, lança Fantou dans un sanglot.

Lara l'attira contre elle, en l'implorant de se taire. Rozenn, paupières mi-closes, posa la question fatidique. Tout de suite, le pendule tournoya dans le sens des aiguilles d'une montre.

— Ils sont vivants, j'en suis sûre, mes chères enfants ! Jamais je n'avais vu mon pendule tourner aussi vite. Ne perdez pas la foi, peut-être qu'ils reviendront…

— Vraiment, Rozenn, vous le pensez ? dit Lara, à la fois pleine d'espoir et encore dubitative.

— Je pense surtout que le Mal ne peut pas toujours gagner, rétorqua-t-elle d'un ton farouche.

— Savez-vous que la femme a répondu à mes appels, cet après-midi ! Elle m'est apparue dans le miroir de l'armoire, et peu après il y a eu cette phrase dans mon esprit : « Il ne doit pas gagner. » Vous venez de dire presque la même chose. Parlait-elle du Mal, ou d'une personne en particulier ?

— Qui sait, Lara ? Si on considère le Mal comme une entité, il peut s'incarner dans un humain, hasarda Rozenn. Je ne veux rien demander d'autre. Il semblerait que nos disparus soient sur un bateau, mais bien vivants. Je retourne près de Pierrot.

Mélancolique, elle rangea le pendule dans sa boîte et remit le tout dans le tiroir. Fantou observait la carte étalée sur la table. De l'index, elle pointa l'île de Molène.

« C'était mon petit paradis, se dit-elle. Daniel, pitié, ne meurs pas, reviens un jour. »

Rozenn les embrassa tour à tour, puis elle quitta la pièce et s'empressa de descendre à la cuisine. D'un geste tendre, Lara entoura les épaules de sa sœur pour la conduire dans la chambre qu'elles partageaient. Là, elle ouvrit en grand la fenêtre donnant sur la mer. La pluie faiblissait, mais de hautes vagues fouettaient la grève.

— Courage, mon korrigan, chuchota-t-elle. En ce moment, tu es redevenue la petite fille vite effrayée de jadis, qui écoutait des histoires d'elfes et de lutins, blottie dans le lit clos. Te souviens-tu de cette veille de Noël, en 1947, sur Molène ? Nous étions allées nous promener sur le quai, toutes les deux, pour admirer les étoiles. Tu étais si joyeuse, un vrai pinson.

— Oui, je m'en souviens, j'étais toute gaie, parce que j'étais tombée amoureuse de Daniel, répliqua Fantou. L'avenir me semblait plein de merveilleuses promesses.

— Et moi, j'étais triste de te quitter pour vivre à des milliers de kilomètres, mais très heureuse de suivre l'homme que j'adorais. J'étais enceinte de Loanne, sans m'en être aperçue, bien sûr, il était trop tôt. Fantou, l'amour est un trésor, une force inouïe, la seule peut-être capable de lutter contre la mort et le Mal. Nous devons espérer, avoir confiance.

— Lara, j'aime Daniel de toute mon âme, sans doute autant que tu aimes Olivier, même si moi, je n'ai pas vécu trois ans avec lui, même si je n'ai pas un enfant de lui. Je voudrais tant le revoir, le retrouver et le chérir pour l'éternité.

— Ils reviendront, affirma Lara d'une voix douce. Il ne peut pas en être autrement, mon korrigan.

Les deux sœurs se blottirent l'une contre l'autre. Le vent riche en embruns soulevait des mèches folles de leurs cheveux, des gouttes de pluie se posaient sur leur visage, au gré des rafales. Mais elles demeuraient immobiles, face à la mer déchaînée, en imaginant l'immense océan au loin, et livré à la tempête, un bateau solitaire, dont le mystérieux périple leur déchirait le cœur.

Table des matières

De la même auteure

La saga de Val-Jalbert

I. *L'Enfant des neiges,* Chicoutimi, Éditions JCL, 2008 ; *L'Orpheline des neiges,* Paris, Calmann-Lévy, 2010
II. *Le Rossignol de Val-Jalbert,* Chicoutimi, Éditions JCL, 2009 ; Paris, Calmann-Lévy, 2011
III. *Les Soupirs du vent,* Chicoutimi, Éditions JCL, 2010 ; Paris, Calmann-Lévy, 2013
IV. *Les Marionnettes du destin,* Chicoutimi, Éditions JCL, 2011 ; Paris, Calmann-Lévy, 2014
V. *Les Portes du passé,* Chicoutimi, Éditions JCL, 2012 ; Paris, Calmann-Lévy, 2015
VI. *L'Ange du lac,* Chicoutimi, Éditions JCL, 2013 ; Paris, Calmann-Lévy, 2016

La saga du Moulin du loup

I. *Le Moulin du loup,* Chicoutimi, Éditions JCL, 2008 ; Paris, Les Presses de la Cité, 2008
II. *Le Chemin des falaises,* Chicoutimi, Éditions JCL, 2009 ; Paris, Les Presses de la Cité, 2009
III. *Les Tristes Noces,* Chicoutimi, Éditions JCL, 2008 ; Paris, Les Presses de la Cité, 2010
IV. *La Grotte aux fées,* Chicoutimi, Éditions JCL, 2009 ; Paris, Les Presses de la Cité, 2011
V. *Les Ravages de la passion,* Chicoutimi, Éditions JCL, 2010 ; Paris, Les Presses de la Cité, 2012
VI. *Les Occupants du domaine,* Chicoutimi, Éditions JCL, 2012 ; Paris, Les Presses de la Cité, 2013

La saga d'Angélina

I. *Angélina. Les Mains de la vie,* Chicoutimi, Éditions JCL, 2011 ; Paris, Calmann-Lévy, 2013, 2019

II. *Angélina. Le Temps des délivrances*, Chicoutimi, Éditions JCL, 2013 ; Paris, Calmann-Lévy, 2014, 2019
III. *Angélina. Le Souffle de l'aurore*, Chicoutimi, Éditions JCL, 2015 ; *La Force de l'aurore*, Paris, Calmann-Lévy, 2015, 2019

La saga des Bories
I. *L'Orpheline du Bois des Loups*, Chicoutimi, Éditions JCL, 2002 ; Paris, Les Presses de la Cité, 2003
II. *La Demoiselle des Bories*, Chicoutimi, Éditions JCL, 2006 ; Paris, Les Presses de la Cité, 2006

La saga du lac Saint-Jean
I. *Le Scandale des eaux folles*, Chicoutimi, Éditions JCL, 2014 ; Paris, Calmann-Lévy, 2016
II. *Les Sortilèges du lac*, Chicoutimi, Éditions JCL, 2015 ; Paris, Calmann-Lévy, 2017

La saga de Faymoreau
I. *La Galerie des jalousies*, Chicoutimi, Éditions JCL, 2015 ; Paris, Calmann-Lévy, 2017
II. *La Galerie des jalousies*, Chicoutimi, Éditions JCL, 2016 ; Paris, Calmann-Lévy, 2017
III. *La Galerie des jalousies*, Paris, Calmann-Lévy, 2017

La saga d'Abigaël
I. *Abigaël, messagère des anges*, Chicoutimi, Éditions JCL, 2017 ; Paris, Calmann-Lévy, 2018
II. *Abigaël, messagère des anges*, Chicoutimi, Éditions JCL, 2017 ; Paris, Calmann-Lévy, 2018
III. *Abigaël, messagère des anges*, Chicoutimi, Éditions JCL, 2017 ; Paris, Calmann-Lévy, 2018
IV. *Abigaël, messagère des anges*, Paris, Calmann-Lévy, 2018
V. *Abigaël, messagère des anges*, Paris, Calmann-Lévy, 2018
VI. *Abigaël, messagère des anges*, Paris, Calmann-Lévy, 2018

La saga de l'orpheline de Manhattan
I. *L'orpheline de Manhattan*, Paris, Calmann-Lévy, 2018
II. *Les Lumières de Broadway*, Paris, Calmann-Lévy, 2018
III. *Les Larmes de l'Hudson*, Paris, Calmann-Lévy, 2019

La saga de Lara
I. *La Ronde des soupçons*, Paris, Calmann-Lévy, 2020

Les enquêtes de Maud Delage

VOLUME I

1. *Du sang sous les collines*, Chicoutimi, Éditions JCL, 2012
2. *Un circuit explosif*, Chicoutimi, Éditions JCL, 2012

VOLUME II

1. *Les Croix de la pleine lune*, Chicoutimi, Éditions JCL, 2013
2. *Drame à Bouteville*, Chicoutimi, Éditions JCL, 2013

VOLUME III

1. *Cognac, un festival meurtrier*, Chicoutimi, Éditions JCL, 2013
2. *Vent de terreur sur Baignes*, Chicoutimi, Éditions JCL, 2013

VOLUME IV

1. L'Enfant mystère des terres confolentaises, Chicoutimi, Éditions JCL, 2013
2. Maud sur les chemins de l'étrange, Chicoutimi, Éditions JCL, 2013
3. Nuits à haut risque, Chicoutimi, Éditions JCL, 2013

Livres hors série

L'Amour écorché, Chicoutimi, Éditions JCL, 2003 ; Paris, Calmann-Lévy, 2020

Le Chant de l'océan, Chicoutimi, Éditions JCL, 2004 ; Paris, Les Presses de la Cité, 2007

Les Enfants du Pas du Loup, Chicoutimi, Éditions JCL, 2004 ; Paris, Les Presses de la Cité, 2005

Le Refuge aux roses, Chicoutimi, Éditions JCL, 2005 ; Paris, L'Archipel, 2005 ; Paris, Calmann-Lévy, 2018

Le Val de l'espoir, Chicoutimi, Éditions JCL, 2007 ; Paris, Calmann-Lévy, 2016

Le Cachot de Hautefaille, Chicoutimi, Éditions JCL, 2009 ; Paris, Calmann-Lévy, 2019

Les Fiancés du Rhin, Chicoutimi, Éditions JCL, 2009 ; Paris, Calmann-Lévy, 2019

Les Amants du presbytère, Chicoutimi, Éditions JCL, 2015 ; Paris, Calmann-Lévy, 2017

Abigaël, messagère des anges, Chicoutimi, Éditions JCL, 2017

Amélia, un cœur en exil, Paris, Calmann-Lévy, 2017

Astrid, la reine bien-aimée, Chicoutimi, Éditions JCL, 2017 ; Paris, Calmann-Lévy, 2019

Rejoignez le groupe Facebook
Les Amis de Marie-Bernadette Dupuy

À paraître en mai 2021